TONAH
OHAEL
ZEBAOTH

mago mestre

a saga do mago / livro dois

raymond e. feist

Tradução de Cristina Correia

SAÍDA DE EMERGÊNCIA
livros para fugir da rotina

SAÍDA DE EMERGÊNCIA
livros para fugir da rotina

TÍTULO: *Mago Mestre/ nº4 da Coleção Bang!*
AUTOR: *Raymond E. Feist*
EDITOR: *Luís Corte Real*

TRADUÇÃO: *Cristina Correia*
ADAPTAÇÃO PARA O PORTUGUÊS BRASILEIRO: *Ana Cristina Rodrigues, Gabriel Oliva Brum e Bruno Anselmi Matangrano*
PREPARAÇÃO DE TEXTO: *Bruno Anselmi Matangrano*
COTEJO: *Ana Cristina Rodrigues e Carol Chiovatto*
REVISÃO: *Marcela Rossi Monteiro, Tomaz Adour e Luis Américo Costa*
COMPOSIÇÃO: *Saída de Emergência, em caracteres Minion, corpo 12*
DESIGN DA CAPA: *Saída de Emergência*
ILUSTRAÇÃO DA CAPA: *Martin Deschambault*
IMPRESSÃO E ACABAMENTO: *RR Donnelley*

CIP-BRASIL. CATALOGAÇÃO NA PUBLICAÇÃO
SINDICATO NACIONAL DOS EDITORES DE LIVROS, RJ

F332m Feist, Raymond E.
Mago mestre / Raymond E. Feist [tradução de Cristina Correia]; Rio de Janeiro: Saída de Emergência, 2014.
432 p.; il.; 16x23 cm. (A Saga do Mago; livro 2)

Tradução de: Magician: master
ISBN 978-85-67296-03-6

1. Ficção americana. I. Correia, Cristina. II. Título.

13-05171 CDD: 813
CDU: 821.111(73)-3

Rua Luiz Câmara, 443
Suplementar: Rua Felizardo Fortes, 420 – Ramos
21031-160 – Rio de Janeiro – RJ
Tel.: (21) 2538-4100
www.sdebrasil.com.br

Sumário

Tundra dominada pelos Thun
Cidade dos Magos
Império dos Tsuranuanni
Ambolina
Neshska
Ilha dos Destacamentos
Mixoxa
Tusan
Migran
Nar
Pesh
Kelewan
Mar de Sangue
Banganok (Ruínas)
Ousta
Tsubar
A Terra Perdida
N
E
O
S
Grandes Desert

Coltari
Silmani
Lash
Barak
Yankora Profunda
Yankora
Hokani
Jamar
Ontoset
Seran
Passagem de Xula
Grande Pântano
Cidade das Planícies
Terras Altas dos Thuril
Honshoni
Baía da Batalha
Kolth
Xula
Confederação Thuril
Lepala
Rujije
Sweto
Wamar
Llama
Brigani

LIVRO 2 — MESTRE

MILAMBER E VALHERU

Não passávamos, formosa Rainha,
De dois rapazes que julgavam nada mais haver
Para além de um amanhã igual a hoje,
E que para sempre rapazes seriam.

— SHAKESPEARE, *O Conto de Inverno.*

1

Escravo

O escravo agonizante gritava, caído.

O dia estava quente demais. Os outros escravos continuavam se dedicando às suas tarefas, ignorando o som da melhor maneira possível. A vida no acampamento valia pouco e não era bom remoer o destino que tantos aguardavam. O moribundo tinha sido mordido por uma relli, uma criatura do pântano semelhante a uma cobra. O seu veneno era lento e doloroso; sem magia, não havia cura.

De repente, fez-se silêncio. Pug levantou os olhos e viu um guarda tsurani limpando a espada. Sentiu uma mão no ombro. A voz de Laurie sussurrou ao seu ouvido:

— Parece que o nosso ilustre capataz ficou perturbado com a agonia de Toffston.

Pug amarrou com firmeza um pedaço de corda ao redor da cintura.

— Pelo menos, foi rápido. — Virou-se para o cantor alto e louro de Tyr-Sog, uma das cidades do Reino, e disse: — Fique atento. Esta é velha e pode estar podre. — Sem mais uma palavra, Pug subiu pelo tronco da ngaggi, uma árvore dos pântanos parecida com o abeto da qual os tsurani extraíam madeira e resina. Com a falta de metais, os tsurani se aperfeiçoaram em descobrir substitutos. A madeira daquela árvore podia ser trabalhada como papel, secando até ganhar uma dureza incrível, e servia para fazer centenas de objetos. A resina era usada para laminar madeiras e curtir peles de animais.

Com peles devidamente curtidas, criavam armaduras tão resistentes quanto as cotas de malha de Midkemia, e as armas em madeira laminada quase igualavam o seu aço.

Quatro anos no acampamento do pântano tinham fortalecido o corpo de Pug. Os músculos delineados se retesaram quando subiu na árvore. Tinha a pele bronzeada pelo sol impiedoso do mundo natal dos tsurani e uma barba de escravo cobria-lhe o rosto.

Pug alcançou os primeiros grandes galhos e olhou o amigo lá embaixo. Laurie estava atolado até os joelhos na água turva, afastando, distraído, os insetos que os atormentavam enquanto trabalhavam. Pug gostava de Laurie. O trovador não devia estar ali, assim como não devia ter ido atrás de uma patrulha na esperança de ver soldados tsurani. Contara que procurava material para as baladas que iriam torná-lo famoso em todo o Reino. Vira mais do que esperava. A patrulha enfrentara uma grande ofensiva por parte dos tsurani e Laurie fora capturado. Chegara ao acampamento há mais de quatro meses e em pouco tempo se tornara amigo de Pug.

Pug continuou a subir, atento à presença dos perigosos habitantes das árvores de Kelewan. Alcançando o lugar mais adequado para um corte na copa, Pug parou ao perceber movimento. Relaxou ao perceber que era apenas um agulheiro, uma criatura cuja proteção era ser igual a um monte de agulhas de ngaggi. Fugiu da presença do humano e deu um salto curto até um galho da árvore próxima. Pug voltou a examinar os arredores e começou a amarrar as cordas. O seu trabalho era cortar as copas das enormes árvores, tornando a queda da planta menos perigosa para os que se encontravam no chão.

Fez vários cortes na casca até que sentiu a lâmina do machado de madeira cortar a polpa mais macia por baixo. Um leve odor acre saudou o seu farejar cuidadoso. Praguejando, gritou para Laurie:

— Esta está podre. Avise o capataz.

Aguardou, olhando por cima da copa das árvores. À sua volta voavam insetos estranhos e criaturas parecidas com pássaros. Nos quatro anos em que era escravo naquele mundo, não conseguira acostumar-se com o aspecto daquelas formas de vida. Não eram tão diferentes das existentes em Midkemia, mas eram as semelhanças, mais do que as diferenças, que o faziam recordar constantemente que ali não era a sua terra. As abelhas deveriam ter listras amarelas e pretas em vez da tonalidade vermelha viva que as cobria. As águias não deveriam ter faixas amarelas nas asas, nem os falcões, roxas. Aquelas criaturas não eram abelhas, águias nem falcões, ainda que as semelhanças fossem impressionantes. Pug achava mais fácil aceitar as criaturas estranhas de Kelewan do que aquelas. Pug acabara se habituando aos needra de seis pernas, bestas de carga domesticadas semelhantes a um bovino com duas pernas adicionais e atarracadas, e aos cho-ja, criaturas parecidas com insetos que serviam os tsurani e falavam sua língua. Porém, sempre que vislumbrava uma criatura pelo canto do olho e se virava, esperando que fosse de Midkemia, e via que não era, o desespero atacava.

A voz de Laurie despertou-o de sua divagação:

— O capataz está vindo.

Pug praguejou. Caso o capataz tivesse de se sujar na água, ficaria de péssimo humor — o que poderia significar espancamentos ou uma redução da já habitual parca refeição. Ele já devia estar aborrecido com o atraso nos cortes. Uma família de escavadores — criaturas semelhantes a castores com seis pernas — tinha se acomodado nas raízes das grandes árvores. Iriam roer as raízes macias e as árvores adoeceriam e morreriam. A madeira polposa e macia azedaria, depois ficaria aguada e, decorrido algum tempo, a árvore cederia a partir do interior. Fora colocado veneno em vários túneis dos escavadores, mas as árvores já tinham sofrido os danos.

Uma voz rouca, praguejando com vontade enquanto o seu proprietário chapinhava pelo pântano, anunciou a chegada do capataz, Nogamu. Ele também era um escravo, mas chegara ao patamar mais alto dentre eles e, embora não pudesse aspirar à liberdade, possuía muitos privilégios e podia mandar nos soldados e homens livres colocados às suas ordens. Era seguido por um jovem soldado de expressão ligeiramente divertida. Usava a barba raspada, como era costume entre os homens livres tsurani, e, ao olhar para Pug lá no alto, o escravo pôde dar uma boa espiada. Tinha as maçãs do rosto salientes e os olhos quase pretos, comuns a muitos tsurani. Seus olhos escuros repararam em Pug e ele pareceu fazer um curto aceno com a cabeça. A armadura azul que envergava era de um tipo que o escravo desconhecia, ainda que, dada a estranha organização militar dos tsurani, não fosse de se estranhar. Cada família, região, área, burgo, cidade e província parecia ter seu próprio exército. O modo como se relacionavam uns com os outros no seio do Império estava além do entendimento de Pug.

O capataz parou na base da árvore, segurando as vestes curtas acima da linha da água. Grunhiu como o urso que parecia e gritou para Pug:

— Que história é essa de outra árvore podre?

Pug falava o idioma tsurani melhor do que qualquer midkemiano no acampamento, pois era quem estava lá há mais tempo, tirando alguns velhos escravos tsurani. Gritou para baixo:

— Tem cheiro de podre. Devíamos desbastar outra e deixar esta em paz, feitor.

O capataz acenou com a mão.

— Vocês são todos preguiçosos. Esta árvore não tem nada de errado. Está boa. Não querem é trabalhar. Agora, corte-a!

Pug suspirou. Não havia como discutir com o Urso, como Nogamu era conhecido por todos os escravos de Midkemia. Era óbvio que estava aborrecido com alguma coisa e seriam os escravos a pagar por isso. Pug começou a dar golpes na parte superior, que logo caiu. O cheiro de podre era intenso e Pug retirou as cordas depressa. Ainda com o último pedaço amarrado na cintura, ouviu o som da madeira rachando.

— Vai cair! — gritou para os escravos que se encontravam na água abaixo. Sem hesitar, todos fugiram. Quando se ouvia a palavra "cair", ninguém ignorava o aviso.

O tronco da árvore estava rachando ao meio, pois a parte de cima fora cortada. Embora não fosse um comportamento habitual, se uma árvore estivesse em estado avançado de degradação e a polpa tivesse perdido a força, qualquer falha na casca poderia fazê-la sucumbir ao próprio peso. Os galhos das árvores afastariam as metades. Se Pug ainda estivesse preso ao tronco, as cordas o cortariam ao meio antes de arrebentarem.

Pug calculou a direção da queda. Quando a metade em que estava começou a se deslocar, atirou-se dela. Caiu de costas na água rasa, na esperança de que o meio metro de profundidade suavizasse a queda tanto quanto possível. O baque na água foi imediatamente seguido pelo impacto mais violento contra o chão. O fundo era feito principalmente de lama, logo ele não sofreu grandes danos. Com o choque, o ar que tinha nos pulmões explodiu por sua boca, deixando-o tonto por um instante. Manteve presença de espírito suficiente para sentar e expirar fundo.

De repente, sentiu um peso golpear-lhe o estômago, deixando-o sem ar e empurrando a sua cabeça de novo para baixo da água. Debateu-se, tentando se mexer, e sentiu um galho enorme em cima do estômago. Mal conseguia manter o rosto à tona para respirar. Sentia os pulmões ardendo e respirava descontroladamente. A água entrou pela traqueia e começou a sufocá-lo. Tossindo e cuspindo, tentou manter a calma, mas o pânico começava a apoderar-se dele. Desesperado, tentou empurrar o peso de cima dele, mas o galho não se mexeu.

Subitamente, sentiu a cabeça fora da água e ouviu Laurie dizer:

— Cuspa, Pug! Expulse essa porcaria ou vai pegar a febre dos pulmões.

Pug tossiu e cuspiu. Com Laurie segurando a sua cabeça, recuperou o fôlego aos poucos.

Laurie gritou:

— Agarrem o galho. Eu o puxo de lá de baixo.

Vários escravos chapinhavam ao redor, com os corpos suados. Pegaram o galho submerso com esforço e o levantaram um pouco, mas não o bastante para que Laurie arrastasse Pug dali.

— Tragam machados. Temos de cortar o galho.

Os outros escravos começaram a levar machados, mas Nogamu gritou:

— Não. Deixem aí. Não temos tempo para isso. Há mais árvores para cortar.

Laurie quase gritou:

— Não podemos deixá-lo aqui! Vai se afogar!

O capataz avançou e bateu em Laurie com o chicote. Fez um corte profundo na face do cantor, que não largou a cabeça do amigo.

— Volte ao trabalho, escravo. Hoje à noite você será espancado por falar comigo dessa maneira. Há outros que conseguem subir até lá em cima. Agora, deixe-o! — Voltou a bater em Laurie, que se encolheu mas manteve a cabeça de Pug acima da água.

Nogamu ergueu o chicote para o terceiro golpe, mas foi impedido por uma voz que veio de trás:

— Tirem o escravo de baixo do galho.

Laurie viu que quem tinha falado fora o jovem soldado que acompanhava o feitor. O capataz virou-se, desacostumado a ter suas ordens questionadas. Quando viu quem falara, reprimiu as palavras que estavam na ponta da língua. Assentindo com a cabeça, disse:

— Seja feita a sua vontade.

Fez sinal aos escravos com os machados para que libertassem Pug, que, pouco depois, encontrava-se a salvo. Laurie levou-o até o lugar onde estava o jovem soldado. Pug tossiu o que restava de água nos pulmões e disse, ofegante:

— Agradeço ao meu amo pela minha vida.

O homem nada disse, mas, quando o capataz se aproximou, dirigiu-lhe algumas observações:

— O escravo tinha razão e você não. A árvore estava podre. Não é certo castigá-lo por sua falta de discernimento e seu mau humor. Devia mandar espancá-lo, mas não vou perder tempo com isso. O trabalho avança devagar e o meu pai está descontente.

Nogamu abaixou a cabeça.

— Sinto-me humilhado com o que meu senhor pensa de mim. Tenho permissão para tirar a minha própria vida?

— Não. Seria honra demais. Volte ao trabalho.

O rosto do capataz enrubesceu de raiva e vergonha silenciosas. Erguendo o chicote, apontou para Laurie e Pug.

— Vocês dois, voltem ao trabalho.

Laurie levantou-se e Pug tentou. Tinha os joelhos pouco firmes, pois quase se afogara, mas conseguiu ficar de pé após várias tentativas.

— Estes dois estão dispensados pelo resto do dia — disse o jovem lorde. — Este aqui — apontou para Pug — não tem grande utilidade. O outro tem de tratar os cortes que você lhe fez ou irão infeccionar. — Virou-se para o guarda. — Leve-os de volta ao acampamento para que cuidem deles.

Pug sentiu-se grato, não tanto por ele, mas por Laurie. Com algum descanso, Pug poderia ter retomado o trabalho; no entanto, uma ferida aberta em um pântano significava, na maioria das vezes, uma sentença de morte. As infecções eram rápidas naquele lugar quente e sujo, e havia poucos tratamentos disponíveis.

Seguiram o guarda. Enquanto se afastavam, Pug percebeu que o feitor os fitava com ódio indisfarçado no olhar.

O assoalho rangeu e Pug acordou na mesma hora. A cautela nascida e desenvolvida pela escravidão advertiu-o de que aquele som não se encaixava no interior da cabana, no meio da noite.

Na penumbra, ouviu passos que se aproximavam, parando aos pés de seu catre. Ao seu lado, ouviu uma súbita inspiração e soube que o menestrel também estava acordado. Provavelmente, metade dos escravos tinha acordado com o intruso. O desconhecido pareceu hesitar e Pug esperou, tenso com a incerteza. Ouviu-se um grunhido e, sem esperar, Pug rolou para fora do catre. Escutou algo pesado batendo no chão, e o ruído surdo de uma adaga atingindo o lugar onde o seu peito estivera momentos antes. De repente, o alojamento explodiu em um frenesi. Os escravos gritavam e corriam para a porta.

Pug sentiu mãos agarrando-o na escuridão e logo uma dor aguda explodiu-lhe no peito. Tentou alcançar o agressor às cegas, brigando pela posse da lâmina. Outro golpe fez-lhe um corte na palma da mão direita. Subitamente, o atacante parou de se mexer e Pug percebeu que havia uma terceira pessoa em cima do pretenso assassino.

Soldados entraram correndo na cabana, com lanternas nas mãos. Pug viu Laurie caído por cima do corpo imóvel de Nogamu. O Urso ainda respirava, mas, considerando a forma como a adaga saía de sua caixa torácica, não seria por muito tempo.

O jovem soldado que salvara as vidas de Pug e Laurie entrou e os outros abriram caminho para que passasse. Parou perto dos três combatentes e simplesmente perguntou:

— Está morto?

O capataz abriu os olhos e, em um sussurro fraco, conseguiu dizer:

— Estou vivo, senhor. Mas morro pela espada. — Um sorriso leve e desafiador apareceu no rosto suado.

A expressão do jovem soldado não revelou qualquer emoção, embora seus olhos parecessem em chamas.

— Não creio — disse calmamente. Virou-se para dois soldados: — Levem-no já para fora e enforquem-no. Não haverá honra alguma para ser cantada pelo seu clã. Deixem o corpo para os insetos. Servirá como aviso para que não me desobedeçam. Vão.

O rosto do moribundo empalideceu e seus lábios tremeram:

— Não, meu amo. Eu imploro, deixe-me morrer pela espada. São só mais uns minutos. — Uma espuma avermelhada surgiu nos cantos da boca do homem.

Dois rudes soldados agarraram Nogamu e, sem se importarem com o seu sofrimento, arrastaram-no para fora. Ele gritou por todo o percurso. A força que permanecia na sua voz era surpreendente, como se o medo da forca despertasse uma reserva profunda.

Ficaram parados como em um quadro até o som terminar em um grito sufocado. Nesse momento, o jovem oficial virou-se para Pug e Laurie. Pug estava sentado com sangue escorrendo do corte comprido e superficial no peito. Segurava a mão ferida com a outra. Este corte era fundo e os dedos não se mexiam.

— Traga o seu amigo ferido — ordenou o jovem soldado a Laurie.

Laurie ajudou Pug a se levantar e seguiram o oficial para fora da barraca dos escravos. Conduziu-os pelo complexo até o seu alojamento, ordenando que entrassem. Lá dentro, ordenou a um guarda que chamasse o médico do acampamento. Deixou-os de pé, em silêncio, até a chegada do médico. Era um tsurani idoso, vestido como um de seus deuses — qual deles, os midkemianos não conseguiam precisar. Examinou os ferimentos de Pug e considerou o golpe no peito superficial. Já a mão era outro assunto.

— O golpe foi fundo e os músculos e tendões foram cortados. Vai sarar, mas terá perda de movimentos e pouca força para agarrar. Provavelmente, servirá apenas para trabalhos leves.

O soldado acenou com a cabeça, uma expressão peculiar no rosto, mistura de descontentamento e impaciência.

— Muito bem. Cuide dos ferimentos e deixe-nos.

O médico começou limpando as feridas. Deu vinte pontos na mão, cobriu-a com bandagens, advertiu Pug de que as mantivesse limpas e saiu. Pug ignorou a dor, tranquilizando a cabeça com um antigo exercício mental.

Quando o médico saiu, o soldado estudou os dois escravos à sua frente.

— Pela Lei, deveria enforcá-los por terem assassinado o feitor.

Não responderam. Permaneceram calados até que lhes fosse ordenado que falassem.

— Contudo, como enforquei o feitor, posso mantê-los vivos se me for conveniente. Posso somente mandar puni-los por o terem ferido. — Fez uma pausa. — Considerem-se castigados.

Acenando com a mão, disse:

— Saiam, mas regressem ao amanhecer. Tenho de decidir o que fazer com vocês.

Eles saíram, sentindo-se com sorte, pois em outras circunstâncias teriam sido enforcados ao lado do antigo capataz. Enquanto cruzavam o complexo, Laurie disse:

— Não entendi o que acabou de acontecer.

— Estou machucado demais para pensar — Pug respondeu. — E fico grato por vermos outro dia nascer.

Laurie nada respondeu até chegarem à barraca.

— Acho que o jovem amo tem uma carta na manga.

— Tanto faz. Já desisti de entender os nossos senhores. Por isso consegui sobreviver tanto tempo, Laurie. Limito-me a fazer aquilo que me ordenam e aguento. — Pug indicou a árvore onde se via o corpo do antigo capataz ao luar pálido; somente a lua pequena surgira naquela noite. — É muito fácil acabarmos daquela forma.

Laurie concordou.

— Talvez você esteja certo. Ainda penso em fugir.

Pug riu, um som breve e amargo.

— Para onde, trovador? Para onde você fugiria? Para o portal onde o esperam dez mil tsurani?

Laurie não respondeu. Voltaram aos catres e tentaram dormir no calor úmido.

O jovem oficial estava sentado em um monte de almofadas, de pernas cruzadas, como era hábito dos tsurani. Mandou embora o guarda que tinha acompanhado Pug e Laurie e gesticulou para que os dois escravos se sentassem. Obedeceram de modo hesitante, pois normalmente um escravo não tinha permissão para se sentar na presença do amo.

— Sou Hokanu, dos Shinzawai. O meu pai é dono desta propriedade — disse, sem rodeios. — E ele está muito descontente com a colheita deste ano. Mandou-me para cá para ver o que poderia ser feito. Agora, não tenho um capataz para organizar o trabalho, pois o tolo colocou a culpa da própria imbecilidade em você. O que devo fazer?

Os dois escravos não responderam. E ele perguntou:

— Há quanto tempo estão aqui?

Pug e Laurie responderam, um de cada vez. O senhor considerou as respostas e disse:

— Você — apontou para Laurie — não tem nada fora do comum, além de falar o nosso idioma melhor do que a maior parte dos bárbaros, se pesarmos todos os fatores. Já você — apontou para Pug — ficou vivo por mais tempo do que qualquer um dos seus compatriotas arrogantes e também fala o nosso idioma com perfeição. Talvez até passasse por um camponês de uma província remota.

Ambos ficaram imóveis, inseguros sobre as intenções de Hokanu. Pug ficou chocado ao perceber que talvez fosse um ano ou dois mais velho do que o seu jovem senhor. Ele era muito novo para tanto poder. Os costumes dos tsurani eram muito estranhos. Em Crydee, ainda seria aprendiz ou, caso pertencesse à nobreza, estaria ainda aprendendo a arte de governar.

— Como aprendeu a falar nosso idioma tão bem? — perguntou a Pug.

— Amo, eu estava entre os primeiros a serem capturados e trazidos para cá. Éramos apenas sete entre tantos escravos tsurani. Aprendemos a sobreviver. Os outros morreram de febre ardente ou com feridas infeccionadas, ou foram mortos pelos guardas. Não havia ninguém que falasse a minha língua com quem conversar. Demorou mais de um ano até outro compatriota meu chegar a este acampamento.

O oficial acenou com a cabeça e perguntou a Laurie:

— E você?

— Amo, sou cantor, um menestrel na minha terra. Temos por hábito viajar muito e precisamos aprender muitos idiomas. Também tenho bom ouvido para a música. O seu idioma é o que designamos por língua tonal no meu mundo; palavras com o mesmo som, mas que, quando são pronunciadas com entonações diferente, mudam de significado. Existem vários idiomas desse gênero no sul do nosso Reino. Aprendo depressa.

Um brilho tênue surgiu nos olhos do soldado.

— É bom saber disso. — Perdeu-se em pensamentos. Pouco depois, abanou a cabeça para si mesmo. — São muitas as considerações que forjam o destino de um homem, escravos. — Sorriu, fazendo lembrar mais um garoto do que um homem. — Este acampamento está caótico. Eu devo mandar um relatório para o meu pai, o Lorde dos Shinzawai. E acho que já sei quais são os problemas. — Apontou para Pug. — Gostaria de ouvir o que pensa sobre o assunto. Está aqui há mais tempo do que qualquer outra pessoa.

Pug se recompôs. Passara muito tempo desde que alguém solicitara sua opinião sobre o que quer que fosse.

— Meu amo, o primeiro capataz, aquele que estava aqui quando fui capturado, era um homem sagaz, que compreendia que os homens, ainda que escravos, não podem ser obrigados a trabalhar bem se estiverem debilitados pela fome. A comida era melhor e, se nos feríssemos, tínhamos tempo para melhorar. Nogamu era um homem mal-humorado que tomava cada revés como uma afronta pessoal. Quando os escavadores arruinavam um grupo de árvores, a culpa era dos escravos. Se um escravo morresse, era um complô para desacreditar o trabalho dele. Cada dificuldade era recompensada com mais um corte na comida ou mais horas de trabalho. Os sucessos eram vistos como obra exclusiva dele.

— É como eu desconfiava. Nogamu já foi um homem muito importante. Era o hadonra, o administrador das propriedades de seu pai. A sua família foi considerada culpada de conspirar contra o Império e aqueles que não foram enforcados foram vendidos como escravos por seu próprio clã. Nunca foi um bom escravo. Achamos que a responsabilidade pelo acampamento seria uma forma útil de usar os seus conhecimentos. Está provado que não foi o caso. Há algum homem entre os escravos que possa comandá-los de forma competente?

Laurie inclinou a cabeça, dizendo em seguida:

— Amo, o Pug...

— Acho que não. Tenho planos para vocês dois.

Pug ficou surpreso, pensando no significado daquelas palavras.

— Talvez Chogana, amo — disse. — Era fazendeiro, até perder as colheitas e ser vendido como escravo por causa dos impostos. Ele é um homem sensato.

O soldado bateu palmas uma única vez e logo entrou um guarda.

— Mande trazer o escravo chamado Chogana.

O guarda bateu continência e saiu.

— É vantajoso, já que se trata de um tsurani — disse o soldado. — Os bárbaros como vocês não sabem qual é o seu lugar e não me agrada pensar no que poderia acontecer se um de vocês ficasse com o cargo. Mandaria os meus soldados cortarem as árvores, enquanto os escravos ficavam de guarda.

Depois de um momento de silêncio, Laurie começou a rir. Era um som esplêndido e profundo. Hokanu sorriu. Pug observava atentamente. O jovem que tinha as suas vidas nas mãos parecia estar se esforçando para ganhar a confiança dos dois. Laurie demonstrava ter simpatizado com ele, mas Pug manteve seus sentimentos em suspenso. Estava afastado há mais tempo da antiga sociedade midkemiana, em que a guerra tornava nobres e plebeus irmãos de armas, capazes de partilhar refeições e desgraças sem se preocuparem com hierarquias. Algo que aprendera logo sobre os tsurani fora que eles jamais esqueciam o seu lugar. O que quer que estivesse acontecendo ali fora pensado pelo jovem nobre, não era fruto do acaso. Hokanu pareceu ter sentido o olhar de Pug e encarou-o. Os seus olhares cruzaram-se por um segundo antes de Pug baixar o seu, como seria de se esperar de um escravo. Por um instante, eles se comunicaram. Era como se o soldado tivesse dito: "Não acredita em minha amizade. Tudo bem, desde que desempenhe o seu papel."

Com um aceno de mão, Hokanu disse:

— Voltem à barraca. Descansem bem, pois partiremos após a refeição do meio-dia.

Levantaram-se e fizeram uma mesura, recuando até sair. Pug caminhava calado, mas Laurie disse:

— Para onde será que vamos? — Não obtendo resposta, prosseguiu: — Seja como for, certamente será um lugar melhor do que este.

Pug se perguntou se realmente seria melhor.

Uma mão sacudiu o ombro de Pug, que acordou. Tinha cochilado no calor da manhã, aproveitando o descanso adicional antes de partir com Laurie e o jovem nobre depois da refeição do meio-dia. Chogana, o antigo fazendeiro que Pug recomendara, gesticulou para que não fizesse barulho, indicando Laurie, que dormia profundamente.

Pug seguiu o velho escravo para fora da cabana e os dois sentaram-se na sombra da casa. Falando devagar, como era seu hábito, Chogana disse:

— O meu senhor Hokanu disse que você foi decisivo na minha escolha como feitor do acampamento. — O seu rosto moreno e enrugado resplandecia dignidade ao fazer uma mesura com a cabeça para Pug. — Estou em dívida com você.

Pug devolveu o cumprimento, formal e pouco comum naquele acampamento.

— Não existe nenhuma dívida. Você irá se comportar da forma que um capataz deve fazer. Irá cuidar bem dos nossos irmãos.

O velho rosto de Chogana abriu-se em um grande sorriso, revelando dentes manchados de marrom devido aos anos mascando nozes de tateen. A noz levemente narcótica — fácil de encontrar no pântano — não reduzia a eficiência, mas fazia o trabalho pesar menos. Pug evitara o hábito, por razões que ele não revelava, tal como grande parte dos midkemianos. De certa forma, era como a derrota da força de vontade.

Chogana olhava para o acampamento, os olhos semicerrados por causa da luz forte. Estava vazio, à exceção da guarda pessoal do jovem senhor e da equipe do cozinheiro. A distância, os ruídos do grupo de trabalhadores ecoavam pelas árvores.

— Quando era rapaz, na fazenda de meu pai em Szetac — começou Chogana — descobriram que eu tinha talento. Fui avaliado e considerado incapaz. — Pug não entendeu o significado da última frase, mas não interrompeu. — Por isso, tornei-me agricultor, tal como o meu pai. No entanto, o meu talento estava lá. Por vezes, vejo coisas, Pug, coisas dentro dos homens. Quando cresci, a notícia sobre meu talento se espalhou e as pessoas, especialmente os pobres, vinham me pedir conselhos. Naquela época, era jovem e arrogante, e cobrava muito para dizer o que via. Mais tarde, tornei-me humilde e aceitava o que me ofereciam, mas continuava a dizer o que via. De qualquer forma, as pessoas partiam zangadas. Sabe por quê? — perguntou dando uma risadinha. Pug sacudiu cabeça. — Porque as pessoas não iam ouvir a verdade, iam ouvir aquilo que queriam ouvir.

Pug partilhou a gargalhada de Chogana.

— Por isso, fingi que o talento desaparecera e, passado algum tempo, as pessoas deixaram de ir à minha fazenda. Contudo, o talento nunca sumiu, Pug, e, às vezes, ainda consigo ver coisas. Vi algo em você e queria lhe contar antes que vá embora para sempre. Morrerei neste acampamento, mas um destino diferente o espera. Você ouvirá o que tenho para lhe dizer? — Pug assentiu e o outro prosseguiu: — Existe um poder preso dentro de você. O que é e do que se trata, não sei.

Ciente das estranhas atitudes dos tsurani em relação aos magos, Pug sentiu um pânico repentino com a possibilidade de alguém ter detectado a sua antiga vocação. Para a maioria, ele não passava de mais um escravo no acampamento; poucos sabiam que fora escudeiro.

Chogana continuou, falando de olhos fechados:

— Sonhei com você, Pug. Eu o vi no alto de uma torre, enfrentando um terrível inimigo. — Abriu os olhos. — Não sei qual o significado do sonho, mas você precisa saber disso. Antes de subir naquela torre e enfrentar o seu adversário, você precisa encontrar o seu *wal*: o centro secreto do seu ser, o lugar perfeito da paz interior. Assim que você o encontrar, estará a salvo de todo mal. A sua carne poderá sofrer, até mesmo morrer, mas, no interior do seu *wal*, você resistirá em paz. Procure bem, Pug, pois poucos são os que encontram o *wal*.

Pug agradeceu e o novo feitor se levantou.

— Você partirá em breve. Vamos, temos de acordar Laurie.

Quando entravam na cabana, Pug perguntou:

— Só mais uma coisa: você falou de um inimigo no alto de uma torre. Você o viu bem?

Chogana riu e fez que sim com a cabeça.

— Oh, sim, eu o vi. — Continuou a rir enquanto subia os degraus até a barraca. — É o adversário que a maioria dos homens mais teme. — Olhos semicerrados encararam Pug. — O inimigo era você.

Pug e Laurie estavam sentados nos degraus do templo, com seis guardas tsurani descansando em volta deles. Ao longo da viagem, os guardas tinham sido quase corteses. A jornada fora cansativa, se não difícil. Sem cavalos nem nada que os substituísse, todos os tsurani que não seguiam em uma carroça de needra deslocavam-se andando por seus próprios pés ou pelos de outros. Os nobres eram transportados para cima e para baixo nas largas avenidas em liteiras carregadas por escravos ofegantes e suados.

Pug e Laurie tinham recebido os trajes curtos e cinzentos dos escravos. As tangas, adequadas para os pântanos, foram consideradas indecentes para uma viagem entre cidadãos tsurani. Pug concluiu que os tsurani davam grande importância ao recato — quase tanto quando as pessoas do Reino. Tinham seguido a estrada ao longo da costa da grande massa de água denominada Baía da Batalha. Pug pensara que, se fosse mesmo uma baía, seria maior do que qualquer uma em Midkemia, pois mesmo dos altos penhascos que se erguiam acima do mar não conseguia ver o outro lado. Após vários dias de viagem, encontraram terras cultivadas e logo avistaram a costa oposta aproximando-se rapidamente. Mais uns dias na estrada e alcançaram a cidade de Jamar.

Pug e Laurie observavam o movimento, enquanto Hokanu realizava uma oferenda no templo. Os tsurani pareciam loucos por cores. Ali, até o trabalhador mais humilde provavelmente estaria vestido com uma túnica curta de cores vivas. Os abastados vestiam trajes mais vistosos, cobertos de padrões complexos. Somente os escravos não usavam roupas coloridas.

Por toda a cidade, amontoavam-se pessoas: agricultores, mercadores, trabalhadores e viajantes. Filas de needra arrastavam-se pelas ruas, puxando carroças cheias de produtos agrícolas e mercadorias. A quantidade de pessoas impressionava Pug e Laurie, pois os tsurani lembravam formigas correndo, mesmo no calor fora do comum, como se o comércio do Império não pudesse esperar pelo bem-estar dos seus cidadãos. Muitos dos que passavam paravam para observar os midkemianos, que consideravam bárbaros gigantes. Aquele povo atingia no máximo um metro e sessenta e até Pug era considerado alto, tendo chegado a um metro e setenta. Por sua vez, os midkemianos tinham começado a se referir aos tsurani como pigmeus.

Pug e Laurie olhavam ao redor. Esperavam no centro da cidade, onde estavam localizados os grandes templos. Dez pirâmides de tamanhos diferentes, mas igualmente enfeitadas, ficavam no meio de uma série de parques. Todas estavam ricamente decoradas com murais pintados e azulejos. De onde estavam, os jovens viam três dos parques. Dispostos em terraços, eram percorridos por pequenos cursos d'água, inclusive com pequenas cachoeiras. Árvores anãs, bem como grandes árvores que davam sombra, salpicavam o chão dos parques, cobertos de relva. Músicos ambulantes tocavam flautas e estranhos instrumentos de cordas, produzindo música esquisita e polifônica, entretendo as pessoas que repousavam nos jardins ou que passavam.

Laurie escutava extasiado.

— Escute os semitons! E os menores, diminutos! — Suspirou e baixou os olhos, com um ar melancólico. — É estranho, mas é música. — Olhou para Pug, sem o humor habitual. — Se ao menos eu pudesse voltar a tocar. — Olhou de relance para os músicos distantes. — Podia até começar a gostar da música tsurani. — Pug deixou-o com os seus desejos.

Olhou ao redor da movimentada praça, tentando organizar todas as impressões que recebera desde a entrada na cidade. Por todos os lados, as pessoas corriam tratando de seus afazeres. Perto do templo, tinham passado em um mercado, não muito diferente dos existentes no Reino, mas em maior escala. Os sons dos vendedores ambulantes e dos compradores, os odores, o calor, tudo aquilo lembrava a sua terra, de um modo inesperado.

Quando a escolta de Hokanu se aproximava, os plebeus abriam caminho, os guardas na dianteira da procissão gritando "Shinzawai! Shinzawai!", informando a todos que se aproximava um membro da nobreza. Somente em uma ocasião a escolta deu passagem na cidade para um grupo de homens de vermelho, vestindo mantos de penas escarlates. Aquele que Pug pensou ser um sumo sacerdote usava uma máscara de madeira desenhada para parecer com uma caveira vermelha, enquanto os demais tinham os rostos pintados de vermelho. Tocavam apitos vermelhos e as pessoas se dispersavam para deixarem o caminho livre. Um dos soldados fez o sinal de proteção e, mais tarde, Pug soube que aqueles homens eram sacerdotes de Turakamu, o devorador de corações, irmão da deusa Sibi, a morte.

Pug virou-se para um guarda que estava perto dele e fez um gesto pedindo permissão para falar. O guarda acenou a cabeça e Pug perguntou:

— Meu senhor, que deus mora aqui? — E indicou o templo onde Hokanu rezava.

— Bárbaro ignorante — respondeu o soldado de modo amigável —, os deuses não residem dentro destas paredes, mas nos Céus Superiores e Inferiores. Este templo existe para que os homens façam as suas devoções. Ali, o filho do meu senhor faz oferendas a Chochocan, o bom deus do Céu Superior, e ao seu servo, Tomachaca, o deus da paz, pedindo boa fortuna para os Shinzawai.

Quando Hokanu regressou, retomaram a caminhada. Atravessaram a cidade e Pug continuou a estudar as pessoas pelas quais passavam. A multidão era enorme e Pug perguntou-se como conseguiriam suportar. Como lavradores que visitam a cidade pela primeira vez, Pug e Laurie abriam a boca de espanto perante as maravilhas de Jamar. Até o trovador supostamente viajado exclamava diante desta ou daquela visão. Não demorou para os guardas começarem a rir com o maravilhamento dos bárbaros com as situações mais banais.

Todos os edifícios pelos quais passavam eram feitos de madeira e de um material translúcido, parecido com tecido, mas rígido. Alguns, como os templos, eram feitos de pedra, embora o que mais sobressaísse fosse o fato de que todos os prédios pelos quais passavam, de templos a modestas casas de trabalhadores, estarem pintados de branco, excetuando as vigas confinantes e os caixilhos das portas, polidos em marrom-escuro. Todas as superfícies abertas estavam decoradas com pinturas coloridas. Eram abundantes as cenas com animais, paisagens, divindades e cenas de batalhas. Havia, por todo lado, uma profusão de cores que confundia a visão.

Ao norte dos templos, do outro lado de um dos parques e de frente para uma avenida ampla, havia um edifício isolado por vastos gramados limitados por sebes. Dois guardas, com armaduras e elmos parecidos com os dos guardas que os acompanhavam, estavam de sentinela frente à porta. Bateram continência a Hokanu quando este se aproximou.

Sem dizerem uma única palavra, os outros guardas contornaram a casa, deixando os escravos com o jovem oficial. Este gesticulou e um dos guardas da entrada fez deslizar a enorme porta coberta com tecido. Entraram em um pátio aberto que levava aos fundos, com portas de cada lado. Hokanu conduziu-os até uma porta, que um escravo da casa abriu.

Pug e Laurie descobriram que a casa tinha a forma de um quadrado, com um grande jardim ao centro, acessível por todos os lados. Junto a um lago borbulhante estava sentado um homem mais velho, vestido com uma túnica azul-escura, simples, porém de aspecto caro. Consultava um pergaminho e levantou a cabeça quando os três entraram, ficando de pé para cumprimentar Hokanu.

O jovem tirou o elmo e ficou em posição de sentido. Pug e Laurie ficaram atrás, calados. O homem fez um aceno com a cabeça e Hokanu aproximou-se. Abraçaram-se e o homem mais velho disse:

— Meu filho, é bom voltar a vê-lo. Como estava o acampamento?

Hokanu relatou o que vira no acampamento de forma sucinta e direta, não esquecendo nada de importante. Depois, relatou as ações tomadas para remediar a situação.

— Assim sendo, o novo capataz irá assegurar-se de que os escravos tenham comida suficiente e de que descansem o tempo necessário. Em breve, a produção deverá subir.

O pai assentiu.

— Acho que você agiu de forma sensata, filho. Teremos de enviar alguém dentro de alguns meses para verificar se houve progresso, mas a situação não podia ficar pior do que estava. O Senhor da Guerra exige mais produção e estamos prestes a cair em desgraça.

Pareceu, então, notar os escravos pela primeira vez.

— E eles? — foi tudo o que disse, apontando para Laurie e Pug.

— Eles são diferentes. Lembrei-me da nossa conversa na noite antes de meu irmão partir para o norte. Talvez venham a se revelar valiosos.

— Você falou disso com mais alguém? — Rugas firmes acentuaram-se ao redor dos olhos cinzentos. Embora muito mais baixo, fazia Pug se lembrar de Lorde Borric.

— Não, meu pai. Somente aqueles que fizeram parte do conselho naquela noite...

O senhor da casa interrompeu-o com um aceno de mão.

— Guarde os comentários para mais tarde. "Não confie segredos a uma cidade." Informe Septiem. Vamos fechar a casa; partimos de manhã para as nossas terras.

Hokanu fez uma ligeira mesura, virando-se depois para sair.

— Hokanu. — A voz do pai o deteve. — Bom trabalho. — Com o orgulho refletido no rosto, o jovem deixou o jardim.

O senhor da casa voltou a sentar-se em um banco de pedra esculpida junto à pequena fonte e contemplou os dois escravos.

— Como se chamam?

— Pug, meu amo.

— Laurie, meu amo.

Ele pareceu deduzir algo daquelas simples afirmações.

— Por aquela porta — disse, gesticulando para a esquerda — vocês chegam à cozinha. O meu hadonra chama-se Septiem. Tratará dos dois. Agora, vão.

Fizeram uma mesura e saíram do jardim. Enquanto avançavam pela casa, Pug quase derrubou uma garota ao virar uma esquina. Estava vestida como uma escrava e carregava uma grande trouxa de roupa, que voou pelo corredor.

— Oh! — gritou ela. — Acabei de lavar a roupa. Vou ter de lavá-la de novo. — Sem hesitar, Pug abaixou-se para ajudá-la a pegar a roupa. Para uma tsurani, era alta, quase do tamanho de Pug, e bem proporcionada. Tinha o cabelo castanho preso atrás e os olhos também castanhos estavam enquadrados por longos cílios escuros. Pug parou o que estava fazendo e contemplou-a com evidente admiração. Ela hesitou diante do olhar curioso do rapaz e, depois de pegar o restante da roupa, partiu apressada. Laurie contemplou a elegante figura da garota se afastando, as pernas bronzeadas generosamente à mostra abaixo da curta túnica de escrava.

Laurie deu uma palmada no ombro de Pug.

— Ah! Bem que eu disse que as coisas iam melhorar.

Saíram da casa e chegaram à cozinha, onde o cheiro de comida quente abriu seu apetite.

— Acho que você impressionou aquela moça, Pug.

Pug não tinha grande experiência com mulheres e sentiu as orelhas arderem. No acampamento de escravos, muitas das conversas eram sobre elas, e isso, mais do que qualquer outra coisa, fazia com que se sentisse ainda um garoto. Virou-se para ver se Laurie estava brincando e reparou que o cantor louro olhava para trás. Seguiu o seu olhar e ainda conseguiu ver de relance um tímido rosto sorridente se afastando de uma janela da casa.

No dia seguinte, a casa da família Shinzawai estava em alvoroço. Escravos e serviçais corriam de um lado para outro, preparando a viagem para o norte. Pug e Laurie foram deixados por conta própria, pois não havia ninguém do pessoal da casa disponível para lhes atribuir alguma tarefa. Sentaram-se à sombra de uma enorme árvore que lembrava um salgueiro. Apreciando a novidade de ter um tempo livre, observavam a confusão.

— Eles são doidos, Pug. Já vi preparativos mais modestos para caravanas. Até parece que querem levar tudo.

— É provável que queiram. Essa gente já deixou de me surpreender. — Pug levantou-se, encostando-se ao tronco. — Já vi coisas que desafiavam a lógica.

— É verdade. No entanto, quando já se viu tantas terras diferentes como eu vi, aprendemos que quanto mais diferentes as coisas são, mais elas se parecem.

— Como assim?

Laurie levantou-se e apoiou-se no lado oposto da árvore. Em voz baixa, disse:

— Não tenho certeza, mas estão preparando algo e nós estamos envolvidos, isso eu garanto. Se ficarmos atentos, talvez possamos aproveitar isso. Lembre-se sempre de que, se um homem quiser algo de você, é sempre possível negociar, independentemente da diferença social.

— Claro. Dê o que ele quer e ele deixará você vivo.

— Você é jovem demais para ser tão cínico — retrucou Laurie, a satisfação brilhando em seus olhos. — Vamos combinar uma coisa: você deixa essa atitude cansada para velhos viajantes como eu e vou me certificar de que você não desperdice nenhuma oportunidade.

Pug resfolegou.

— Qual oportunidade?

— Bom, por exemplo — disse Laurie, apontando para trás de Pug —, aquela garota que você quase derrubou ontem parece estar com dificuldades para levantar aquelas caixas. — Pug olhou de relance para trás e viu a jovem sofrendo para empilhar várias caixas enormes que iriam depois ser colocadas nas carroças. — Acho que ela iria gostar de uma ajuda, não acha?

A confusão de Pug estava estampada em seu rosto.

— O que...?

Laurie deu-lhe um empurrão.

— Vá lá, seu palerma. Uma ajudinha agora e mais tarde... quem sabe?

Pug cambaleou.

— Mais tarde?

— Deuses! — riu-se Laurie, dando um pontapé de brincadeira no traseiro de Pug.

O bom humor do trovador era contagiante e Pug sorria quando se aproximou da moça. Ela tentava colocar uma enorme caixa de madeira em cima de outra. Pug pegou-a de suas mãos.

— Deixe. Eu faço isso.

Ela recuou, hesitante.

— Não é pesado. Só é muito alto para mim. — Olhava para todos os lados, menos para Pug.

Pug ergueu a caixa facilmente e colocou-a em cima das outras, evitando usar a mão fragilizada.

— Pronto — afirmou, tentando parecer descontraído.

A garota afastou uma mecha de cabelo rebelde que lhe caía nos olhos.

— Você é um bárbaro, não é? — falou de modo hesitante.

Pug retraiu-se.

— São vocês que me chamam assim. Eu gosto de pensar que sou tão civilizado como qualquer outro.

Ela corou.

— Não queria ofendê-lo. Também chamam meu povo de bárbaro. Todos os que não são tsurani são chamados dessa forma. Eu queria dizer que você é daquele outro mundo.

Pug confirmou.

— Como você se chama?

— Katala — respondeu ela, perguntando em seguida: — E você?

— Pug.

Ela sorriu.

— É um nome estranho. Pug. — Parecia apreciar o som da palavra.

Nesse instante, Septiem, o hadonra, um homem idoso mas bem aprumado, com o porte de um general aposentado, surgiu do lado da casa.

— Vocês dois! — disse bruscamente. — Há trabalho a fazer! Não fiquem aí parados!

Katala correu de volta para a casa e Pug ficou indeciso na frente do administrador, vestido de amarelo.

— Você! Como se chama?

— Pug, senhor.

— Estou vendo que não deram trabalho para você nem para seu amigo louro. Vou resolver isso agora. Chame-o aqui.

Pug suspirou. Acabara-se o tempo livre. Acenou para que Laurie se aproximasse e foram postos a carregar as carroças.

2

Fazenda

O tempo esfriara nas últimas três semanas. No entanto, ainda tinha algo do calor do verão. Naquela terra, o inverno — se assim podia ser chamado — durava apenas umas seis semanas, com breves chuvas frias vindas do norte. As árvores mantinham grande parte das folhas verde-azuladas e não havia como sentir a passagem do outono. Durante os quatro anos passados em Tsuranuanni, Pug não vira qualquer sinal da mudança das estações: as aves não migravam, não havia geada pela manhã, a chuva não se tornava granizo, não nevava e as flores campestres não floresciam. Aquela terra parecia viver no eterno âmbar suave do verão.

No começo da viagem, tinham seguido a estrada de Jamar em direção ao norte, rumo à cidade de Sulan-qu. O rio Gagajin estava cheio de barcos e barcaças, enquanto a via principal seguia igualmente atulhada com caravanas, carroças de agricultores e nobres que seguiam em liteiras.

No primeiro dia, o Lorde Shinzawai partira de barco rumo à Cidade Sagrada para assistir ao Conselho Supremo. O resto da família e do pessoal seguira num passo mais tranquilo. Hokanu parara à entrada da cidade de Sulan-qu para visitar a Senhora de Acoma, dando a Pug e Laurie a oportunidade de conversarem com outro escravo de Midkemia, capturado recentemente. As notícias da guerra eram desoladoras. Nada mudara desde que tinham tido notícias de sua terra natal; o conflito ainda não se resolvera.

Na Cidade Sagrada, o Lorde Shinzawai juntou-se ao filho e à comitiva na viagem até as propriedades dos Shinzawai, nos arredores da cidade de Silmani. Até ali, a caminhada para o norte prosseguira sem incidentes.

A caravana aproximava-se dos limites setentrionais das terras da família. Pelo caminho, Pug e Laurie tiveram pouco trabalho além de tarefas ocasionais: despejar os caldeirões do cozinheiro, limpar os excrementos dos needra, carregar e descarregar mantimentos. Naquele momento, seguiam na parte de trás de uma carroça, com os pés balançando. Laurie mordia um pedaço de fruta jomach madura, semelhante a uma grande romã verde, com a polpa de uma melancia. Cuspindo as sementes, perguntou:

— Como está sua mão?

Pug examinou a mão direita, observando a cicatriz enrugada que percorria a palma.

— Ainda está rígida. Acho que não vai ficar melhor do que isso.

Laurie também olhou.

— Parece que você nunca mais vai usar uma espada. — Sorriu.

Pug riu.

— Duvido que você volte a usar uma também. Não acho que venham a nomeá-lo Lanceiro da Cavalaria Imperial.

Laurie cuspiu mais sementes, que ricochetearam no focinho do needra que puxava a carroça atrás deles. O animal de seis patas resfolegou e o condutor, irritado, apontou-lhes a vara que servia para conduzir a criatura.

— Tirando o detalhe de que o Imperador não tem lanceiros, pois também não possui cavalos, não consigo pensar em alternativa melhor. — Pug riu, debochando.

— Pois fique sabendo, companheiro — disse Laurie em tom aristocrático —, que nós, os trovadores, somos frequentemente abordados nas estradas por um tipo de cliente menos respeitável, salteadores e assassinos que buscam os nossos salários, parcos, mas ganhos com muito esforço. Se não desenvolvemos a capacidade de nos defendermos, não ficamos muito tempo nessa atividade, se é que você me entende.

Pug sorriu. Sabia que, em uma cidade, os trovadores eram quase sacrossantos, pois se fossem feridos ou assaltados, a notícia se espalharia e nenhum outro voltaria. Na estrada, tudo mudava de figura. Não duvidava da capacidade de Laurie de se defender, mas não ia permitir que o amigo usasse aquele tom afetado sem lhe dar uma resposta à altura. Porém, quando estava prestes a retrucar, foi interrompido por gritos vindos da dianteira da caravana. Guardas correram e Laurie virou-se para o companheiro mais baixo:

— O que será toda essa confusão?

Sem esperar resposta, saltou e correu para a frente. Pug o seguiu. Ao alcançarem a vanguarda da caravana, parando atrás da liteira do Lorde Shinzawai, viram silhuetas que avançavam pela estrada em direção a eles. Laurie puxou a manga de Pug.

— Cavaleiros!

Pug mal conseguia acreditar no que os seus olhos viam, pois realmente pareciam cavaleiros aproximando-se pela estrada que vinha do solar dos Shinzawai. À medida que se aproximavam, percebeu que era um único cavaleiro e três cho-ja de um esplêndido azul-escuro.

O cavaleiro, um jovem tsurani de cabelo castanho, mais alto do que a maioria, desmontou com um movimento desajeitado e Laurie comentou:

— Nunca serão uma verdadeira ameaça militar se não conseguirem montar melhor do que aquilo. Olhe, não tem sela nem rédeas, só um cabresto rudimentar feito de correias de couro. O pobre cavalo parece que não é escovado há um mês.

A cortina da liteira foi afastada quando o cavaleiro chegou mais perto. Os escravos pousaram a liteira e o Lorde Shinzawai desceu. Hokanu já se aproximara do pai, tendo avançado desde o seu lugar entre os guardas, na retaguarda da caravana, e abraçava o cavaleiro, trocando saudações. Em seguida, o cavaleiro abraçou o Lorde Shinzawai. Pug e Laurie ouviram-no dizer:

— Pai! Como é bom vê-lo!

— Kasumi! — exclamou o senhor dos Shinzawai. — Como é bom rever o meu primogênito. Quando voltou?

— Há menos de uma semana. Teria ido a Jamar, mas ouvi dizer que vinham para cá, por isso esperei.

— Fico feliz. Quem são seus companheiros? — Indicou as criaturas.

— Este — disse o filho, indicando o que estava mais à frente — é o Líder de Ataques X'calak, que acabou de regressar de uma batalha contra os pequenos sob as montanhas de Midkemia.

A criatura avançou, ergueu a mão direita — de forma muito humana — batendo continência e, em tom estridente e sibilante, disse:

— Salve, Kamatsu, Senhor dos Shinzawai. Honra seja feita à sua casa.

Lorde Shinzawai fez uma ligeira mesura.

— Saudações, X'calak. Honra seja feita à sua colmeia. Os cho-ja são sempre bem-vindos.

A criatura recuou e aguardou. O lorde voltou-se para contemplar o equino.

— Que criatura é essa, meu filho?

— É um cavalo, pai. Um animal montado pelos bárbaros nas batalhas. Já lhe falei sobre eles. É uma criatura realmente maravilhosa. Montado nela, consigo correr mais depressa do que o corredor cho-ja mais veloz.

— Como você consegue ficar aí em cima?

O filho mais velho de Shinzawai riu.

— Infelizmente, com extrema dificuldade. Os bárbaros têm truques que ainda preciso aprender.

Hokanu sorriu.

— Talvez possamos providenciar algumas aulas.

Kasumi deu-lhe uma palmada amigável nas costas.

— Pedi a vários bárbaros, mas infelizmente, estavam todos mortos.

— Tenho dois que não estão.

Kasumi olhou para além do irmão e viu Laurie, cuja cabeça se destacava acima dos outros escravos que haviam se juntado em volta.

— Estou vendo. Bom, temos de pedir a ele. Pai, com a sua permissão, voltarei para casa para garantir que tudo esteja pronto para recebê-lo.

Kamatsu abraçou o filho, concordando. O primogênito agarrou a crina do animal e, com um salto atlético, voltou a montar. Acenando com a mão, partiu.

Pug e Laurie depressa retornaram aos seus lugares na carroça.

— Você já tinha visto aquelas coisas? — perguntou Laurie.

Pug confirmou.

— Sim, os tsurani os chamam de cho-ja. Vivem em colônias, em enormes montes de terra, como formigas. Os escravos tsurani com quem falei no acampamento disseram que estão por aqui desde sempre. São leais ao Império; apesar disso, se não me engano, creio ter ouvido que cada colônia tem a sua rainha.

Laurie olhou para a frente da carroça, agarrando-se com uma mão.

— Não gostaria de enfrentar um a pé. Olhe só como correm.

Pug não respondeu. O comentário do filho mais velho de Shinzawai sobre os pequenos sob as montanhas lhe havia trazido antigas memórias. "Se Tomas estiver vivo", pensou, "já é um homem. Se estiver vivo."

O solar dos Shinzawai era gigantesco. Era, sem dúvida, a maior construção — sem mencionar os templos e palácios — que Pug já vira. Fora erguido no alto de uma colina, com vista para a paisagem campestre a quilômetros de distância. A casa era quadrada, tal como a de Jamar, mas várias vezes maior. A da cidade podia facilmente caber no jardim central daquele solar. Atrás, encontravam-se os anexos, a cozinha e os alojamentos dos escravos.

Pug esticou o pescoço para observar o jardim, pois o estavam atravessando depressa e o tempo era pouco para absorver tudo. Septiem, o hadonra, repreendeu-o:

— Não demore.

Pug apressou o passo e alcançou Laurie. Mesmo em uma breve observação, o jardim era impressionante. Várias árvores tinham sido plantadas para dar sombra ao lado de três lagos localizados entre árvores em miniatura e plantas floridas. Bancos de pedra estavam disponíveis para um repouso contemplativo e por toda a parte serpenteavam caminhos cobertos por seixos. Ao redor deste minúsculo parque, erguia-se o prédio de três andares. Os dois pisos superiores tinham varandas e várias escadas que os ligavam. Viam-se os serviçais atarefados nos últimos andares, mas o jardim parecia estar vazio, pelo menos naquele trecho que tinham percorrido.

Chegaram a uma porta deslizante e Septiem virou-se para eles.

— Vocês, bárbaros, devem ser educados na frente dos senhores desta casa, caso contrário, juro pelos deuses que mandarei esfolar a pele de suas costas — advertiu em tom severo. — E vejam se conseguem fazer tudo o que lhes for ordenado, ou desejarão que o Senhor Hokanu os tivesse deixado apodrecendo nos pântanos.

Ele fez a porta correr para o lado e anunciou os escravos. Foi dada ordem para que entrassem e Septiem empurrou-os para dentro de casa. Perceberam que estavam em uma sala iluminada e colorida, a luz entrando por uma enorme porta translúcida coberta com uma pintura. As paredes eram decoradas com entalhes, tapeçarias e quadros, todos esplendidamente executados, detalhados e delicados. O tapete estava coberto, ao estilo dos tsurani, por várias almofadas. Kamatsu, Lorde dos Shinzawai, estava sentado em uma enorme almofada; do outro lado, encontravam-se seus dois filhos. Todos vestiam túnicas curtas de tecido dispendioso em estilo mais informal. Pug e Laurie mantiveram o olhar baixo até que alguém lhes dirigisse a palavra.

Hokanu foi o primeiro a falar:

— O gigante louro chama-se Loh're e o de tamanho mais normal chama-se Poog.

Laurie começou a abrir a boca, mas uma rápida cotovelada de Pug silenciou-o antes que pudesse dizer algo.

O filho mais velho reparou no gesto e disse:

— Você queria falar alguma coisa?

Laurie ergueu os olhos para logo os baixar. As instruções tinham sido claras: não deveria falar até ser ordenado. Laurie não tinha certeza se podia considerar a pergunta como uma ordem.

— Fale — ordenou o senhor da casa.

Laurie olhou para Kasumi.

— Sou Laurie, amo. Lor-ee. E o meu amigo é Pug, não Poog.

Hokanu pareceu surpreso pela correção, mas o primogênito acenou com a cabeça e repetiu os nomes várias vezes até pronunciá-los da forma certa. Em seguida, perguntou:

— Já montaram a cavalo?

Os dois confirmaram.

— Ainda bem — disse Kasumi. — Assim podem nos mostrar a melhor maneira de fazê-lo.

O olhar de Pug vagava tanto quanto sua cabeça baixa permitia, mas algo lhe chamou a atenção. Ao lado do Lorde dos Shinzawai estava um tabuleiro de jogo com figuras que pareciam familiares. Kamatsu reparou e disse:

— Conhece este jogo? — Estendeu o braço e puxou o tabuleiro para a sua frente, deixando-o diante dele. Pug respondeu:

— Amo, eu conheço esse jogo. Em minha terra, chama-se xadrez.

Hokanu olhou para o irmão, que se inclinou para a frente.

— Muitos já disseram, meu pai, que houve contato com os bárbaros antes.

O pai fez um gesto com a mão, minimizando a importância do comentário.

— É uma teoria. — Dirigiu-se a Pug: — Sente-se aqui e mostre-me como as peças se movem.

Pug sentou-se, tentando se lembrar do que Kulgan lhe ensinara. Fora um aluno indiferente ao jogo, mas sabia algumas aberturas básicas. Deslocou um peão para a frente e disse:

— Esta peça só pode mover-se para a frente uma única casa, exceto na primeira jogada, amo. Nesse caso, pode avançar duas casas. — O senhor daquelas terras acenou com a cabeça, indicando a Pug que continuasse. — Esta peça é um cavalo e desloca-se assim.

Após Pug ter demonstrado os movimentos de cada peça, o Lorde dos Shinzawai disse:

— Chamamos este jogo de shāh. As peças têm nomes diferentes, mas dá no mesmo. Vamos jogar.

Kamatsu deu as peças brancas a Pug. O rapaz começou o jogo com um movimento convencional do peão do rei e Kamatsu contra-atacou. Pug jogou mal e foi vencido depressa. Os restantes assistiram ao jogo sem dizerem uma única palavra. Quando acabou, o senhor disse:

— O seu povo o considera um bom jogador?

— Não, amo. Jogo muito mal.

O tsurani mais velho sorriu e os seus olhos enrugaram-se nos cantos.

— Eu diria que o seu povo não é tão bárbaro como costumamos pensar. Iremos jogar de novo em breve.

Fez um aceno com a cabeça ao filho mais velho e Kasumi levantou-se. Fazendo uma mesura ao pai, ordenou a Pug e Laurie:

— Venham.

Os escravos fizeram uma reverência ao senhor da casa e seguiram Kasumi. Foram levados pela casa até chegarem a um quarto menor com catres e almofadas.

— É aqui que vão dormir. O meu quarto fica ao lado. Quero tê-los por perto.

Corajoso, Laurie perguntou o que lhe passava na cabeça:

— O que o meu amo deseja de nós?

Kasumi fitou-o por um instante.

— Vocês, bárbaros, nunca darão bons escravos. Sempre se esquecem de seu lugar.

Laurie começou a balbuciar um pedido de desculpas, mas foi interrompido:

— Pouco importa. Estão aqui para me ensinar, Laurie. Irão me ensinar a montar a cavalo e a falar o seu idioma. Os dois. Irei aprender o que esses — fez uma pausa para logo emitir um som monótono e nasalado como ua-ua-ua — ruídos querem dizer quando falam um com o outro.

A conversa foi interrompida pelo som de um único toque de sino que reverberou pela casa.

— Um dos Grandes está chegando — explicou Kasumi. — Fiquem em seu quarto. Tenho de lhe dar as boas-vindas com o meu pai. — Foi embora com pressa, deixando os dois midkemianos sentados nos novos aposentos, pensando na nova reviravolta que a vida dera.

Nos dois dias seguintes, Pug e Laurie viram rapidamente o visitante por duas vezes. Ele parecia muito com o Lorde Shinzawai, embora fosse mais magro e usasse o manto preto de um Grande dos tsurani. Pug fez algumas perguntas aos serviçais da casa e conseguiu algumas informações. Pug e Laurie nunca tinham visto nada que se comparasse à reverência com que os tsurani tratavam os Grandes. Era como se fossem um poder à parte e, com o pouco que Pug conhecia da sociedade tsurani, não entendia onde eles se encaixavam. De início, achara que sofriam de um certo estigma social, pois ouvira dizer que os Grandes estavam "à margem da lei". Até que conseguiu entender, com a ajuda de um escravo tsurani exasperado com sua ignorância em assuntos tão vitais, que os Grandes tinham poucos limites, ou quase nenhum, em troca de um serviço indefinível que prestavam ao Império.

Durante aqueles dias, Pug fez uma descoberta que, de certa forma, aliviou a sensação estranha de seu cativeiro. Encontrou, atrás das cocheiras dos needra, um canil repleto de cães que não paravam de latir e de abanar os rabos. Eram os únicos animais parecidos com os de Midkemia que vira em Kelewan, e ele sentiu uma alegria inexplicável ao vê-los. Voltou correndo ao quarto para buscar Laurie e levá-lo ao canil. Então sentaram-se em um dos recintos, entre um grupo de caninos brincalhões.

Laurie dava gargalhadas com as brincadeiras ruidosas dos animais. Não eram como os cães de caça do Duque, tinham pernas mais compridas e eram mais magros. Suas orelhas eram pontudas e levantavam-se sempre que ouviam algum barulho.

— Já tinha visto outros cães como estes em Gulbi, uma cidade na Grande Estrada Setentrional de Comércio de Kesh. Lá os chamam de galgos e são usados para expulsar os felinos e os antílopes dos campos próximos ao Vale do Sol.

O mestre do canil, um escravo franzino de pálpebras caídas chamado Rachmad, aproximou-se e olhou-os desconfiado.

— O que vocês estão fazendo aqui?

Laurie observou o homem rígido e puxou, brincando, o focinho de um cachorro barulhento.

— Não víamos cães desde que deixamos nossa terra, Rachmad. O nosso amo está ocupado com o Grande, por isso pensamos em visitar o seu belo canil.

Ao ouvir "belo canil", o semblante fechado se iluminou um pouco.

— Tento manter os cães com boa saúde. Eu os mantenho fechados, pois eles atormentam os cho-ja, que não gostam nada deles. — Por um momento, Pug pensou que talvez tivessem sido trazidos de Midkemia, como o cavalo. Quando perguntou de onde vinham, Rachmad o olhou como se ele fosse louco. — Parece que você pegou muito sol na cabeça. Sempre existiram cães. — Com aquela última afirmação sobre o assunto, considerou a conversa encerrada e foi embora.

Mais tarde, naquela noite, Pug acordou e viu Laurie entrando no quarto.

— Onde você estava?

— Psiu! Quer acordar a casa toda? Volte a dormir.

— Onde você foi? — perguntou Pug num sussurro.

Conseguiu ver o enorme sorriso de Laurie a meia-luz.

— Fui visitar uma certa ajudante do cozinheiro para... conversarmos.

— Oh, Almorella?

— Sim — foi a resposta alegre. — É uma bela moça. — A jovem escrava que servia na cozinha tinha ficado de olho em Laurie desde que a caravana chegara, há quatro dias.

Após um momento de silêncio, Laurie disse:

— Você também devia fazer algumas amizades. Dá uma perspectiva muito diferente às coisas.

— Aposto que sim — disse Pug, sua desaprovação, misturando-se com mais do que um pouco de inveja. Almorella era uma mulher animada e bem-disposta, da idade de Pug e com olhos escuros e alegres.

— Já a Katala... Acho que ela está de olho em você, Pug.

Com as faces ardendo, Pug atirou uma almofada no amigo.

— Oh, cale-se e durma.

Laurie abafou uma gargalhada. Deitou-se em seu catre e deixou Pug em paz, absorto em seus pensamentos.

O vento trazia uma leve promessa de chuva e Pug apreciou o frescor que sentia na pele. Laurie estava montado no cavalo de Kasumi, enquanto o jovem oficial o observava. O cantor ensinara artesãos tsurani a fazer uma sela e uma rédea para a montaria e estava mostrando como eram usadas.

— Este cavalo foi treinado para batalhas — gritou Laurie. — Ele pode ser guiado pelas rédeas — demonstrou puxando-as para um dos lados do pescoço do animal e depois para o outro —, ou pode ser manobrado usando as pernas. — Ergueu as mãos e mostrou ao primogênito da casa como devia fazer.

Passara três semanas ensinando o jovem nobre, que demonstrara um talento natural para montar. Laurie saltou do cavalo e Kasumi tomou o lugar. O tsurani começou cavalgando sem jeito, desacostumado com a sela. Quando passou na frente de Pug, ele gritou:

— Meu amo, prenda-o bem com as pernas! — O cavalo sentiu a pressão e passou ao trote. Ao invés de ficar aflito com o aumento de velocidade, Kasumi parecia extasiado. — Mantenha os calcanhares para baixo! — gritou Pug. Foi então que, sem que tivesse sido instruído por nenhum dos escravos, Kasumi bateu os calcanhares com força nos flancos do animal e este desatou a correr pelos campos.

Laurie observou-o desaparecer e disse:

— Ou ele é um cavaleiro nato, ou vai se matar.

Pug concordou:

— Acho que leva jeito. Coragem não lhe falta.

Laurie arrancou uma haste de erva do chão e a mordeu. Abaixou-se e afagou a orelha de uma cadela que estava deitada a seus pés, não só para distraí-la e evitar que fosse correndo atrás do cavalo como também para divertir o animal. A cadela rolou e mordiscou-lhe a mão, brincando.

Laurie virou-se para Pug:

— Qual será o jogo do nosso jovem amigo?

Pug deu de ombros.

— Como assim?

— Lembra-se de quando chegamos aqui? Ouvi dizer que Kasumi estava prestes a partir com os seus companheiros cho-ja. Bem, os três soldados cho-ja partiram hoje de manhã, por isso a Bethel está fora da jaula, e ouvi rumores de que as ordens do primogênito dos Shinzawai tinham mudado de repente. Junte tudo isso com aulas de equitação e de língua e o que temos?

Pug espreguiçou-se.

— Não sei.

— Nem eu. — Laurie estava indignado. — Mas são assuntos de importância crucial. — Olhou para a planície e disse: — Tudo o que eu queria era viajar e contar histórias, cantar minhas músicas, e um dia encontrar uma viúva que fosse dona de uma estalagem.

Pug riu.

— Tenho certeza de que você acharia a vida de taberneiro entediante depois desta grande aventura.

— E que bela aventura. Eu estava com um grupo de uma milícia provinciana e dei de cara com o exército inteiro dos tsurani. Desde então, fui espancado várias vezes, passei mais de quatro meses no meio daquela porcaria de pântanos, corri meio mundo a pé...

— Viemos de carroça, se bem me lembro.

— Bom, percorri meio mundo e agora dou aulas de equitação a Kasumi Shinzawai, primogênito de um lorde de Tsuranuanni. Não me parece ser tema para grandes baladas.

Pug sorriu com tristeza.

— Podiam ter sido quatro anos nos pântanos. Você pode se considerar com sorte. Pelo menos, sabe que estará aqui amanhã. Ao menos enquanto Septiem não o apanhar rondando a cozinha no meio da noite.

Laurie observou Pug com atenção.

— Eu sei que você está brincando. Quero dizer, sobre Septiem. Já pensei várias vezes em lhe perguntar, Pug. Por que você nunca fala da sua vida antes de ser capturado?

Pug desviou o olhar de modo vago.

— Deve ser um hábito que adquiri no acampamento do pântano. Não vale a pena lembrar daquilo que éramos antes. Vi homens corajosos morrerem por não conseguirem se esquecer de que nasceram livres.

Laurie puxou a orelha do cão.

— Mas aqui a situação é diferente.

— Será? Lembre-se do que me disse em Jamar sobre alguém querer algo de você. Eu acho que quanto mais confortável você estiver aqui, mais fácil fica de eles conseguirem o que querem de você. O senhor Shinzawai não é nenhum tolo. — Parecendo ter mudado de assunto, perguntou: — É melhor treinar um cão ou um cavalo com chicote ou com carinho?

Laurie levantou a cabeça.

— O quê? Ora, com carinho, mas também é preciso disciplina.

Pug acenou afirmativamente com a cabeça.

— Acho que estão nos tratando com a mesma consideração que demonstram com Bethel e os outros cães. Mas não deixamos de ser escravos. Nunca se esqueça disso.

Laurie ficou muito tempo olhando para o campo sem dizer nada.

Os dois foram despertados de seus pensamentos pelos gritos do filho mais velho da casa, que voltava montado no cavalo. Parou o animal quando chegou junto a eles e desmontou com um salto.

— Ele voa — disse em seu Idioma do Rei estropiado. Kasumi era um aluno brilhante e estava aprendendo depressa. Complementava as aulas de língua com uma enxurrada constante de perguntas sobre a terra e a gente de Midkemia. Pelo visto, não existia um único aspecto da vida no Reino que não lhe interessasse. Pedira exemplos cotidianos, como a forma de pechinchar com vendedores e as formas de tratamento adequadas para falar com pessoas de hierarquias diferentes.

Kasumi levou o cavalo de volta ao barracão que tinham construído para o animal e Pug o examinou em busca de sinais de patas machucadas. Por tentativa e erro, fizeram ferraduras em madeira tratada de resina, mas estas pareciam estar aguentando. No caminho, Kasumi disse:

— Tenho pensado em algo. Não entendo como o Rei de vocês governa, com tudo o que me contaram sobre essa Assembleia de Lordes. Podem me explicar?

Laurie olhou para Pug com as sobrancelhas erguidas. Embora não soubesse mais do que Laurie acerca das políticas do Reino, parecia mais habilitado a explicar.

— A assembleia elege o Rei, embora seja mais um aspecto formal — disse Pug.

— Formal?

— Uma tradição. É sempre eleito o herdeiro ao trono, exceto quando não há um sucessor óbvio. É considerada a melhor forma de conter as guerras civis, pois as decisões da assembleia são definitivas. — Explicou, então, como o Príncipe de Krondor tinha abdicado a favor do sobrinho e como a assembleia acatara esse desejo. — Como se faz no Império?

Kasumi refletiu e disse:

— Talvez não seja assim tão diferente. Cada Imperador é um escolhido dos deuses, mas, pelo que me disseram, não se parece com o seu Rei. Ele governa na Cidade Sagrada, contudo sua liderança é espiritual. Protege-nos da ira dos deuses.

— Sendo assim, quem governa? — Laurie perguntou.

Chegaram ao abrigo e Kasumi tirou a sela e a rédea do cavalo, começando a escová-lo.

— Aqui é diferente da sua terra. — Pareceu estar com dificuldade com a língua e mudou para tsurani: — O Lorde Governante de uma família representa a autoridade absoluta na sua propriedade. Cada família pertence a um clã e o senhor mais influente do clã é o Líder de Guerra. No clã, cada senhor de uma família detém alguns poderes, dependendo da influência que possui. Os Shinzawai pertencem ao Clã Kanazawai. Somos a segunda família mais poderosa nesse clã, depois dos Keda. Quando jovem, meu pai foi comandante dos exércitos do clã, um Líder de Guerra, o que vocês chamariam de general. A posição das famílias muda de geração para geração, por isso é improvável que eu consiga uma posição tão alta. Os dirigentes de cada clã têm assento no

Conselho Supremo. Aconselham o Senhor da Guerra, que governa em nome do Imperador, embora o Imperador tenha mais poder do que ele.

— Alguma vez o Imperador contrariou o Senhor da Guerra? — Laurie quis saber.

— Nunca.

— Como escolhem o Senhor da Guerra? — indagou Pug.

— É difícil explicar. Quando o velho Senhor da Guerra morre, os clãs se reúnem. É gigantesca a reunião de nobres, pois, além do conselho, todos os chefes de família também comparecem. Juntam-se e tramam, às vezes acontecem lutas sangrentas, mas ao fim é eleito um novo Senhor da Guerra.

Pug afastou o cabelo dos olhos.

— Mas então o que impede o clã do antigo Senhor da Guerra de reivindicar essa posição, se é o mais poderoso?

Kasumi ficou incomodado.

— Não é fácil de explicar. Talvez só os tsurani consigam entender. Existem leis, mas, acima de tudo, existem costumes. Não importa quão poderoso o clã venha a se tornar, ou uma família dentro dele, somente o lorde de uma de cinco famílias poderá ser escolhido para Senhor da Guerra. São os Keda, os Tonmargu, os Minwanabi, os Oaxatucan e os Xacateca. Assim, só cinco lordes poderão ser levados em consideração. O atual Senhor da Guerra é Oaxatucan e por isso a chama do clã Kanazawai é fraca. O clã dele, os Omechan, é que está agora em ascensão. Somente os Minwanabi estão à sua altura, mas, no momento, estão unidos no esforço de guerra. É assim que funciona.

Laurie sacudiu a cabeça.

— Esses assuntos de famílias e clãs fazem a nossa política parecer simples.

Kasumi riu.

— Não se trata de política. A política é terreno das facções.

— Facções? — inquiriu Laurie, obviamente perdido na conversa.

— Existem muitas facções: a Facção da Roda Azul, a da Flor Áurea, a do Olho de Jade, a Facção pelo Progresso, a Facção Bélica e outras. As famílias podem pertencer a facções diferentes, em que cada uma tenta defender as suas próprias necessidades. Por vezes, famílias do mesmo clã pertencem a facções diferentes. Outras vezes, fazem alianças para conseguirem o que precisam naquele momento. Há ainda ocasiões em que podem até apoiar duas facções ao mesmo tempo, ou nenhuma.

— Parece um governo bastante instável — observou Laurie.

Kasumi riu.

— Dura há mais de dois mil anos. Temos um ditado: "No Conselho Supremo, não há irmãos." Lembre-se disso e talvez você consiga entender.

Pug ponderou com cuidado a pergunta seguinte:

— Meu amo, em tudo isso que nos explicou não falou nos Grandes. Por quê?

Kasumi parou de escovar o cavalo e olhou para Pug por um instante, para logo retomar os cuidados.

— Eles não têm nada a ver com política. Estão à margem da lei e não pertencem a nenhum clã. — Ele parou. — Por que a pergunta?

— Eles parecem inspirar grande respeito e, como um deles visitou esta casa há pouco tempo, achei que o senhor pudesse me explicar.

— São respeitados, pois detêm o destino do Império em suas mãos, sempre. É uma imensa responsabilidade. Renunciam a todos os laços e poucos têm vida pessoal fora da comunidade de magos onde vivem. Aqueles que têm família vivem separados e os seus filhos são levados para as antigas famílias quando atingem a maioridade. É uma vida difícil. Fazem muitos sacrifícios.

Pug prestou atenção em Kasumi. De certo modo, ele parecia perturbado com as próprias palavras.

— O Grande que visitou o meu pai fez parte desta família quando era criança. Era meu tio. É difícil para nós lidarmos com a situação, pois ele tem de cumprir as formalidades e não pode reivindicar parentesco. Creio que seria melhor se ele não nos visitasse. — As últimas palavras foram proferidas em voz baixa.

— Por quê, meu amo? — perguntou Laurie, sussurrando.

— Porque é muito difícil para Hokanu. Antes de se tornar meu irmão, ele era filho do Grande.

Terminaram de escovar o cavalo e saíram do barracão. Bethel correu na frente, pois sabia que era quase hora da refeição. Quando passaram pelo canil, Rachmad a chamou e a cadela juntou-se aos outros cães.

Não conversaram ao longo do caminho e Kasumi entrou no quarto sem mais comentários para os midkemianos. Pug sentou-se no catre, aguardando ser chamado para jantar, e pensou em tudo o que aprendera. Apesar dos costumes estranhos, os tsurani não eram muito diferentes de quaisquer outros homens. De certo modo, essa constatação pareceu-lhe tão reconfortante quanto perturbadora.

Duas semanas depois, Pug deparou-se com outro problema que lhe daria o que pensar. Katala não escondia seu descontentamento com a falta de atenção por parte de Pug. No começo, aos poucos e sutilmente, ela tentou chamar sua atenção, depois os sinais ficaram mais óbvios. A situação chegou a um ponto decisivo quando se encontraram atrás do barracão do cozinheiro no início daquela tarde.

Laurie e Kasumi tentavam construir um pequeno alaúde, com a ajuda de um artesão Shinzawai. Kasumi ficara interessado na música do trovador e, nos últimos dias, tinha observado atentamente enquanto Laurie discutia com o artesão a escolha da fibra de madeira adequada, a forma de cortar a madeira e o modo de montar o instrumento. Mostrou-se admirado com questões como se tripas de needra eram adequadas como cordas e mil outros detalhes. Pug achara tudo aquilo entediante e, poucos dias depois, começou a encontrar várias desculpas para se afastar. O cheiro de madeira tratada fazia lembrar com clareza demais o corte de árvores no pântano para que pudesse gostar de estar entre os baldes de resina nos alojamentos do artesão.

Naquela tarde, estava deitado na sombra do barracão do cozinheiro quando Katala dobrou a esquina. Ao vê-la, sentiu um aperto no estômago. Achava-a bastante atraente, mas, sempre que tentava falar com ela, não conseguia pensar em nada para dizer. Limitava-se a balbuciar comentários imbecis, ficava com vergonha e saía correndo. Ultimamente, preferira não falar nada. Por isso, enquanto ela se aproximava, Pug apenas sorria cautelosamente. De repente, Katala virou-se em sua direção, parecendo à beira das lágrimas.

— O que há de errado comigo? Sou tão feia que você não suporta olhar para mim?

Pug sentou-se, atônito e boquiaberto. Ela parou por um instante e depois lhe deu um pontapé na perna.

— Bárbaro estúpido — disse fungando para depois fugir.

Algum tempo depois, sentado no quarto, Pug sentia-se confuso e apreensivo por causa do encontro daquela tarde. Laurie esculpia cravelhas para o alaúde. Por fim, pousou a madeira e a faca e perguntou:

— O que está incomodando você, Pug? Está com uma cara de quem acabou de saber que foi promovido a feitor e, por isso, vai ser mandado de volta ao pântano.

Pug deitou-se no catre e ficou olhando para o teto.

— É a Katala.

— Oh — exclamou Laurie.

— Como assim, "Oh"?

— Nada, só que Almorella me contou que ela tem andando insuportável e, nos últimos dias, você está tão animado quanto um novilho abatido. O que está havendo?

— Não sei. É que ela... é que ela... me deu um chute, hoje.

Laurie lançou a cabeça para trás, dando gargalhadas.

— Por que raios ela fez isso?

— Sei lá. Deu o chute e pronto.

— O que você fez?

— Não fiz nada.

— Ah! — Laurie gargalhou mais ainda. — É esse o problema, Pug. Só existe uma coisa que uma mulher odeia mais do que a atenção dada por um homem de quem não gosta: a falta de atenção de um homem de quem gosta.

Pug ficou com um ar desanimado.

— Achei mesmo que fosse algo assim.

O rosto de Laurie demonstrou surpresa.

— O que é? Não gosta dela?

Inclinando-se para a frente e apoiando os cotovelos nos joelhos, Pug disse:

— Não é isso. Eu gosto dela. É muito bonita e simpática. Só que...

— O quê?

Pug olhou bruscamente para o amigo para verificar se estava zombando dele. Laurie sorria, mas de forma cordial e tranquilizadora, por isso Pug prosseguiu:

— É que... há uma outra pessoa.

Laurie ficou de boca aberta, fechando-a de repente.

— Quem? Tirando Almorella, Katala é a mulher mais bonita que vi neste mundo esquecido pelos deuses — suspirou. — Para falar a verdade, é ainda mais bonita do que Almorella, mas pouco. Além disso, nunca vi você falando com nenhuma outra mulher, e eu teria reparado se você sumisse com alguém.

Pug sacudiu a cabeça e baixou os olhos.

— Não, Laurie. Eu quis dizer lá em nossa terra.

A boca de Laurie voltou a se abrir e o trovador caiu para o lado e resmungou:

— "Lá em nossa terra!" Que vou fazer com essa criança? Perdeu o juízo? — Apoiou-se em um cotovelo e acrescentou: — É o Pug mesmo falando? O rapaz que me aconselhou a deixar o passado para trás? Aquele que insiste que remoer a vida que tínhamos só poderá nos levar a uma morte rápida?

Pug ignorou a alfinetada.

— É diferente.

— Diferente como? Por Ruthia, que em seus momentos mais carinhosos protege os tolos, os bêbados e os menestréis, como pode dizer que é diferente? Você já pensou que tem uma chance em dez vezes dez mil de voltar a vê-la, seja lá quem for?

— Eu sei, mas foram as lembranças de Carline que não me deixaram enlouquecer... — Suspirou ruidosamente. — Todos nós precisamos de um sonho, Laurie.

Laurie contemplou em silêncio o jovem amigo por um momento.

— Sim, Pug, todos precisamos de um sonho. Ainda assim — acrescentou com ânimo —, um sonho é uma coisa; uma mulher viva, quente e respirando é outra. — Vendo que Pug ficara irritado com a observação, mudou de assunto: — Quem é Carline, Pug?

— A filha de Lorde Borric.

Laurie arregalou os olhos.

— A Princesa Carline? — Pug confirmou e percebeu o divertimento na voz de Laurie. — A moça nobre mais desejada do Reino Ocidental, depois da filha do Príncipe de Krondor? Jamais poderia imaginar esse seu lado! Fale-me dela.

De início, Pug começou devagar, contando a paixão de adolescente que sentira por ela e de como o relacionamento começara. Laurie permaneceu calado, deixando que Pug libertasse as emoções reprimidas ao longo daqueles anos. Por fim, Pug disse:

— Talvez o que me incomode tanto em Katala é que ela é como Carline em muitos aspectos. As duas têm muita força de vontade e deixam claro o que querem.

Laurie acenou com a cabeça, sem dizer nada. Pug ficou em silêncio até que, pouco depois, prosseguiu:

— Quando estava em Crydee, cheguei a pensar que estava apaixonado por Carline. Mas não sei mais. Isso é estranho?

Laurie abanou a cabeça.

— Não, Pug. Existem muitas formas de amar alguém. Às vezes, desejamos tanto o amor que não somos exigentes com quem amamos. Outras vezes, transformamos o amor em uma coisa tão pura e tão nobre que nenhum pobre ser humano poderá corresponder a tal visão. Porém, na maior parte das vezes, o amor é um reconhecimento, uma oportunidade de dizer: "Tem algo em você que eu aprecio." Não quer dizer casamento, nem sequer amor físico. Há o amor aos pais, o amor à sua cidade ou à sua pátria, o amor à vida e o amor às pessoas. É tudo diferente, é tudo amor. Mas me diga, o que você sente por Katala parece com o que você sentia por Carline?

Pug encolheu os ombros e sorriu:

— Não, não me parece igual. Com Carline, sentia que tinha de mantê-la longe, sabe, afastada. Como se quisesse manter o controle do que acontecia.

Laurie sondou:

— E com Katala?

Pug voltou a encolher os ombros.

— Não sei. É diferente. Não sinto que precise mantê-la sob controle. É como se eu tivesse algo a dizer a ela, mas sem saber como. Foi assim quando me atrapalhei todo na primeira vez em que ela sorriu para mim. Eu conseguia falar com Carline, quando ela ficava em silêncio e me deixava falar. Katala fica em silêncio, mas eu não sei o que dizer. — Fez uma breve pausa, emitindo depois um ruído entre um suspiro e um gemido. — Sofro só de pensar na Katala, Laurie.

Laurie recostou-se, deixando escapar um riso abafado e amistoso.

— Sim, ainda bem que já passei por esse sofrimento. E preciso admitir que você gosta de mulheres interessantes. Pelo que vejo, Katala é perfeita. E a Princesa Carline...

Um pouco brusco, Pug o interrompeu:

— Faço questão de apresentá-la a você quando voltarmos.

Laurie ignorou o tom.

— Não vou me esquecer disso. Olhe, o que quero dizer é que você tem faro para mulheres que valem a pena. — Com alguma tristeza, acrescentou: — Quem me dera poder dizer o mesmo. Ao longo da vida, quase sempre me envolvi com criadas de tabernas, filhas de agricultores e prostitutas de rua. Não sei o que lhe dizer.

— Laurie — disse Pug. Laurie sentou-se e olhou para o amigo. — Não sei… não sei o que fazer.

O trovador observou Pug por um instante, até que compreendeu e jogou a cabeça para trás, gargalhando. Percebeu que Pug estava prestes a explodir de raiva e levantou as mãos, desculpando-se.

— Perdão, Pug. Não queria envergonhar você, mas não era o que eu esperava ouvir.

Um pouco mais calmo, Pug disse:

— Eu era muito novo quando fui capturado, não tinha nem dezesseis anos. Não era tão grande quanto os outros garotos, por isso as meninas não me davam atenção, salvo Carline, e, depois que virei escudeiro, elas ficaram com medo de mim. Depois... Droga, Laurie. Fiquei quatro anos nos pântanos. Que chances eu tive de conhecer uma mulher?

Laurie ficou quieto por algum tempo e a tensão abandonou o quarto.

— Pug, nunca teria imaginado, mas, é como você disse, que oportunidades teve?

— Laurie, o que devo fazer?

— O que você quer fazer? — Laurie olhou para Pug com uma expressão preocupada.

— Eu gostaria de... encontrá-la. Acho. Não sei.

Laurie coçou o queixo.

— Escute, Pug, nunca pensei que teria esta conversa com alguém, a não ser com um filho, se um dia tiver algum. Não queria fazer pouco caso de você. Você só me pegou desprevenido. — Desviou o olhar, organizando as ideias, antes de continuar: — O meu pai me colocou para fora de casa quando eu mal tinha acabado de fazer doze anos; era o mais velho e ele tinha mais sete bocas para alimentar. Nunca tive muito jeito para a agricultura mesmo. Fui a pé até Tyr-Sog em companhia de um rapaz da vizinhança e aí passamos um ano vivendo daquilo que a rua nos dava. Ele entrou para um grupo de mercenários como ajudante do cozinheiro e mais tarde tornou-se soldado. Eu me juntei a uma trupe itinerante de músicos. Tornei-me aprendiz do menestrel, com quem aprendi canções, sagas e baladas e viajei. Cresci depressa e já era um homem aos treze anos. Na trupe, havia uma mulher, viúva de um cantor, que viajava com os irmãos e primos. Tinha pouco mais de vinte anos, mas para mim parecia muito velha. Foi ela que me apresentou os jogos entre homens e mulheres. — Parou por um instante, revivendo memórias há muito esquecidas. Sorriu.

— Foi há mais de quinze anos, Pug. Mas ainda me lembro de seu rosto. Nós dois estávamos um pouco perdidos. Não foi nada planejado. Acabou acontecendo em uma tarde na estrada. Ela foi... gentil. — Olhou para Pug. — Sabia que eu estava assustado, apesar de minhas bravatas. — Sorriu e fechou os olhos. — Ainda consigo ver o sol entre as árvores por trás de seu rosto e o seu perfume misturado com o odor das flores silvestres. — Abrindo os olhos, prosseguiu: — Passamos juntos os dois anos seguintes, enquanto eu aprendia a cantar. Até que deixei a trupe.

— O que aconteceu? — perguntou Pug, pois aquela história era novidade. Laurie nunca antes falara de sua juventude.

— Ela se casou de novo. Era um bom homem, um estalajadeiro na estrada de Cruz de Malac para o Vale de Durrony. A mulher dele falecera no ano anterior com febre, deixando-o com dois filhos pequenos. Ela tentou me explicar a situação, mas eu não quis ouvir. Que sabia eu? Ainda nem tinha dezesseis anos e o mundo era um lugar simples.

Pug acenou com a cabeça.

— Entendo o que você quer dizer.

Laurie interpelou-o:

— Olha, o que estou tentando dizer é que entendo o problema. Posso explicar como funciona...

Pug interrompeu-o:

— Isso eu sei. Não fui criado por monges.

— Mas não sabe *como* funciona.

Pug assentiu e os dois riram.

— Acho que você devia encontrá-la e dizer o que sente — afirmou Laurie.

— Só falar com ela?

— Claro. O amor é como muitas outras coisas, é sempre melhor usar a cabeça. Guarde os esforços irrefletidos para situações irracionais. Agora, vá.

— Agora? — Pug parecia apavorado.

— Quanto mais cedo, melhor, certo?

Pug concordou e, sem mais uma palavra, saiu do quarto. Caminhou pelos corredores escuros e silenciosos, saiu, dirigiu-se aos alojamentos dos escravos e avançou até a porta dela. Ergueu a mão para bater, mas a deteve. Ficou parado por algum tempo, tentando decidir o que fazer, e então abriram a porta. Almorella surgiu na soleira, agarrando o roupão junto ao corpo, o cabelo em desalinho.

— Oh — murmurou —, achei que fosse Laurie. Espere aí. — Desapareceu dentro do quarto e logo voltou com uma trouxa nos braços. Deu uma palmadinha no braço de Pug e partiu na direção do quarto de Pug e Laurie.

Pug ficou à porta um instante e então entrou no quarto com cautela. Viu Katala deitada em seu catre, debaixo de um cobertor. Aproximou-se e agachou-se junto a ela. Tocou no ombro dela e chamou-a baixinho. Ela acordou e sentou-se de repente, tapando-se com o cobertor e dizendo:

— O que você está fazendo aqui?

— Eu... queria falar com você. — Assim que começou, as palavras jorraram. — Lamento se fiz alguma coisa que a deixou zangada. Ou se não fiz nada. Quer dizer, Laurie diz que não fazer nada quando alguém espera que se faça é tão ruim como dar atenção demais. Não sei bem, entende? — Ela tapou a boca para esconder uma risada, pois notava a aflição de Pug, apesar da penumbra. — O que eu quero dizer... o que quero é pedir desculpas. Desculpe o que fiz. Ou não fiz...

Ela o silenciou pousando a ponta de um dedo em sua boca; estendeu o braço e envolveu o pescoço do rapaz, puxando sua cabeça para baixo. Beijou-o demoradamente e depois disse:

— Tolinho. Vá fechar a porta.

Estavam deitados juntos, o braço de Katala em cima do peito de Pug, enquanto ele fitava o teto. Ela emitia ruídos sonolentos e ele lhe afagava o cabelo espesso e o ombro macio.

— O que foi? — perguntou Katala, com voz de sono.

— Estava só pensando que não sou tão feliz desde que me tornei membro da corte do Duque.

— Que bom. — Ela pareceu despertar um pouco. — O que é um duque?

Pug pensou por um instante.

— É como um dos lordes daqui, mas diferente. O meu Duque era primo do Rei e o terceiro homem mais poderoso do Reino.

A jovem aconchegou-se mais a ele.

— Você devia ser importante para fazer parte dessa corte.

— Na verdade, não; prestei um serviço a ele e fui recompensado por isso. — Pug achou melhor não falar o nome de Carline naquela situação. De certa forma, as fantasias adolescentes com a Princesa pareciam infantis comparadas ao que se passara naquela noite.

Katala se virou, ficando de barriga para baixo. Ergueu a cabeça e apoiou-a na mão, formando um triângulo com o braço.

— Quem me dera as coisas fossem diferentes.

— Como assim, meu amor?

— O meu pai era fazendeiro em Thuril. Somos um dos últimos povos livres de Kelewan. Se fôssemos para lá, você poderia assumir uma posição no Coaldra, o Conselho de Guerreiros. Precisam sempre de homens talentosos. Então poderíamos ficar juntos.

— Estamos juntos, não estamos?

Katala beijou-o delicadamente.

— Sim, querido Pug, estamos. Porém nós dois lembramos muito bem o que é ser livre, não é verdade?

Pug sentou-se.

— Tento não pensar nisso.

Ela o envolveu com os braços, abraçando-o como uma criança.

— Deve ter sido terrível, lá nos pântanos. Ouvimos histórias, mas ninguém sabe ao certo — disse baixinho.

— É melhor não saber.

Ela o beijou e não tardaram a regressar àquele lugar atemporal e seguro, partilhado pelos dois, esquecendo todos os pensamentos terríveis e estranhos. Durante o resto da noite, deram prazer um ao outro, descobrindo um sentimento profundo que era novidade para ambos. Pug não sabia dizer se ela tivera outros homens antes e não perguntou. Não era importante. O que interessava era estar ali, com ela, naquele momento. Estava mergulhado em um mar de novos deleites e emoções. Não entendia completamente tudo o que sentia, mas não tinha dúvidas de que o que sentia por Katala era mais real, mais envolvente do que os confusos anseios de veneração que sentira por Carline.

Passaram-se semanas e Pug sentia que a sua vida entrava em uma rotina tranquilizadora. Algumas noites, ficava com o Lorde Shinzawai jogando xadrez — ou shāh, como chamavam ali — e as conversas que mantinham o ajudaram a entender a natureza dos tsurani. Já não pensava naquele povo como alienígena, pois seu cotidiano era muito semelhante ao que conhecera quando era criança. Havia diferenças surpreendentes, tal como a fidelidade rigorosa a um código de honra, mas as semelhanças excediam em muito as diferenças.

Toda a sua vida passou a girar em torno de Katala. Estavam juntos sempre que tinham chance: partilhavam refeições, trocavam palavras rapidamente e, todas as noites que conseguiam, passavam juntos. Pug tinha certeza de que os outros escravos da casa sabiam daqueles românticos encontros secretos, embora a proximidade das pessoas na vida tsurani tivesse gerado uma certa cegueira quanto aos hábitos pessoais alheios, logo, ninguém se importava muito com as movimentações de dois escravos.

Várias semanas depois da primeira noite com Katala, Pug se encontrava sozinho com Kasumi, enquanto Laurie estava envolvido em outra competição de gritos com o artesão que terminava o alaúde. O homem considerava Laurie um tanto insensato por se opor a que o instrumento tivesse acabamentos em amarelo claro com o rebordo roxo. Não via mérito algum em deixar os tons da madeira natural à vista. Pug e Kasumi deixaram o cantor explicando ao artesão os requisitos da madeira para obter uma ressonância adequada, parecendo determinado a convencê-lo tanto pelo volume da voz como pela lógica.

Caminharam para a área dos estábulos. Mais cavalos haviam sido capturados, adquiridos por representantes do Lorde dos Shinzawai e enviados para lá em troca de uma pequena fortuna e de algumas manobras políticas.

Sempre que estava sozinho com os escravos, Kasumi falava o Idioma do Rei e insistia que o tratassem pelo nome. Foi tão rápido em aprender o idioma quanto fora em aprender a montar.

— Nosso amigo Laurie — disse o filho mais velho da casa — jamais se tornará um bom escravo segundo o ponto de vista dos tsurani. Não aprecia as nossas artes.

Pug escutou a discussão que ainda conseguia ouvir vinda da oficina do artesão.

— Acho que está mais preocupado com a apreciação adequada da própria arte.

Chegaram ao estábulo e ficaram observando um garanhão cinzento, que recuou e relinchou quando se aproximaram. O cavalo fora trazido havia uma semana, bem preso a uma carroça, e tentara várias vezes atacar quem quer que se aproximasse.

— Por que este é tão problemático, Pug?

Pug observou o magnífico animal correr em círculos dentro do cercado, agrupando os outros animais e obrigando-os a se afastarem dos homens. Assim que as éguas e o outro garanhão, mais submisso, ficaram a uma distância segura, o cinzento virou-se e observou os dois homens cautelosamente.

— Não sei. Pode ser apenas um cavalo com temperamento ruim por ter sido maltratado ou então ele passou por um treinamento especial para combate. A maioria de nossas montarias de batalha é treinada para não se assustar em combate e para se manter em silêncio quando as seguramos. Além de reagir às ordens do cavaleiro em momentos de grande pressão. Algumas, sobretudo as que são montadas pelos senhores, são especialmente treinadas para obedecerem somente ao seu amo e são tanto armas como um meio de transporte, sendo adestradas para atacar. Pode ser esse o caso.

Kasumi reparou que o cavalo raspava a pata no chão e agitava a cabeça.

— Um dia, irei montá-lo — disse. — Seja como for, dará uma forte descendência. Temos agora cinco éguas e meu pai conseguiu outras cinco. Chegarão daqui a poucas semanas e estamos revirando todos os estados do Império em busca de mais. — Kasumi ficou com um ar distante e começou a devanear: — Quando fui ao seu mundo pela primeira vez, Pug, odiava cavalos só de vê-los. Cavalgaram sobre nós e nossos soldados morreram. Mas depois percebi as criaturas magníficas que são. Outros prisioneiros que fizemos, quando ainda estava em seu mundo, disseram que há famílias nobres que são conhecidas somente pela excelente criação de cavalos. Um dia, os melhores cavalos do Império serão os cavalos dos Shinzawai.

— Parece que começou bem, embora, pelo pouco que sei, sejam precisos muitos outros cavalos para ter uma criação.

— Teremos todos que precisarmos.

— Kasumi, como os seus líderes podem dispensar os animais capturados com o esforço na guerra? Você com certeza sabe da necessidade de organizar depressa unidades de cavalaria, caso queiram avançar na conquista.

O rosto de Kasumi ganhou uma expressão pesarosa.

— Os nossos líderes são, majoritariamente, arraigados às tradições, Pug. Recusam-se a entender a sensatez de treinar uma cavalaria. Tolos. Os seus cavaleiros atropelam os nossos guerreiros e, ainda assim, eles fingem que não podemos aprender nada, chamando o seu povo de bárbaro. Uma vez, sitiei um castelo em sua pátria, e aqueles que o defenderam me ensinaram bastante sobre a arte da guerra. Muitos me chamariam traidor, caso me ouvissem dizer isso, mas só aguentamos algum tempo devido à superioridade numérica. Na maior parte das vezes, os seus generais são mais habilidosos. Tentar manter seus soldados vivos, ao invés de enviá-los para a morte certa, reflete certa astúcia. Não, a verdade é que somos dirigidos por homens que... — Calou-se, percebendo que falava de assuntos perigosos. — A verdade — disse por fim — é que somos um povo tão obstinado quanto vocês.

Examinou o rosto de Pug por algum tempo até que sorriu.

— Tentamos capturar cavalos durante o primeiro ano para que os Grandes do Senhor da Guerra pudessem estudar os animais e tentassem perceber se seriam aliados inteligentes, como os nossos cho-ja, ou meros animais. Foi uma cena verdadeiramente cômica. O Senhor da Guerra insistiu em ser o primeiro a montar um cavalo. Desconfio que optou por um animal muito parecido com este nosso cinzento, pois, assim que se aproximou do animal, o cavalo atacou, quase o matando. Agora, sua honra não permite que mais ninguém tente, já que ele falhou. Além disso, acho que tem medo de tentar com outro animal. O nosso Senhor da Guerra, Almecho, é um homem bastante orgulhoso e tem um gênio terrível, mesmo para um tsurani.

— Sendo assim, como o seu pai consegue continuar adquirindo cavalos capturados? — questionou Pug. — Como você pode montar sem desrespeitar as ordens do Senhor da Guerra?

O sorriso de Kasumi alargou-se.

— O meu pai tem uma certa influência no conselho. A nossa política é estranhamente intricada, e existem formas de contornar qualquer comando, mesmo que seja do Senhor da Guerra ou do Conselho Supremo, e qualquer outra ordem, excetuando as que venham da Luz do Céu. Mas, acima de tudo, é porque os cavalos estão aqui e o Senhor da Guerra não está. — Sorriu. — O Senhor da Guerra é soberano somente no campo de batalha. Nesta propriedade, ninguém pode questionar a vontade de meu pai.

Desde que chegara à fazenda dos Shinzawai, Pug estava preocupado com o que Kasumi e o pai pareciam estar tramando. Não duvidava que andassem envolvidos em alguma intriga política tsurani, mas o que seria, ele não fazia ideia. Um senhor poderoso como Kamatsu não se esforçaria tanto só para satisfazer um capricho de um filho, mesmo que fosse o filho preferido, como era o caso. Porém Pug sabia que não devia se envolver mais do que as circunstâncias o obrigavam. Mudou de assunto:

— Kasumi, estava pensando em uma coisa.

— Sim?

— O que diz a lei sobre o casamento entre escravos?

Kasumi não pareceu surpreso com a pergunta.

— Os escravos podem se casar com a permissão do amo. Contudo, essa permissão raramente é concedida. Depois de casados, não se pode separar marido e mulher, nem vender os filhos enquanto os pais viverem. É essa a lei. Se um casal viver muito tempo, a propriedade poderá ficar sobrecarregada com três ou quatro gerações de escravos, muito mais do que pode suportar em termos econômicos. No entanto, às vezes a permissão é concedida. Por quê? Você quer Katala como esposa?

Pug ficou admirado.

— Você sabe?

— Nada se passa na propriedade de meu pai que ele não saiba e que depois não venha me contar — disse Kasumi modestamente. — É uma honra enorme.

Pug acenou a cabeça com um ar pensativo.

— Ainda não sei. Gosto muito dela, mas tem algo me impedindo. É como se... — Encolheu os ombros, não sabendo o que dizer.

Kasumi olhou-o atentamente por algum tempo, até que disse:

— Você está vivo porque meu pai quis assim, e leva sua vida de acordo com seus caprichos. — Kasumi parou por um instante e Pug se deu conta, com tristeza, de que o abismo entre eles continuava imenso, sendo um deles o filho de um poderoso senhor e o outro, a propriedade de menor valor desse pai: um escravo. A falsa aparência de amizade se rompera e Pug lembrou de novo o que aprendera no pântano: ali, a vida não tinha importância, e era somente o prazer deste homem, ou de seu pai, que se interpunha entre Pug e a destruição.

Como se lesse os pensamentos de Pug, Kasumi disse:

— Lembre-se, Pug, a lei é dura. Um escravo nunca poderá ser libertado. Ainda assim, existe o pântano e existe este lugar. E, para nós de Tsuranuanni, a gente do Reino é muito impaciente.

Pug sabia que Kasumi estava tentando dizer alguma coisa, que talvez fosse de grande importância. Apesar da franqueza em algumas ocasiões, Kasumi conseguia voltar rapidamente ao modo tsurani que Pug só podia chamar de misterioso. Havia uma tensão escondida nas palavras de Kasumi e Pug achou melhor não pressionar. Voltando a mudar de assunto, perguntou:

— Como está a guerra, Kasumi?

Kasumi suspirou.

— Mal para os dois lados. — Observou o garanhão cinzento. — Continuamos a combater em frentes estáveis, inalteradas nos últimos três anos. As nossas duas últimas ofensivas foram contidas, mas o seu exército também não conseguiu nenhuma conquista. Atualmente, passam-se semanas sem uma única batalha. Então seus compatriotas atacam um dos nossos acampamentos e nós devolvemos o cumprimento. Pouco se consegue, além de derramamento de sangue. É tudo bastante absurdo e pouca honra provém daí.

Pug ficou admirado. Tudo o que vira dos tsurani reforçava a observação que Meecham fizera anos antes: os tsurani eram uma raça bélica. Durante a viagem até ali, vira soldados por toda parte. Ambos os filhos da casa eram soldados, tal como fora o pai deles quando jovem. Hokanu era Primeiro Líder de Ataque da guarnição do pai, uma vez que era o segundo filho do Lorde dos Shinzawai, e a forma como lidara com o feitor no acampamento do pântano revelava uma eficiência implacável que Pug sabia não se resumir a um capricho. Era tsurani, e o código tsurani era ensinado desde muito cedo e rigorosamente seguido.

Kasumi sentiu que estava sendo estudado e disse:

— Temo estar amolecendo por causa de seu jeito exótico, Pug. — Fez uma pausa. — Vamos, conte-me mais sobre o seu povo e o que... — Kasumi ficou paralisado. Agarrou o braço de Pug e inclinou a cabeça, escutando. Após um segundo, exclamou: — Não! Não pode ser! — De repente, girou e gritou: — Ataque! Os thũn!

Pug prestou atenção e ouviu ao longe um estrondo fraco, como se uma manada de cavalos galopasse pela planície. Subiu na cerca e olhou para longe. Um prado vasto estendia-se atrás dos estábulos e terminava na orla de uma área escassamente arborizada. Enquanto o alarme soava atrás dele, conseguiu vislumbrar formas saindo de entre as árvores.

Fascinado, Pug contemplava as criaturas chamadas de thūn correndo para o solar. Ficavam cada vez maiores conforme corriam furiosamente para o local onde Pug aguardava. Eram seres enormes, parecidos com centauros, que de longe lembravam cavaleiros sobre cavalos. No entanto, a parte inferior do corpo não parecia a de um equino, lembrava mais um enorme veado ou um alce, embora mais musculoso. Já a parte superior do corpo era completamente humana, ainda que o rosto parecesse imensamente com o de um macaco de focinho comprido. Todo o corpo, com exceção do rosto, era coberto por um pelo de tamanho médio, com manchas cinzentas e brancas. Todas as criaturas empunhavam um porrete ou um machado com a lâmina feita de pedra firmemente amarrada ao punho de madeira.

Hokanu e a guarda da fazenda chegaram correndo da caserna e tomaram posição perto dos estábulos. Os arqueiros aprontaram os arcos e os espadachins formaram fileiras, preparados para receber a investida.

De repente, Pug viu Laurie a seu lado, com o alaúde quase terminado na mão.

— O que houve?

— Ataque dos thūn!

Laurie estava tão fascinado com o que via quanto Pug. De repente, pousou o alaúde e saltou para dentro do cercado.

— O que você está fazendo? — gritou Pug.

O trovador desviou-se de um coice defensivo do garanhão cinzento e saltou para a garupa de outro animal, a égua dominante da pequena manada.

— Estou levando os animais para um lugar seguro.

Pug assentiu e abriu o portão. Laurie saiu com a égua, mas o cinzento impedia os outros de a seguirem, fazendo-os recuar. Pug hesitou por um minuto, até que disse:

— Algon, espero que, quando me ensinou, soubesse o que estava fazendo. — Avançou calmamente até o garanhão, tentando transmitir uma sensação de comando. Quando o garanhão baixou as orelhas e resfolegou, Pug ordenou:

— Fique!

Ao ouvir a ordem, as orelhas do cavalo levantaram e ele pareceu estar se decidindo. Pug sabia que o tempo era crucial e não interrompeu o ritmo da aproximação. O cavalo o examinou quando chegou do seu lado e Pug voltou a ordenar:

— Fique!

Antes que o animal fugisse, Pug agarrou uma madeixa da crina e saltou para a garupa do animal.

O cavalo de combate, por ter sido treinado assim ou por mera sorte, considerou Pug parecido o bastante com seu antigo dono para obedecer. Talvez fosse o clamor da batalha ao redor, mas, independentemente do motivo, o cinzento deu um salto para a frente em resposta às ordens dadas pelas pernas de Pug e saiu correndo pelo portão. Pug agarrou-se bem com as pernas, lutando pela vida. Quando o cavalo passou pelo portão e virou para a esquerda, Pug gritou:

— Laurie, pegue os outros! — Pug olhou de relance por cima do ombro e viu os outros animais atrás da líder da manada quando Laurie passou o portão com a égua.

Pug viu Kasumi correndo com a sela na mão e gritou:

— Ôa! — Ao mesmo tempo, tentava se manter o mais firme possível sem sela. O garanhão parou e Pug comandou:

— Fique! — O garanhão cinzento escavou o chão, antecipando o combate. Ao se aproximar, Kasumi gritou:

— Afastem os cavalos da luta. Trata-se de um Ataque Sangrento e os thūn não irão embora até cada um ter matado pelo menos uma vez. — Gritou para que Laurie parasse e, enquanto a pequena manada dava mostras de agitação, selou um dos animais rapidamente e afastou-o dos demais.

Pug esporeou o cavalo cinzento com as pernas, conduzindo a égua que Laurie montava e os outros para a lateral do solar. Mantiveram os animais agrupados fora da vista dos agressores thūn. Viram um soldado contornando a casa, carregado com armas. Ele aproximou-se de Pug e Laurie e gritou:

— O meu senhor Kasumi ordenou que vocês defendam os cavalos com as próprias vidas. — Entregou uma espada e um escudo a cada escravo, virou-se e correu de volta ao combate.

Pug contemplou o estranho armamento, muito mais leve do que qualquer outro com o qual tivesse treinado. Um grito estridente interrompeu sua contemplação quando Kasumi contornou a casa cavalgando, lutando contra um guerreiro thūn. O primogênito dos Shinzawai montava bem e, mesmo sem muita prática no combate a cavalo, era um excelente espadachim. A sua inexperiência era compensada pelo desconcerto do thūn diante do cavalo, pois, embora aparentemente fosse o mesmo que lutar contra alguém de sua própria raça, o cavalo também estava atacando, mordendo o peito e o rosto da criatura.

Farejando os thūn, o animal cinzento de Pug empinou, quase o derrubando, mas o rapaz conseguiu se agarrar bem à crina e apertar as pernas com força. Os outros cavalos relincharam e Pug debateu-se para impedir que o dele atacasse. Laurie gritou:

— Eles não gostam do cheiro daquelas coisas. Veja como o cavalo de Kasumi está se comportando.

Outra criatura apareceu e Laurie, com um grito, cavalgou para interceptá-la. Encontraram-se com um choque de armas e Laurie amparou com o escudo o golpe do bastão thūn. Com a espada, trespassou no peito a criatura, que gritou em um idioma estranho e gutural, cambaleando por um momento para depois tombar.

Pug ouviu gritos vindos de dentro da casa e virou-se para ver uma das estreitas portas deslizantes explodir quando um corpo foi atirado violentamente para fora. Um escravo espantado se levantou cambaleante e acabou caindo, o sangue jorrando de uma ferida na cabeça. Outras silhuetas saíram apressadas pela porta.

Pug viu Katala e Almorella, fugindo da casa seguidas por outros serviçais, com um guerreiro thūn em seu encalço. A criatura aproximou-se veloz de Katala, o porrete erguido no ar.

Pug chamou-a e o cinzento sentiu a inquietação do cavaleiro. Sem ser ordenado, o enorme cavalo de guerra lançou-se para a frente, interceptando o thūn que se aproximava da escrava. O cavalo estava enfurecido, devido aos sons do combate ou ao odor dos thūn. Chocou-se com força contra o invasor, mordendo e atacando com as fortes patas dianteiras; as patas do thūn cederam. Com o choque, Pug foi arremessado e caiu com violência. Ficou momentaneamente atordoado, até que conseguiu ficar em pé. Cambaleou até ao ponto onde Katala estava encolhida e puxou-a para longe do garanhão enraivecido.

O cavalo cinzento se empinou por cima do thūn imóvel e escoiceou. Atacou várias vezes o thūn, até não restar a mínima dúvida de que não sobrara um único sopro de vida na criatura caída.

Pug ordenou ao cavalo que parasse e ficasse quieto até que, resfolegando de modo insolente, o animal interrompeu o ataque, mantendo as orelhas para trás, e estremeceu. Pug chegou perto e afagou-lhe o pescoço até que se acalmasse.

Então fez-se silêncio. Pug olhou em volta e viu Laurie reunindo os animais que haviam se dispersado. Pug deixou a sua montaria e regressou para perto de Katala, que estava sentada na grama, tremendo, com Almorella a seu lado.

Ajoelhando-se à sua frente, Pug perguntou:

— Você está bem?

Ela inspirou fundo e sorriu com um ar amedrontado.

— Sim, mas por um instante achei que ia ser pisoteada.

Pug olhou para a escrava que se tornara tão importante para ele e disse:

— Também pensei que isso ia acontecer.

Logo estavam sorrindo um para o outro. Almorella se levantou, dizendo que ia ver como estavam os outros.

— Tive tanto medo que você estivesse ferida — continuou Pug. — Achei que fosse enlouquecer quando a vi fugindo daquela criatura.

Katala colocou a mão no rosto de Pug e percebeu que estava molhado de lágrimas.

— Tive tanto medo por você — disse ele.

— E eu por você. Achei que ia morrer, do jeito que você atacou o thūn. — Começou a choramingar. Devagar, aninhou-se nos braços dele. — Não sei o que faria se você morresse. — Pug abraçou-a com todas as suas forças. Por alguns minutos, ficaram sentados, até Katala se recompor. Afastando-se de Pug devagar, ela disse: — A fazenda está um caos. Septiem deve ter milhares de tarefas para nós. — Começou a se levantar e Pug agarrou a mão dela.

— Não sabia... antes, quero dizer — disse ele, levantando-se diante dela. — Eu amo você, Katala.

Ela sorriu, tocando no rosto dele.

— E eu amo você, Pug.

Aquele momento de revelação foi interrompido pelo surgimento do Lorde Shinzawai e de seu filho mais novo. Olhando ao redor, passou em revista os danos em sua casa, enquanto Kasumi surgia a cavalo, salpicado de sangue. Batendo continência ao pai, disse:

— Fugiram. Já enviei homens aos fortes de vigia ao norte. Devem ter dominado uma das guarnições para terem conseguido passar.

O Lorde Shinzawai acenou, mostrando que entendera, e virou-se para entrar em casa, chamando o Primeiro Conselheiro e outros funcionários superiores para comunicarem os danos.

— Conversamos mais tarde — sussurrou Katala a Pug e atendeu aos gritos roucos de Septiem, o hadonra. Pug juntou-se a Laurie, que avançara a cavalo até ficar ao lado de Kasumi.

O menestrel olhou para as criaturas mortas no chão e indagou:

— Que criaturas são essas?

— São thūn — Kasumi respondeu. — Criaturas nômades das tundras ao norte. Temos fortes ao longo das bases das montanhas que separam nossas terras das deles, em todas as passagens. Antes, eles vagueavam por estas cordilheiras, até que os afugentamos para o norte. Às vezes, tentam regressar para as terras mais quentes do sul. — Apontou para um talismã preso ao pelo de uma das criaturas. — Foi um Ataque Sangrento. São todos jovens machos, ainda não testados em seus bandos, sem parceiras. Falharam nos ritos de combate que ocorrem no verão e foram banidos do grupo por machos mais fortes. São obrigados a vir para o sul, para matar pelo menos um tsurani antes de terem permissão para regressar ao bando. Cada um tem de regressar com a cabeça de um tsurani, ou não poderá voltar. É o costume deles. Aqueles que fugirem serão perseguidos, pois não poderão atravessar de volta para a cordilheira onde habitam.

Laurie abanou a cabeça.

— Isto acontece muitas vezes?

— Todos os anos — disse Hokanu com um sorriso forçado. — Normalmente, os fortes de vigia os detêm, mas este ano devia ser um grupo muito grande. Muitos já devem ter regressado para o norte, com as cabeças decepadas dos nossos homens nos fortes.

— Também devem ter destruído duas patrulhas — acrescentou Kasumi e abanou a cabeça. — Perdemos entre sessenta e cem homens.

Hokanu pareceu refletir a infelicidade do irmão mais velho com aquela desgraça.

— Eu próprio comandarei uma patrulha para verificar os estragos.

Kasumi deu permissão e ele partiu. Então virou-se para Laurie:

— Os cavalos? — Laurie indicou o lugar onde o garanhão que Pug montara vigiava os outros.

— Kasumi, quero pedir permissão a seu pai para casar com Katala — disse Pug subitamente.

Kasumi semicerrou os olhos.

— Escute bem, Pug. Tentei lhe ensinar, mas parece que você não entendeu o que eu quis dizer. O seu povo não é nada sutil. Então agora vou explicar de forma direta: você pode pedir, mas o pedido será recusado.

Pug começou a protestar, mas Kasumi o interrompeu:

— Como disse antes, vocês são impacientes. Existem motivos. Não posso falar mais que isso, mas temos nossos motivos, Pug.

A raiva brilhou nos olhos de Pug e Kasumi disse, no Idioma do Rei:

— Diga uma única palavra de ira que seja ouvida por qualquer soldado desta casa, especialmente pelo meu irmão, e será um escravo morto.

— Seja feita a sua vontade, meu amo — disse Pug de modo áspero.

Notando a amargura na expressão do rapaz, Kasumi repetiu com delicadeza:

— Existem razões para isso, Pug. — Por um momento, tentou ser mais do que o amo tsurani, mostrou-se um amigo que tentava aliviar a dor, o sofrimento. Fitou Pug nos olhos e um véu desceu sobre os seus: os dois voltaram a ser escravo e amo.

Pug baixou os olhos como era esperado de um escravo e Kasumi disse:

— Cuide dos cavalos. — Afastou-se a passos largos, deixando Pug sozinho.

Pug nunca mencionou o pedido a Katala. Ela sentiu que Pug estava profundamente incomodado com algo que parecia acrescentar uma nota amarga aos momentos felizes que passavam juntos. O escravo percebeu a intensidade do amor que sentia por ela e começou a explorar a natureza complexa da jovem. Além de determinada, era bastante perspicaz. Só era preciso explicar algo uma vez para que ela entendesse. Aprendeu a amar o espírito sarcástico de Katala, uma qualidade própria de seu povo, os thuril, aguçada como o fio de uma navalha pelo cativeiro. Era uma observadora de tudo o que a rodeava, comentando implacavelmente as manias de todos que viviam naquela casa, em detrimento deles e para deleite de Pug. Insistiu em aprender um pouco de sua língua e ele começou a ensiná-la. Por sua vez, ela demonstrou ser uma excelente aluna.

Dois meses se passaram tranquilamente até que, uma noite, Pug e Laurie foram chamados à sala de jantar do senhor da casa. Laurie concluíra o trabalho no alaúde e, apesar de insatisfeito com uma centena de detalhes, considerou-o aceitável. Naquela noite, iria tocar para o Lorde dos Shinzawai.

Entraram na sala e viram que o lorde recebia uma visita, um homem vestido de negro, o Grande que tinham visto de relance meses antes. Pug ficou junto à porta, enquanto Laurie ocupou um lugar na cabeceira da mesa de jantar baixa. Ajeitando a almofada na qual estava sentado, começou a tocar.

Quando as primeiras notas pairavam no ar, começou a cantar: uma melodia antiga que Pug conhecia bem. Celebrava as alegrias das colheitas e as riquezas da terra, uma das canções preferidas nas aldeias agrícolas por todo o Reino. Além de Pug, somente Kasumi entendia as palavras, embora o pai conseguisse compreender algumas que aprendera jogando xadrez com Pug.

Pug nunca ouvira Laurie cantar e ficou sinceramente impressionado. Com toda a fanfarronice do trovador, ele era melhor do que qualquer outro que ouvira. Sua voz era límpida, um verdadeiro instrumento, expressiva na letra e na melodia. Quando terminou, os presentes bateram delicadamente com as facas na mesa, em um gesto que Pug julgou equivalente a aplausos.

Laurie começou outra melodia, uma ária alegre tocada nos festivais por todo o Reino. Pug se lembrou da última vez que a ouvira, no Festival de Banapis do ano anterior à sua saída de Crydee rumo a Rillanon. Quase conseguiu ver, uma vez mais, as paisagens familiares de sua terra. Pela primeira vez em anos, Pug sentiu uma tristeza profunda e uma saudade que quase o esmagaram.

Engoliu em seco, suavizando o aperto na garganta. Saudades de casa e uma frustração desesperada guerreavam em seu interior, levando-o a sentir o autocontrole arduamente adquirido se dissipar. Depressa usou um dos exercícios tranquilizadores que Kulgan lhe ensinara, sendo invadido por uma sensação de bem-estar que o fez relaxar. Enquanto Laurie tocava, Pug usou toda a sua concentração para afastar aquelas inquietantes memórias de sua terra. Suas capacidades criaram uma aura de serenidade na qual podia se abrigar, um refúgio da raiva inútil, único legado daquelas reminiscências.

Durante a apresentação, Pug sentiu várias vezes o olhar do Grande sobre ele. O homem parecia estudá-lo com uma pergunta nos olhos. Quando Laurie terminou, o mago inclinou-se e falou com o anfitrião.

O Lorde dos Shinzawai fez sinal para que Pug se aproximasse da mesa. Ao se sentar, o Grande lhe falou:

— Preciso lhe perguntar uma coisa. — A sua voz era límpida e forte, e o tom o fazia se lembrar de Kulgan quando preparava Pug nas aulas. — Quem é você?

A pergunta simples e direta pegou de surpresa todos à mesa. O senhor da casa pareceu inseguro com a pergunta do mago e começou a responder:

— É um escravo...

Mas foi interrompido pela mão levantada do Grande.

— Meu nome é Pug, senhor.

Os olhos escuros do homem voltaram a examiná-lo.

— Quem é você?

Pug ficou nervoso. Jamais gostara de ser o centro das atenções, e, desta vez, estavam centradas nele como nunca antes.

— Sou Pug, ex-membro da corte do Duque de Crydee.

— Quem é você, para irradiar poder? — Ao ouvir estas palavras, os três homens da casa dos Shinzawai estremeceram e Laurie olhou confuso para Pug.

— Sou um escravo, senhor.

— Dê-me sua mão.

Pug estendeu a mão e o Grande a agarrou. Os lábios do homem se moveram e os seus olhos se nublaram. Pug sentiu uma onda de calor passando da mão para o corpo. A sala parecia brilhar em uma suave neblina branca. Até não ver nada além dos olhos do mago. Sentiu a mente ficar ofuscada e o tempo parou. Percebeu, então, uma pressão dentro da cabeça, como se algo tentasse entrar. Debateu-se e a pressão se afastou.

Sua visão clareou e os dois olhos escuros pareceram se distanciar de seu rosto até que ele conseguiu voltar a ver a sala. O mago largou a mão dele.

— Quem é você? — Um breve bruxulear em seus olhos foi o único indício da sua grande preocupação.

— Sou Pug, aprendiz do mago Kulgan.

Ao ouvir isso, o Lorde dos Shinzawai empalideceu, revelando a confusão no rosto.

— Mas como...?

O Grande de vestes negras levantou-se e anunciou:

— Este escravo deixou de pertencer a esta casa. Está agora sob o domínio da Assembleia.

A sala ficou em silêncio. Pug não entendia o que estava acontecendo e ficou com medo.

O mago retirou um dispositivo do manto. Pug se lembrava de ter visto um objeto daqueles, durante o ataque ao acampamento tsurani, e sentiu ainda mais medo. O mago ativou-o e o aparelho zumbiu como o outro. Colocou uma mão no ombro de Pug e a sala sumiu em uma névoa cinzenta.

3

A Troca

O Príncipe dos Elfos estava sentado calmamente.

Calin esperava por sua mãe. Tinha muito em que pensar e precisava falar com ela naquela noite. Nos últimos tempos, tivera poucas chances para isso, pois, conforme a guerra se alastrava, tivera cada vez menos tempo para ficar nas frondosas copas de Elvandar. Como Comandante Militar dos elfos, estivera quase que diariamente no campo de batalha, desde a última vez em que os seres do outro mundo haviam tentado cruzar o rio.

Desde o cerco ao castelo de Crydee, três anos antes, os seres do outro mundo tinham vindo todas as primaveras, descendo em massa pelo rio como formigas, doze para cada elfo, e, todos os anos, tinham sido derrotados pela magia dos elfos. Centenas entravam nas clareiras do repouso e caíam no sono eterno, os corpos sendo consumidos pela terra, nutrindo as árvores mágicas. Outros atendiam aos chamados das dríades, seguindo os cantos mágicos das fadas da água até que, no auge da sua paixão pelos elementais, morriam de sede enquanto beijavam as amantes inumanas, nutrindo-as com as próprias vidas. Outros ainda sucumbiam vítimas das criaturas da floresta: lobos, ursos e leões gigantes que respondiam ao chamado das trompas de guerra élficas. Os próprios galhos e raízes das árvores resistiam aos invasores, que acabavam desistindo e batendo em retirada.

Contudo, naquele ano, pela primeira vez, os Mantos Negros vieram.

Grande parte da magia dos elfos fora contida. Os elfos triunfaram, mas Calin pensava em como seria quando os seres do outro mundo voltassem.

Os anões das Torres Cinzentas também haviam ajudado os elfos. Uma vez que os moredhel já não estavam no Coração Verde, os anões tinham chegado velozmente depois de terem passado o inverno nas montanhas, acrescentando seus homens às defesas de Elvandar. Pelo terceiro ano desde o cerco a Crydee, os anões haviam se revelado cruciais para impedir que os seres do outro mundo atravessassem o rio. E, mais uma vez, o povo das montanhas fora acompanhado pelo homem chamado Tomas.

Calin olhou para cima, pondo-se de pé quando a mãe se aproximou. A Rainha Aglaranna sentou-se no trono e disse:

— Meu filho, é bom vê-lo novamente.

— Mãe, também me agrada vê-la. — Sentou-se aos seus pés e esperou que as palavras de que precisava viessem. A mãe esperou, paciente, pressentindo o estado de espírito sombrio do filho. Por fim, Calin falou: — Estou preocupado com Tomas.

— Eu também estou — disse a Rainha, com o semblante fechado e pensativo.

— É por isso que você se ausenta quando ele vem à corte?

— É por isso... e por outras razões.

— Como pode a magia dos Antigos ainda estar tão forte depois de tanto tempo?

Ouviu-se uma voz vinda de trás do trono:

— Então é isso?

Viraram-se, surpresos, e Dolgan saiu da penumbra, acendendo o cachimbo. Aglaranna pareceu irritada.

— Os anões das Torres Cinzentas são conhecidos por escutar conversas alheias, Dolgan?

O chefe dos anões ignorou a acidez da pergunta.

— Normalmente isso não acontece, minha senhora. No entanto, eu estava passeando por aqui, aqueles quartinhos nas árvores ficam cheios de fumaça muito rápido, e ouvi por acaso. Não era minha intenção interromper.

— Você consegue ser bem silencioso quando quer, amigo Dolgan — disse Calin.

Dolgan encolheu os ombros e deu uma baforada.

— O povo élfico não é o único que consegue caminhar com leveza. Mas falávamos do rapaz. Se o que diz é verdade, sem dúvida o assunto é grave. Se eu soubesse, jamais teria permitido que aceitasse o presente.

A Rainha sorriu para o anão.

— A culpa não é sua, Dolgan. Não havia como você saber. Eu temia por isso desde que Tomas chegou aqui com o manto dos Antigos. No começo, achei que a magia dos valheru não iria fazer efeito por ele ser mortal, mas agora vejo que, a cada ano que passa, ele se torna menos humano. Tudo isso aconteceu por uma sucessão infeliz de acontecimentos. Não fosse a magia do dragão, os nossos Tecedores de Feitiços teriam descoberto o tesouro há muito tempo. Passamos séculos procurando e destruindo tais relíquias, impedindo que fossem usadas pelos moredhel. Agora, é tarde demais, pois Tomas jamais permitirá que a armadura seja destruída.

Dolgan deu uma baforada no cachimbo.

— Todo inverno, ele anda melancólico pelos longos corredores, esperando a chegada da primavera e das batalhas. Pouco mais lhe resta. Fica lá sentado e bebendo, ou fica de pé em frente à porta, olhando a neve lá fora, vendo o que mais ninguém vê. Durante esse tempo, mantém a armadura trancada em seu quarto e, quando está em campanha, não a retira nunca, nem para dormir. Ele mudou e essa mudança não foi natural. Não, ele jamais entregaria a armadura de bom grado.

— Podíamos tentar obrigá-lo — disse a Rainha —, mas isso talvez não fosse sensato. Há algo nele que está se formando, algo que poderá salvar o meu povo, e eu arriscaria tudo por eles.

— Não entendo, senhora — disse Dolgan.

— Também não sei se entendo, Dolgan, mas sou Rainha de um povo em guerra. Um inimigo terrível devasta a nossa terra e a cada ano se torna ainda mais ousado. A magia do outro mundo é poderosa, talvez seja a mais poderosa desde o desaparecimento dos Antigos. A magia do presente do dragão pode vir a salvar o meu povo.

Dolgan abanou a cabeça.

— Acho estranho que tanto poder possa permanecer em uma armadura de metal.

Aglaranna sorriu para o anão.

— Acha mesmo? E o Martelo de Tholin que você carrega? Não está carregado de poderes antigos? Poderes que o marcam mais uma vez como herdeiro do trono dos anões do Oeste?

Dolgan olhou atentamente para a Rainha.

— Você conhece muitos de nossos costumes, minha senhora. Eu não devia esquecer que esse rosto jovem esconde séculos de sabedoria. — Em seguida, minimizou o comentário da Rainha: — Não temos reis no Oeste há muito tempo, desde que Tholin desapareceu em Mac Mordain Cadal. Vivemos tão bem como os que obedecem ao velho Rei Halfdan em Dorgin. Contudo, se o meu povo deseja restaurar o trono, faremos uma assembleia, mas não antes do final desta guerra. Mas, enfim, e quanto ao rapaz?

Aglaranna pareceu preocupada.

— Tomas está se tornando aquilo que está se tornando. Podemos ajudá-lo nessa transformação. Os nossos Tecedores de Feitiços já trabalham para isso. Caso o poder absoluto dos valheru se erga sem restrição no rapaz, ele terá capacidade para afastar a nossa magia protetora, tal como você afastaria um galho que o atrapalhasse em seu caminho. Porém ele não nasceu um Antigo. A sua natureza é estranha para os valheru, como a natureza deles era para os outros. Com o auxílio dos nossos Tecedores, a sua capacidade humana para amar, sentir compaixão, compreender poderá atenuar o poder desenfreado do valheru. Se assim for, poderá… poderá se revelar uma dádiva para todos nós. — Dolgan teve a certeza de que a Rainha ia dizer algo diferente, mas permaneceu em silêncio enquanto ela prosseguia. — Se o poder dos valheru se unisse à capacidade humana de odiar cegamente, de selvageria e de crueldade, seria um poder a ser temido. Só o tempo nos dirá o que sairá dessa junção.

— Os Senhores dos Dragões... — exclamou Dolgan. — Temos algumas menções aos valheru em nossos mitos, mas somente fragmentos dispersos. Gostaria de entender melhor, se me permite.

A Rainha olhou para longe.

— A nossa tradição, a mais antiga que existe no mundo, menciona os valheru, Dolgan. Estou proibida de falar sobre muitas dessas coisas, nomes de poder, temíveis de invocar, terríveis demais para ressuscitar, mas isto posso dizer: muito antes de homens ou anões chegarem a este mundo, reinavam os valheru. Faziam parte deste mundo, concebidos do próprio tecido de sua criação, com poderes quase divinos insondáveis em seu propósito. Sua natureza era caótica e imprevisível. Eram mais poderosos do que quaisquer outros. Voavam no dorso de dragões, não havendo lugar no universo fora de seu alcance. Viajavam para outros mundos, trazendo de volta o que lhes agradava, tesouros e conhecimentos pilhados de outros seres. Não estavam sujeitos a qualquer lei, a não ser à sua própria vontade e a seus caprichos. Tanto lutavam uns com os outros como viviam pacificamente, sendo a morte a única resolução dos conflitos. Este mundo era o seu domínio. E nós, suas criaturas. Nessa época, nós e os moredhel éramos uma única raça, e os valheru nos criavam como se fôssemos gado.

Alguns, de ambas as raças, eram levados, como... animais de estimação, criados pela beleza... e outras qualidades. Outros eram criados para trabalhar nas florestas e nos campos. Aqueles que viviam nas regiões selvagens nos tornaram precursores dos elfos, enquanto os que permaneceram junto dos valheru foram os ancestrais dos moredhel. Até que chegou a era da mudança. Os nossos senhores pararam com suas lutas mortíferas e se reuniram. Os motivos se perderam no tempo, embora alguns dos moredhel ainda possam saber, pois eram mais próximos dos nossos amos. É provável que, naquele tempo, soubéssemos as razões, mas era época das Guerras do Caos, e muito se perdeu. Sabemos apenas isto: todos aqueles que serviam os valheru foram libertados e os Antigos nunca mais foram vistos nem pelos elfos nem pelos moredhel. Quando as Guerras do Caos irromperam, foram abertas enormes fendas no tempo e no espaço, e foi através delas que goblins, homens e anões chegaram a este mundo. Poucos de meu povo ou dos moredhel sobreviveram, mas aqueles que conseguiram reconstruíram as nossas casas. Os moredhel ansiavam pelo poder de seus antigos senhores, em vez de buscarem o seu próprio destino, como fizeram os elfos, e usaram sua astúcia para localizar símbolos dos valheru, que levavam ao Caminho das Trevas. É por isso que somos tão diferentes, nós que antes fomos irmãos. A magia antiga ainda é poderosa. Em força e valentia, Tomas é incomparável. Recebeu a magia sem querer e talvez resida aí a diferença. A magia antiga transformou os moredhel, que se tornaram a Irmandade da Senda das Trevas, pois buscavam o poder com desejos sombrios. Tomas é um rapaz de coração bom e nobre, sem qualquer mancha de maldade na alma. É possível que venha a dominar o lado sombrio da magia.

Dolgan coçou a cabeça.

— Ainda assim, é muito arriscado, levando isso tudo em consideração. Estava mesmo preocupado com o rapaz, e pensei pouco no panorama geral. Você sabe melhor do que eu como isso funciona, mas espero que não lamentemos deixá-lo manter a armadura.

A Rainha desceu do trono.

— Também espero que não venhamos a nos arrepender, Dolgan. Aqui, em Elvandar, a magia antiga é suavizada e Tomas fica mais descontraído, o que talvez seja um sinal de que estejamos tomando a decisão certa: atenuando a mudança ao invés de nos opormos a ela.

Dolgan fez uma mesura cortês.

— Eu me entrego à sua sabedoria, minha senhora. Rezo para que esteja certa.

A Rainha lhes desejou boa-noite e retirou-se.

— Também rezo para que a minha mãe, a Rainha, fale pela razão e não levada por seu sentimento — disse Calin.

— Não entendo o que você quer dizer, Príncipe dos Elfos.

Calin olhou de cima para a pequena figura.

— Não se faça de tolo comigo, Dolgan. A sua inteligência é bastante conhecida e respeitada. Você está vendo tão bem quanto eu. Há algo nascendo entre a minha mãe e Tomas.

Dolgan suspirou, a brisa fresca levando a fumaça do cachimbo para longe.

— Sim, Calin, também vi. Um olhar, pouco mais que isso, mas bastou.

— Minha mãe olha para Tomas como olhava para o meu pai, o Rei, ainda que continue a negá-lo para si mesma.

— E há algo dentro de Tomas — disse o anão, olhando o Príncipe dos Elfos atentamente —, embora não seja tão terno quanto os sentimentos da senhora. Ainda assim, ele consegue se controlar.

— Vigie o nosso amigo, Dolgan. Se ele tentar cortejar a Rainha, problemas surgirão.

— Você antipatiza tanto assim com ele, Calin?

O Príncipe olhou pensativo para Dolgan.

— Não, Dolgan, eu não antipatizo com Tomas. Tenho medo dele. Isso basta. — Calin ficou calado por algum tempo, até retomar o assunto: — Nós, os habitantes de Elvandar, jamais voltaremos a ficar de joelhos perante outro senhor. Caso a esperança que minha mãe tem quanto à mudança de Tomas se prove errada, teremos um ajuste de contas.

Dolgan abanou a cabeça devagar.

— Esse será um dia triste, Calin.

— Sem dúvida, Dolgan. — Calin saiu do círculo do conselho, passou pelo trono da mãe e deixou o anão sozinho. Dolgan contemplou as luzes feéricas de Elvandar, rezando para que as esperanças da Rainha dos Elfos não fossem infundadas.

Os ventos uivavam nas planícies. Ashen-Shugar montava nos ombros largos de Shuruga. Os pensamentos do grande dragão dourado alcançaram o seu senhor. *Vamos caçar?* A fome estava presente na mente do dragão.

— Não. Aguardemos.

O Soberano do Horizonte da Águia aguardou enquanto o fluxo de moredhel avançava rumo à cidade em crescimento. Centenas puxavam grandes blocos de pedra retirados de pedreiras a meio mundo de distância, arrastando-os até à cidade na planície. Muitos tinham morrido e muitos mais morreriam, mas isso era insignificante. *Ou não?* Ashen-Shugar ficou incomodado com aquele novo e estranho pensamento.

Um rugido veio do alto quando outro enorme dragão desceu em espiral, um magnífico brado de desafio. Shuruga ergueu a cabeça e anunciou a sua resposta. Perguntou ao seu senhor: *Lutamos?*

— Não.

Ashen-Shugar sentiu a decepção de sua montaria, optando por ignorá-la. Contemplou o outro dragão pousando graciosamente no chão a curta distância, dobrando as enormes asas nas costas. As escamas negras refletiam a luz fraca do sol como ébano polido. O recém-chegado o saudou erguendo a mão.

Ashen-Shugar devolveu o cumprimento e o dragão do outro homem aproximou-se com cautela. Shuruga silvou e Ashen-Shugar deu um murro na besta, distraído. Shuruga calou-se.

— Será que o Soberano do Horizonte da Águia veio finalmente se juntar a nós? — perguntou o recém-chegado, Draken-Korin, o Senhor dos Tigres. A sua armadura listrada de preto e laranja brilhou quando ele desmontou do dragão.

Por cortesia, Ashen-Shugar também desmontou. A sua mão permaneceu próxima do punho branco da espada de ouro, pois, embora os tempos estivessem mudando, a confiança ainda era incomum entre os valheru. Outrora, era quase certo que acabariam lutando, mas naquele momento a troca de informações era mais necessária.

— Não. Eu apenas observo — respondeu Ashen-Shugar.

Draken-Korin fitou o Soberano do Horizonte da Águia, mas os seus olhos azul-claros não revelavam qualquer emoção.

— Você foi o único que não concordou, Ashen-Shugar.

— Nós nos unirmos para saquear pelo universo é uma coisa, Draken-Korin. Este... este plano é loucura.

— Que loucura é essa? Não sei do que está falando. Somos. Fazemos. O que existe além disso?

— Não são esses os nossos costumes.

— Também não costumamos deixar que outros nos impeçam de conseguir aquilo que queremos. Estes novos seres nos desafiam.

Ashen-Shugar levantou os olhos para o céu.

— Sim, de fato. Mas não são como os outros. Eles também foram criados a partir da substância deste mundo, tal como nós.

— O que importa? Quantos de sua raça você matou? Quanto sangue já não passou por seus lábios? Quem quer que atravesse seu caminho tem de se morto ou matá-lo. É tudo.

— E quanto aos que ficaram para trás, os moredhel e os elfos?

— O que interessam? Não são nada.

— São nossos.

— Você se tornou estranho embaixo de suas montanhas, Ashen-Shugar. Eles nos servem. Não quer dizer que possuam poderes genuínos. Existem para o nosso prazer, nada mais. Com o que você se preocupa?

— Não sei dizer. Há algo...

— Tomas.

Por um momento, Tomas existiu em dois lugares. Sacudiu a cabeça e as se visões se dissiparam. Virou-se e viu Galain deitado no mato ao seu lado. Uma força de elfos e anões aguardava atrás, a certa distância. O jovem primo do Príncipe Calin apontou para o acampamento dos tsurani na outra margem do rio. Tomas seguiu o gesto do companheiro e, ao ver os soldados do outro mundo sentados juntos às fogueiras, sorriu.

— Eles não saem de perto dos acampamentos — sussurrou.

Galain confirmou com um aceno de cabeça.

— Nós os ferimos o suficiente para procurarem o conforto das fogueiras.

O fim da primavera se aproximava, e a neblina da tarde envolvia a área, cobrindo o acampamento tsurani. Até as fogueiras pareciam perder o brilho. Tomas voltou a estudar o inimigo.

— Contei trinta, com mais trinta em cada acampamento a leste e a oeste.

Galain nada disse, aguardando a ordem seguinte de Tomas, pois, embora Calin fosse o Comandante Militar de Elvandar, Tomas assumira o comando das forças dos elfos e anões. Não era possível determinar quando esse poder passara para ele, porém, conforme ia crescendo em estatura, também cresceram as suas qualidades de líder. Em combate, simplesmente gritava para que fizessem algo e todos obedeciam. A princípio, foi por serem ordens lógicas e óbvias. Contudo, o padrão se estabeleceu e, assim, passaram a obedecê-lo porque era ele quem os comandava.

Tomas acenou para que Galain o seguisse, e os dois afastaram-se da margem até chegarem a um local onde não seriam avistados do acampamento dos tsurani, de modo a conseguirem se aproximar daqueles que aguardavam sob as árvores. Dolgan olhou para o jovem que um dia fora o garoto que salvara das minas de Mac Mordain Cadal.

Tomas tinha mais de dois metros de altura, tão alto quanto um elfo.

Caminhava com uma poderosa autoconfiança; era um guerreiro nato. Nos seis anos em que estivera com os anões, se tornara um homem... e mais do que isso.

Dolgan observou-o, enquanto Tomas passava em revista os guerreiros reunidos diante deles, ciente de que o rapaz podia agora caminhar pelas minas escuras das Torres Cinzentas sem medo e sem correr riscos.

— Os outros batedores já regressaram?

O anão confirmou, gesticulando para que avançassem. Aproximaram-se três elfos e três anões.

— Viram sinal dos Mantos Negros?

Quando os batedores indicaram que não os tinham visto, o homem de branco e dourado franziu a testa.

— Seria bom capturar um deles e levá-lo para Elvandar. O último ataque foi o mais intenso. Eu daria muito para conhecer o limite do poder deles.

Dolgan pegou o cachimbo, avaliando a distância a que se encontravam do rio para não ser avistado. Enquanto o acendia, disse:

— Os tsurani defendem os Mantos Negros como um dragão defende o seu tesouro.

Tomas riu e Dolgan vislumbrou o menino que conhecera.

— Sim, e é um anão valente aquele que pilha o covil de um dragão.

— Se seguirem o padrão dos últimos três anos, é quase certo que não vão querer nada conosco nesta estação — Galain comentou. — É possível que não vejamos outro Manto Negro até a próxima primavera.

Tomas ficou pensativo, e os seus olhos claros pareciam brilhar com luz própria.

— O padrão deles... o padrão deles é pegar, possuir e depois ir buscar mais. Nós os temos deixado fazer o que querem, desde que não atravessem o rio. É hora de mudar esse padrão. Se os perturbarmos bastante, talvez tenhamos chance de capturar um desses Mantos Negros.

Dolgan sacudiu a cabeça diante do risco implícito naquilo que Tomas propunha. Em seguida, com um sorriso, o rapaz acrescentou:

— Além disso, se não conseguirmos diminuir seu domínio ao longo do rio por algum tempo, eu e os anões seremos forçados a passar o inverno aqui, uma vez que os seres do outro mundo já avançaram para as profundezas do Coração Verde.

Galain olhou para o amigo. Tomas ficava mais élfico a cada ano, e Galain apreciava o humor enigmático que frequentemente marcava suas palavras. Ele sabia que o rapaz gostaria de ficar perto da Rainha. E, apesar das preocupações em torno da magia de Tomas, acabara simpatizando com ele.

— Como?

— Envie arqueiros para os acampamentos à direita e à esquerda e mais além. Quando eu fizer o chamado de um ganso-bravo, ordene que disparem para o outro lado do rio, mas além dessas posições, como se o ataque principal viesse do leste e do oeste. — Sorriu, mas em sua expressão não havia vestígio de humor. — Com isso, isolaremos o acampamento por tempo suficiente para fazermos o nosso trabalho.

Galain concordou e enviou uma dezena de arqueiros para cada acampamento. Os demais se prepararam para o ataque e, passado tempo suficiente, Tomas levou as mãos à boca. Colocando-as em concha, emitiu o som de um ganso selvagem. Logo ouviu gritos vindos do outro lado do rio a leste e a oeste. Os soldados do acampamento tsurani levantaram-se e olharam para ambos os lados, sendo que vários se aproximaram da água, perscrutando a floresta sombria. Tomas ergueu a mão, deixando-a cair como se estivesse golpeando.

De repente, choveram flechas élficas no acampamento do outro lado do rio e os soldados tsurani correram para pegar seus escudos. Antes que conseguissem se recuperar completamente, Tomas liderou uma força de anões atravessando o banco de areia que tornava o leito raso. Por cima deles, outro ataque de flechas passou, e os elfos colocaram os arcos nos ombros e desembainharam as espadas, investindo logo depois dos anões, à exceção de uma dúzia que ficou para trás, de modo a providenciar cobertura em caso de necessidade.

Tomas foi o primeiro a alcançar a margem e matou um guarda tsurani que o atacou na beira do rio. Em segundos, estava entre eles, semeando o caos. Sangue tsurani explodia de sua espada dourada e os gritos dos feridos e moribundos tomaram conta da noite úmida.

Dolgan matou um guarda e ninguém o enfrentou. Virou-se para Galain, que estava junto a outro tsurani morto, mas olhava para um ponto mais distante. O anão seguiu o seu olhar até onde Tomas estava junto de um inimigo caído, sangue escorrendo pelo rosto devido a um ferimento na cabeça e o braço erguido pedindo clemência. Tomas estava sobre ele, o rosto parecendo uma estranha máscara de raiva. Emitindo um grito terrível e estranho, com uma voz cruel e rouca, baixou a lâmina dourada e acabou com a vida do tsurani. Rapidamente, virou-se em busca de mais inimigos. Quando nenhum apareceu, seu rosto ficou inexpressivo por um instante, mas logo seus olhos voltaram a se focar.

Galain ouviu o chamado de um anão:

— Estão vindo. — Ouviram-se gritos vindos dos outros acampamentos, que tinham percebido o estratagema, aproximando-se depressa do verdadeiro campo de batalha.

Sem uma palavra, o grupo de Tomas atravessou o rio correndo. Alcançaram a outra margem sob as flechas dos arqueiros tsurani, os elfos respondendo de lá. O grupo de atacantes voltou a entrar rapidamente no arvoredo, até ficarem a uma distância segura.

Quando pararam, os elfos e os anões sentaram-se para recuperar o fôlego e descansar da excitação do combate que ainda corria no sangue. Galain olhou para Tomas e disse:

— Deu tudo certo. Não perdemos ninguém, só temos alguns feridos leves e matamos trinta seres do outro mundo.

Tomas não sorriu e ficou pensativo por um momento, como se escutasse alguma coisa. Virou-se e olhou para Galain, como se tivesse, por fim, entendido as palavras do elfo.

— Sim, deu certo, mas temos de voltar a atacar, amanhã e no dia seguinte e no outro, até que eles reajam.

Atravessaram o rio noite após noite. Atacavam um acampamento e, na noite seguinte, atacavam outro a quilômetros de distância. Ficavam uma noite sem atacar, então atacavam o mesmo acampamento três noites seguidas. Às vezes, uma única flecha derrubava um guarda na margem oposta e nada mais acontecia, fazendo com que os companheiros esperassem um ataque que nunca chegava. Em uma ocasião, assaltaram as linhas inimigas de madrugada, quando os defensores já haviam concluído que não iriam sofrer qualquer ataque. Devastaram um acampamento, a quilômetros dali, no interior da floresta ao sul, e tomaram uma caravana de mantimentos, chegando a chacinar as bestas de seis patas que puxavam as carroças. Cinco batalhas diferentes foram travadas ao voltarem desse ataque, e acabaram perdendo dois anões e três elfos.

Agora, Tomas e o seu grupo, que tinha mais de trezentos elfos e anões, estavam sentados, aguardando notícias dos outros acampamentos. Comiam um ensopado de veado, temperado com musgo, raízes e tubérculos.

Um mensageiro aproximou-se de Tomas e Galain.

— Notícias do exército do Rei.

Por trás dele, uma silhueta cinzenta aproximou-se da fogueira. Tomas e Galain levantaram-se.

— Salve, Leon de Natal! — saudou o elfo.

— Salve, Galain — retribuiu o alto patrulheiro de pele escura.

Um elfo levou pão e ensopado fumegante para os dois recém-chegados, que, enquanto se acomodavam, ouviram Tomas perguntar:

— Que notícias trazem do Duque?

Entre grandes bocadas de comida, o patrulheiro respondeu:

— Lorde Borric envia cumprimentos. A situação está péssima. Como musgo em uma árvore, os tsurani avançam lentamente para leste. Conquistam alguns metros e esperam. Não parecem ter pressa. O Duque acha que pretendem chegar à costa até o ano que vem, isolando as Cidades Livres do norte. Depois, talvez ataquem na direção de Zūn ou LaMut. Quem pode dizer?

— Tem notícias de Crydee? — perguntou Tomas.

— Pombos chegaram pouco antes da minha partida. O Príncipe Arutha está conseguindo conter os tsurani. Estão com tão pouca sorte quanto a que temos aqui. Mas estão indo para o sul atravessando o Coração Verde. — Estudou os anões e Tomas. — Estou admirado que vocês tenham conseguido chegar a Elvandar.

Dolgan deu uma baforada no cachimbo.

— Foi uma longa caminhada. Tivemos de nos deslocar rápido e às escondidas. É improvável que consigamos voltar às montanhas agora que os invasores estão alertas. Quando chegam a um lugar, não gostam de ceder o que conquistaram.

Tomas começou a andar de um lado para outro em frente à fogueira.

— Como você conseguiu evitar as sentinelas?

— Os seus assaltos estão causando bastante confusão entre os tsurani. Homens que combatiam os Exércitos do Oeste foram retirados da frente de combate para virem para o rio. Apenas segui um desses grupos. Nem pensaram em olhar para trás. Tive, simplesmente, de passar pelas fileiras deles quando se recolhiam e, novamente, para conseguir passar o rio.

— Quantos trazem eles para nos combater? — perguntou Calin.

Leon encolheu os ombros.

— Vi seis companhias, pode haver mais. — Tinham calculado que uma companhia tsurani era constituída por vinte pelotões de trinta homens.

Tomas bateu as mãos com luvas.

— Eles só trariam três mil homens se estivessem pretendendo atravessar de novo. Devem estar planejando nos fazer recuar para a floresta para nos impedir de atacar as posições que mantêm. — Avançou até o patrulheiro. — Algum Manto Negro veio com eles?

— De tempos em tempos, vi um com a companhia que segui.

Tomas voltou a bater palmas.

— Desta vez, eles vêm com força. Avisem os outros acampamentos. Daqui a dois dias, toda a hoste de Elvandar se reunirá na corte da Rainha, à exceção dos batedores e mensageiros que ficarão vigiando os seres do outro mundo.

Em silêncio, os mensageiros se levantaram de seu lugar ao redor da fogueira e se apressaram a levar o recado aos outros grupos de elfos distribuídos ao longo das margens do rio Crydee.

Ashen-Shugar estava sentado em seu trono, sem prestar atenção nas dançarinas. As fêmeas moredhel tinham sido escolhidas pela beleza e graciosidade, no entanto Ashen-Shugar estava insensível ao seu fascínio. Sua mente vagueava, procurando a batalha iminente. Em seu interior, uma estranheza, uma sensação de vazio sem nome, ganhou forma.

Chama-se tristeza, disse a voz interior.

Ashen-Shugar pensou: *Quem é você para me visitar na minha solidão?*

Sou aquilo que você está se tornando. Isto é apenas um sonho, uma memória.

Ashen-Shugar desembainhou a espada e levantou-se do trono, gritando de raiva. Na mesma hora, os músicos pararam de tocar. As dançarinas, os serviçais e os músicos caíram ao chão, prostrando-se na frente do seu amo.

— Eu estou aqui! Isto não é sonho!

Você não passa de uma recordação do passado, disse a voz. *Estamos nos tornando um só.*

Ashen-Shugar ergueu a espada e depois a baixou com força. A cabeça de um dos serviçais encolhidos rolou no chão. Ashen-Shugar ajoelhou-se e pousou a mão na fonte de sangue. Levando os dedos aos lábios, saboreou o gosto salgado e gritou:

— E este não é o sabor da vida?

É uma ilusão. Tudo já passou.

— Sinto uma estranheza, uma inquietação que me faz... que me faz... não tenho palavras.

É medo.

Ashen-Shugar voltou a golpear e uma jovem dançarina morreu.

— Estas criaturas, elas sabem o que é o medo. O que o medo tem a ver comigo?

Você tem medo. Todas as criaturas temem a mudança, até os deuses.

— Quem é você? — perguntou o valheru em silêncio.

Eu sou você. Sou aquilo em que você irá se tornar. Sou o que você foi. Sou Tomas.

Um grito vindo de baixo despertou Tomas de seu devaneio. Levantou-se e saiu do pequeno quarto, atravessando uma ponte de galhos de árvore até o nível da corte da Rainha. Em um corrimão, conseguiu entrever as figuras indistintas de centenas de anões acampados embaixo das alturas de Elvandar. Ficou um tempo olhando as fogueiras abaixo. Cada hora que passava, centenas de guerreiros elfos e anões avançavam para se juntar ao exército que ele estava mobilizando. No dia seguinte, iria se sentar em assembleia com Calin, Tathar, Dolgan e outros, apresentando-lhes o plano que tinha para enfrentar o ataque iminente.

Seis anos de combates tinham proporcionado a Tomas um estranho contraponto aos sonhos que ainda perturbavam o seu sono. Quando a fúria da batalha o possuía, ele existia nos sonhos de outro. Quando estava longe da floresta dos elfos, era ainda mais difícil resistir ao chamado para entrar nesses sonhos. Não temia essas aparições, como no início. Tornara-se algo mais do que humano por causa dos sonhos de um ser há muito morto. Tinha poderes dentro de si, poderes que podia usar e que já faziam parte dele, tal como tinham feito parte daquele que se vestira de branco e dourado. Sabia que jamais voltaria a ser Tomas de Crydee, mas no que estaria se tornando...?

Ouviu um som quase inaudível de passos atrás de si.

— Boa noite, minha senhora — disse ele, sem se virar.

A Rainha dos Elfos parou ao lado de Tomas, uma expressão pensativa no rosto.

— Os seus sentidos agora são élficos — disse, em seu próprio idioma.

— Assim parece, Lua Cintilante — respondeu no mesmo idioma, usando a tradução antiga do nome da Rainha.

Tomas virou-se para encará-la e viu espanto em seus olhos. Ela estendeu a mão e tocou delicadamente o rosto de Tomas.

— É este o rapaz que estava tão nervoso, na sala de assembleia do Duque, com a perspectiva de falar com a Rainha dos Elfos e agora fala o idioma verdadeiro como se fosse sua língua materna?

Com delicadeza, Tomas afastou a mão dela.

— Sou o que sou, aquilo que você vê. — A voz dele era firme, autoritária.

Ela estudou o rosto dele, contendo um estremecimento ao reconhecer algo terrível na expressão do rapaz.

— Mas o que estou vendo, Tomas?

Ignorando a pergunta, Tomas indagou:

— Por que você me evita, senhora?

— Há algo crescendo entre nós que não pode acontecer — disse ela, gentil. — Nasceu no momento em que você veio até nós pela primeira vez, Tomas.

Parecendo quase divertido, Tomas disse:

— Antes disso, senhora, desde o primeiro momento em que a vi. — Manteve-se firme, olhando-a de cima. — E por que não pode acontecer? Existe alguém melhor para se sentar a seu lado?

Ela se afastou, perdendo o controle por um breve momento. Nesse instante, ele viu o que poucos jamais presenciaram: a Rainha dos Elfos confusa e insegura, duvidando da sua própria sabedoria ancestral.

— Mesmo que esquecêssemos tudo, você ainda é humano. Apesar dos poderes que foram conferidos a você, a sua vida será a de um homem. Eu reinarei até que o meu espírito viaje para as Ilhas Abençoadas para reencontrar o meu senhor, que já realizou essa travessia. Depois, será Calin, o herdeiro legítimo, que governará como Rei. Assim são os costumes de meu povo.

Tomas estendeu a mão, virando-a para que o encarasse.

— Nem sempre foi assim.

Seus olhos revelaram uma fagulha de medo.

— Não, nem sempre fomos um povo livre.

Ela sentiu a impaciência dele, mas também o viu lutar contra esse sentimento, forçando a voz a permanecer calma:

— Então você não sente nada?

Ela deu um passo, afastando-se.

— Eu mentiria se dissesse que não. Contudo, é uma atração estranha, algo que me enche de incerteza e de pavor substancial. Se você se tornar mais valheru do que homem e não puder controlar esse lado, não poderemos recebê-lo mais aqui. Não poderíamos permitir o regresso dos Antigos.

Tomas deu uma gargalhada, com uma estranha mistura de humor e amargura.

— Quando era mais novo, contemplei sua beleza e fui invadido por desejos de garoto. Agora, tornei-me adulto e a contemplo com o desejo de um homem. Será que o poder que me dá coragem para procurá-la, o poder que me dá os meios para fazê-lo, será esse poder que nos afastará?

Aglaranna levou a mão ao rosto.

— Não sei dizer. Nunca aconteceu à família real ser algo diferente daquilo que somos. Outros podem se unir a humanos. Eu não desejo a tristeza de vê-lo idoso e grisalho e eu ainda como você me vê agora.

Os olhos de Tomas brilharam e a voz ganhou uma intensidade cruel:

— Isso não irá acontecer, senhora. Viverei mil anos nesta clareira. Disso não tenho dúvida. Porém não a incomodarei mais... até que outros assuntos estejam resolvidos. Isso está destinado a acontecer, Aglaranna. Você chegará a essa conclusão.

Ela ficou parada, com a mão na boca e os olhos marejados pela emoção. Ele afastou-se, deixando-a sozinha em sua corte para refletir sobre o que ouvira. Pela primeira vez desde que o Rei falecera, Aglaranna sentiu duas emoções contraditórias: receio e desejo.

Tomas virou-se ao ouvir um grito vindo da orla da clareira. Viu um elfo saindo das árvores seguido por um homem vestido de maneira simples. Interrompeu a conversa que estava tendo com Calin e Dolgan, e os três apressaram-se atrás do desconhecido que estava sendo levado até a Rainha. Aglaranna estava sentada no trono, com os anciãos organizados em bancos de cada lado. Tathar estava de pé, junto à Rainha.

O desconhecido aproximou-se do trono e fez uma mesura discreta. Tathar olhou de relance para a sentinela que acompanhava o homem, mas o elfo parecia desorientado.

— Saudações, senhora — disse o homem todo vestido de tons castanhos, em um élfico perfeito.

Aglaranna respondeu no Idioma do Rei:

— Você tem coragem para vir até nós, desconhecido.

O homem sorriu, apoiando-se no cajado.

— Ainda assim, recorri a um guia, pois jamais entraria em Elvandar sem avisá-los.

— Acho que seu guia teve pouca escolha — disse Tathar, ao que o homem retorquiu:

— Existem sempre alternativas, ainda que nem sempre sejam evidentes.

Tomas avançou.

— O que o traz aqui?

Virando-se ao ouvir a voz, o homem sorriu:

— Ah! Aquele que usa o presente do dragão. É um prazer conhecê-lo, Tomas de Crydee.

Tomas recuou. Os olhos do homem irradiavam poder e os seus modos afáveis escondiam uma força que Tomas conseguia sentir.

— Quem é você?

— Tenho muitos nomes, mas aqui me chamam de Macros, o Negro — respondeu o homem. Com o cajado, indicou todos os presentes. — Vim, pois vocês escolheram um plano arriscado. — Por fim, apontou o cajado para Tomas. Deixou cair a ponta e voltou a apoiar-se nele. — Porém o plano de capturar um Manto Negro nada trará além de destruição a Elvandar, caso não tenham o meu auxílio. — Sorriu de leve. — No tempo certo, vocês vão ter um Manto Negro, mas não agora. — A sua voz tinha uma ponta de ironia.

Aglaranna levantou-se. Tinha os ombros para trás e olhava diretamente nos olhos do homem.

— Seu conhecimento é imenso.

Macros inclinou ligeiramente a cabeça.

— Sim, sei muito. Por vezes, mais do que seria confortável. — Passou por ela e pousou uma mão no ombro de Tomas. Conduzindo o rapaz para um lugar junto à Rainha, Macros o obrigou a sentar com uma ligeira pressão no ombro. Sentou-se a seu lado e encostou o cajado na curva entre o pescoço e o ombro.

— Os tsurani virão ao nascer do dia e avançarão diretamente para Elvandar — disse, olhando para a Rainha.

Tathar colocou-se à frente de Macros e disse:

— Como você sabe?

Macros voltou a sorrir.

— Não se lembra de mim no conselho ao lado de seu pai?

Tathar recuou de olhos arregalados.

— Você...

— Eu sou ele, embora já não use o mesmo nome que tinha naquela época.

Tathar ficou perturbado.

— Foi há tanto tempo. Nunca pensei que fosse possível.

Foi a vez de Macros falar:

— Muita coisa é possível.

Olhou fixamente para a Rainha e depois para Tomas. Aglaranna sentou-se devagar, disfarçando o desconforto.

— Você é o feiticeiro?

Macros confirmou.

— Assim sou chamado, embora a história seja mais complexa do que posso contar agora. Vocês irão me escutar?

Tathar acenou com a cabeça, dirigindo-se à Rainha:

— Há muito tempo, ele veio em nosso auxílio. Não entendo como pode ser o mesmo homem. Naquela época, era um verdadeiro amigo de seu pai e do meu. Podemos confiar nele.

— Sendo assim, que conselho nos traz? — perguntou a Rainha.

— Os magos tsurani marcaram os seus sentinelas, conhecem as suas posições. Ao amanhecer, avançarão, atravessando o rio em duas levas, como os chifres de um touro. Quando forem ao encontro deles, um grupo das criaturas chamadas cho-ja avançará pelo centro, onde a força de vocês é mais fraca. Ainda não as usaram contra vocês, embora os anões possam dizer como são excelentes na arte da guerra.

Dolgan deu um passo à frente.

— Sim, senhora. São criaturas temíveis que combatem na escuridão tão bem quanto o meu povo. Pensei que só estivessem nas minas.

Macros prosseguiu:

— Era assim, até os ataques. Trouxeram uma hoste deles, que se preparou do outro lado do rio, afastada de seus batedores. Virão em grande número. Os tsurani estão cansados dos ataques e querem acabar com a luta entre as margens do rio. Seus magos têm trabalhado duro para descobrir os segredos de Elvandar e agora sabem que, se o coração sagrado das florestas dos elfos cair, os elfos deixarão de ter força.

— Sendo assim, iremos contê-los e defender o centro — disse Tomas.

Macros ficou calado por algum tempo, como se estivesse se lembrando de algo.

— No começo, irá funcionar, mas os magos vêm com eles, já que estão ansiosos por um término. A magia deles permitirá que os guerreiros atravessem a floresta sem ser impedidos pelos Tecedores de Feitiços, e chegarão aqui.

— Então os enfrentaremos aqui e aguentaremos até o fim — afirmou Aglaranna.

Macros acenou com a cabeça.

— Uma afirmação corajosa, senhora, mas irão precisar da minha ajuda.

Dolgan observou o feiticeiro.

— O que um homem só pode fazer?

Macros ficou em pé.

— Muito. Quando chegar a alvorada, vocês verão. Não tema, anão, a batalha será dura e muitos realizarão a viagem para as Ilhas Abençoadas, mas, com determinação, triunfaremos.

— Fala como se já tivesse visto esses acontecimentos — disse Tomas.

Macros sorriu e seus olhos disseram ao mesmo tempo mil coisas e nada.

— Já vi, Tomas de Crydee, ou será que não? — Virou-se para os restantes e, deslocando o cajado em um movimento abrangente, continuou: — Preparem-se. Eu ficarei com vocês. — E à rainha acrescentou: — Gostaria de descansar, se tiver lugar para mim.

A Rainha virou-se para o elfo que trouxera Macros ao conselho:

— Leve-o para um quarto e dê a ele tudo o que pedir.

O feiticeiro fez uma mesura e seguiu o guia. Os demais ficaram em silêncio, até Tomas dizer:

— Vamos nos preparar.

Enquanto a noite dava lugar ao amanhecer, a Rainha permaneceu sozinha junto ao trono. Em tantos anos de regência, nunca conhecera dias como aqueles. Seus pensamentos corriam em centenas de imagens, de épocas tão distantes quanto a sua juventude, e tão recentes como duas noites antes.

Procura respostas no passado, senhora?

Virou-se para ver o feiticeiro atrás de si, apoiando-se no cajado. Aproximou-se e ficou ao seu lado.

— Consegue ler minha mente, feiticeiro?

Com um sorriso e um aceno de mão, Macros respondeu:

— Não, minha senhora. Mas sei muito e muito vejo. Seu coração está pesado e a sua mente, sobrecarregada.

— E entende os motivos?

Macros riu baixinho.

— Sem dúvida. Mesmo assim, gostaria de falar sobre essas questões.

— Por quê, feiticeiro? Qual é o seu papel nisso tudo?

Macros contemplou as luzes de Elvandar.

— Um papel qualquer, como o de qualquer outro homem.

— Mas você conhece bem o seu.

— De fato. Alguns possuem a capacidade de entender o que para outros é vago. Esse é o meu destino.

— Por que você veio até nós?

— Porque precisam de mim. Sem mim, Elvandar poderá sucumbir, e isso não pode acontecer. Assim dita o destino e eu não tenho outra opção a não ser desempenhar o meu papel.

— Você ficará se ganharmos a batalha?

— Não. Tenho outras incumbências. Mas eu voltarei aqui, quando a necessidade aparecer.

— Quando será isso?

— Isso não posso dizer.

— Será em breve?

— Em breve, embora não muito em breve.

— Você fala por enigmas.

Macros sorriu e o seu sorriso era misterioso e triste.

— A vida é um enigma. Está nas mãos dos deuses. Será a vontade deles que prevalecerá e serão muitos os mortais que terão as suas vidas alteradas.

— Tomas? — Aglaranna olhou para as profundezas dos olhos escuros do feiticeiro.

— Ele, mais visivelmente, mas todos aqueles que sobreviverem a estes tempos.

— O que ele é?

— O que você gostaria que ele fosse?

A Rainha dos Elfos foi incapaz de responder. Macros pousou a mão com delicadeza no ombro da Rainha, que sentiu um fluxo de tranquilidade e ouviu-se responder:

— Nunca desejaria causar sofrimento ao meu povo, mas vê-lo me enche de desejo. Anseio por um homem... um homem com o seu... poder. Tomas é mais parecido com meu falecido senhor do que jamais saberá. E eu o temo, pois assim que me comprometer, assim que o colocar em uma posição acima da minha, perderei o poder de governar. Acha que os anciãos irão permitir? O meu povo jamais se deixaria submeter novamente ao jugo dos valheru.

O feiticeiro ficou calado por algum tempo, até que disse:

— Apesar de toda a minha arte, há muita coisa que desconheço, mas entenda: existe aqui uma magia sobrenatural superior a tudo o que possamos imaginar. Não consigo explicar, só posso dizer que ela atravessa o tempo, mais do que parece, pois, enquanto o valheru vive em Tomas no presente, também Tomas vive no valheru do passado. Tomas usa o traje de Ashen-Shugar, o último Senhor dos Dragões. Quando aconteceram as Guerras do Caos, foi o único a permanecer neste mundo, pois tinha sentimentos diferentes dos membros da sua raça.

— Tomas?

Macros sorriu.

— Não pense muito sobre isso, minha senhora. Este tipo de paradoxo pode atordoar a cabeça. O que Ashen-Shugar sentia era obrigação de proteger este mundo.

Aglaranna estudou o rosto de Macros à luz tremeluzente de Elvandar.

— Conhece mais da antiga tradição do que qualquer outro homem, feiticeiro.

— Muito me foi... oferecido, senhora. — Olhou para as florestas dos elfos ao longe e falou, mais para si próprio do que para a Rainha:

— Em breve, chegará um momento de provação para Tomas. Não sei ao certo o que irá acontecer, mas sei que o momento está próximo. Seja como for, o rapaz de Crydee, com o amor que sente por você e seu povo, no seu simples sentimento humano, conseguiu até agora resistir ao membro mais poderoso da mais poderosa raça mortal que alguma vez habitou este mundo. Está preparado para suportar o sofrimento atroz desse conflito de duas naturezas pelas artes delicadas de seus Tecedores de Feitiços.

Aglaranna olhou fixamente para Macros.

— Você sabe disso?

Ele riu, com verdadeiro deleite.

— Senhora, eu tenho alguma vaidade. Fico ofendido por você pensar que conseguiria fazer tão exímios feitiços sem que eu os percebesse. Pouca é a magia neste mundo que escapa à minha atenção. O que você fez foi sábio e poderá ser o ponto decisivo a favor de Tomas.

—É isso que digo a mim mesma — disse Aglaranna em voz baixa —, quando vejo em Tomas um senhor que iguala o Rei da minha juventude, o marido levado tão cedo. Será verdade?

— Se ele sobreviver à provação, assim será. O conflito poderá ser o fim de Tomas e de Ashen-Shugar, mas, caso Tomas persista, poderá se tornar aquilo que, em segredo, você tanto deseja. Agora, deixe-me dizer algo que só eu e os deuses sabemos. Posso prever muito do que ainda não aconteceu, mas há muito que ainda desconheço. O que eu sei é o seguinte: ao seu lado, Tomas poderá vir a governar satisfatória e sabiamente e, à medida que a sua juventude for dando lugar à sabedoria, ele se tornará o senhor pelo qual você anseia, caso o poder que possui seja moderado pelo seu coração humano. Se for expulso, um destino terrível poderá aguardar o Reino e os povos livres do Ocidente.

Com o olhar, a Rainha formulou a pergunta, e o feiticeiro prosseguiu:

— Não tenho capacidade de ver esse futuro sombrio, senhora; posso apenas especular. Caso ele atinja o auge de seus poderes com o lado escuro prevalecendo, ele será uma força terrível, que deverá ser destruída. Aqueles que testemunham a loucura da batalha que o possui veem apenas uma sombra das verdadeiras trevas confinadas dentro dele. Mesmo que atinja um equilíbrio e a humanidade de Tomas sobreviva, se você o expulsar, é possível que a capacidade humana de sentir raiva, dor e ódio ganhe espaço. Eu lhe pergunto: se Tomas fosse expulso e, um dia, o estandarte do dragão fosse erguido ao norte, o que aconteceria?

A Rainha ficou assustada, demonstrando-o claramente e perdendo por completo a máscara de controle.

— Os moredhel se reuniriam.

— Sim, minha senhora. Não em grupos de bandidos arruaceiros, mas como uma hoste. Vinte mil Irmãos das Trevas e, juntamente com eles, cem mil goblins e companhias de homens cuja natureza sombria procuraria lucro na destruição e barbaridade que se seguissem. Um exército poderoso sob a mão de ferro de um guerreiro nato, um general que até o seu povo segue sem questionar.

— Você me aconselha a mantê-lo aqui?

— Posso apenas indicar as alternativas. Cabe a você decidir.

A Rainha dos Elfos lançou a cabeça para trás, com os cachos vermelho-dourados esvoaçando e os olhos marejados, contemplando Elvandar. A primeira luz do dia surgia. Uma luz rosada atravessava as árvores, lançando sombras de um azul escuro. Os chilreios matinais dos pássaros se ouviam nas clareiras. Virou-se para Macros, querendo lhe agradecer o conselho, e percebeu que ele já havia partido.

Os tsurani avançaram como Macros previra. Os cho-ja atacaram do outro lado do rio, após duas levas de humanos terem conquistado os flancos. Tomas enviara atiradores, fileiras de arqueiros acompanhados por alguns guardas para protegê-los, que recuavam e lançavam flechas contra o exército que avançava, dando a impressão de resistência.

Tomas se encontrava à frente do exército reunido de Elvandar e dos anões das Torres Cinzentas, somente mil e quinhentos em formação contra os seis mil invasores acompanhados por magos. Em silêncio, aguardavam. À medida que o inimigo se aproximava, os gritos dos guerreiros tsurani e daqueles que tombavam pelas flechas dos elfos ressoavam pela floresta. Tomas levantou o olhar até onde a Rainha estava, em uma varanda com vista para o local da batalha iminente, com o feiticeiro a seu lado.

De repente, viram elfos correndo até onde estavam e, entre as árvores, viram os primeiros vislumbres das armaduras coloridas dos tsurani. Quando os atiradores se juntaram à força principal, Tomas ergueu a espada.

— Espere — gritou uma voz do alto, e o feiticeiro apontou para além da clareira, onde já corriam os primeiros elementos das forças tsurani. Confrontados com o exército de elfos que os aguardava, a vanguarda parou e esperou por seus companheiros. Os oficiais deram ordens para que se formassem fileiras, pois aquele era um tipo de batalha que entendiam: dois exércitos em confronto em uma planície, sendo que a vantagem estava do lado deles.

Os cho-ja também ficaram em fileiras ordenadas, atentos às ordens dos oficiais. Tomas estava fascinado, pois pouco sabia sobre as criaturas, considerando-as animais e, ao mesmo tempo, aliados inteligentes dos tsurani.

Macros voltou a gritar:

— Espere! — E girou o cajado por cima da cabeça, desenhando amplos círculos no ar. Um enorme silêncio se abateu sobre a clareira.

De repente, uma coruja passou por cima da cabeça de Tomas, em direção às fileiras tsurani. Voou em círculos, por um momento, acima dos alienígenas, até que mergulhou, atacando um soldado no rosto. O homem gritou de dor ao sentir as garras fincadas nos olhos.

Um falcão passou veloz, duplicando o ataque da coruja. Em seguida, uma enorme gralha-preta precipitou-se do céu. Um bando de pardais surgiu das árvores atrás dos tsurani, dando bicadas nos rostos e braços desprotegidos. De todos os lados da floresta, surgiram aves que atacavam os invasores. Pouco depois, o ar encheu-se com o som de asas batendo à medida que todas as espécies de aves da floresta atacavam os tsurani. Eram milhares, desde o menor beija-flor até a águia mais imponente, todas atacavam a hoste do outro mundo. Ouviam-se gritos dos homens, enquanto outros saíam da formação e corriam, na tentativa de escapar dos bicos e garras cruéis que tentavam lhes arrancar os olhos, puxar capas e rasgar a carne. Os cho-ja recuavam, pois, embora a pele encouraçada fosse imune às bicadas e aos arranhões, os grandes olhos parecidos com pedras preciosas eram alvos fáceis para os atacantes emplumados.

Ouviu-se um grito vindo do meio dos elfos quando os tsurani se dispersaram desordenadamente. Tomas deu a ordem e os arqueiros elfos acrescentaram flechas com penas à confusão, atingindo soldados tsurani que tombavam antes de conseguirem enfrentar o inimigo. Os próprios arqueiros não tinham como reagir, uma vez que estavam sendo atormentados por uma centena de pequenos inimigos.

Os elfos assistiam enquanto os tsurani tentavam manter a posição, ao mesmo tempo que as aves prosseguiam sua sangrenta tarefa no meio deles. Os tsurani lutavam o melhor que conseguiam, abatendo muitos pássaros em pleno voo; contudo, para cada um que matavam, três tomavam o seu lugar.

Subitamente, um som sibilante e cortante se sobrepôs ao tumulto. Houve um segundo de silêncio quando tudo o que se movia na clareira no lado dos tsurani ficou suspenso. Os pássaros explodiram em direção ao céu, acompanhados por um crepitar de energia, como se tivessem sido empurrados por uma força invisível. Quando as aves se dispersaram, Tomas viu os mantos negros dos magos tsurani que se deslocavam através das forças militares, restaurando a ordem. Apesar das centenas de tsurani que jaziam por terra, os forasteiros, como se feitos para a guerra, depressa se reordenaram em fileiras, ignorando os feridos.

O gigantesco bando de pássaros voltou a se reunir acima dos invasores e mergulhou. Imediatamente, um incandescente escudo vermelho de energia se formou em volta dos tsurani. Quando as aves colidiram com ele, ficaram duras e tombaram, com as asas ardendo, enchendo o ar de um pungente fedor de queimado. As flechas dos elfos que atingiam a barreira eram detidas, incendiando-se e caindo inofensivas no chão.

Tomas deu ordem para que parassem de atirar e virou-se para Macros. Uma vez mais, o feiticeiro gritou:

— Espere!

Macros agitou o cajado e os pássaros se dispersaram, escutando a ordem silenciosa. O cajado foi apontado em direção aos tsurani, enquanto Macros mirava na barreira escarlate. Um relâmpago dourado de energia foi lançado, atravessando a clareira velozmente, rompendo o escudo vermelho e atingindo no peito um mago vestido de negro. O mago caiu ao chão e um berro de horror e indignação em meio aos tsurani reunidos se fez ouvir. Os outros magos voltaram sua atenção para a plataforma acima do exército élfico e lançaram esferas azuis de fogo, mirando Macros. Furioso, Tomas gritou:

— Aglaranna!

Quando as pequenas estrelas azuis atingiram a plataforma, bloquearam completamente a Rainha em uma imensa explosão de luz. Até que Tomas conseguiu ver novamente.

O feiticeiro estava de pé na plataforma, ileso, assim como a Senhora dos Elfos. Tathar afastou-a e Macros voltou a apontar o cajado. Mais um mago de manto negro tombou. Os quatro que restavam contemplaram a sobrevivência de Macros e contra-atacaram com expressões contraditórias de reverência e raiva, facilmente visíveis do outro lado da clareira. Intensificaram o ataque ao feiticeiro, onda após onda de luzes azuis e de fogo lançadas contra a barreira protetora de Macros. No chão, todos foram forçados a desviar o olhar, com medo de ficarem cegos com as terríveis energias que estavam sendo liberadas. Após o término daquele violento ataque mágico, Tomas olhou para cima e viu que o feiticeiro continuava incólume.

Um mago deu um grito de pura agonia e retirou um objeto do manto. Ativou-o e logo desapareceu da clareira, sendo seguido segundos depois pelos três companheiros. Macros olhou para Tomas, indicou a hoste tsurani com o cajado e gritou:

— Agora!

Tomas ergueu a espada e deu sinal para atacar. Uma saraivada de flechas passou por cima de sua cabeça enquanto conduzia a investida até o outro lado da clareira. Os tsurani estavam desmoralizados, seu ataque fora contido pelas aves e seus magos morreram ou foram afugentados. Mesmo assim, não recuaram e receberam a investida. Centenas haviam morrido pelos bicos e garras dos pássaros, outros mais com as flechas, mas ainda tinham uma vantagem de três para um sobre os elfos e anões.

A batalha começou e Tomas foi possuído pela neblina escarlate que bloqueava todos os pensamentos, salvo matar. Golpeando à direita e à esquerda, abriu caminho através dos tsurani, anulando todas as tentativas de abatê-lo. Tsurani e cho-ja sucumbiam à sua lâmina, enquanto ele distribuía a morte indistintamente a quem aparecesse em seu caminho.

A batalha avançou e recuou pela clareira, enquanto tombavam homens e cho-ja, elfos e anões. O sol subiu no céu e o combate não diminuiu. Os sons de morte enchiam o ar e lá no alto já se reuniam gaviões e abutres.

Lentamente, os tsurani pressionavam os elfos e os anões a recuarem. Devagar, deslocavam-se rumo ao coração de Elvandar. Fez-se uma pausa breve, como se as duas partes tivessem chegado a um equilíbrio, e os adversários se afastaram, deixando um espaço aberto entre eles. Tomas ouviu a voz do feiticeiro ecoando com nitidez acima dos ruídos da batalha.

— Para trás — gritou, e as forças de Elvandar recuaram, até o último homem.

Os tsurani se detiveram por um instante, até que, pressentindo a hesitação dos elfos e dos anões em prosseguir, investiram. De repente, ouviu-se um estrondo e a terra tremeu. Todos se imobilizaram e os tsurani ficaram aterrorizados.

Tomas viu que as árvores balançavam com cada vez mais violência à medida que o tremor aumentava. Subitamente, ouviu-se um ruído crescente, como se o antepassado de todos os trovões ribombasse por cima deles. Acompanhando o som estrondoso, um enorme pedaço de terra irrompeu, como se estivesse sendo levantado pela mão invisível de um gigante. Os tsurani que ali estavam foram lançados para cima, caindo violentamente, e os que estavam próximos foram atirados ao chão.

Outro pedaço de terra se levantou e depois um terceiro. De um momento para o outro, só se viam pedaços de terra gigantescos que subiam para depois caírem sobre os tsurani. O ar foi invadido por gritos de terror e os invasores se viraram e fugiram. Não houve ordem de retirada, pois fugiam de um lugar onde a própria terra os atacava. Tomas assistiu à clareira se esvaziar, até restarem apenas os mortos e os moribundos.

Em minutos, tudo ficou quieto, enquanto a terra baixava. Os que a tudo assistiram estavam chocados demais para falar. Ouviam o ruído dos soldados tsurani em retirada pela floresta. Os gritos revelavam que outros horrores tinham ido ao encontro deles durante a fuga.

Tomas sentiu-se fraco e cansado e, ao olhar para baixo, viu que tinha os braços cobertos de sangue. O tabardo, o escudo e a espada dourada estavam limpos, como era hábito, mas, pela primeira vez, ele sentiu vida humana borrifada em si. Em Elvandar, a loucura da batalha não permanecia e ele se sentia agoniado até as profundezas de sua alma.

Virou-se e disse calmamente:

— Acabou.

Os elfos e os anões deram vivas fracos, sem grande convicção, pois ninguém se sentia vitorioso. Tinham testemunhado a derrota de uma grandiosa hoste por forças primitivas, poderes elementares que desafiavam qualquer descrição.

Tomas passou devagar por Calin e Dolgan e subiu a escada. O Príncipe dos Elfos ordenou que alguns soldados seguissem os invasores que fugiam, tratassem dos aliados feridos e concedessem aos tsurani moribundos um rápido golpe de misericórdia.

O rapaz se dirigiu ao pequeno quarto em que ficava e afastou a cortina. Sentou-se pesadamente em seu catre, atirando a espada e o escudo para o lado. Sentiu a cabeça latejando e fechou os olhos. As memórias fluíram.

Os céus eram rasgados por redemoinhos enfurecidos de energia que colidiam de horizonte a horizonte. Ashen-Shugar estava sentado no dorso do poderoso Shuruga, contemplando o tecido do tempo e do espaço sendo rompido.

Um clarim ressoou. A nota de aviso ouvida por meio de sua magia. Chegara o momento pelo qual esperara. Instigando Shuruga a subir, Ashen-Shugar perscrutou os céus, procurando o que iria surgir no insano cenário. De repente, Shuruga ficou rígido, demonstrando que avistara a presa. Aos poucos, reconheceu a silhueta de Draken-Korin sentado em seu dragão negro. Havia uma estranheza em seus olhos e, pela primeira vez em sua longa memória, Ashen-Shugar começou a compreender o significado do pavor. Não conseguia definir o que era, não conseguia descrever, mas viu o que era nos olhos torturados de Draken-Korin.

O Senhor dos Dragões ordenou a Shuruga que avançasse. O poderoso dragão dourado rugiu em desafio, ao qual foi respondido pelo igualmente poderoso dragão negro de Draken-Korin. Os dois colidiram no céu e seus cavaleiros fizeram uso das suas artes um contra o outro.

A espada dourada de Ashen-Shugar formou um arco acima de sua cabeça e golpeou, rachando em dois o escudo negro com a cabeça do tigre sorridente. Parecia fácil demais, como previra que fosse. O Senhor dos Tigres já dera muito da sua essência para aquilo que estava se formando. Perante o poder do último valheru, ele era pouco mais do que um mero mortal. Uma, duas, três vezes mais Ashen-Shugar atacou e o seu derradeiro irmão caiu do dorso de seu dragão negro. Despencou até bater no chão. Por sua vontade, Ashen-Shugar saltou do dorso de Shuruga e pairou até chegar ao corpo desamparado de Draken-Korin, deixando Shuruga terminar a disputa com o dragão negro quase morto.

Ainda havia uma centelha de vida no corpo quebrado, vida que durara séculos imemoriais. Um olhar de súplica surgiu nos olhos de Draken-Korin quando Ashen-Shugar se aproximou.

— Por quê? — murmurou.

Levantando a espada dourada para o céu, Ashen-Shugar respondeu:

— Esta obscenidade nunca deveria ter sido permitida. Vocês causaram o fim de tudo o que conhecíamos.

Draken-Korin ergueu o olhar para onde o outro apontava. Contemplou a demonstração confusa e enraivecida de energias, arco-íris distorcidos e berrantes de luz recortados na abóbada celeste. Testemunhou o novo horror em formação a partir da força de vida distorcida de seus irmãos e irmãs, algo terrível e irracional constituído por ódio e raiva.

— Eles eram tão fortes — disse o moribundo. — Nós nunca teríamos imaginado. — O seu rosto se contorceu de horror e ódio quando Ashen-Shugar ergueu a lâmina dourada.

— Mas eu tinha esse direito! — gritou.

Então baixou a espada, decepando com precisão a cabeça do corpo de Draken-Korin. No mesmo instante, tanto a cabeça quanto o corpo foram envolvidos por uma luz cintilante e o ar sibilou ao redor de Ashen-Shugar. Em seguida, o valheru caído desapareceu sem deixar rastro, quando a sua essência regressou àquele monstro irracional que se enfurecia contra os novos deuses.

— Não há direito — afirmou Ashen-Shugar com amargura. — Só existe um poder.

Foi assim que aconteceu?

— Sim, foi assim que matei o último de meus irmãos.

E os outros?

— Eles são parte daquilo — indicou o terrível céu.

Juntos, nunca separados, contemplaram a insanidade no alto, enquanto aconteciam as Guerras do Caos. Depois de algum tempo, Ashen-Shugar disse:

— Venha, chegamos ao fim. Vamos terminar com isso.

Começaram a caminhar até Shuruga, que aguardava. De repente, ouviu-se uma voz...

— Você está muito calado.

Tomas abriu os olhos. Aglaranna estava de joelhos diante dele, com uma bacia de água misturada com ervas medicinais e um pano na mão. Despiu-lhe o tabardo e ajudou-o a retirar a cota de malha dourada. Exausto, ficou sentado enquanto ela começou a lavar-lhe o sangue do rosto e dos braços, sem proferir uma palavra enquanto a contemplava.

Depois de limpo, Aglaranna levou um pano seco ao rosto de Tomas, dizendo:

— Você parece cansado, meu senhor.

— Vejo tantas coisas, Aglaranna, coisas que não se destinam aos olhos de nenhum homem. Na minha alma, carrego o peso de séculos e estou exausto.

— Não há como aliviar isso?

Ele olhou para ela e seus olhares se encontraram. O olhar autoritário foi aliviado por um pouco de doçura, mas, mesmo assim, Aglaranna se viu obrigada a desviar os olhos.

— Está fazendo pouco de mim, senhora?

Ela sacudiu a cabeça.

— Não, Tomas. Eu... vim confortá-lo, caso precise.

Tomas pegou na mão dela e puxou-a para junto de si, o desejo ardendo em seu olhar. Quando se viu envolta pelo abraço do homem, sentindo a paixão crescente no corpo dele, ouviu-o dizer:

— Eu preciso muito, senhora.

Fitando os olhos claros de Tomas, Aglaranna deixou cair as últimas barreiras que os separavam.

— Assim como eu, meu senhor.

4

Treinamento

Ele se levantou na escuridão.

Vestiu uma simples túnica branca, indicativa de sua posição, e saiu do quarto. Esperou do lado de fora do cômodo pequeno e simples, que continha o catre, uma única vela e uma prateleira para os pergaminhos: tudo o que era considerado necessário para a sua educação. Viu outros em pé pelo corredor, todos vários anos mais novos do que ele, calados à porta dos respectivos quartos. O primeiro mestre vestido de negro surgiu no corredor e parou em frente de um dos outros. Sem uma palavra, acenou a cabeça e o rapaz o seguiu, para logo desaparecerem na penumbra. A aurora lançava uma suave luz acinzentada através das janelas altas e estreitas do corredor. Assim como os outros, apagou a tocha na parede oposta à sua porta, aos primeiros sinais do nascer do dia. Surgiu outro homem de negro e outro jovem partiu atrás dele. Logo depois, seguiu-se o terceiro. Depois, o quarto. Decorrido algum tempo, viu-se sozinho. O corredor estava em silêncio.

Da escuridão, surgiu uma silhueta, a roupa ajudando-o ocultá-lo até os últimos metros. Parou na frente do jovem de branco e acenou com a cabeça, indicando o corredor. O rapaz o seguiu por uma série de corredores iluminados por tochas, até o centro do enorme edifício que era a casa do jovem desde que podia se recordar. Em seguida, avançaram por uma série de túneis baixos que fediam pelo tempo e pela umidade, como se estivessem abaixo do lago que rodeava o edifício por todos os lados.

O homem de preto parou diante de uma porta de madeira, afastou a tranca e abriu-a. O jovem entrou atrás dele, detendo-se em frente a um conjunto de tinas de madeira. Cada uma tinha metade do comprimento de um homem e metade dessa medida de largura. Uma delas estava no chão, enquanto as restantes estavam dispostas por cima, suspensas por suportes de madeira em degraus, uma acima da outra, até a mais alta, que tinha a altura de um homem. Todas as tinas tinham um buraco na extremidade que dava para a tina de baixo. Na do chão, ouvia-se o chapinhar da água, reagindo às vibrações de seus passos no chão de pedra.

O homem indicou um balde, virou-se e saiu, deixando o jovem sozinho.

O rapaz pegou o balde e começou sua tarefa. Todas as ordens dirigidas aos que se vestiam de branco eram dadas sem palavras e, como depressa aprendera quando tomara consciência pela primeira vez, os que vestiam o branco não tinham permissão para falar. Sabia que conseguia falar, pois entendia o conceito e tentara formar algumas palavras em voz baixa quando estava deitado no seu tapete, no escuro. Tal como com tantas outras coisas, entendia o fato, sem saber como. Ele sabia que existia antes de seu primeiro despertar na cela, mas não ficou nada alarmado pela falta de memória. De certa forma, parecia apropriado.

Começou o trabalho. Como tantas outras tarefas que lhe davam para fazer, esta parecia impossível. Pegou o balde e encheu a tina do topo a partir da água que estava abaixo. Tal como acontecera nos dias anteriores, a água vazou do topo, passando sucessivamente por cada tina, até que o conteúdo do balde veio parar novamente na tina de baixo. Dedicou-se com determinação ao trabalho, esvaziando a mente enquanto o corpo empreendia a tarefa mecânica.

Da mesma forma que acontecera tantas outras vezes quando o deixavam em paz, a sua mente vagueava de imagem em imagem, traços brilhantes de formas e cores que se esquivavam quando tentava fechar dedos mentais ao redor deles. Primeiro, surgiu o vislumbre breve de uma praia, com as ondas batendo nas rochas negras e desgastadas. Luta. Uma substância branca e fria, de aparência estranha, espalhada pelo chão — uma palavra: neve, que escapou tão depressa como chegou. Um acampamento lamacento. Uma cozinha enorme com rapazes correndo para realizar tarefas diversas. Um quarto em uma torre alta. Tudo passava com uma rapidez ofuscante, deixando somente uma imagem residual ao passar.

Diariamente, uma voz soava em sua cabeça e sua voz mental dava uma resposta, enquanto trabalhava em sua tarefa interminável. A voz fazia uma pergunta simples, à qual a voz de sua mente respondia. Caso a resposta estivesse incorreta, a pergunta era repetida. Se fossem dadas várias respostas erradas, a voz cessava as perguntas. Por vezes, voltava mais tarde no mesmo dia; outras vezes, não voltava.

O trabalhador vestido de branco sentia a pressão conhecida contra o tecido dos seus pensamentos.

— *O que é a lei?* — perguntou a voz.

— *A lei é a estrutura que rodeia as nossas vidas e que lhes dá significado* — respondeu.

— *Qual a principal encarnação da lei?*

— *O Império é a principal encarnação da lei.*

— *O que você é?* — surgiu a pergunta seguinte.

— *Sou servo do Império.*

O contato mental vacilou por um momento, retornando como se o outro estivesse pensando cuidadosamente na próxima pergunta.

— *De que forma lhe é permitido servi-lo?*

A pergunta já fora feita várias vezes em outras ocasiões e a resposta sempre fora recebida com um silêncio interno e vazio, indicando que respondera incorretamente. Desta vez, refletiu cuidadosamente, eliminando todas as respostas que dera antes, bem como aquelas que eram combinações de extrapolações das respostas incorretas já dadas. Por fim, respondeu:

— *Da forma que eu achar adequada.*

De fora, veio um fluxo de sensações, uma sensação de aprovação. Sem demora, seguiu-se outra pergunta:

— *Onde fica o lugar que lhe foi atribuído?*

Pensou na pergunta, ciente de que a resposta óbvia seria, certamente, a incorreta; contudo, era uma resposta que precisava testar.

— *O meu lugar é aqui* — respondeu.

O contato mental foi quebrado, tal como suspeitara. Sabia que estava sendo treinado, ainda que o motivo desse treino lhe fosse oculto. Podia agora refletir na última pergunta à luz das respostas anteriores e, quem sabe, encontrar a resposta correta.

Naquela noite, sonhou.

Um desconhecido de vestes marrons e cinto de corda trançada na cintura caminhava pela estrada. O homem se virou e disse:

— Depressa. Não temos muito tempo e você não pode ficar para trás.

Tentou andar mais depressa, mas os pés pareciam chumbo e os braços estavam presos de cada lado do corpo. O homem interrompeu seu andar apressado para dizer:

— Então está bem. Uma coisa de cada vez.

Tentou falar, mas percebeu que a sua boca se recusava a se mexer. O homem de marrom afagou a barba de modo pensativo, dizendo por fim:

— Pense nisto: você é o arquiteto de sua própria prisão.

Olhou para baixo e viu que os seus pés descalços estavam em uma estrada de terra batida. Levantou os olhos e o homem de marrom já se afastava a passos largos. Tentou segui-lo e, uma vez mais, não conseguiu se mexer.

Acordou suando frio.

Mais uma vez foi feita a pergunta sobre qual era o seu lugar e novamente a resposta que deu, *Onde precisarem de mim*, não foi satisfatória. Esforçou-se em outra tarefa inútil, espetando pregos em uma camada espessa de lã, que os deixava cair no chão, de onde os apanhava e voltava a tentar pregá-los.

Enquanto repensava a última pergunta que lhe fora feita, foi interrompido. A porta atrás dele se abriu e o guia fez sinal para que o seguisse. Deslocaram-se por longos corredores, subindo até o andar onde comeriam a pobre refeição matinal.

Ao entrarem no salão, o guia ocupou um lugar junto à porta, enquanto outros em mantos negros acompanhavam do mesmo modo, até aquele local, os que trajavam branco. Naquele dia, cabia ao guia do jovem ficar em pé vigiando os rapazes de branco, que eram obrigados a comer em silêncio. Esta função era cumprida a cada dia por um homem de manto negro diferente.

O jovem comeu e ponderou sobre a última pergunta daquela manhã. Pesou cada resposta possível, procurando possíveis falhas, descartando-as quando as descobria. Bruscamente, uma resposta surgiu inesperada em sua cabeça. Como um salto intuitivo, seu subconsciente lhe dera a solução para a questão. *Sou o arquiteto da minha própria prisão.* Em muitas ocasiões no passado, isso acontecera quando problemas especialmente complicados haviam interrompido o seu progresso, o que justificava o seu rápido progresso nas lições. Pesou as possíveis falhas da resposta e, quando teve certeza de que estava correta, levantou-se. Outros olhos o miravam furtivamente, pois tal comportamento era uma violação das regras.

Colocou-se diante de seu guia, que contemplou a aproximação do jovem com uma expressão controlada; as sobrancelhas levemente erguidas, o único sinal de curiosidade.

Sem rodeios, o jovem de branco disse:

— Este já não é mais o meu lugar.

O homem de preto não mostrou qualquer emoção, mas pousou a mão no ombro do jovem e fez um ligeiro aceno com a cabeça. Levou a mão ao interior do manto e retirou um pequeno sino, que tocou uma vez. Pouco depois, surgiu outro indivíduo de manto negro. Sem proferir uma única palavra, o recém-chegado tomou o lugar junto à porta, enquanto o guia fazia sinal ao jovem para que o seguisse.

Caminharam em silêncio, como tantas vezes haviam feito, até chegarem a uma sala. O homem de negro se virou para o jovem e instruiu-o:

— Abra a porta.

O jovem estendeu a mão para a porta, mas, com um súbito entendimento, voltou atrás. Franzindo a testa enquanto se concentrava, moveu a porta com o poder de sua mente. Devagar, ela se abriu para dentro. O homem de negro sorriu.

— Muito bem — disse, com uma voz calma e agradável.

Entraram em um quarto que tinha muitos mantos brancos, cinzentos e pretos pendurados em cabides.

— Troque para um manto cinzento — indicou o homem de manto negro.

O jovem assim o fez rapidamente e ficou de frente para o outro homem, que o estudou.

— Você não está mais preso ao silêncio. Qualquer dúvida que tiver será respondida, na medida do possível, embora ainda restem questões que você terá de aguardar até usar o manto negro. Então você entenderá completamente. Venha.

O jovem vestido de cinza seguiu o guia para outro cômodo, onde havia uma mesa rodeada por almofadas, na qual se podia ver um jarro de chocha quente, uma bebida forte e agridoce. O homem serviu duas xícaras e ofereceu uma ao jovem, indicando que se sentasse. Depois disso, o jovem perguntou:

— Quem sou eu?

O outro encolheu os ombros.

— Você terá de decidir isso, pois só você poderá descobrir seu verdadeiro nome. É um nome que nunca poderá ser dito aos outros, para que não tenham poder sobre você. Mas, de agora em diante, você atenderá por Milamber.

O recém-nomeado pensou por um instante para dizer em seguida:

— Servirá. Como você se chama?

— Chamo-me Shimone.

— Quem é você?

— O seu guia, o seu professor. Você terá outros agora, mas fui responsável pela primeira parte de seu treino, a parte mais demorada.

— Há quanto tempo estou aqui?

— Há quase quatro anos.

Milamber ficou admirado com a resposta, pois a sua memória era curta, alcançando somente alguns meses, na melhor das hipóteses.

— Quando devolverão as minhas memórias?

Shimone sorriu, satisfeito por Milamber não ter perguntado se voltariam, e deixou isso claro:

— A sua mente relembrará a sua vida passada conforme você avançar no equilíbrio de seu treino, devagar, no início, e, depois, com mais rapidez. Há uma razão para que isso aconteça. Você tem de suportar a sedução de laços anteriores: da família e da pátria, dos amigos e de casa. No seu caso, isso é fundamental.

— Por quê?

— Quando seu passado retornar, você entenderá — foi tudo o que Shimone disse, com um sorriso no rosto. As feições de falcão e os olhos escuros expressavam que o assunto se encerrara.

Milamber lembrou-se de várias outras perguntas, descartando-as rapidamente como sendo de menor importância para o momento. Por fim, perguntou:

— O que teria acontecido se eu tivesse usado a mão para abrir a porta?

— Você teria morrido — afirmou Shimone categoricamente, sem emoção.

Milamber não ficou surpreso nem chocado com a resposta, simplesmente a aceitou.

— Com que propósito?

Shimone ficou um pouco admirado com a pergunta e demonstrou sua surpresa:

— Não podemos controlar uns aos outros, apenas garantir que cada novo mago consiga cumprir a responsabilidade decorrente de suas ações. Você considerou que o seu lugar já não era junto dos que usam branco, os noviços. Se aquele não era o seu lugar, você teria de demonstrar sua capacidade para lidar com as responsabilidades dessa mudança. São muitos os inteligentes, porém os insensatos morrem nessa fase.

Milamber ponderou e reconheceu a justiça do teste.

— Quanto tempo durará o meu treino?

Shimone fez um gesto evasivo.

— O tempo que for preciso. Porém você tem progredido depressa, então acho que não vai demorar muito no seu caso. Você tem alguns dons inatos e, você entenderá o que vou dizer quando a sua memória voltar, certa vantagem em relação aos outros estudantes mais jovens que começaram com você.

Milamber examinou o conteúdo de sua xícara. No líquido aguado e escuro, pareceu vislumbrar uma única palavra, como se tivesse visto pelo canto do olho, que desapareceu quando tentou focá-la. Não conseguira retê-la, mas fora um nome curto, um nome simples.

Naquela noite, voltou a sonhar.

O homem de marrom caminhava pela estrada e, desta vez, Milamber conseguiu acompanhá-lo.

— Está vendo, são poucos os limites objetivos. Aquilo que eles ensinam é útil, mas nunca aceite a afirmação de que, só porque uma solução resolve um problema, essa é a *única* solução.

O homem de marrom parou.

— Olhe para isso — disse, indicando uma flor na beira da estrada. Milamber inclinou-se para ver o que o homem indicava. Uma pequena aranha tecia uma teia entre duas folhas. — Aquela criatura trabalha alheia à nossa passagem. Qualquer um de nós poderia acabar com sua existência por capricho. Então pense nisto: se aquela criatura pudesse, de algum modo, perceber a nossa existência, a ameaça que constituímos a sua vida, será que a aranha nos idolatraria?

— Não sei — respondeu Milamber. — Não sei como pensa uma aranha.

O homem de marrom apoiou-se no cajado.

— Levando em conta a disparidade dos pensamentos humanos, a aranha poderia reagir com medo, desafio, indiferença, fatalismo ou incredulidade. Tudo é possível. — Estendeu o cajado e prendeu um pedaço da teia na extremidade de madeira. Erguendo o minúsculo aracnídeo, levou-o para o lado oposto da estrada.

— Você acha que a criatura sabe que é uma flor diferente?

— Não sei dizer.

O homem de marrom sorriu.

— Essa talvez seja a mais sábia de todas as respostas. — Retomando a caminhada, continuou: — Em breve você irá ver muitas coisas, algumas das quais farão muito pouco sentido. Quando isso acontecer, lembre-se de uma coisa.

— Do quê? — perguntou Milamber.

— Nem tudo é o que parece. Lembre-se da aranha, que, neste exato momento, poderá estar dirigindo preces de agradecimento a mim pela abundância repentina. — Apontando com o cajado para a planta lá atrás, prosseguiu: — Há muito mais insetos naquela do que na outra. — Coçando a barba, acrescentou: — Pergunto: será que a flor também estará dirigindo preces de agradecimento?

Passou semanas na companhia de Shimone e de alguns outros. Começou a saber mais de sua vida, ainda que fossem apenas fragmentos daquilo que faltava. Fora escravo e tinham descoberto que possuía o poder. Recordava-se de uma mulher e sentia um débil apelo ao pensar em sua vaga imagem.

Era rápido para aprender. Cada lição era cumprida em um único dia ou, no máximo, em dois. Ele dissecava depressa os problemas que lhe eram propostos e, quando chegava a hora de discuti-los com os professores, as perguntas que fazia eram pertinentes, pensadas e adequadas.

Um dia, ao se levantar e sair de sua nova mas ainda simples cela, deu de cara com Shimone, que o aguardava.

— A partir deste momento, você não poderá falar até concluir a tarefa que lhe vai ser atribuída — disse o mago de manto negro.

Milamber assentiu com a cabeça indicando que entendera e seguiu o guia pelo corredor. O mago mais velho o conduziu através de uma série de túneis compridos até um lugar no prédio onde nunca estivera. Subiram uma escadaria enorme, passando por muitos andares acima do local onde tinham iniciado a subida. Subiram cada vez mais, até Shimone abrir uma porta. Milamber passou primeiro e se achou em um telhado plano e a céu aberto, no topo de uma grande torre. No centro do telhado, erguia-se uma única espiral de pedra. Lançava-se em direção ao céu, um marco na rocha trabalhada. Ao seu redor, enroscava-se uma escadaria estreita, esculpida na lateral. Os olhos de Milamber a seguiram até onde a ponta se perdia nas nuvens. Ficou fascinado pela visão, pois parecia violar vários cânones da física que estudara. Ainda assim, erguia-se à sua frente. O guia indicou que devia subir os degraus. Começou. Ao concluir a primeira volta, reparou que Shimone desaparecera pela porta de madeira. Aliviado por sua ausência, Milamber desviou o olhar do telhado, deleitando-se com a vista à sua volta.

Estava no topo da torre mais alta de uma imensa cidade de torres. Para onde quer que olhasse, centenas de dedos de pedra apontavam para cima, estruturas fortes com janelas voltadas para fora. Algumas estavam a céu aberto, como aquela onde se encontrava; outras tinham telhados de pedra ou de luzes reluzentes. Contudo, entre todas elas, aquela era a única com uma fina espiral em cima. Abaixo das centenas de torres, curvavam-se pelo céu pontes que as ligavam, e mais abaixo se via o único e inconcebível edifício que suportava tudo o que o seu olhar abrangia. Era uma construção monstruosa. Estendia-se por baixo do ponto onde se encontrava, espalhando-se por quilômetros em todas as direções. Ele sabia que o lugar era enorme pelas viagens que realizava em seu interior, mas esse conhecimento não amenizou o espanto perante a vista.

Ainda mais abaixo, no limite mais extremo de sua visão, conseguia ver o verde suave da relva, uma beirada estreita que rodeava o volume escuro do edifício. Por todos os lados, viu água, o lago que vira de relance uma única vez. A distância, conseguiu distinguir a sugestão embaçada de montanhas; contudo, a menos que se esforçasse para vê-las, era como se o mundo inteiro se encontrasse abaixo.

Subindo com dificuldade, contornou a espiral enquanto avançava. Cada volta trazia um novo detalhe da paisagem. Um único pássaro voava em círculos acima de todo o resto, alheio aos assuntos dos homens, de asas escarlate abertas para apanharem o vento enquanto observava com avidez o lago lá embaixo. Reparando em um movimento denunciador na água, dobrou as asas e mergulhou, tocando a superfície por um brevíssimo instante antes de voltar às alturas uma vez mais, com um prêmio pendendo das garras. Emitindo um grito de vitória, deu mais uma volta e dirigiu-se para oeste.

Uma volta. Uma troca de ventos. Cada vento trazia indícios de terras distantes e estranhas. Do sul, uma rajada com um traço de selvas quentes onde escravos trabalhavam para transformar pântanos fatais e alagados em terras de cultivo. Do leste, uma brisa trazia o canto vitorioso de uma dúzia de guerreiros da Confederação Thuril, depois de derrotarem um número equivalente de soldados do Império em um conflito de fronteira. Em contraponto, chegava o eco fraco de um soldado tsurani que morria, gritando pela família. Do norte, chegava o cheiro de gelo e o som dos cascos de milhares de thūn avançando pela tundra gelada, rumo ao sul em busca de terras mais quentes. Do oeste, o riso da jovem esposa de um poderoso nobre incitando um soldado da guarda pessoal da casa, dividido entre o medo e a excitação, a trair o marido que se encontrava fora negociando com um mercador de Tusan, ao sul. Do leste, o aroma das especiarias enquanto os mercadores negociavam na praça do mercado na distante Yankora. Novamente ao sul, e o cheiro de maresia do Mar de Sangue Norte, e os campos de gelo varridos pelo vento que nunca conheceram os passos de pés humanos, mas nos quais caminhavam antigos seres, sábios em áreas desconhecidas pelos homens, procurando um sinal nos céus — um sinal que não chegava. Cada brisa carregava uma nota e um tom, uma cor e uma tonalidade, um sabor e uma fragrância. A trama do mundo passava ali em um sopro e ele inspirou fundo, saboreando-a.

Uma volta. Dos degraus abaixo vinha uma pulsação enquanto o mundo palpitava com vida própria. Para cima, pela ilha, pelo edifício, pela torre, pela espiral e pelo seu próprio corpo, chegou o batimento urgente, ainda que eterno, do coração do planeta. Olhou para baixo e viu cavernas profundas, sendo que nas mais superficiais trabalhavam escravos que recolhiam os poucos metais raros encontrados, bem como carvão para aquecimento e pedra para construção. Abaixo destas encontravam-se outras cavernas, sendo algumas delas naturais e outras, as ruínas de uma cidade perdida, coberta pelo pó que se tornava terra com o passar dos anos. Outrora habitaram ali criaturas inimagináveis. Sua visão o levou ainda mais fundo, a uma região de calor e luz, onde competiam forças primitivas. Rocha liquefeita, inflamada e incandescente, empurrava a sua prima sólida, procurando uma passagem para cima, negligentemente conduzida pela natureza. Ainda mais fundo, até um mundo de força pura, onde linhas de energia percorriam o coração do mundo.

Outra volta e chegou a uma pequena plataforma no topo da espiral. Não era maior do que a sua altura, um poleiro extremamente precário. Aproximou-se do centro, controlando a vertigem que tentava jogá-lo aos gritos pela beirada. Empregou cada parte de sua habilidade e seu treino para ali permanecer, pois entendia, sem que lhe tivesse sido dito, que falhar seria morrer.

Afastou o medo da mente e olhou ao redor para a vista que o rodeava, aterrorizado pela vastidão do vazio. Nunca antes se sentira tão absolutamente isolado, tão absolutamente sozinho. Ali, encontrava-se sem nada que o separasse do destino que lhe cabia.

Abaixo dele, estendia-se o mundo, e acima dele, um céu vazio. O vento trazia um vestígio de umidade e o jovem viu nuvens escuras que se deslocavam em grande velocidade, vindas do sul. A torre, ou a ponta no topo dela, balançou ligeiramente e o jovem mudou o peso do corpo para compensar, automaticamente.

Relâmpagos dardejavam enquanto nuvens de tempestade avançavam em sua direção e trovões ribombavam ao redor de sua cabeça. O som era alto o bastante para expulsá-lo da pequena plataforma e ele se viu forçado a vasculhar ainda mais nas profundezas de sua fonte interior de poder, até aquele lugar silencioso conhecido somente como *wal*, e aí encontrou a força para resistir à investida da tempestade.

O vento fustigava seu corpo, arremessando-o para a beira da plataforma. Cambaleou e recuperou o equilíbrio, o abismo sombrio abaixo chamando por ele, convidando à queda. Com uma súbita força de vontade, afastou a vertigem mais uma vez e fixou a mente na tarefa que o esperava.

Em sua mente, uma voz gritou:

— *Chegou o momento do teste. Nesta torre você precisa permanecer e, caso a sua força de vontade falhe, dela irá cair.*

Deu-se uma pausa momentânea e a voz voltou a gritar:

— *Contemple! Testemunhe e compreenda como tudo era.*

As trevas se precipitaram para os céus e ele foi devorado.

Durante algum tempo, ele flutua, indefinível e perdido. Um pequeno ponto de consciência vacilante, um nadador desconhecido por um mar negro e vazio. De repente, uma única nota invade o vazio. Ressoa, um som silencioso, um intruso dos sentidos, desprovido de sensações.

— *Sem sentidos, como pode haver percepção?* — sua mente pergunta. Sua mente! — *Eu existo!* — grita, e um milhão de filosofias berram de espanto. — *Se eu existo, então o que não faz parte de mim?* — se pergunta.

— *Você é aquilo que é e não aquilo que não é* — responde um eco.

— *Uma resposta insatisfatória* — diz ele, com ar sonhador.

— *Ainda bem* — responde o eco.

— *Que nota é aquela?* — pergunta.

— *É o toque do sono de um idoso no momento que antecede a morte.*

— *Que nota é aquela?*

— *É a cor do inverno.*

— *Que nota é aquela?*

— *É o som da esperança.*

— *Que nota é aquela?*

— *É o sabor do amor.*

— *Que nota é aquela?*

— *É um alarme para despertá-lo.*

Flutua. À sua volta, nadam bilhões e bilhões de estrelas. Grandes aglomerações passam por ele, resplandecentes de energia. Giram em uma profusão de cores, vermelhas e azuis gigantes, laranja e amarelas menores e as ínfimas vermelhas e brancas. As negras, incolores e enraivecidas, absorvem a tempestade de luz que as rodeia, enquanto outras vibram, lançando energias em um espectro desconhecido, e algumas distorcem o tecido do tempo e do espaço, embaçando sua visão enquanto tentam compreender sua passagem. De uma a outra, estende-se uma linha de força, unindo-as a uma teia de poder. Ao longo dos fios dessa teia, a energia flui para trás e para a frente, latejando com uma vida que não é vida. As estrelas sabem quando ele passa. Estão cientes de sua presença, embora não se manifestem. É insignificante demais para se preocuparem com ele. Ao seu redor, estende-se todo o Universo.

Em vários pontos da teia, trabalham ou repousam criaturas de poder, cada uma diferente das outras, ainda que, de certa forma, todas se assemelhem. Algumas, ele consegue perceber que são deuses, pois os reconhece, e outras são inferiores ou superiores. Cada uma delas desempenha um papel. Algumas o contemplam, pois a sua passagem não passa despercebida; outras ainda estão fora do alcance, imponentes demais para o abrangerem e, por serem dessa forma, são inferiores. Outras o observam atentamente, comparando poder e capacidades em relação ao que possuem. Também ele as examina. Ninguém fala.

Avança velozmente entre as estrelas e os seres de poder, até divisar uma estrela, uma entre milhares, mas é aquela que o atrai. Da estrela, saem vinte linhas de energia e junto de cada uma encontra-se uma entidade de poder. Sem saber por quê, entende que são os antigos deuses de Kelewan. Cada um deles atua na linha de poder mais próxima, influenciando a estrutura de espaço e de tempo das proximidades. Alguns competem entre si, outros trabalham alheios à batalha e outros ainda parecem não fazer nada.

Aproxima-se. Um único planeta gira em redor da estrela, um globo azul e verde envolto em nuvens brancas. Kelewan.

Mergulha pelas linhas de energia até chegar à superfície. Ali, contempla um mundo em que o homem não pisou. Enormes bestas hexápodes percorrem a terra e delas se esconde uma jovem raça de seres perspicazes.

Os cho-ja, alguns bandos de criaturas em debandada, pouco maiores do que os enormes insetos de onde evoluíram, correm através das árvores das enormes florestas, temendo os predadores maiores que os perseguem, enquanto, por sua vez, perseguem presas menores. Começaram a raciocinar e as rainhas concebem cada criatura com um propósito específico, de modo que fortes soldados armados protejam os trabalhadores. Mais comida é trazida para a colônia e a raça começa a prosperar.

Nas planícies, correm os jovens machos thũn, lutando entre si com paus e pedras, punhos e presas. Lutam sabendo apenas que um ímpeto indefinível os move, exigindo que este ou aquele membro da manada expulse os restantes e procrie a próxima geração. Passarão séculos até se tornarem seres racionais, capazes de se unirem contra as criaturas bípedes que ainda não surgiram no mundo.

Junto ao mar, que ainda não recebeu o nome em honra dos milhares que ali morreram, os sunn amontoam-se na praia, acabados de sair da água, mostrando desconforto em terra, embora já não consigam existir nas profundezas. Temendo a todos, conspiram em suas grutas, procurando segurança e desenvolvendo uma atitude diante de forasteiros que determinará o genocídio dessa raça muitas gerações mais tarde.

Acima das montanhas, planam os thrillillil, cuja cultura primitiva está em formação, pouco mais do que uma associação aleatória de casais destinados à procriação. As extensas, ainda que delicadas asas lançam sombras que ocultam os nummongnum, que rastejam ao longo da beira das rochas, camuflados com o pelo malhado, semelhante às pedras onde se escondem, procurando ovos de thrillillil, dando início a uma guerra que durará um milênio e que resultará na aniquilação das duas raças.

Este é um mundo cruel onde a vida abunda, ainda que seja uma vida de conflitos, desprovida de compaixão pelos fracos. Das raças que observa, somente duas persistirão, os thũn e os cho-ja. Percebe a chegada das trevas como uma tempestade repentina, que depressa o envolve.

A luz surge, como a bonança depois da tempestade.

Ele está no topo de um penhasco com vista para uma enorme planície coberta de grama, separada do mar por uma pequena praia. O ar começa a tremeluzir e o mar além da planície fica distorcido. Tal como a agitação do ar provocada pelo calor do dia, a cena ondula. Cores cintilantes surgem no ar. Em seguida, como por ação de duas mãos gigantes, o próprio tecido do espaço e do tempo é rasgado, e surge uma fenda que não para de aumentar. Ele vê através dela. Do outro lado dessa rachadura no ar, é revelada uma visão de caos, uma demonstração enlouquecida de poder, como se todas as linhas nesse universo tivessem sido despedaçadas. Raios energéticos, que seriam capazes de destruir sóis, explodem em demonstrações de cor além da capacidade de descrição por olhos mortais, deixando-os ofuscados com luzes menos intensas. Das profundezas desse portal gigante, expande-se uma vasta ponte de luz dourada que desce, até tocar a grama da planície. Sobre a ponte, deslocam-se milhares de silhuetas, fugindo da loucura além do portal em direção à serenidade da planície.

Precipitam-se para baixo, alguns levando todos os seus pertences às costas, outros trazendo animais que puxam carroças e trenós carregados de objetos valiosos. Todos avançam com pressa, fugindo de um horror abominável.

Ele contempla as silhuetas e, ainda que muitas coisas sejam estranhas, também reconhece muitos aspectos. Muitos usam túnicas curtas e simples e ele percebe que está contemplando a origem dos tsurani. Seus rostos são mais simples, mostrando a quase inexistência da mistura com outros povos que acontecerá nos anos seguintes. A maioria tem a pele clara e os cabelos castanhos ou louros. A seus pés, correm cães ladrando, cães de caça lustrosos e ágeis.

Ao lado deles, caminham guerreiros orgulhosos, de olhos puxados e pele em tons de bronze. Esses são combatentes, mas não soldados organizados, pois vestem trajes de cortes e cores variados. Todos descem da ponte, alguns com ferimentos, outros escondendo o terror atrás de expressões implacáveis. Nos ombros, carregam espadas compridas de aço refinado e de fabricação caprichada. O alto das suas cabeças é raspado e o cabelo ao redor, amarrado em um nó. Sustentam a aparência orgulhosa de homens que não sabem se o fato de terem sobrevivido à batalha será favorável. Misturados entre eles, vêm outros, todos diferentes.

Uma raça de pessoas baixas carrega redes que os caracterizam como pescadores. De que mar vêm, só eles poderão saber. Têm cabelo escuro, pele pálida e olhos cinza-esverdeados. Homens, mulheres e crianças, todos vestem calças simples de pele, nus da cintura para cima.

Depois deles, segue um grupo de pessoas altas, majestosas e de pele escura. As suas vestes são ricamente trabalhadas, com cores suaves e delicadas. Muitas têm pedras preciosas como adorno na testa e pulseiras de ouro nos braços. Todas choram por uma pátria que não voltarão a ver.

Seguem-se homens montados em criaturas inacreditáveis, parecidas com serpentes voadoras com cabeças de pássaro cobertas de penas. Os rostos dos cavaleiros estão cobertos com máscaras de animais e aves, pintadas com cores berrantes e enfeitadas com plumas. Somente tinta lhes cobre o corpo, pois o seu mundo de origem era um lugar quente. Ostentam a nudez como um manto, pois em suas formas existe beleza, como se cada um tivesse sido criado por um escultor; portam armas de vidro negro. As mulheres e as crianças seguem, sem máscara, atrás dos homens, revelando expressões que se tornaram severas pelo mundo cruel de onde fogem. Os Cavaleiros de

Serpentes viram as criaturas para leste e levantam voo. As enormes serpentes aladas morrerão nas geladas terras altas do leste, mas permanecerão eternamente nas lendas dos orgulhosos thuril.

Chegam outros milhares, descendo a rampa dourada e pisando em Kelewan. Quando alcançam a planície, alguns partem, viajando para outras partes do planeta, enquanto muitos ficam e assistem a muitos outros milhares que chegam pela ponte. O tempo passa, o dia dá lugar à noite, e o dia volta a surgir, enquanto a multidão chega, vinda da louca tempestade de caos.

Com eles, chegam vinte seres de poder, também fugindo da destruição total de um universo. A multidão na planície não os pode ver, mas ele consegue. Sabe que se tornarão os vinte deuses de Kelewan, as Dez Entidades Superiores e as Dez Entidades Inferiores. Sobem pelo ar, com o intuito de arrancarem as linhas de poder das entidades velhas e fracas que estão ao redor deste mundo. E estas não oferecem resistência quando os novos deuses tomam os seus lugares, pois as entidades mais antigas sabem que uma nova ordem começa no mundo.

Após dias de observação, o jovem repara que o fluxo de humanidade começa a diminuir. Centenas de homens e mulheres puxam enormes navios feitos de uma espécie de metal que brilha ao sol, montados sobre rodas de uma substância preta. Chegam à planície e veem o oceano além da praia estreita. Dão um grito e levam os barcos até à praia, lançando-os à água. Cinquenta barcos içam velas e partem oceano afora, rumo ao sul, até a terra que se tornará Tsubar, a nação perdida.

O último grupo é composto por milhares de homens vestidos com roupas de vários formatos e cores. Ele sabe que são os sacerdotes e magos de muitas nações. Ficam juntos, contendo a terrível fúria do outro lado. Enquanto o jovem observa, muitos tombam, suas vidas extintas como velas gastas. A um sinal combinado previamente, muitos deles, embora sejam menos do que um centésimo dos que se encontram em cima da ponte dourada, viram-se e descem correndo. Trazem livros, pergaminhos e outras formas de conhecimento. Quando alcançam a base da ponte, viram-se e assistem ao drama que se desenrola no alto.

Os que permanecem sobre a ponte, sem olhar para os que fugiram e sim para aquilo que estão contendo, dão um grito, lançando um feitiço poderoso, formado por uma mágica grandiosa. Àqueles que estão embaixo ecoam os gritos e quem consegue ouvi-los treme de pavor com o som. A ponte começa a esvair-se a partir do chão. Uma onda de terror e ódio jorra através do portal e os que estão no alto começam a sucumbir antes de serem atingidos. À medida que a ponte e a abertura começam a desaparecer, uma única rajada de fúria escapa e atordoa muitos dos que se encontram na planície abaixo, abatendo-os como se tivessem sido socados.

Durante algum tempo, aqueles que escaparam ao terror inominável por detrás da fenda ficam mudos. Depois, aos poucos, começam a se dispersar. Grupos se separam e seguem seus caminhos. O jovem sabe que, no futuro, aqueles refugiados miseráveis conquistarão aquele mundo, pois são a semente das nações que povoam Kelewan.

Sabe que assistiu ao início das nações e de sua fuga ao Inimigo, o terror abominável que destruiu as pátrias das raças da humanidade, dispersando-as para outros universos.

O manto do tempo o cobre uma vez mais, criando escuridão.

Seguida por luz.

Na planície onde nada havia, ergue-se uma grande cidade. As suas torres brancas sobem até o céu. O povo é trabalhador e a cidade próspera. Caravanas de mercadorias chegam por via terrestre e grandes navios atracam no porto vindos do outro lado do mar. Passam-se anos, trazendo guerra e fome, paz e abundância.

Um dia, um navio atraca no porto, tão devastado e danificado quanto a tripulação. Foi travada uma grande batalha e esse navio foi um dos poucos sobreviventes. Os que vivem do outro lado do mar estão vindo e a Cidade das Planícies sucumbirá se o auxílio não chegar. São enviados mensageiros para o norte, rumo às cidades ao longo do grande rio, pois, caso a cidade branca caia, nada impedirá os invasores de atacarem o norte. Os mensageiros retornam, trazendo notícias. Os exércitos das outras cidades virão. O jovem os observa, reunindo-se e indo ao encontro dos invasores à beira-mar. Os inimigos são rechaçados, mas com grande custo, pois a batalha dura doze dias. Cem mil homens morrem e as areias permanecem vermelhas durante meses. Mil navios queimam e o céu é invadido por uma fumaça negra que cai sobre a terra durante vários dias, cobrindo quilômetros com uma cinza fina como pó. A cidade alva vira a cidade cinzenta. Desde esse dia, o mar passa a ser conhecido como Mar de Sangue e à ampla baía dão o nome de Batalha. Porém da batalha forma-se uma aliança e são lançadas as sementes do grande Império, o Império dos Tsuranuanni que atravessa mundos.

Como o silêncio que cai, as trevas chegam.

Como um toque de clarim, a luz regressa.

Ele se encontra no topo de um templo, no coração da cidade central do Império. Lá embaixo, vê milhares de pessoas. Ombro a ombro, enchem as ruas, entoando cânticos, enquanto milhares de braços erguidos fazem passar de mão em mão grandes plataformas de madeira. Sobre as plataformas estão os nobres do Império, Lordes das Cinco Grandes Famílias. Na última plataforma, a maior de todas, vê-se um trono de ouro, fabricado a partir do mais raro dos metais deste mundo pobre em minério. Nesse trono está sentado um menino. Quando a plataforma alcança a Grande Praça dos Vinte Deuses Superiores e Inferiores, é colocada no chão e o trono é levado nos ombros pelos cidadãos até o topo do templo mais alto.

O trono é descido, voltado para sudeste, de onde as nações surgiram no início dos tempos. Das profundezas do templo, avançam rapidamente doze sacerdotisas vestidas de preto, ladeadas por sacerdotes vestidos de vermelho. A Sacerdotisa de Sibi, a Deusa da Morte, indica alguns cidadãos na multidão e os sacerdotes de vermelho seguidores do Deus da Matança os agarram. Apoderam-se de homens, mulheres e, às vezes, crianças. São todos arrastados até o topo do templo, onde os sacerdotes do Deus Vermelho lhes arrancam os corações, enquanto os sacerdotes e as sacerdotisas das outras dezoito ordens assistem calados. Depois do sacrifício de centenas, quando os degraus do templo estão banhados de sangue, a sumo sacerdotisa da Deusa da Morte considera os deuses satisfeitos. Colocam um anel de prata na mão do menino e um aro dourado sobre sua testa, proclamando-o Luz do Céu, Minjochka, onze vezes Imperador. O menino brinca com um brinquedo de madeira que lhe foi oferecido no início daquele dia, pois fica entediado facilmente, enquanto a multidão se empurra para mergulhar as mãos no sangue de seus compatriotas, considerando que tal ato lhes trará boa sorte.

No oriente, o céu escurece com a aproximação da noite.

Quando o sol nasce, o jovem se vê ao lado de um mago que trabalhou a noite toda. O homem fica preocupado com o que seus cálculos lhe mostram e entoa um feitiço que o leva para outro lugar. O observador o segue. No pequeno salão, vários outros magos reagem com expressões de pavor ao ouvirem as notícias que o primeiro mago lhes leva. É enviado um mensageiro ao Senhor da Guerra, soberano do Império em nome do Imperador. O Senhor da Guerra convoca os magos. O observador os segue. O mago explica as notícias. Os sinais das estrelas, bem como os escritos antigos, anunciam a chegada de uma grande calamidade. Uma estrela, uma viajante dos céus avistada onde nenhuma outra foi, está parada, mas brilha cada vez mais. Trará destruição às nações. O Senhor da Guerra está cético, porém, nos últimos tempos, cada vez mais os nobres passaram a prestar atenção às palavras dos magos. Sempre se ouviram as lendas sobre os magos que salvaram as nações do Inimigo, no entanto, poucos acreditavam. Ainda assim, existe agora este novo grupo de magos, que formaram algo a que chamam de Assembleia, cujo propósito só eles sabem. Assim sendo, diante dessa mudança, o Senhor da Guerra aceita levar as notícias ao Imperador. Depois de algum tempo, é enviada uma ordem do Imperador à Assembleia. A sua exigência: que lhe tragam provas. Os magos abanam as cabeças e regressam a seus humildes aposentos.

Passam-se décadas e os magos fazem uma campanha de propaganda, procurando influenciar os nobres do Império que os queiram ouvir. Chega o dia em que é proclamada a notícia de que o Imperador faleceu e agora é seu filho quem reina. Os magos reúnem todos os que podem viajar até a Cidade Sagrada para a coroação do novo Imperador.

Milhares de pessoas enchem as ruas, enquanto os nobres da terra são levados por escravos em liteiras até os grandes templos. O novo Imperador segue no antigo trono dourado, sustentado por uma centena de escravos rudes. É coroado e um escravo é sacrificado nas profundezas dos salões do templo do Deus da Morte, Turakamu, como apelo aos deuses para que permitam que a alma do velho Imperador repouse no céu.

A multidão dá vivas, pois Sudkahanchoza, trinta e quatro vezes Imperador, é amado e esta será a última vez que o veem. Irá se retirar imediatamente para o Palácio Sagrado, onde sua alma permanecerá eternamente alerta em prol de seus súditos, enquanto o Senhor da Guerra e o Conselho Supremo ficarão encarregados do governo do Império. O novo Imperador levará uma vida de contemplação, lendo, pintando, estudando os grandes livros dos templos, procurando purificar a alma para aquela vida árdua.

Este Imperador é diferente do pai e, depois de ouvir as importantes notícias da Assembleia, manda construir um enorme castelo em uma ilha, no centro do lago gigante entre as montanhas de Ambolina.

O tempo...

...Passa.

Centenas de magos vestidos de negro se encontram no topo das torres que se erguem da cidade na ilha, ainda que não seja a magnífica entidade única que será no futuro. Passaram-se duzentos anos e brilham agora dois sóis no céu: um deles, quente e amarelo-esverdeado, e o outro, menor, branco e raivoso. O observador vê os homens realizando sua magia, o maior feitiço da história das nações. Nem a lendária ponte vinda de fora no início dos tempos fora uma façanha tão grande, pois antes haviam apenas se deslocado entre dois mundos e, agora, iriam deslocar uma estrela. Lá embaixo, o jovem consegue sentir a presença de centenas de outros magos que acrescentam seus poderes aos dos que se encontram no topo. O feitiço foi forjado ao longo dos últimos anos, cada passo dado com o maior cuidado, enquanto o Forasteiro se aproximava. Embora de um poder incomparável, o encantamento também é extremamente delicado. Um passo em falso e o trabalho ficará arruinado. Ele olha para cima e vê o Forasteiro, de rota traçada para a órbita do mundo. Não atingirá Kelewan, mas não restam dúvidas de que o calor que emite, acrescentado ao da estrela já quente de Kelewan, deixará o planeta sem vida. Kelewan ficará por mais de um ano alternando entre o seu sol e o Forasteiro, sem noite, e todos os magos concordam que somente alguns poderão sobreviver nas cavernas mais profundas para emergirem em um mundo queimado. Precisam agir, antes que seja tarde demais para tentar novamente, caso o feitiço falhe.

Começam a atuar, todos juntos, entoando a última parte do enorme trabalho arcano. O mundo parece parar por um instante, reverberando com a derradeira palavra do feitiço. Devagar, essa reverberação aumenta, ganhando ressonância, desenvolvendo novas harmonias, novos sons harmônicos, ganhando um caráter próprio. Logo se torna alta o bastante para ensurdecer todos os que estão nas torres, que tapam os ouvidos. Os que estão no solo ficam boquiabertos, olhando para o céu, onde se forma uma explosão de cores. Raios desiguais de energia brilham e a luz das duas estrelas é diminuída temporariamente pelas demonstrações ofuscantes que deixarão cegos para o resto da vida alguns daqueles que os contemplam. O jovem não é afetado pelo som nem pela luz, como se algum organismo tivesse tratado de protegê-lo daqueles efeitos. Surge uma enorme fenda no céu, muito semelhante àquela por onde veio a ponte dourada tanto tempo antes. Ele contempla sem emoção; um fascínio distanciado é seu sentimento mais forte. O portal cresce no céu, entre o Forasteiro e Kelewan, e começa a afastar-se do planeta, rumo à estrela invasora.

Contudo, algo mais acontece. Do interior do portal, com mais violência do que na época da ponte, avança uma onda de energia em erupção sem precedentes. À cena caótica se junta um fluxo avassalador de ódio. O Inimigo, o poder maléfico que impeliu as nações para Kelewan, ainda reside no outro universo, e não se esqueceu dos que escaparam há tanto tempo. Ele não consegue ultrapassar a barreira da fenda, pois precisa de muito tempo para isso, mas avança, arrastando o portal e, assim, o desvia para longe do Forasteiro. A fenda aumenta e os que se encontram no chão percebem que ela engolirá Kelewan, levando o planeta novamente para o domínio do Inimigo.

O observador assiste impassível, ao contrário daqueles que o rodeiam, pois ele sabe que não é o fim do mundo. A fenda se precipita para o planeta e um mago avança.

Ele parece familiar para aquele que observa. O homem, ao contrário dos que o rodeiam, veste-se de marrom, com um cinto de corda entrelaçada à cintura, e tem nas mãos um cajado de madeira. Ele ergue o cajado acima da cabeça e lança um feitiço. O portal muda, passando de cores indescritíveis para um negro carregado, e colide com o planeta.

Os céus explodem por instantes até que tudo em volta fica escuro. Quando a escuridão se dissipa, o sol, a estrela de Kelewan, está se pondo no horizonte.

Os magos que não morreram nem ficaram loucos olham para cima, horrorizados. Acima deles, o céu não é mais que um vazio, desprovido de estrelas.

O homem de marrom se vira para o jovem, dizendo:

— Lembre-se: nem tudo é o que parece.

Escuridão...

...que anuncia mais uma vez a passagem do tempo. Ele se encontra no salão da Assembleia. Magos aparecem com regularidade, usando o padrão no chão como ponto central de sua travessia. Eles pensam no padrão como um endereço, desejando chegar lá. Chega uma mensagem do Imperador. Ele pede à Assembleia que resolva o problema, prometendo toda a ajuda que precisarem.

O observador avança várias gerações para voltar a encontrar os magos mais uma vez no alto das torres. Agora, em vez do invasor, contemplam um céu sem estrelas. Outro feitiço, desenvolvido ao longo de muitos anos, está sendo proferido. No final, a terra ressoa com violenta energia. De repente, o céu brilha estrelado e Kelewan voltou a seu lugar habitual.

— Nem tudo é o que parece — diz uma voz.

O Imperador envia uma ordem para que toda a Assembleia vá imediatamente à Cidade Sagrada. Sozinhos e aos pares, recorrem às matrizes para viajar até Kentosani. O observador os segue. Uma vez lá, são levados para a câmara interna do palácio do Imperador, algo inaudito na história do Império.

Dos sete mil magos que se reuniram um século antes para afastar o Forasteiro, somente duzentos sobreviveram. Mesmo agora o número era pouco maior, por isso, sequer um de cada vinte dos magos que enfrentaram o Forasteiro responde ao chamado do Imperador. Avançam para ficar perante Tukamaco, quarenta vezes Imperador, descendente de Sudkahanchoza, e Luz do Céu. O Imperador pergunta se a Assembleia aceita a incumbência de zelar eternamente pelo Império, protegendo-o até ao fim dos tempos. Os magos conferenciam e aceitam. O Imperador então deixa o trono e ajoelha-se perante os magos reunidos, em um gesto inédito. Recosta-se e, ainda de joelhos, abre os braços para proclamar que, dali em diante, os magos serão chamados de Grandes, não ficando sujeitos a nenhuma obrigação além da tarefa que acabaram de aceitar. Estão à margem da lei e ninguém poderá lhes dar ordens, incluindo o Senhor da Guerra, que está ao seu lado, com o semblante carregado. Terão tudo o que desejarem, bastando pedir, pois suas palavras serão lei.

Um dos magos sorri para outro perto dele com ar cúmplice.

Escuridão...

...e o tempo passa.

O observador se encontra perante o trono do Senhor da Guerra junto a uma delegação de magos. Trazem provas do que afirmaram: um portal controlado, livre da influência do Inimigo, foi aberto e outro mundo foi encontrado. Este não comporta vida — mas outro foi descoberto, um mundo abundante e desenvolvido. Mostram-lhe uma imensa abundância de metais, espalhados por todo o lado, abandonados. O observador sorri ao ver a avidez do Senhor da Guerra diante de uma armadura quebrada, uma espada enferrujada e um punhado de pregos dobrados. Como prova adicional de que se trata de um mundo diferente, oferecem-lhe uma estranha e bela flor. O Senhor da Guerra a cheira e fica satisfeito com sua esplêndida fragrância. O observador acena com a cabeça, pois também conhece a suntuosidade de uma rosa midkemiana.

A asa negra da passagem do tempo volta a cobri-lo.

Mais uma vez, estava na plataforma. Olhou em volta e viu que a fúria absoluta da tempestade estava se dissipando. Apenas a vontade de seu inconsciente conseguira mantê-lo naquele terraço, enquanto seu consciente estava ocupado com o desenrolar da história de Kelewan. Entendeu, por fim, a natureza do teste, pois se encontrava exausto devido à energia gasta durante a provação. Enquanto lhe fora incutido o último ensinamento sobre o seu lugar na sociedade, fora testado com a pura fúria da natureza.

Deu uma última olhada, sentindo alguma satisfação na visão sinistra do lago agitado pela tempestade e das janelas fechadas das torres. Esforçou-se em captar essa imagem, como se fosse uma garantia de que iria se lembrar para sempre do momento de seu despertar absoluto como Grande, pois já não existiam obstáculos à sua memória nem às suas emoções. Exultou pelo seu poder. Já não era Pug, o rapaz da torre do castelo, era um mago de poderes tão grandes que não cabiam na imaginação de seu antigo mestre, Kulgan. Nunca mais qualquer uma daquelas palavras, Midkemia ou Kelewan, voltaria a soar da mesma forma.

Recorrendo à sua força de vontade, desceu para o telhado, pairando suavemente no vento enfurecido. A porta se abriu antecipando a sua chegada. Entrou e a porta se fechou atrás de si. Shimone o aguardava, com um sorriso nos lábios. Enquanto avançavam pelos longos corredores do edifício-cidade da Assembleia, os céus lá fora explodiram com estrondos de trovões, como se anunciassem a sua chegada.

Hochopepa sentou-se em seu catre, aguardando a chegada de seu convidado. O mago calvo e pesado estava interessado em verificar o temperamento do membro mais recente da Assembleia, que chegara à sua propriedade no dia anterior, usando o manto negro. Ouviu o toque de um sino, anunciando a chegada do convidado. Hochopepa levantou-se, cruzando os aposentos suntuosamente mobiliados. Afastou a porta de correr.

— Bem-vindo, Milamber. Estou feliz em ver que achou adequado aceitar o meu convite.

— É uma honra — foi tudo o que Milamber disse ao entrar, contemplando o ambiente. De todos os quartos que vira no edifício da Assembleia, aquele era, de longe, o mais opulento. As tapeçarias nas paredes eram feitas com um tecido luxuoso, valorizado pelo elegante desenho trabalhado, e vários objetos de metal, valiosos, enfeitavam as muitas prateleiras.

Do mesmo modo, Milamber examinou seu anfitrião. O mago corpulento conduziu-o até uma almofada em frente a uma mesa baixa, servindo xícaras de chocha. Suas mãos inchadas se moviam com uma calma controlada, precisas e eficientes. Seus olhos escuros, quase negros, brilhavam por baixo das sobrancelhas grossas que acentuavam o rosto ilusoriamente suave. Era o maior mago que Milamber já vira, pois a maioria dos que usavam o manto negro tendia a ser magra e de aspecto ascético. Milamber pressentiu que tal aspecto era proposital, como se alguém muito ocupado com os prazeres da carne não pudesse se dedicar a assuntos mais reflexivos.

Depois do primeiro gole de chocha, Hochopepa disse:

— Você me traz um grande problema, Milamber. — Vendo que o jovem não comentava, Hochopepa prosseguiu: — Você não tem nada a dizer? — Milamber inclinou a cabeça, confirmando. — Talvez seu passado justifique um pouco mais de cautela do que estamos habituados.

— Um escravo que se torna mago é caso para se refletir com cuidado — respondeu Milamber.

Hochopepa acenou com a mão.

— Embora não seja frequente ver um escravo usando o manto negro, não é algo inédito. Às vezes, o poder só é reconhecido com a chegada da idade adulta. Porém as leis são explícitas e, independentemente de quando o poder se revela ou da posição do homem que o manifesta, a partir desse instante ele está sujeito somente à Assembleia. Uma vez, um senhor mandou enforcar um de seus soldados. Ele pairou no ar, suspenso no espaço, a um fio do enforcamento, sustentando-se apenas pelo poder de sua vontade. O poder só se revelou no momento em que ele mais precisou. Ele foi entregue à Assembleia e sobreviveu ao treino, mas veio a se revelar um mago de poder mediano e, no geral, de pouca visão. No entanto, isso não interessa a esta conversa. No seu caso específico, o que pode se tornar um problema para mim é o fato de você ser um bárbaro. Perdão, de ter sido bárbaro.

Milamber voltou a sorrir. Deixara a Torre da Provação com todas as memórias de sua vida anterior, embora muito de seu treinamento continuasse vago. Compreendia os processos que tinham sido usados para fazê-lo controlar sua magia. Fora escolhido para ser um entre cem mil, um Grande. Dos duzentos milhões de habitantes do Império, era um dos dois mil magos de manto negro. A cautela nascida da escravidão, como Hochopepa salientara, uniu-se à sua inteligência para que ficasse calado. Hochopepa tentava demonstrar algo e Milamber aguardaria até saber do que se tratava, por mais que o mago corpulento continuasse com rodeios.

Percebendo que Milamber continuaria sem falar, Hochopepa continuou:

— A sua situação é incomum por várias razões. A mais óbvia é que você é o primeiro que não pertence a este mundo a usar o negro. Outra tem a ver com você ter sido aprendiz de um Mago Inferior.

Milamber franziu a testa.

— Kulgan? Você tem conhecimento sobre o meu treinamento?

Hochopepa deu uma gargalhada sincera, levando Milamber a baixar ligeiramente a guarda e olhá-lo com um pouco menos de desconfiança.

— É claro. Não há um único aspecto de seu passado que não tenha sido examinado minuciosamente, pois você nos deu muitas informações sobre seu mundo. — Hochopepa prestou atenção em seu convidado. — O Senhor da Guerra pode decidir iniciar a invasão de um mundo desconhecido, ignorando as objeções de alguns de seus conselheiros magos, devo acrescentar, mas nós, na Assembleia, preferimos estudar os nossos adversários. Ficamos bastante aliviados quando soubemos que, entre vocês, a magia está restrita à esfera de ação dos sacerdotes e seguidores do Caminho Inferior.

— De novo você fala sobre uma Magia Inferior. O que isso quer dizer?

Foi a vez de Hochopepa parecer um pouco surpreso.

— Achei que você soubesse. — Milamber abanou a cabeça. — O Caminho da Magia Inferior é trilhado por alguns que conseguem controlar determinadas forças pelo poder da vontade, embora pertençam a uma ordem diferente de nós, os do manto negro.

— Então você sabe de meu fracasso anterior.

Hochopepa voltou a rir.

— Sei. Se você não fosse tão destinado ao Caminho Superior, talvez tivesse conseguido seguir o outro caminho. No seu caso, suas habilidades estão desenvolvidas demais para ser um mago do Caminho Inferior. Mais do que uma arte, o Caminho Inferior é um talento. O Caminho Superior é destinado a estudiosos.

Milamber acenou com a cabeça. Sempre que Hochopepa explicava um conceito, era como se Milamber já soubesse disso desde sempre. Comentou sobre isso.

— Não é difícil de entender. Durante o treinamento, você aprendeu muitos fatos e conceitos. Os conceitos básicos de magia foram ensinados bem no começo, a responsabilidade para com o Império veio mais tarde. Parte do processo de fazer com que todas as suas habilidades amadureçam exige que todos esses fatos estejam presentes quando precisar deles. Contudo, a verdade é que muito daquilo que você aprendeu também foi camuflado, com o intuito de se revelar somente quando a necessidade exigisse e quando você conseguisse compreender plenamente o que existe em sua cabeça. Durante certo tempo, haverá momentos em que os pensamentos chegarão inesperadamente. Quando você fizer uma pergunta, a resposta surgirá em sua mente. E, às vezes, surgirá uma resposta quando a ler ou a ouvir. Isso evita que você fique tonto com o impacto de anos de conhecimentos chegando a sua mente em um segundo. Não é muito diferente dos feitiços usados para provocar as visões na Torre da Provação. Como é óbvio, não temos meios para "ver" o que ocorreu antes da ponte ou em qualquer outra época da história, embora possamos colocar sugestões, criar ilusões...

Nem tudo é o que parece. Milamber mal conseguiu disfarçar a surpresa ao ouvir a repentina voz dentro de sua cabeça.

—... e fornecer uma idealização ao redor da qual se podem acrescentar as imagens que tenham mais significado para o sujeito. Quanto a mim, julgo que toda a demonstração no alto da Torre cheira à Ópera do Grande Dō. Você poderá frequentar as bibliotecas caso procure história ao invés de teatro. — Vendo que a atenção de Milamber estava longe, Hochopepa disse: — Seja como for, estávamos falando de outras coisas.

— Gostaria de ouvir o seu problema — disse Milamber.

Hochopepa ajeitou a túnica, alisando os vincos.

— Dê-me sua atenção por mais uns minutos, ouvindo uma breve divagação. Está tudo relacionado com o meu convite. — Milamber deu consentimento para que Hochopepa prosseguisse.

— Pouco se sabe de nossos povos antes da Fuga. Sabemos que as nações são originárias de vários mundos diferentes. Também se especula que outros fugiram do Inimigo para mundos diferentes, sendo que seu antigo mundo natal talvez seja um deles. Existem alguns indícios que confirmam essa hipótese, mas, neste momento, não passam de conjecturas. — Milamber recordou as partidas de shāh que jogara com o Lorde Shinzawai e pensou nessa possibilidade.

— Chegamos como refugiados. De milhões, sobreviveram somente milhares para aqui lançarem as suas sementes. Achamos este mundo velho e gasto. Em tempos antigos, grandes civilizações prosperaram e tudo o que restou delas foram pedras gastas e lisas onde antes se erguiam cidades. Quem eram, ninguém sabe. Este mundo possui poucos metais e aquele que trouxemos conosco na Evasão gastou-se com a passagem dos anos. Os nossos animais, tal como os seus cavalos e gado, extinguiram-se, com exceção dos cães. Tínhamos de nos adaptar ao nosso novo mundo e uns aos outros. Travamos muitas guerras desde a época da Fuga e o aparecimento do Forasteiro. Éramos pouco mais do que cidades-estados até a Batalha dos Mil Navios. Foi então que a mais humilde das raças, os tsurani, surgiu para conquistar todas as outras, unindo grande parte deste mundo em um único Império. Nós, na Assembleia, apoiamos o Império, não por ser algo nobre, bom, belo ou justo, mas porque neste mundo ele é a única força com poder de manter a ordem. No entanto, é por causa do Império que a maioria da humanidade vive e trabalha sem guerras em suas pátrias, não passa fome, não sofre pragas e outros desastres de outros tempos. Com esta ordem à nossa volta, nós, da Assembleia, podemos trabalhar sem impedimentos. Foi nossa tentativa de afastar o Forasteiro que tornou evidente o fato de que precisamos trabalhar sem que ninguém nos atrapalhe, incluindo o Imperador, com todos os recursos que precisemos. Quando soubemos da existência do Forasteiro, a falta de cooperação do Imperador nos privou de um tempo precioso durante o qual poderíamos ter reagido. Se tivesse nos apoiado imediatamente, poderíamos ter lidado com o Inimigo quando ele desviou o portal. Por isso, aceitamos a responsabilidade de defender e servir o Império, em troca da liberdade total.

— Tudo o que você disse parece óbvio — disse Milamber. — Ainda estou esperando para saber qual o seu problema comigo.

Hochopepa suspirou.

— A seu tempo, meu amigo. Tenho de concluir um último pensamento. Você precisa entender como a Assembleia trabalhou na esperança de fazê-lo sobreviver mais do que algumas semanas.

Milamber ficou claramente admirado com aquele comentário:

— Sobreviver?

— Sim, Milamber, sobreviver, pois muitos gostariam de tê-lo visto no fundo do lago durante o seu treino.

— Por quê?

— Trabalhamos para recuperar a Arte Maior. Quando fugimos do Inimigo, no despontar da história, sobreviveu somente um mago de cada mil que enfrentaram o Inimigo. A maioria era de Magos Inferiores e seus aprendizes. Uniram-se em pequenos grupos para protegerem o conhecimento que tinham trazido de seus mundos de origem. De início, procuraram os seus compatriotas, até que, depois, desenvolveram-se associações mais abrangentes, enquanto crescia também o desejo de recuperar as artes perdidas. Depois de séculos, fundaram a Assembleia e vieram magos de todas as partes do mundo, e até hoje todos os que trilham o Caminho Superior são membros da Assembleia. A maior parte dos que praticam a Arte Inferior também serve aqui, ainda que lhes seja concedido um nível diferente de respeito e liberdade. Costumam ser melhores na construção de dispositivos e na compreensão das forças da natureza do que nós, os do manto negro. São eles que fabricam os globos que usamos para nos transpor de um lugar para outro, por exemplo.

Embora não se encontrem à margem da lei, a Assembleia protege os Magos Inferiores da interferência de terceiros. Todos os magos são da competência da Assembleia.

— Quer dizer que ganhamos a liberdade de agir como considerarmos adequado, desde que essas ações sejam o melhor para os interesses do Império — disse Milamber.

Hochopepa assentiu.

— Não importa o que fazemos, sendo que dois magos podem até discordar em uma ou em outra ação, desde que ambos trabalhem naquilo que acreditem ser o melhor para os interesses do Império.

— É uma lei estranha, do meu ponto de vista "bárbaro".

— Não é uma lei, é uma tradição. Neste mundo, meu amigo bárbaro, a tradição e os costumes podem constituir uma amarra mais forte do que a lei. As leis vão sendo mudadas, mas a tradição continua.

— Acho que entendi o seu problema, meu amigo civilizado. Você não tem certeza de que irei agir segundo o que for melhor para os interesses do Império, já que sou de outro mundo.

Hochopepa confirmou.

— Se tivéssemos a certeza de que você agiria contra o Império, já o teríamos matado. No momento, não temos certeza, embora tendamos a acreditar que é improvável que você seja capaz disso.

Pela primeira vez, Milamber estava totalmente inseguro sobre o que estava ouvindo.

— Eu supus que havia formas de garantir que todos os que são treinados permaneçam fiéis ao Império, sendo esse o seu principal dever.

— Geralmente é assim. No seu caso, tivemos problemas ainda novos para nós. Até onde pudemos concluir, você está imerso na causa subjacente à irmandade de magos, a ordem do Império. Normalmente, temos certeza. Basta ler a mente do aprendiz. Com você, não foi possível. Tivemos de confiar em drogas da verdade, longos interrogatórios e exercícios de treino concebidos para deixarem perceber a existência de qualquer duplicidade.

— Por quê?

— Não sabemos a razão. Conhecemos os feitiços que ocultam a mente. Não era esse o caso. Era como se a sua mente tivesse uma determinada característica que nunca enfrentamos antes. Talvez um talento natural que desconhecíamos, comum em seu mundo; ou talvez algum ensinamento do mestre do Caminho Inferior que o protegia contra as artes da leitura do pensamento. Seja como for, há um alvoroço dentro destas paredes, isso posso garantir. Foram várias as ocasiões durante o seu treino em que se levantou a questão de sua continuidade, e, em todas as ocasiões, a nossa incapacidade de ler os seus pensamentos era a razão para o seu fim. Sempre que isso acontecia, aumentava o número dos que desejavam que você continuasse. Em geral, você apresenta uma possível profusão de conhecimentos novos e, como tal, merece todos os benefícios da dúvida, garantindo, assim, não perdermos um acréscimo tão valioso ao nosso depósito de talentos, é claro.

— É claro — repetiu Milamber, seco.

— Ontem, a questão de sua continuidade ganhou contornos mais sérios. Chegada a hora de sua aceitação final na Assembleia, a questão foi levada a votação, terminando em empate. Houve uma abstenção, a minha. Enquanto eu permanecer imparcial, a questão de sua sobrevivência estará pendente. Você está livre para agir como membro pleno da Assembleia até que eu vote quanto à sua aceitação ou rejeição nela. A nossa tradição não permite que se altere o voto, depois de formulado, exceto no caso de abstenções. Como não é permitido que quem tenha estado ausente durante a votação possa acrescentar seu voto posteriormente, só eu posso desempatar. Por isso, cabe a mim decidir o resultado da votação, demore o tempo que demorar.

Milamber olhou atenta e demoradamente para o mago mais velho.

— Compreendo.

Hochopepa abanou a cabeça devagar.

— Será que compreende? Para colocar a questão de forma mais simples, a pergunta a ser feita é: o que vou fazer com você? Sem querer, estou com a sua vida em minhas mãos. Tenho de decidir se você deve ou não ser morto. Por isso queria vê-lo, para ver se tinha julgado errado.

Subitamente, Milamber lançou a cabeça para trás, rindo com gosto durante muito tempo. Não demorou para que lágrimas escorressem por seu rosto. Quando se acalmou, Hochopepa disse:

— Não consigo entender qual é a graça.

Milamber ergueu a mão em um gesto conciliatório.

— Não quis ofendê-lo, meu amigo civilizado. Mas com certeza você consegue ver a ironia da situação. Eu era escravo e a minha vida estava sujeita aos caprichos de terceiros. E, mesmo com todo o meu treinamento e meu progresso social, percebo agora que isso não mudou. — Fez uma pausa e sorriu afavelmente. — Ainda assim, prefiro que seja você a ter a minha vida nas mãos ao meu antigo capataz. É disso que acho tanta graça.

Hochopepa ficou admirado com a resposta, até que também pôs-se a rir.

— Muitos dos nossos irmãos dão pouca importância aos ensinamentos antigos; no entanto, se você conhece os nossos filósofos mais antigos, compreenderá o que quero dizer. Você parece ser um homem que encontrou o seu *wal*. Eu acho que nos entendemos, meu amigo bárbaro. Acho que começamos com o pé direito.

Milamber analisou Hochopepa. Sem saber por qual processo inconsciente chegara à conclusão, julgou ter encontrado um aliado e, talvez, um amigo.

— Também acho. Além disso, também acho que você é um homem que encontrou o seu *wal*.

Com falsa modéstia, Hochopepa afirmou:

— Não passo de um homem simples, preso demais aos prazeres da carne para ter alcançado tal estado de perfeita centralização. — Com um suspiro, inclinou-se para a frente e falou com seriedade: — Preste atenção ao que digo, Milamber. Por todas as razões que eu disse antes, você é, igualmente, uma arma a ser temida e uma possível fonte de conhecimentos. Os tsurani são escravos da política, como confirmará qualquer estudante do Jogo do Conselho; enquanto nós, na Assembleia, temos a reputação de sermos superiores a esses esquemas, mas também temos as nossas facções e conflitos internos, que nem sempre são resolvidos de forma pacífica e sem derramamento de sangue. Muitos de nossos irmãos são pouco mais do que camponeses supersticiosos, desconfiando de tudo o que vem de fora e que desconhecem. Daqui em diante, você tem de se devotar a uma só tarefa. Mantenha-se escondido, em sossego no interior do seu *wal*, e se torne um tsurani. De todas as formas visíveis, você tem de ser mais tsurani do que qualquer outro membro da Assembleia. Você entende?

— Entendo — respondeu Milamber, simplesmente.

Hochopepa voltou a servir mais uma xícara de chocha quente aos dois.

— Tenha muito cuidado com os preferidos do Senhor da Guerra, Elgahar e Ergoran, e com um jovem tolo chamado Tapek. O senhor deles se irrita com o progresso da guerra no seu antigo mundo e suspeita da Assembleia. Como morreram dois dos nossos na última grande campanha, temos menos irmãos dispostos a continuar ajudando nesse empreendimento. Os poucos magos que restam nessa facção estão sobrecarregados e corre o rumor de que serão incapazes de avançar na conquista de seu mundo sem um milagre. Seria preciso um Conselho Supremo, o que só aconteceria se os salteadores thūn se tornassem agricultores e poetas, ou se um grande número de mantos negros concordasse em seguir as suas ordens. Esta última situação acontecerá um ano depois da primeira, por isso pode ver que se encontra em uma situação política um tanto quanto delicada. Os Senhores da Guerra que falham em conduzir uma guerra caem em desgraça rapidamente. — Com um sorriso, acrescentou: — Naturalmente, nós, membros da Assembleia, estamos acima dessas questões políticas. — Voltou a um tom sério: — Você precisa aceitar o seguinte: ele poderá vê-lo como uma ameaça em potencial, quer influenciando outros para que não o ajudem, quer representando uma oposição baseada em uma simpatia enraizada pela sua antiga pátria. Você está protegido de suas ações diretas, mas poderá se confrontar com os seus apoiadores. Alguns ainda o seguem cegamente.

— O caminho do poder é um caminho de voltas e reviravoltas — citou Milamber.

Hochopepa acenou com a cabeça, mostrando uma expressão satisfeita. Os seus olhos pareciam brilhar.

— Isso é tsurani. Você aprende depressa.

Nas semanas seguintes, Milamber adaptou-se totalmente a sua nova posição, aprendendo as responsabilidades de seu cargo. Mais de uma vez ouviu comentários, alguns com desconfiança, de que poucos tinham demonstrado tanta capacidade logo após vestirem o manto negro. Apesar de todas as mudanças em sua vida, Milamber descobriu que muitos aspectos não sofreram alterações. Com a prática, descobriu que, dentro de si, ainda possuía reservas inexploradas de poder, as quais conseguia evocar apenas quando estava sob grande pressão. Dedicou-se a estudar uma forma de controlar aquele aumento desenfreado de poder, mas os resultados foram poucos. Também descobriu que conseguia deixar de lado o condicionamento mental que lhe tinha sido imposto durante o treino. Optou por esconder isso de todos, incluindo Hochopepa. Com a reorganização de seus estados mentais conseguiu recuperar algo mais, um desejo quase avassalador de voltar a estar com Katala. Afastou esse desejo: o de ir sem demora ao encontro dela, exigindo a sua libertação ao Lorde Shinzawai, capacidade que estava ao seu alcance, agora que era um Grande. Hesitou por temer a reação dos outros magos e que os sentimentos dela tivessem mudado. Assim, dedicou-se aos estudos.

O tempo que passou na Assembleia revelou a sua verdadeira identidade, tal como lhe fora dito. Essa identidade provou ser a chave para a sua maestria incomum no Caminho Superior. Era um ser pertencente a dois mundos, mundos unidos pelo grande portal. Enquanto esses mundos estivessem ligados, extrairia poder de ambos, o dobro do poder disponível para os outros mantos negros. Esse conhecimento revelou o seu nome verdadeiro, o nome que não podia ser pronunciado para evitar que outros o dominassem. No antigo idioma dos tsurani, abandonado desde a época da Evasão, significava: "Aquele que está entre mundos".

5

Travessia

Martin observava.

Gesticulando em silêncio aos companheiros, passaram pela orla do bosque, escondidos da vista daqueles que se encontravam na planície. Ouviam claramente os gritos, no acampamento tsurani, de ordens sendo dadas. Martin agachou-se o máximo que pôde para que nem o mais leve indício de movimento revelasse sua presença. Atrás dele, Garret aproximou-se sorrateiramente, junto com o antigo escravo tsurani, Charles. Nos seis anos desde o cerco a Crydee, Charles correspondera às expectativas de Martin, provando sua lealdade e seu valor em diversas ocasiões. Também se tornara um patrulheiro aceitável, embora jamais viesse a ter a naturalidade de Garret ou de Martin.

— Mestre de Caça, eu vi vários estandartes novos — sussurrou Charles.

— Onde?

Charles indicou um ponto junto à extremidade mais afastada do acampamento tsurani. Com a ajuda dos anões que ficaram nas aldeias altas, Martin e seus dois companheiros tinham realizado a escalada perigosa pelas Torres Cinzentas, passando facilmente pelas poucas sentinelas tsurani ao longo da orla ocidental do vale, o lado que precisava de menos vigilância. Naquele momento, estavam a poucas centenas de metros do principal acampamento tsurani.

Garret emitiu um assobio quase inaudível.

— O homem tem olhos de águia. Eu mal consigo ver esses estandartes.

— Eu sei o que procurar — disse Charles.

— O que significam os novos estandartes? — perguntou Martin do Arco.

— Não são boas notícias, Mestre de Caça. Aqueles estandartes pertencem a famílias que eram leais à Facção da Roda Azul. Pelo menos, quando fui capturado. Eles estavam ausentes desde o cerco a Crydee. Só pode significar outra mudança importante no Conselho Supremo. — Estudou o rosto do Chefe de Caça. — Significa que a Aliança Bélica foi restabelecida. E que, na próxima primavera, podemos esperar uma ofensiva em maior escala.

Martin fez sinal para que voltassem para o interior da floresta. As árvores estavam inteiramente cobertas pelas cores do outono: profusões de vermelho, dourado e marrom. Caminhando sorrateiramente pelas folhas caídas, encontraram abrigo em um conjunto de arbustos que rodeava um velho carvalho e ajoelharam-se em meio a eles. Martin pegou um pedaço de carne seca e mastigou-o. A escalada das Torres Cinzentas, mesmo com a ajuda dos anões, fora difícil: todos estavam esfomeados, exaustos e sujos.

— Onde estão as novas companhias de soldados? — perguntou Martin.

— Eles não as atravessarão neste inverno. Devem se preparar fora da Cidade das Planícies, em Kelewan, confortáveis e sob um clima mais ameno. Avançarão pelo portal antes do degelo da primavera. Quando as flores do jardim da Princesa Carline estiverem desabrochando, eles terão começado a marchar.

Um grito agudo soou vindo do norte. A expressão de Charles mudou para um pânico controlado.

— Cho-ja! — Olhou ao redor, apontando depois para cima.

Martin assentiu e juntou as mãos como um estribo. Primeiro, levantou Charles, depois Garret, que subiram no carvalho. Depois pulou e os dois companheiros o agarraram pelas mãos e puxaram.

Subindo para os galhos mais altos, ficaram imóveis e com as armas a postos quando avistaram a patrulha de cho-ja passando abaixo da árvore. Seis das criaturas parecidas com formigas se deslocavam com passos cadenciados; então o líder, que se distinguia pelo elmo emplumado como o dos tsurani, fez sinal para que parassem. Virou-se para um lado, depois para outro, dando ordens em seu idioma estridente. Os outros cinco se dispersaram e, por quase dez minutos, os três homens os ouviram esquadrinhando a área.

Quando regressaram, rapidamente voltaram a suas posições e partiram. Martin certificou-se de que não seriam mais ouvidos e sussurrou:

— O que foi aquilo?

— Eles sentiram o nosso cheiro. O meu mudou com toda a comida midkemiana que já ingeri. Sabiam que não éramos tsurani. — Descendo da árvore, Charles prosseguiu: — Os cho-ja têm dificuldades em olhar para cima, por isso, poucas vezes o fazem.

— E se estivessem acompanhados por alguns dos seus antigos compatriotas? — perguntou Garret.

Charles encolheu os ombros.

— Os cho-ja estariam falando tsurani. O idioma deles é praticamente impossível de se aprender, por isso ninguém tenta.

— Eles conseguirão nos seguir? — perguntou Martin. Ao que Charles respondeu:

— Acho que não, mas... — Ele interrompeu a frase ao ouvir latidos no acampamento tsurani. — Cães!

— Eles conseguiram seguir o nosso rastro. Venham. — Saiu em uma corrida controlada, de volta a uma trilha antiga nas montanhas, quase escondida pelo mato e que ainda não fora descoberta pelos tsurani e, por isso, era usada pelo grupo de Martin para entrar no vale.

Por algum tempo, os homens avançaram pela floresta, atentos aos latidos que vinham de trás. Até que o som dos cães mudou e os latidos deram lugar a uivos.

— Sentiram nosso cheiro — anunciou Garret.

Martin limitou-se a acenar com a cabeça e aumentou a velocidade. Correram mais um minuto, o som dos cães se aproximando cada vez mais, até que Martin parou e agarrou o braço de Garret para impedi-lo de continuar a correr. Fazendo um sinal, mudou de direção, afastando-se da trilha e guiando-os até um pequeno riacho.

— Lembrei-me de ter ouvido água corrente quando passamos aqui antes — disse ele, entrando na água.

Os outros dois o seguiram e Martin disse:

— Só ganhamos alguns minutos. Eles irão procurar contra e a favor da corrente.

— Vamos para que lado? — perguntou Garret, e Martin respondeu:

— A favor da corrente. Eles irão contra primeiro, pois a saída é para lá.

— Mestre de Caça, tenho uma ideia — disse Charles, e depressa tirou a mochila das costas e de lá retirou uma bolsa enorme. Começou, então, a espalhar um pó preto, para cima e para baixo, na margem do riacho onde tinham entrado.

Garret sentiu os olhos arderem, bufando pelo nariz para não espirrar.

— Pimenta!

— O Mestre Cozinheiro vai ficar zangado, mas me lembrei de que talvez precisássemos disso. Os cho-ja e os cães não conseguirão farejar nada durante horas depois de aspirarem isto aqui — explicou Charles.

Martin acenou com a cabeça.

— Vamos então contra a corrente!

Os três homens chapinharam na água, passando depois para um ritmo mais calmo e constante. Já não avistavam o lugar onde tinham entrado quando os uivos dos cães foram interrompidos por espirros. Vozes furiosas gritaram ordens e foram ouvidas respostas frustradas. Charles permitiu-se um leve sorriso enquanto avançavam pela água.

Quando encontraram um galho que passava acima do riacho e era baixo o bastante, Martin elevou os companheiros para fora da água, subindo em seguida. Deslocaram-se pela árvore até encontrarem outro galho de um carvalho próximo para onde conseguiriam saltar.

Voltaram para o chão a mais de dez metros da margem do riacho. Martin olhou ao redor para se certificar de que não tinham sido vistos e fez sinal para que os outros o seguissem enquanto os conduzia de volta às Torres Cinzentas.

Brisas marinhas sopravam nas muralhas. Arutha contemplava a cidade de Crydee e o mar mais além, seu cabelo castanho desgrenhado pelo vento. Luz e sombra se revezavam na paisagem à medida que nuvens altas e fofas deslizavam pelo céu. Arutha mirou o horizonte distante, contemplando a vista do Mar Interminável coberto pela espuma das ondas, enquanto o ruído de trabalhadores recuperando outro edifício do povoado era trazido pelo vento.

Mais um outono visitava Crydee, o oitavo desde o início da guerra. Arutha achava bom outra primavera e outro verão terem passado sem uma grande ofensiva dos tsurani; ainda assim, não parecia ter motivos para se sentir aliviado. Já não era um jovem recém-chegado ao comando, mas sim um soldado experiente. Aos vinte e sete anos, vira mais conflitos e tomara mais decisões do que a maioria dos homens do Reino ao longo de toda uma vida. E conseguia perceber que os tsurani estavam vencendo a guerra aos poucos.

Deixou sua mente vaguear um pouco, até que sacudiu a cabeça para sair daquela melancolia. Embora não fosse mais o menino taciturno de outrora, por vezes ainda permitia que a introspecção o dominasse. Descobrira que era melhor se manter ocupado, evitando assim distrações inúteis.

— Será um outono curto.

Arutha olhou para a esquerda e viu Roland próximo a ele. O Escudeiro encontrara o Príncipe perdido em seus pensamentos e chegara perto sem ser notado. Arutha ficou irritado. Encolheu os ombros para afastar esse sentimento e disse:

— E será seguido por um inverno curto, Roland. E na primavera...

— Tem notícias de Martin do Arco?

Arutha fechou o punho enluvado e bateu suavemente nas pedras da muralha; o gesto lento e controlado, um sinal claro de sua frustração.

— Lamentei uma centena de vezes a necessidade de sua ida. Dos três, somente Garret demonstra alguma cautela. Aquele Charles é um tsurani louco, consumido pela honra, e Martin do Arco é...

— Martin do Arco — concluiu Roland.

— Jamais conheci outro homem que revelasse tão pouco de si, Roland. Mesmo que eu viva tanto quanto um elfo, não acho que um dia entenda o que o tornou assim.

Roland encostou-se às pedras frias da muralha e perguntou:

— Você acha que estão a salvo?

Arutha voltou a se concentrar no mar.

— Se existe algum homem em Crydee capaz de subir ao topo das montanhas, descer ao vale dominado pelos tsurani e regressar, esse homem é Martin. Ainda assim, estou preocupado.

Roland ficou surpreso pela confissão. Tal como Martin, Arutha não era homem de revelar o que pensava. Sentindo a enorme preocupação do Príncipe, Roland mudou de assunto:

— Trago uma mensagem de meu pai, Arutha.

— Fui informado de que havia uma mensagem pessoal entre os despachos vindos de Tulan.

— Então você sabe que meu pai está me chamando de volta.

— Sei. Lamento a perna quebrada.

— Meu pai nunca foi grande cavaleiro. É a segunda vez que cai do cavalo e quebra alguma coisa. Da última vez, eu era pequeno, foi um braço.

— Faz muito tempo que você não volta para sua casa.

Roland encolheu os ombros.

— Com a guerra, não senti necessidade de regressar. Grande parte dos combates tem acontecido por aqui. Além disso — acrescentou com um sorriso largo —, tenho outros motivos para ficar.

Compartilhando o sorriso, Arutha perguntou:

— Já falou com Carline?

O sorriso de Roland desapareceu.

— Ainda não. Achei melhor esperar até conseguir um barco que vá para o sul. — Com a saída da Irmandade do Coração Verde, a viagem por terra para o sul tornou-se praticamente impossível, já que os tsurani tinham interrompido as estradas que levavam a Carse e a Tulan.

Um grito vindo da torre fez com que se virassem.

— Batedores se aproximando!

Arutha apertou os olhos por causa do brilho ofuscante do mar e conseguiu distinguir três figuras que avançavam rapidamente pela estrada. Quando finalmente conseguiu vê-las com mais nitidez, Arutha afirmou:

— Martin do Arco. — Em sua voz havia uma nota de alívio.

Deixando a muralha, o Príncipe desceu as escadas até o pátio, de modo a aguardar a chegada do Mestre de Caça e de seus homens. Roland estava já ao seu lado quando os três ultrapassaram os portões do castelo. Garret e Charles ficaram calados, enquanto Martin disse:

— Saudações, Alteza.

— Saudações, Martin. Novidades? — indagou o Príncipe.

Martin iniciou o relato do que haviam descoberto no acampamento tsurani e, pouco depois, Arutha o interrompeu:

— É melhor poupar seu fôlego para o conselho, Martin. Roland, chame o Padre Tully, Fannon e Amos Trask e leve-os para a sala do conselho.

Roland saiu correndo e Arutha acrescentou:

— Charles e Garret também devem estar presentes, Martin.

Garret olhou de relance para o antigo escravo tsurani, que encolheu os ombros. Ambos sabiam que a refeição quente há muito desejada teria de esperar mais um pouco diante da exigência do Príncipe.

Martin sentou-se ao lado de Amos Trask, enquanto Charles e Garret ficaram em pé. O antigo capitão acenou a cabeça cumprimentando Martin, no momento em que Arutha puxava sua própria cadeira, como era seu hábito, ignorando grande parte das formalidades exigidas em reuniões de conselheiros. Amos tornara-se membro oficioso da equipe de Arutha desde o cerco; era um homem diligente, com muitas capacidades inesperadas.

Fannon sentou-se à direita de Arutha. Desde que se ferira, se conformara em aceitar Arutha como comandante em Crydee e enviara uma mensagem pessoal a Lorde Borric informando-o sobre isso. O Duque enviara uma resposta ratificando a transferência de comando, e Fannon voltara à sua função anterior como oficial. O Mestre de Armas parecia satisfeito com a situação.

— Martin acabou de regressar de uma missão de grande importância. Martin, conte-nos o que viu — iniciou Arutha.

— Escalamos as Torres Cinzentas e entramos no vale onde se encontra o principal acampamento tsurani — relatou Martin.

Fannon e Tully olharam surpresos para o Mestre de Caça, enquanto Amos Trask dava gargalhadas.

— E você conta assim essa pequena saga com uma única frase! — expressou o marinheiro. Martin ignorou o comentário, dizendo:

— Acho que é melhor deixar Charles relatar o que vimos.

A voz do antigo escravo tsurani tinha um leve tom de preocupação:

— De acordo com os sinais que vimos, o Senhor da Guerra irá lançar outro grande ataque na próxima primavera.

Todos na sala ficaram mudos, exceto Fannon:

— Como você pode ter certeza? Há novos exércitos no acampamento?

Charles abanou a cabeça.

— Não, os novos soldados só chegarão um pouco antes do primeiro degelo da primavera. Os meus antigos companheiros não gostam muito de seu clima frio. Durante os meses de inverno, permanecerão em meu antigo mundo. Atravessarão o portal pouco antes da ofensiva.

Mesmo decorridos cinco anos, Fannon ainda tinha algumas dúvidas acerca da lealdade de Charles, ainda que, para Martin do Arco, não restasse nenhuma.

— Assim sendo — disse o Mestre de Armas —, como você tem certeza de que irá acontecer um ataque? Não houve nenhum após o último a Elvandar, há três anos.

— Vi estandartes novos no acampamento do Senhor da Guerra, Mestre de Armas, estandartes das casas pertencentes à Facção da Roda Azul. Há seis anos que estavam ausentes. Só pode significar outra grande mudança no Conselho Supremo. A Aliança Bélica voltou a se formar.

De todos os presentes naquela sala, somente Tully pareceu entender o significado daquelas palavras. Estudara os tsurani, aprendendo tudo o que conseguia com os escravos capturados.

— É melhor você explicar para eles, Charles — pediu.

Charles demorou um instante para organizar seus pensamentos, até que explicou:

— Vocês precisam entender algo sobre minha terra natal. Acima de tudo, se encontra o Conselho Supremo, salvo no que diz respeito à honra e à obediência ao Império. Pertencer ao Conselho Supremo vale muito, mesmo que o preço seja a própria vida. Mais de uma família já foi destruída devido a conluios e intrigas dentro do conselho. No Império, chamamos isso de "Jogo do Conselho". Minha família tinha uma boa posição no Clã Huzan, não era grande o bastante para chamar a atenção dos rivais do nosso clã, nem pequena demais a ponto de ser relegada a funções de menor importância. Tínhamos o benefício de ter grande acesso aos assuntos levados ao Conselho Supremo, sem termos de nos preocupar muito com as decisões a que chegavam. O nosso clã era ativo na Facção pelo Progresso, pois em nossas famílias se encontravam vários estudiosos, professores, curandeiros, sacerdotes e artistas. Em certa altura, o Clã Huzan deixou a Facção pelo Progresso, por razões que não ficaram claras para todos, exceto para os líderes das famílias mais importantes, e sobre isso posso apenas especular. O meu clã juntou-se aos clãs da Facção da Roda Azul, uma das mais antigas facções no Conselho Supremo. Embora não seja tão poderosa quanto a Facção Bélica do Senhor da Guerra ou quanto os tradicionalistas da Facção Imperialista, ainda assim possui grande honra e influência. Há seis anos, quando cheguei aqui, a Facção da Roda Azul tinha se juntado à Facção Bélica para formar a Aliança pela Guerra. Aqueles que, como nós, se encontravam nas famílias de menor importância não foram informados sobre o motivo dessa mudança radical de alinhamento, mas não havia dúvida de que se tratava de uma questão do Jogo do Conselho. Minha desgraça pessoal e minha escravidão foram, certamente, manobras necessárias para garantir que os membros de meu clã permanecessem acima de qualquer suspeita até chegar o momento certo para o que quer que estivesse sendo planejado. Agora, ficou evidente qual era o plano. Desde o cerco a este castelo, não vi qualquer sinal de soldados que pertencessem às famílias da Roda Azul. Julguei que era o fim da Aliança Bélica...

— Você está afirmando que a orientação desta guerra não passa de um viés de um jogo político desse Conselho Supremo? — interrompeu Fannon.

— Mestre de Armas, sei que isso é difícil de compreender para um homem tão inabalavelmente leal como você — respondeu Charles. — No entanto, é isso mesmo que estou afirmando. Há razões, razões tsurani, para uma guerra assim. O seu mundo é rico em metais, metais que valorizamos bastante em Kelewan. Além do mais, a nossa história é sangrenta, e todos os que não pertencem a Tsuranuanni devem ser temidos e subjugados. Se nós conseguimos encontrar o seu mundo, vocês não poderiam, um dia, também encontrar o nosso? E mais: é uma forma de o Senhor da Guerra ganhar uma enorme influência junto ao Conselho Supremo. Durante séculos, estivemos em guerra com a Confederação Thuril e quando, por fim, fomos forçados a nos sentar à mesa do tratado, a Facção Bélica perdeu bastante poder. Esta guerra é uma forma de recuperar esse poder perdido. O Imperador raramente dá ordens, permitindo que o Senhor da Guerra governe soberanamente, porém o Senhor da Guerra não deixa de ser o Lorde de uma família, o Chefe de Guerra de um clã, e, como tal, procura constantemente obter vantagens para o seu povo no Jogo do Conselho.

Tully parecia fascinado.

— Quer dizer que quando a Facção da Roda Azul se juntou à facção do Senhor da Guerra para, de repente, se retirar, tudo não passou de um estratagema nesse jogo político, uma manobra para ficar em vantagem?

Charles sorriu.

— Faz parte da natureza tsurani, meu bom Padre. O Senhor da Guerra planejou a primeira campanha com muito cuidado, então, depois de três anos, vê-se com o exército reduzido à metade. Está esgotado, incapaz de levar notícias de vitórias esmagadoras ao Conselho Supremo e ao Imperador. Está perdendo posição e prestígio no jogo.

— Inacreditável! Centenas de homens mortos por uma coisa dessas! — exclamou Fannon.

— Assim é o Jogo do Conselho, Mestre de Armas. Almecho, o Senhor da Guerra, é um homem ambicioso. Isso é um imperativo necessário para o cargo que ocupa. Ele tem de confiar em outros homens ambiciosos, sendo que muitos não hesitariam em tomar-lhe o lugar, caso vacilasse. Para mantê-los como aliados em vez de adversários, por vezes ele tem de fazer vista grossa. No primeiro ano da guerra, seu subcomandante, um homem chamado Tasio dos Minwanabi, ordenou um ataque a uma das guarnições laMutianas. Além de ser o segundo em comando na invasão a este mundo, Tasio é também primo do Lorde Jingu dos Minwanabi. A ordem de ataque foi dada ao Lorde Sezu dos Acoma, inimigo jurado de Jingu. Os soldados dos Acoma foram praticamente aniquilados até o último homem, incluindo Lorde Sezu e seu filho. Tasio chegou pouco depois, já tarde demais para salvá-los, mas a tempo de tomar as rédeas da batalha e dar uma vitória ao Senhor da Guerra.

Os olhos de Fannon estavam esbugalhados de incredulidade.

— Nunca ouvi falar de uma falsidade tão sinistra.

— Mas é brilhante, de acordo com os critérios dessa gente — disse Arutha.

Charles concordou com um aceno de cabeça com o comentário do Príncipe.

— O Senhor da Guerra perdoaria Tasio por ter deixado que um de seus melhores comandantes fosse chacinado, perdendo todo o exército dos Acoma, em troca de uma vitória e um apoio reforçado dos Minwanabi.

Qualquer Lorde Regente sem interesses diretos no jogo aplaudiria a jogada como um golpe de mestre, mesmo aqueles que admiravam Lorde Sezu. Almecho e Lorde Jingu ganharam muitos aliados no conselho. Então, como os adversários políticos do Senhor da Guerra precisavam encontrar uma forma de bloquear o seu poder crescente, criaram a situação que descrevi, levando à exaustão do Senhor da Guerra e deixando-o incapaz de prosseguir a guerra. Muitas das famílias que rondavam a Facção Bélica seriam então atraídas para a Roda Azul e respectivos aliados por terem desferido um golpe tão formidável.

— Contudo, o que nos interessa é que a Roda Azul voltou a se aliar e ao Senhor da Guerra e os seus soldados irão se juntar à guerra quando chegar a primavera — concluiu Arutha.

Charles olhou para os presentes no salão do conselho.

— Não consigo imaginar o que levou a mais uma reorganização no conselho. Estou muito afastado do jogo. No entanto, como Vossa Alteza disse, o que interessa para nós, em Crydee, é que pelo menos dez mil novos soldados poderão atacar uma das frentes na primavera.

Amos franziu a testa.

— Isso é extenuante, sem dúvida.

Arutha desdobrou meia dúzia de pergaminhos.

— Ao longo dos últimos meses, a maior parte de vocês leu estas mensagens. — Olhou para Tully e Fannon. — Viram o padrão começar a aparecer. — Pegou um pergaminho. — Este é do meu pai: "Incursões constantes dos tsurani deixam os nossos homens inquietos. A nossa incapacidade de atacar o inimigo conferiu um aspecto sombrio a tudo o que fazemos. Temo que não conseguiremos ver o final deste assunto..." Este é do Barão Bellamy: "... aumento de atividade tsurani perto da guarnição de Jonril. Considero aconselhável aumentar nosso empenho ali durante o inverno, quando os tsurani normalmente estão inativos, para não perdermos essa posição na primavera." O Escudeiro Roland supervisionará um reforço conjunto de Carse e Tulan em Jonril neste inverno.

Muitos dos presentes olharam de relance para Roland, que se encontrava em pé ao lado de Arutha. O Príncipe prosseguiu:

— De Lorde Dulanic, Marechal da Corte de Krondor: "Embora Sua Alteza compartilhe a sua preocupação, existem poucos sinais para justificar o alarme. A menos que sejam apresentadas provas para fundamentar os seus receios de possíveis ofensivas por parte dos tsurani, aconselhei o Príncipe de Krondor a recusar o seu pedido para que elementos da guarnição krondoriana fossem enviados com destino à Costa Extrema..." — Arutha olhou ao redor da sala. — Agora o padrão é óbvio.

Afastando os pergaminhos, Arutha apontou para o mapa sobre a mesa.

— Recorremos a todos os soldados disponíveis. Não nos atrevemos a retirar homens do sul por temermos que os tsurani avancem para Jonril. Com a guarnição reforçada, teremos uma situação estável ali durante algum tempo. Caso o inimigo ataque a guarnição, esta poderá ser reforçada a partir de Carse e de Tulan. Caso o inimigo se desloque rumo a qualquer um dos castelos, deixam Jonril em sua retaguarda. Contudo, tudo isso falhará se enfraquecermos essas guarnições. Meu pai está empenhado numa frente extensa e não pode dispensar homens. — Ele olhou para Charles. — Onde você espera que aconteça o ataque?

O antigo escravo tsurani examinou o mapa, acabando por encolher os ombros.

— É difícil dizer, Alteza. Caso a situação dependa unicamente de méritos militares, o Senhor da Guerra deverá atacar a frente mais fraca, o que poderá significar os elfos ou aqui. No entanto, pouco do que se faz no Império é isento de considerações políticas. — Estudou a disposição das tropas no mapa, dizendo em seguida: — Se eu fosse o Senhor da Guerra e precisasse de uma simples vitória para reforçar a minha posição no Conselho Supremo, eu atacaria Crydee mais uma vez. Porém, se eu fosse o Senhor da Guerra e a minha posição no Conselho Supremo fosse precária, e, por isso, precisasse de um grande feito para recuperar o prestígio perdido, poderia arriscar uma ofensiva vigorosa contra a principal força do Reino, os exércitos sob o comando do Duque Borric. Esmagar a força principal do Reino lhe daria influência no conselho durante vários anos.

Fannon recostou-se na cadeira e suspirou.

— Quer dizer que, nesta primavera, enfrentamos a possibilidade de outro ataque a Crydee, sem podermos recorrer a reforços por temermos uma incursão em outro lugar. — Indicou o mapa com um movimento abrangente. — Estamos diante do mesmo problema do Duque. Todas as nossas forças estão distribuídas ao longo da frente tsurani. Os únicos homens disponíveis são aqueles de licença que se encontram nas cidades, uma parte mínima do todo. Não podemos manter o exército no campo indefinidamente; até os Lordes Borric e Brucal passam o inverno em LaMut com o conde, deixando pequenas companhias vigiando os tsurani. — Acenou com a mão e prosseguiu: — Estou divagando. O que interessa é avisar o seu pai o quanto antes, Arutha, sobre a possibilidade de ataque. Caso os tsurani ataquem suas fileiras, ele já terá regressado de LaMut, colocando-se em posição e a postos. Mesmo que os tsurani tragam dez mil soldados fresquinhos, o Duque poderá chamar às fileiras mais soldados das guarnições remotas de Yabon, o que faz pelo menos dois mil.

— Dois mil contra dez mil parece uma grande desvantagem — disse Amos, e Fannon pareceu inclinado a concordar:

— Fazemos o que podemos. Não há garantias de que será o bastante.

— Pelo menos, os reforços serão da cavalaria, Mestre de Armas. Os meus antigos camaradas continuam a não gostar de cavalos — disse Charles.

Fannon acenou com a cabeça em concordância.

— Mesmo assim, não deixa de ser um quadro desanimador.

— Ainda resta uma questão — disse Arutha, segurando um pergaminho. — A mensagem de Lorde Dulanic especificava a necessidade de informações para apoiarem o nosso pedido de ajuda. Creio que agora já temos informações suficientes para satisfazê-lo.

— Bastava uma pequena parte da guarnição krondoriana aqui e já teríamos força para resistir a uma ofensiva. Ainda assim, a estação já está adiantada, e a mensagem teria de ser enviada imediatamente — comentou Fannon.

— Essa é a verdade dos deuses — confirmou Amos. — Saindo esta tarde, mal se conseguiria passar os Estreitos das Trevas antes de o inverno isolá-los. Daqui a duas semanas já será impossível.

— Já pensei no assunto. Acho que a urgência justifica a minha ida a Krondor — disse Arutha.

Fannon endireitou-se na cadeira.

— Mas, Arutha, você é o comandante do exército do Duque. Você não pode abandonar essa responsabilidade.

O Príncipe sorriu.

— Posso e farei. Sei que você não tem o menor desejo de reassumir o comando daqui uma vez mais, mas é o que irá acontecer. Se for nossa intenção obter o apoio de Erland, eu próprio terei de convencê-lo. Quando meu pai levou pela primeira vez as notícias dos tsurani a Erland e ao Rei, aprendi os benefícios de falar pessoalmente. Erland é um homem cauteloso. Precisarei de toda a persuasão que conseguir.

Amos resfolegou.

— Com o perdão de Vossa Alteza, como planeja alcançar Krondor? As partes mais fortes de três exércitos tsurani estão espalhadas daqui até as Cidades Livres, caso decida ir por terra. No porto, temos apenas alguns navios costeiros, e você precisaria de um navio de águas profundas para uma viagem pelo mar.

— Ainda resta uma embarcação de águas profundas, Amos. O *Vento da Aurora* permanece atracado no porto.

Amos ficou de queixo caído.

— O *Vento da Aurora*? — exclamou, incrédulo. — Além do detalhe de ser pouco melhor do que um navio costeiro, foi retirado de serviço durante o inverno. Ouvi o capitão lamentando a carlinga quebrada quando o trapalhão entrou no porto aos solavancos há um mês. Precisa ser trazido a terra, a quilha precisa ser examinada e a carlinga tem de ser substituída. Sem esses reparos, a quilha não aguentará o embate das tempestades de inverno. Mais vale enfiar a cabeça em um barril de água de chuva, com o perdão de Vossa Alteza. Morreria da mesma forma, mas pouparia muitos problemas para as outras pessoas.

Fannon pareceu ficar irritado com os comentários do marujo, ainda que Tully, Martin, Roland e Arutha parecessem simplesmente achar graça.

— Quando enviei Martin — disse Arutha —, pensei na possibilidade de precisar de um navio para chegar a Krondor. Ordenei a sua reparação há duas semanas. A bordo, encontra-se um grupo de carpinteiros navais. — Fixou o olhar em Amos com um ar interrogativo. — Claro que me disseram que o trabalho não será com a perfeição que seria se o tivessem içado, mas terá de servir.

— Para andar costa acima e abaixo, levado pelas brisas da primavera, talvez sirva. No entanto, estamos falando de tempestades de inverno e de atravessar os Estreitos das Trevas.

— Bem, terá de servir. Parto daqui a poucos dias. Alguém tem de convencer Erland de que precisamos de ajuda e esse alguém tem de ser eu — afirmou Arutha.

Amos recusou-se a deixar o assunto de lado:

— E Oscar Danteen concordou em capitanear o navio através dos Estreitos?

— Ainda não o informei acerca do nosso destino — disse o Príncipe em resposta.

Amos abanou a cabeça.

— Foi como pensei. Esse homem tem o coração de um tubarão, ou seja, não tem coração, e a coragem de uma água-viva, ou seja, nenhuma. Assim que você der essa ordem, ele irá cortar sua garganta, jogar o corpo no mar, passar o inverno com os piratas das Ilhas do Ocaso, para depois ir direto às Cidades Livres quando chegar a primavera. Então ele vai pedir a escribas nataleses que redijam uma carta cheia de pesar e floreados ao seu pai, descrevendo a sua valentia antes de cair em alto mar enquanto combatiam piratas. Em seguida, passará um ano esbanjando o ouro que você lhe deu para a travessia.

— Mas comprei o navio. Agora sou eu o capitão do navio — informou Arutha.

— Dono ou não, Príncipe ou não, a bordo do navio só existe um senhor: o capitão — explicou Amos. — Ele é rei e sumo sacerdote, e nenhum homem lhe diz o que fazer, a menos que se encontre um novato do porto a bordo, e, mesmo assim, com muito respeito. Não, Vossa Alteza não sobreviverá a essa viagem com Oscar Danteen no tombadilho.

Começaram a surgir tênues linhas de divertimento nos cantos dos olhos de Arutha.

— Tem outra sugestão, Capitão?

Amos suspirou, voltando a se recostar na cadeira.

— Já que mordi a isca, posso também ser estripado e limpo. Envie uma mensagem a Danteen para que esvazie o camarote do capitão e dispense a tripulação. Arranjarei uma tripulação para substituir aquela cambada de degoladores, ainda que, nesta época, restem somente bêbados e garotos no porto. Pelo amor dos deuses, não revele a ninguém o nosso rumo. Basta um daqueles canalhas embriagados saber que pretende arriscar a passagem pelos Estreitos das Trevas nesta época e teremos de colocar toda a guarnição para procurar tábuas suficientes para todos os desertores.

— Muito bem — disse Arutha. — Deixarei os preparativos em suas mãos. Zarparemos quando você considerar o navio pronto. — Dirigiu-se a Martin do Arco: — Quero que você venha conosco também, Mestre de Caça.

Martin do Arco pareceu ligeiramente surpreso.

— Eu, Alteza?

— Quero levar uma testemunha ocular para Lorde Dulanic e para o Príncipe.

Martin franziu a testa, mas, passado um instante, disse:

— Nunca estive em Krondor, Alteza. — E mostrou o seu sorriso enigmático. — Talvez nunca mais tenha outra oportunidade.

A voz de Amos Trask se elevou acima dos uivos do vento. Rajadas vindas do mar levavam as suas palavras até os mastros, onde se encontrava um rapaz com ar confuso.

— Não, marinheiro de água doce desmiolado, não aperte tanto as escotas. Elas vão zumbir como as cordas de um alaúde. Não são elas que levam o barco, para isso serve o mastro. As cordas ajudam quando o vento muda de quadrante. — Ficou vendo o garoto ajustar as escotas. — Sim, é isso; não, assim ficam muito folgadas. — Praguejou em voz alta. — Isso, é assim, conseguiu!

Tinha uma expressão desgostosa quando Arutha subiu o portaló.

— Garotos pescadores que querem ser marinheiros. E bêbados. E alguns dos velhacos de Danteen que tive de recontratar. Que bela tripulação, Alteza.

— Eles vão servir?

— É bom que sirvam, ou terão de se acertar comigo. — Observou com um olhar crítico enquanto os marinheiros rastejavam nas velas ao alto, verificando todos os nós e encaixes, todas as cordas e escotas. — Precisamos de trinta bons homens. Conto com oito. O resto? Quero atracar em Carse, assim como em Tulan, quando formos para o sul. Talvez aí consigamos substituir os rapazes e homens menos confiáveis por marinheiros experientes.

— E isso não irá atrasar nossa passagem pelos Estreitos?

— Se estivéssemos lá hoje, conseguiríamos atravessar. Quando chegarmos lá, uma tripulação de confiança será mais importante do que chegarmos uma semana mais cedo. O inverno nos pegará em cheio. — Ele examinou Arutha. — Sabe por que chamam aquela passagem de Estreitos das Trevas?

Arutha encolheu os ombros.

— Não é apenas uma superstição de marinheiros — respondeu o capitão. — É uma descrição do que se encontra por lá. — Ficou com um olhar vago ao dizer: — Agora, posso falar sobre as diferentes correntes do Mar Interminável e do Mar Amargo que se juntam ali, ou sobre as loucas marés que estão sempre mudando no inverno, quando as luas se encontram todas na pior posição possível nos céus, ou de como os ventos sopram do norte, levando neve tão densa que da verga não se consegue ver o convés. E então... Não há palavras para descrever os Estreitos no inverno. Navega-se um, dois, três dias às cegas. Se o vento predominante não nos arrastar de volta ao Mar Interminável, nos leva de encontro aos rochedos ao sul. Ou então não sopra a mais leve brisa e o nevoeiro obscurece tudo enquanto, as correntes nos fazem andar em círculos.

— É um quadro desanimador o que você descreve, Capitão — disse Arutha, com um sorriso triste.

— É apenas a verdade. Você é um jovem muito perspicaz e de muito sangue frio, Alteza. Já o vi resistir quando muitos homens mais experientes teriam simplesmente cedido e fugido. Não estou tentando assustá-lo. Eu só quero que entenda o que está propondo que façamos. Se há alguém capaz de atravessar aqueles Estreitos no inverno navegando esta banheira, esse alguém é Amos Trask, e não estou apenas me gabando. Já atravessei as estações tão bem em outras ocasiões que vejo pouca diferença entre outono e inverno, inverno e primavera. Mas também digo o seguinte: antes de sair de Crydee, despeça-se com carinho de sua irmã, escreva a seu pai e a seu irmão e deixe preparados todos os testamentos e heranças.

Sem alteração aparente em seu rosto, Arutha disse:

— As cartas e testamentos estão escritos; eu e Carline jantaremos sozinhos hoje.

Amos acenou com a cabeça.

— Partiremos com a maré da manhã. Esta embarcação é um navio costeiro de tábuas gastas, de fundo de vime e apodrecido pela água, Alteza, mas vai servir, nem que eu tenha de carregá-la nos ombros.

Arutha foi embora e, quando desapareceu de vista, Amos voltou sua atenção para o alto.

— Astalon — invocou o Deus da Justiça —, sou um pecador, é verdade, mas, se tem mesmo de medir a justiça, precisava ser assim? — Em paz com o seu destino, Amos regressou à tarefa de verificar se estava tudo em ordem.

Carline caminhava no jardim, onde as flores murchando refletiam a tristeza que sentia. Roland a contemplava a curta distância, tentando encontrar palavras de consolo.

— Um dia, serei Barão de Tulan — disse por fim. — Há mais de nove anos que não vou a casa. Tenho de descer a costa com Arutha.

— Eu sei — retorquiu ela, suavemente.

Roland viu a resignação estampada no rosto de Carline. Aproximando-se para abraçá-la, disse:

— E você também será Baronesa de lá um dia.

Ela o abraçou com força, depois se afastou, forçando-se a falar docemente:

— Ainda assim, eu esperava que, depois de tantos anos, seu pai tivesse aprendido a ficar sem você.

Roland sorriu.

— Ele deve ter ido passar o inverno em Jonril com o Barão Bellamy, dirigindo a ampliação da guarnição. Terei de ir em seu lugar. Meus irmãos ainda são muito novos. Como os tsurani estão entrincheirados durante o inverno, é a nossa única chance de expandir o forte.

— Pelo menos não tenho de me preocupar com você andando por aí partindo o coração das senhoras da corte de seu pai — disse Carline, com uma serenidade forçada.

Ele riu.

— Há poucas chances de isso acontecer. Já estão reunindo mantimentos e homens e as barcas estão prontas para subir o rio Wyndermeer. Assim que Amos me deixar em Tulan, ficarei um ou dois dias em casa, não mais do que isso, e partirei. Será um longo inverno em Jonril, sem ninguém para me fazer companhia a não ser os soldados e alguns agricultores que vivem naquele forte desolado.

Carline cobriu a boca enquanto dava risadinhas.

— Espero que, quando chegar a primavera, o seu pai não descubra que você perdeu o seu baronato no jogo.

Roland lhe sorriu.

— Sentirei saudades.

Carline segurou as mãos dele.

— Eu também.

Eles ficaram assim como um quadro vivo por algum tempo, até que, de repente, a fachada de valentia da Princesa quebrou e ela caiu nos braços de Roland.

— Não deixe que nada aconteça. Eu não suportaria perder você.

— Eu sei — disse Roland, com carinho. — No entanto, você precisa ser forte diante dos outros. Fannon precisará de sua ajuda na condução da corte, e você será a responsável por toda a casa ducal. Você é a Senhora de Crydee e muitos dependerão de sua orientação.

Olharam para os estandartes nas paredes, abanando com o vento de fim de tarde. O ar estava frio e Roland envolveu a capa ao redor dos dois. Tremendo, ela disse:

— Volte para mim, Roland.

Ternamente, ele afirmou:

— Voltarei, Carline. — Tentou afastar uma sensação fria, gélida, que surgiu dentro de si, em vão.

Estavam de pé nas docas, na penumbra da manhã antes do nascer do sol. Arutha e Roland aguardavam junto ao portaló.

— Tome conta de tudo, Mestre de Armas — disse o Príncipe.

Fannon tinha a mão sobre a espada, ainda orgulhoso e ereto, apesar da idade avançada.

— Assim o farei, Alteza.

Com um leve sorriso, Arutha acrescentou:

— Quando Gardan e Algon regressarem da patrulha, não se esqueça de instruí-los para que tomem conta de você.

Os olhos de Fannon lançavam faíscas ao retrucar:

— Filhote insolente! Consigo superar qualquer homem do castelo, menos o seu pai. Desça do portaló e desembainhe a sua espada e eu mostro o motivo pelo qual ainda uso a divisa de Mestre de Armas.

Arutha levantou as mãos, fingindo suplicar.

— Fannon, que bom é voltar a ver essa fúria. Crydee está muito bem protegida pelo seu Mestre de Armas.

Fannon avançou, pousando a mão no ombro do homem mais novo.

— Tenha cuidado, Arutha. Você sempre foi o meu melhor aluno. Odiaria perdê-lo.

Arutha sorriu afetuosamente para o seu velho professor.

— Obrigado, Fannon. — E, com um ar sarcástico, acrescentou: — Odiaria me perder também. Eu voltarei. E trarei comigo os soldados de Erland.

Arutha e Roland subiram o portaló rapidamente, enquanto os que permaneceram nas docas acenavam em despedida. Martin do Arco aguardava junto à amurada, vendo o portaló ser retirado e os homens no cais soltarem as amarras. Amos Trask gritou ordens, e as velas foram descidas das vergas. Aos poucos, o navio se afastou do molhe, entrando no porto. Arutha olhava em silêncio, ladeado por Roland e Martin, enquanto as docas iam ficando para trás.

— Ainda bem que a Princesa decidiu não vir — comentou Roland. — Acho que não aguentaria mais uma despedida.

— Eu entendo — afirmou Arutha. — Ela gosta muito de você, Escudeiro, embora eu não consiga entender o motivo. — Roland olhou para ver se o Príncipe estava brincando e viu que Arutha mostrava um meio sorriso. — Não falei disso antes — prosseguiu o Príncipe —, porém, como pode ser que passemos muito tempo sem nos vermos depois de você nos deixar em Tulan, fique sabendo que, quando surgir a oportunidade para você falar com meu pai, poderá contar com as minhas palavras de apoio.

— Obrigado, Arutha.

A cidade passou, envolta em escuridão, substituída pelo caminho até o farol. A falsa aurora penetrava ligeiramente pela penumbra, lançando para todos os lados tons cinzentos e negros. Passado algum tempo, no quadrante a estibordo, apareceu a ampla forma sobressaída dos Rochedos Guardiões.

Amos ordenou que virassem o leme para sudoeste, dando mais pano para navegarem com o vento de popa. O navio ganhou velocidade e Arutha ouviu as gaivotas acima deles. De repente, percebeu que já não estavam mais em Crydee. Sentiu um arrepio e aconchegou-se com a capa.

Arutha estava no tombadilho superior, de espada na mão, com Martin ao seu lado, colocando uma flecha na corda do arco. Amos Trask e o seu primeiro imediato, Vasco, também tinham armas prontas. Seis marinheiros enraivecidos estavam reunidos no convés abaixo, enquanto o resto da tripulação assistia ao confronto.

Do convés, um marinheiro gritou:

— Você mentiu, Capitão. Você não virou para o norte, rumo a Crydee, como disse em Tulan. A menos que você queira navegar até Elarial, não há mais nada ao sul, tirando os Estreitos. Você quer passar os Estreitos das Trevas?

— Maldito seja, homem — vociferou Amos. — Você questiona as minhas ordens?

— Sim, Capitão. A tradição diz que não há acordo válido entre capitão e tripulação para a travessia dos Estreitos no inverno, a menos que tivéssemos concordado. Você mentiu, por isso não somos obrigados a seguir.

Arutha ouviu Amos dizer entre dentes:

— Um maldito advogado do mar. — Dirigiu-se ao marinheiro: — Muito bem — e passou o seu cutelo para Vasco. Desceu a escada até o convés principal e aproximou-se do marujo com um sorriso amável no rosto.

— Escutem, rapazes — começou ao chegar perto dos seis marujos rebeldes, que seguravam malaguetas ou passadores para cabos. — Vou ser franco. O Príncipe tem de chegar a Krondor ou será o inferno quando a primavera chegar. Os tsurani estão reunindo uma grande força militar, que poderá atacar Crydee. — Pousou a mão no ombro do marinheiro que falara, dizendo: — Assim, tudo se resume ao seguinte: temos de navegar até Krondor. — Com um movimento rápido, Amos ficou com o braço em volta do pescoço do homem. Correu até à amurada e lançou o homem indefeso borda afora. — Se não querem nos acompanhar — gritou —, podem voltar a Tulan a nado!

Outro marinheiro começou a avançar para Amos, quando uma flecha atingiu o convés a seus pés. Ele olhou para cima e viu Martin mirando.

— Eu não faria isso, se fosse você — advertiu o Mestre de Caça.

O homem largou o passador de cabos e recuou. Amos se virou para os marinheiros:

— Quando eu chegar ao tombadilho, espero que já estejam no cordame, ou na água, não faz diferença. Qualquer homem que não faça o seu trabalho será enforcado como o cão amotinado que é.

Ouviram-se os débeis gritos de socorro do homem que se encontrava na água enquanto Amos regressava ao tombadilho.

— Atire uma corda àquele imbecil e, se ele não se acalmar, jogue-o outra vez ao mar. — disse a Vasco e aos demais gritou: — Velas a todo o pano! Rumo aos Estreitos das Trevas.

Arutha piscou para afastar a água salgada dos olhos e segurou-se com toda a força de seu ser à corda. Outra onda bateu no costado do navio, voltando a cegá-lo. Foi agarrado por mãos fortes e, na escuridão, ouviu a voz de Martin:

— Você está bem?

O Príncipe, cuspindo água, gritou:

— Estou. — E continuou em direção ao tombadilho, com Martin logo atrás.

O *Vento da Aurora* arfava e oscilava debaixo de seus pés, fazendo-o escorregar duas vezes antes de alcançar a escada. Todo o navio fora equipado com cordas de segurança, pois no mar revolto era impossível manter o equilíbrio sem um ponto de apoio.

Arutha içou-se pela escada até o tombadilho e andou tropeçando até chegar a Amos Trask. O capitão aguardava ao lado do timoneiro, emprestando seu peso à enorme cana do leme sempre que era preciso. Parecia que estava pregado à madeira do convés, os pés muito afastados, mudando o peso do corpo a cada balanço do navio, olhos postos na escuridão à sua frente. Ele observava, escutava; todos os sentidos ajustados ao ritmo da embarcação. Arutha sabia que o homem não dormia há dois dias e uma noite, e também grande parte daquela noite.

— Ainda falta muito? — gritou Arutha.

— Um dia, dois, quem sabe? — Um estalo vindo de cima soou como o gelo da primavera quebrando no rio Crydee. — Tudo a bombordo! — gritou Amos, apoiando-se com força na cana do leme. Quando o navio se inclinou, gritou para Arutha: — Mais um dia com estes ventos amaldiçoados pelos deuses castigando o navio e teremos sorte se conseguirmos virar e fugir de volta para Tulan.

Tinham saído de Tulan há nove dias, sendo que os últimos três foram passados na tempestade. A embarcação havia sido implacavelmente açoitada por ondas e rajadas de vento e, por três vezes, Amos teve de ir ao porão inspecionar o conserto da carlinga. O capitão calculava que estivessem avançando para oeste dos Estreitos, mas só poderia garantir quando a tempestade amainasse. Outra onda bateu no navio, fazendo-o estremecer.

— Abertura na tempestade — ouviu-se um grito de cima.

— Onde? — bradou Amos.

— A estibordo!

— Virar! — ordenou Amos, e o timoneiro inclinou-se na cana do leme.

Arutha forçou a vista por causa dos respingos de água salgada que faziam arder seus olhos e avistou um brilho fraco que parecia balançar até que se imobilizou do lado direito da proa. Começou a aumentar enquanto avançavam para a área onde parecia haver uma abertura. Como se estivessem saindo de um quarto escuro, passaram da escuridão para a claridade. O céu parecia se abrir acima deles, deixando-os diante de um azul cinzento. As ondas ainda estavam muito altas, mas Arutha pressentiu que, por fim, o tempo mudara. Olhou por cima do ombro e viu a massa negra da tempestade se afastando.

As ondas pareciam mais calmas a cada momento e, depois do clamor violento da tempestade, o mar pareceu subitamente silencioso. O céu estava cada vez mais claro.

— Já é de manhã — disse Amos. — Devo ter perdido a noção do tempo, achei que ainda fosse de noite.

Arutha observou a tempestade que se afastava, vendo-a perfeitamente delineada: uma massa agitada de escuridão em contraste com o cinzento mais claro do céu que sobre eles. O cinza logo se tornou um azul carregado, passando em seguida para um azul acinzentado à medida que o sol matinal atravessava as nuvens. Durante quase uma hora, Arutha contemplou o espetáculo, enquanto Amos dava ordens a seus homens, mandando os que fizeram o turno da noite para baixo e mandando subir os que trabalhariam durante a manhã.

A tempestade dirigiu-se para o leste, deixando para trás um mar agitado. O tempo parecia ter parado enquanto Arutha contemplava, impressionado, a cena no horizonte. Uma parcela da tormenta parecia ter parado, entre faixas distantes de terra. Enormes esguichos de água rodopiavam entre os limites da passagem estreita a distância. Parecia que uma massa de nuvens carregadas e em ebulição ficara confinada àquela área por uma força sobrenatural.

— Os Estreitos das Trevas — esclareceu Amos Trask junto ao seu ombro.

— Quando iremos atravessá-los? — perguntou Arutha calmamente.

— Agora — respondeu o Capitão. Em seguida, virou-se, gritando: —

Marujos, aos mastros! O turno da tarde deve estar a postos para começar a trabalhar! Timoneiro, rumaremos para leste!

Enquanto alguns homens subiam o cordame, outros apareciam de baixo, com ar exausto, revelando o pouco proveito tirado das parcas horas de sono desde o turno anterior. Arutha afastou o capuz de sua capa, sentindo o vento cortante bater em seu cabelo molhado. Amos o agarrou pelo braço e disse:

— Podemos esperar semanas sem voltar a ter um vento favorável. Aquela tempestade foi uma bênção disfarçada, pois nos proporcionará um bom início de travessia.

Arutha olhava fascinado enquanto avançavam para os Estreitos. Um fenômeno conjunto do tempo e das correntes criara as condições que mantinham os Estreitos em uma escuridão coberta pela água ao longo do inverno. Com bom tempo, era difícil passar os Estreitos, pois, embora parecessem amplos na maior parte dos pontos, rochedos perigosos se escondiam abaixo da superfície em diversos trechos mais críticos. Em dias tempestuosos, eram considerados impossíveis de superar pela maioria dos capitães. Torrentes de água ou saraivadas de neve sopradas dos picos mais meridionais das Torres Cinzentas tentavam cair, sendo apanhadas por rajadas de vento e lançadas de novo para cima, para, uma vez mais, tentarem cair. Trombas de água lançadas para cima surgiam de repente, rodopiando furiosamente durante minutos, para, em seguida, se dispersarem em deslumbrantes cascatas. Relâmpagos irregulares estouravam, seguidos por trovões ensurdecedores, enquanto toda a fúria da colisão de climas era libertada.

— A maré está alta — berrou Amos. — Isso é bom. Teremos mais espaço para passar pelos rochedos e não demoraremos a atravessar ou a sermos feitos em pedaços. Se o vento se mantiver como está, estaremos do outro lado antes do final do dia.

— O que poderá acontecer se o vento mudar?

— É melhor não pensarmos nisso!

Avançaram a grande velocidade, atirando-se à orla do temporal em torvelinho dentro dos Estreitos. O navio estremeceu, como se relutasse em voltar a enfrentar o mau tempo. Arutha se agarrou com força à amurada quando o navio começou a saltar e a oscilar. Amos escolhia criteriosamente o caminho, evitando as repentinas rajadas instáveis, mantendo o navio na rota oeste da borrasca ultrapassada.

A luz sumiu por completo. O navio era iluminado somente pelas luzes oscilantes das lanternas de tempestade, que lançavam lampejos vacilantes de luzes amarelas na escuridão. O estrondo distante das ondas nas rochas ecoava de todos os lados, confundindo os sentidos.

— Vamos ficar no centro da passagem — gritou Amos para Arutha. Se resvalarmos em um dos lados ou se virarmos, arrebentaremos o casco nos rochedos. — Arutha acenou com a cabeça indicando que entendera e o Capitão bradou instruções à tripulação.

Arutha avançou com dificuldade até a amurada da frente do tombadilho e gritou por Martin. O Mestre de Caça respondeu do convés embaixo, dizendo que estava bem, ainda que encharcado. Arutha segurou-se com força quando o navio mergulhou em uma depressão, subindo logo depois ao encontrar a crista de uma onda. Durante o que pareceram minutos, o navio subiu com muito esforço, cada vez mais, até que, de repente, a água passou pela proa e voltaram a submergir. A amurada se tornou o único contato com um mundo sólido no meio de um caos frio e molhado. As mãos de Arutha doíam com o esforço de se agarrar.

Passaram-se horas em uma fúria cacofônica, enquanto Amos guiava sua tripulação para reagir a todos os desafios do vento e da maré. Por vezes, a escuridão era pontuada pelo clarão ofuscante de um relâmpago, definindo todos os detalhes e deixando resplandecentes imagens residuais na obscuridade.

Com um solavanco repentino, o navio pareceu deslizar para o lado, e Arutha sentiu o chão fugir quando a embarcação começou a se inclinar. Agarrou-se à amurada com todas as suas forças, incapaz de ouvir qualquer coisa devido ao ranger gigantesco. A embarcação se endireitou sozinha. Arutha arrastou-se e viu, à luz vacilante das lanternas de tempestade, a cana do leme girando descontroladamente de um lado para outro, e o timoneiro caído no convés, o rosto escurecido pelo sangue que escorria de sua boca aberta. Amos, desesperado, tentava permanecer em pé a todo custo, procurando alcançar o leme descontrolado. Arriscando-se a quebrar algumas costelas ao agarrá-lo, lutou desesperadamente para aguentar e voltar a controlar o navio.

Arutha cambaleou até lá, atirando o seu peso para cima do leme. Ouviu-se um leve ranger prolongado vindo de estibordo e o barco vibrou.

— Vire, sua cadela bastarda! — berrou Amos por cima do leme, reunindo todas as forças que lhe restavam. Os músculos de Arutha protestaram de dor na tentativa de forçar o aparentemente imóvel leme. Devagar, ele começou a se mexer, primeiro um centímetro, depois dois. O rangido começou a aumentar até Arutha sentir um zumbido nos ouvidos.

Subitamente, o leme voltou a se soltar, girando livremente. Arutha se desequilibrou e foi lançado pelo convés. Caiu na madeira dura, deslizando pela superfície molhada até bater na amurada, arquejando quando o ar saiu dos pulmões em uma explosão. Foi coberto por uma onda e, em seguida, cuspiu até botar para fora uma golfada de água salgada. Vacilante, levantou-se e cambaleou de volta ao leme.

Na luz fraca, o rosto de Amos estava branco devido ao esforço, embora estivesse de olhos arregalados e mostrasse uma expressão enlouquecida enquanto ria.

— Por um momento, achei que você tinha caído do navio.

Arutha se encostou no leme e, juntos, forçaram-no uma vez mais. As gargalhadas loucas de Amos ressoavam e Arutha questionou:

— O que é tão engraçado assim?

— Olhe!

Ofegante, Arutha olhou para onde Amos indicava. Na escuridão, avistou gigantescas silhuetas se erguendo ao lado do navio, formas ainda mais negras do que a escuridão.

— Estamos passando pelos Grandes Rochedos do Sul! — gritou Amos. — Força, Príncipe de Crydee! Força, se quer ver terra firme de novo!

Arutha içou-se para cima do leme, forçando o navio teimoso a se afastar do terrível abraço de pedra a poucos metros de distância. Voltou a sentir o navio estremecendo ao mesmo tempo que ouvia o casco ranger. Amos deu gritos de incentivo.

— Ficarei muito surpreso se esta barca ainda tiver casco quando chegarmos ao outro lado.

Arutha sentiu nas entranhas uma dolorosa pontada de pânico, logo seguida por uma euforia inusitada. Viu-se tomado por uma sensação indescritível, quase alegre, enquanto tentava manter o navio na rota certa. Ouviu um som estranho no meio da cacofonia, e descobriu que estava rindo com Amos, rindo da fúria que explodia ao seu redor. Nada mais havia a temer. Resistiria ou não. Naquele momento, não importava. Tudo o que lhe restava fazer era se entregar a uma única tarefa: manter o navio em um rumo que permitisse evitar as rochas irregulares. Todo o seu ser ria de pavor, regozijando-se por ser reduzido àquele nível inferior de existência, àquele estado primitivo do ser. Nada existia além da necessidade de realizar esta única ação, da qual tudo dependia.

Arutha entrou em um novo estado de consciência. Segundos, minutos, horas perderam todo o sentido. Juntamente com Amos, lutou para manter o navio sob controle, embora os seus sentidos registrassem em detalhe tudo à sua volta. Através do couro molhado das luvas, sentia a textura da madeira. O tecido das meias estava amontoado entre os dedos dos pés dentro das botas ensopadas. O vento trazia cheiro de maresia e alcatrão, gorros de lã molhados e lona ensopada pela chuva. Ouvia com nitidez cada rangido da madeira, cada roçar de corda e cada grito dos homens lá no alto. Em seu rosto, sentia o vento, o toque gélido de neve derretendo, a água do mar, e riu. Nunca se sentira tão próximo da morte e nunca se sentira tão vivo. De músculos contraídos, enfrentava forças primitivas e formidáveis. E assim prosseguiram, mergulhando cada vez mais na fúria dos Estreitos das Trevas.

Arutha ouviu Amos bradando ordens, orquestrando os movimentos de cada homem a cada segundo. Dirigia sua embarcação como um mestre músico tocava o seu alaúde, sentindo cada vibração e som, empenhando-se em conseguir a harmonia de movimentos que mantinha o *Vento da Aurora* na rota segura através das águas perigosas. A tripulação respondia de imediato a todas as exigências, arriscando a morte no cordame traiçoeiro, pois sabiam que a segurança da travessia dependia somente da perícia daquele homem.

Até que acabou. Em um segundo, estavam se debatendo com uma força louca para não bater nos rochedos e atravessar a fúria dos Estreitos, no segundo seguinte navegavam com uma brisa firme de popa, deixando para trás a escuridão.

Mais à frente, o céu estava nublado; no entanto, a tempestade que os detivera ao longo de vários dias não passava de um negrume no horizonte a leste. Arutha olhou para suas mãos, como se não lhe pertencessem, convencendo-as a largar o leme. Ao desfalecer, marinheiros correram para segurá-lo, levando-o para o convés. Por algum tempo, o Príncipe sentiu tudo girando à sua volta, até que viu Amos sentando-se um pouco afastado, quando Vasco pegou o leme. O rosto de Amos ainda mantinha um ar jovial quando disse:

— Conseguimos, rapaz. Estamos no Mar Amargo.

Arutha olhou em volta.

— Mas por que ainda está tão escuro?

Amos riu.

— O sol está quase se pondo. Estivemos por horas naquele leme.

Arutha também começou a rir. Jamais conhecera tamanha alegria. Deu gargalhadas até sentir lágrimas de cansaço escorrerem pelo rosto e dores no peito. Amos aproximou-se, quase rastejando.

— Você sabe o que é rir da morte, Arutha. Nunca mais você será o mesmo.

Arutha recobrou o fôlego.

— Por um instante, julguei que você tinha enlouquecido.

Amos pegou um odre de vinho que um marujo lhe ofereceu e deu um gole demorado. Passou-o para Arutha, dizendo:

— Sim, assim como você. É algo que poucos experimentam ao longo da vida. Trata-se de uma visão de algo tão nítido, tão genuíno, que só pode ser loucura. Você vê o valor da vida e conhece o significado da morte.

Arutha levantou o olhar para o marujo junto deles e viu que era o homem que Amos tinha atirado ao mar por liderar o motim. Vasco fez cara feia, mas o homem não se mexeu. Amos olhou para ele e o homem disse:

— Capitão, eu só queria dizer... que estava enganado. Mesmo depois de treze anos como marinheiro, eu teria apostado a minha alma contra Lins-Kragma que não existia capitão que pudesse levar uma embarcação como esta pelos Estreitos. — Baixando os olhos, prosseguiu: — De bom grado, entrego as minhas costas ao chicote pelo que fiz, Capitão. Mas depois irei acompanhá-lo até aos Sete Infernos Inferiores, assim como qualquer outro homem aqui presente.

Arutha olhou ao redor e viu outros marinheiros se juntarem no tombadilho e os que se encontravam no cordame olharem para baixo. Ouviram-se gritos de "Viva o Capitão" e "Ele fala a verdade".

Amos levantou-se com dificuldade, apoiando-se na amurada, com as pernas um pouco fracas. Passou em revista os homens reunidos e gritou:

— Turno da noite para cima! Turno da tarde e turno da manhã podem descer. — Virou-se para Vasco. — Verifique os danos no casco lá embaixo e depois verifique a cozinha. Vamos rumo a Krondor!

Arutha acordou em sua cabine. Martin do Arco estava sentado a seu lado.

— Tome. — O Mestre de Caça segurava uma caneca fumegante de caldo de carne.

Arutha apoiou-se no cotovelo e seu corpo machucado e cansado protestou. Deu um gole no caldo escaldante.

— Há quanto tempo estou dormindo?

— Você adormeceu ontem à noite no convés, assim que o sol se pôs. Ou desmaiou, para dizer a verdade. Já se passaram três horas desde que o sol nasceu.

— Como está o tempo?

— Ameno ou, pelo menos, sem tempestade. Amos já voltou ao convés. Ele acha que o navio conseguirá aguentar o resto da viagem. Os danos embaixo não são graves; ficará tudo bem se não tivermos de enfrentar outro temporal. Ainda assim, Amos diz que existem alguns bons ancoradouros ao longo da costa keshiana, caso seja necessário.

Arutha ergueu-se do beliche, vestiu a capa e subiu ao convés. Martin o seguiu. Amos estava ao leme, estudando a forma como a vela se comportava. Baixou os olhos enquanto Arutha e Martin subiam a escada para o tombadilho. Por um momento, examinou a dupla, como se estivesse remoendo um ou outro pensamento. Sorriu quando Arutha lhe perguntou:

— Como estamos?

— Temos navegado com ventos favoráveis; tem sido assim desde que passamos os Estreitos. Caso se mantenham a noroeste, devemos chegar depressa a Krondor. No entanto, os ventos raramente se mantêm, por isso devemos demorar mais um pouco — disse Amos.

— Navio à vista! — gritou uma sentinela.

— Onde? — bradou Amos.

— Dois pontos à ré!

Amos estudou o horizonte e logo surgiram três minúsculos pontos brancos.

— Que tipo de embarcação? — gritou ao vigia.

— Galés, Capitão!

Amos refletiu em voz alta:

— Queguianos. Estamos muito ao sul para as patrulhas deles, se forem naves de guerra, e não me parece que sejam navios mercantes. — Deu ordens para darem mais pano nas vergas. — Se o vento se mantiver, já estaremos longe antes que nos alcancem. São barcos de casco achatado, lentos para velejas e os remadores não conseguirão manter a velocidade com esta distância.

Fascinado, Arutha observou os barcos crescerem no horizonte. A galé mais próxima virou para interceptá-los e, passado algum tempo, conseguiu distinguir seu contorno pesado, de velas majestosas acima de uma proa elevada e de um convés à popa. Arutha podia ver o movimento dos remos, três conjuntos de cada lado, enquanto o capitão tentava uma rápida arrancada para ganhar velocidade. Contudo, Amos estava certo e não tardou para que a galé ficasse para trás. À medida que a distância aumentava aos poucos entre o *Vento da Aurora* e as galés, Arutha confirmou:

— Estavam usando o estandarte real de Queg. O que galés de guerra queguianas estão fazendo tão ao sul?

— Só os deuses sabem — respondeu Amos. — Pode ser que andem à procura de piratas ou podem estar vigiando os navios keshianos que desviam para o norte. É difícil dizer. Queg age como se todo o Mar Amargo fosse seu lago particular. Eu não me importaria de ficar sem saber o que eles estão tramando.

O resto do dia passou sem incidentes e Arutha aproveitou o sentimento de alívio após os perigos dos dias anteriores. A noite trouxe uma visão nítida das estrelas. O Príncipe passou várias horas no convés estudando a miríade brilhante no firmamento. Martin chegou e o encontrou olhando para cima. Arutha o ouviu chegando e disse:

— Kulgan e Tully dizem que as estrelas são sóis como o nosso, que aparentam ser pequenas por causa das enormes distâncias.

— É uma ideia incrível, mas acho que estão certos — respondeu Martin.

— Você já pensou que em uma delas pode estar o mundo dos tsurani?

Martin encostou-se à amurada.

— Muitas vezes, Alteza. Nas colinas também é possível ver bem as estrelas, quando as fogueiras se apagam. Sem as luzes da cidade ou do castelo para atrapalhar, reluzem no céu. Eu também já pensei que em uma delas, talvez, vive nosso inimigo. Charles contou que o sol deles é mais brilhante do que o nosso e que, por isso, o mundo deles é mais quente.

— Parece impossível. Travar uma guerra através de tamanho vazio desafia a lógica.

Ficaram em silêncio, contemplando juntos a glória da noite, ignorando o vento gelado que os levava a Krondor. Ao ouvirem passos, se viraram ao mesmo tempo e Amos Trask surgiu. Hesitou por um instante, observando os rostos à sua frente, e acabou se juntando a eles na amurada.

— Contemplando as estrelas?

Ninguém respondeu e Trask observou o rastro do navio e depois o céu.

— Não há lugar como o mar, meus senhores. Aqueles que vivem a vida inteira em terra nunca conseguirão entender de verdade. O mar é elementar, por vezes cruel, outras vezes dócil, mas nunca previsível. Contudo, em noites como esta, agradeço aos deuses por terem permitido que eu me tornasse marinheiro.

— E também um pouco filósofo — comentou Arutha.

Amos soltou uma risada.

— Peguem qualquer marinheiro de águas profundas que tenha enfrentado a morte no mar tantas vezes quanto eu e raspem um pouco. Por baixo, encontrará um filósofo, Vossa Alteza. Nada de floreados, garanto, mas um sentido profundo e duradouro de seu lugar no mundo. A oração mais antiga de marinheiros que se conhece é dirigida a Ishap: "Ishap, vosso mar é grande e o meu barco é pequeno; tende piedade de mim." Isso resume tudo.

— Quando eu era menino, entre as grandes árvores, conheci essas sensações. Ficar ao lado do tronco de uma árvore tão antiga, ou mais, do que a mais antiga das lembranças dos homens também dá essa ideia de lugar no mundo — comentou Martin calmamente, quase para si mesmo. Arutha espreguiçou-se.

— Já é tarde. Uma boa noite para vocês. — Quando começou a se afastar, pareceu impedido por um pensamento. — Não sou dado às suas filosofias, mas... estou feliz de ter dividido esta jornada com os dois.

Depois de Arutha se recolher, Martin contemplou as estrelas durante muito tempo, e acabou notando que Amos o examinava. Virou-se para o marujo, dizendo:

— Você parece pensativo, Amos.

— Pois é, Mestre Martin do Arco. Passaram-se quase sete anos desde que cheguei a Crydee — disse ele, apoiando-se na amurada. — Algo me deu o que pensar desde a primeira vez em que o encontrei.

— Do que se trata, Amos?

— Você é um homem misterioso, Martin. Há muitas coisas em minha própria vida que não gostaria de relatar agora, mas com você é diferente.

Martin parecia indiferente quanto ao rumo da conversa, ainda que tivesse estreitado ligeiramente os olhos.

— Em Crydee, sabe-se praticamente tudo sobre mim.

— Verdade, mas é esse "praticamente" que me preocupa.

— Descanse a cabeça, Amos. Eu sou apenas o Mestre de Caça do Duque, nada mais.

— Acho que você é, sim, algo mais, Martin — disse Amos com serenidade. — Em minhas viagens pela cidade, quando orientava a reconstrução, conheci muita gente e, em sete anos, foram muitas as fofocas que ouvi sobre você. Há algum tempo, juntei todas as peças e cheguei a uma conclusão. Ela explica o modo como o vejo mudar de atitude, só um pouco, mas é perceptível, quando você está perto de Arutha e especialmente da Princesa Carline.

Martin riu.

— Você criou um velho conto de bardos, Amos. Acha que sou um pobre caçador, desesperado pelo amor de uma jovem Princesa? Acha que estou apaixonado por Carline?

— Não — respondeu Amos —, mas não tenho dúvidas de que você a ama. Como um irmão ama a sua irmã.

Martin já tinha a faca semidesembainhada quando a mão de Amos lhe prendeu o pulso. O marujo corpulento o prendeu com força, impedindo Martin de mexer o braço.

— Controle sua raiva, Martin. Não gostaria de ter de jogá-lo no mar para você esfriar os ânimos.

Martin parou de se debater e largou a faca, deixando-a deslizar de volta à bainha. Amos aguardou um momento até largar o pulso do caçador. Pouco depois, Martin disse:

— Ela não sabe, nem os irmãos dela. Até agora, achei que só o Duque e mais uma ou duas pessoas soubessem. Como você descobriu?

— Não foi difícil — explicou o Capitão. — Normalmente, as pessoas não veem o que está na frente de seus olhos. — Amos se virou e olhou para as velas no alto, verificando de modo distraído cada detalhe do equipamento do navio ao mesmo tempo que falava. — Eu vi o retrato do Duque no grande salão. Se você deixasse a barba crescer como a dele, a semelhança seria gritante e todo mundo perceberia. Todos comentam como Arutha, com o passar dos anos, está cada vez menos parecido com a mãe e cada vez mais com pai, e eu, desde a primeira vez que os vi, fico incomodado por ninguém reparar que ele também se parece com você. Acho que não reparam porque não querem. Explica muita coisa: por que você ganhou a proteção especial do Duque ao ser colocado com o velho Mestre de Caça e por que você foi escolhido para substituí-lo quando foi preciso. Eu já desconfiava há algum tempo, mas esta noite tive a confirmação. Quando subi do convés inferior e estavam os dois de costas na penumbra, por um momento não consegui distingui-los.

Martin falou sem emoção, limitando-se a constatar um fato:

— Você pagará com a vida se contar isso a alguém.

Amos encostou-se à amurada.

— Não é prudente me ameaçar, Martin do Arco.

— É uma questão de honra.

Amos cruzou os braços à frente do peito.

— Lorde Borric não é o primeiro nobre a gerar um bastardo, nem será o último. Muitos até recebem cargos oficiais e ascendem socialmente. Qual é o perigo para a honra do Duque de Crydee?

Martin agarrou a amurada, semelhante a uma estátua na escuridão. As suas palavras pareciam vir de longe:

— Não se trata da honra dele, Capitão. Trata-se da minha. — Virou-se para Amos e, na luz da noite, seus olhos pareciam vivos com um brilho interior ao refletirem a lanterna pendurada atrás do marinheiro. — O Duque conhece a minha origem e, por seus próprios motivos, decidiu me levar para

Crydee quando eu era ainda muito pequeno. Estou certo de que o Padre Tully sabe, pois o Duque confia muito nele, e Kulgan deve saber também. Contudo, nenhum deles desconfia de que sei a verdade. Acham que ignoro a minha herança.

Amos afagou a barba.

— Um problema delicado, Martin. Segredos dentro de segredos e coisas assim. Bom, você tem a minha palavra, pela amizade e não pela ameaça, de que não falarei disso a ninguém, a não ser com a sua permissão. Ainda assim, se avaliei bem Arutha, seria melhor que ele soubesse do que ficar na ignorância.

— A decisão é minha, Amos, e de mais ninguém. Talvez um dia eu lhe conte. Talvez não.

Amos afastou-se da amurada com um empurrão.

— Ainda tenho muito que fazer antes de me recolher, Martin, mas lhe digo mais uma coisa. Você escolheu um caminho solitário. Não invejo a sua jornada. Boa noite.

— Boa noite. — Quando Amos regressou ao tombadilho, Martin ficou contemplando as estrelas familiares no céu. Todas as companheiras de suas viagens solitárias pelas colinas de Crydee o olhavam lá do alto. As constelações cintilavam na noite, a Fera Caçadora e o Cão de Caça, o Dragão, o Kraken e as Cinco Joias. Desviou a atenção para o mar, fitando o negrume, perdido em pensamentos que achava que estivessem enterrados para sempre.

— Terra à vista! — gritou o vigia.

— Para que lado? — questionou Amos.

— Direto à frente, Capitão.

Arutha, Martin e Amos saíram do tombadilho e avançaram rapidamente até a proa. Enquanto aguardavam que se avistasse terra, Amos disse:

— Não sentem o navio tremendo sempre que quebramos uma onda? É aquela carlinga, se eu sei como é feito um navio, e eu sei. Em Krondor, teremos de atracar em um estaleiro, para consertar o casco.

Arutha fitava a estreita faixa de terra a distância que ia ganhando nitidez à luz vespertina. Ainda que o sol não brilhasse, pois o céu estava ligeiramente nublado, o dia estava bastante agradável.

— Devemos ter tempo para isso. Quero voltar a Crydee assim que convencer Erland do risco que corremos, porém, mesmo que ele concorde de imediato, ainda levará algum tempo para reunir soldados e navios.

— Particularmente, eu não me importo de voltar a passar pelos Estreitos quando o tempo estiver mais ameno — disse Martin, seco.

— Homem de coração fraco. Você já passou da pior maneira. Ir à Costa Extrema em pleno inverno é só um pouco suicida — disse Amos.

Arutha esperou em silêncio enquanto a terra avistada começava a ganhar contornos mais definidos. Em menos de uma hora, conseguiam ver nitidamente os barcos ancorados no porto e as torres de Krondor que se elevavam para o céu.

— Bem — disse Amos —, se você deseja uma recepção de Estado, é melhor hastear o seu estandarte no mastro.

Arutha o deteve, dizendo:

— Espere, Amos. Vê aquele navio junto à entrada do porto?

Enquanto se aproximavam, Amos estudou o navio indicado.

— É um raio de um monstro. Olhe para o tamanho daquilo. O Príncipe está construindo uma maldita vista ainda maior do que a última vez que estive em Krondor. Tem três mastros e está aparelhado para trinta ou mais velas, da giba à vela da ré. Pelos traços do casco, é um autêntico galgo, sem dúvida. Não gostaria nada de enfrentá-lo com menos do que três galés queguianas. Os remadores seriam imprescindíveis, pois, levando em conta aquelas bestas gigantescas montadas na proa e na popa, em pouco tempo fariam picadinho do cordame. Agora sabemos o que aquelas galés queguianas estavam fazendo tão longe de casa. Se o Reino anda levando esses navios de guerra para o Mar Amargo, Queg...

— Repare no estandarte, Amos — interrompeu Arutha.

Quando entraram no porto, passaram junto à embarcação. Na proa, estava pintado o nome: *Grifo Real*. Amos afirmou:

— É um navio de guerra do Reino, sem sombra de dúvida, mas nunca vi nenhum com outro estandarte a não ser o de Krondor. — No topo do mastro mais alto, agitava-se na brisa um estandarte ornado com o brasão de uma águia dourada. — Achei que conhecia todos os estandartes que navegavam no Mar Amargo, mas aquele é novidade para mim.

— É o mesmo estandarte que se vê por cima das docas, Arutha — disse Martin, apontando em direção à cidade distante.

— Aquele estandarte jamais foi visto antes no Mar Amargo — declarou o Príncipe em voz baixa, e ganhou uma expressão sinistra ao dizer: — Até que eu diga o contrário, somos mercadores nataleses e não mais do que isso.

— A quem pertence aquele estandarte? — questionou Amos.

— Trata-se do estandarte da segunda casa mais antiga do Reino — respondeu Arutha, agarrando-se à amurada. — Anuncia a presença em Krondor de meu primo distante, Guy, Duque de Bas-Tyra.

6

Krondor

A estalagem estava cheia.

Amos conduziu Arutha e Martin pelo salão comum até uma mesa vazia perto da lareira. Fragmentos de conversa chegavam aos ouvidos de Arutha enquanto ocupavam os seus lugares. Após um exame mais atento, o ambiente no salão era mais contido do que parecera inicialmente.

A cabeça de Arutha estava confusa. Os planos que fizera para garantir a ajuda de Erland tinham sido esmagados poucos minutos depois de chegar ao porto. Por todo o lado, havia sinais de que Guy du Bas-Tyra não era um mero convidado em Krondor, mas detinha o poder absoluto. Homens da guarda seguiam oficiais vestidos com as cores preta e dourada de Bas-Tyra e o estandarte de Guy esvoaçava em todas as torres da cidade.

Quando uma garota desleixada que servia as mesas se aproximou, Amos pediu três canecas de cerveja e aguardaram em silêncio. Assim que a criada se afastou, o Capitão disse:

— A partir de agora, temos de ter cautela.

A expressão de Arutha não se alterou.

— Quando poderemos voltar ao mar?

— Daqui a algumas semanas, três, pelo menos. O casco precisa ser consertado e a carlinga, reparada da forma certa. A demora dependerá dos carpinteiros navais. O inverno é uma época complicada: os mercadores que só navegam com tempo bom içam agora os navios para estarem prontos na primavera. Irei procurar ajuda logo pela manhã.

— Isso levará muito tempo. Se for preciso, compre outro.

Amos ergueu uma sobrancelha.

— Você tem dinheiro?

— No meu baú, a bordo. — Com um sorriso sinistro, acrescentou: — Os tsurani não são os únicos fazendo jogos políticos nesta guerra. Para muitos dos nobres em Krondor e no Oeste, a guerra é um acontecimento distante, quase inimaginável. Já acontece há quase nove anos e tudo que veem são mensagens. E os nossos leais mercadores do Reino não doam suprimentos e embarcações por amor ao Rei Rodric. Meu ouro serve para termos garantia de que suportaremos parte do custo de levar soldados krondorianos para Crydee, tanto com as despesas quanto com os subornos.

— Muito bem — disse Amos —, mas, ainda assim, demorará uma ou duas semanas. Não é comum entrar em uma agência mercante e dar ouro pelo primeiro navio que nos mostrarem, não se você quiser passar despercebido. Além disso, grande parte dos navios vendidos não vale grande coisa. Levará tempo.

— Para não falar dos Estreitos — acrescentou Martin.

— É verdade — concordou Amos —, embora pudéssemos dar uma volta agradável subindo a costa até Sarth e esperar o momento certo para atravessá-los.

— Não — disse Arutha. — Sarth faz parte do Principado. Se Guy estiver controlando Krondor, haverá agentes e soldados lá. Só estaremos seguros fora do Mar Amargo. Atrairemos menos atenção em Krondor do que em Sarth: aqui, forasteiros são habituais.

Amos olhou demoradamente para Arutha, até dizer:

— Olhe, não digo que o conheço tão bem quanto a outros homens que já encontrei, mas não acho que esteja tão preocupado com sua pele quanto com outra coisa.

Arutha olhou ao redor do salão.

— É melhor falarmos disso em um lugar menos público.

Com um som entre um suspiro e um gemido, Amos ergueu-se da cadeira.

— A Sossego do Marinheiro não é onde eu preferiria ficar, mas servirá aos nossos propósitos. — Avançou até o comprido balcão e falou demoradamente com o estalajadeiro. O pesado proprietário da estalagem apontou para o alto das escadas e Amos acenou com a cabeça. Fez sinal aos companheiros para que o seguissem, conduzindo-os através da multidão do salão comum, pelas escadas e por um longo corredor até a última porta. Abrindo-a, gesticulou para que entrassem.

Encontraram um quarto com pouco conforto. Quatro catres de palha estavam estendidos no chão. Uma grande caixa em um canto servia de armário comum. Uma lamparina rudimentar, um simples pavio flutuando em uma tigela de óleo, estava pousada em cima de uma mesa rústica; quando Martin do Arco a acendeu, expeliu um forte odor.

Amos fechou a porta ao mesmo tempo que Arutha dizia:

— Entendi o que você quis dizer sobre a escolha da estalagem.

— Já dormi em lugares piores — respondeu Amos, acomodando-se em um dos catres. — Se quisermos manter nossa liberdade, é melhor escolhermos identidades aceitáveis. Por enquanto, iremos chamá-lo de Arthur. É parecido com o seu nome a ponto de servir como uma explicação aceitável caso alguém o chame pelo nome verdadeiro e você vire em resposta. Além disso, será mais fácil de lembrar.

Arutha e Martin sentaram-se e Amos prosseguiu:

— Arthur, acostume-se com esse nome, não sabe quase nada sobre andar em grandes cidades e isso é o dobro do que Martin sabe. Será melhor você se passar pelo filho de um nobre de menor importância, de um lugar remoto. Martin, você é um caçador das colinas de Natal.

— Eu consigo falar bem o idioma de lá.

Arutha quase sorriu.

— Deem a ele uma capa cinzenta e ele dará um belo patrulheiro. Como eu não falo a língua de Natal nem o idioma keshiano, serei o filho de um nobre de menor importância vindo do Leste em busca de alguma diversão. Poucos em Krondor conhecem sequer metade dos barões do Leste.

— Desde que não seja um barão que viva perto de Bas-Tyra. Com tantos tabardos negros espalhados por aqui, seria ótimo esbarrar em um suposto primo entre os oficiais de Guy.

O semblante de Arutha ficou carregado.

— Você tinha razão a respeito das minhas preocupações, Amos. Não deixarei Krondor até descobrir exatamente o que Guy faz por aqui e o que isso significa para a guerra.

— Mesmo que encontre um navio amanhã — disse Amos —, o que é improvável, você ainda terá bastante tempo para andar por aí espreitando. É possível que venha a descobrir mais do que deseja saber. A cidade é um péssimo lugar para segredos. Os informantes estarão no mercado, e qualquer habitante da cidade saberá lhe contar com bastante precisão o que está acontecendo. Lembre-se de manter a boca fechada e os ouvidos atentos. Os informantes vão lhe vender o que você deseja saber, em seguida, darão meia-volta tão depressa que você ficaria tonto de ver e vão vender para os guardas informações sobre as perguntas que você lhes fez. — Amos espreguiçou-se, dizendo: — Ainda é cedo, mas creio que deveríamos comer uma refeição quente para nos deitarmos logo. Temos muitas voltas para dar. — Dito isso, levantou-se e abriu a porta, e os três homens regressaram ao salão comum.

Arutha mastigava uma torta de carne quase fria. Abaixando a cabeça, forçou-se a continuar engolindo aquela coisa gordurosa. Recusou-se a pensar no que havia dentro da crosta empapada, embora o mercador afirmasse ser carne de vaca e de porco.

Lançando um olhar de soslaio à praça movimentada, Arutha examinou os portões que davam para o palácio do Príncipe Erland. Quando terminou de comer, aproximou-se depressa de uma barraca de cerveja, pedindo uma caneca grande para tirar o gosto ruim da boca. Durante a última hora, andara, aparentemente sem objetivo, de barraca em barraca, comprando isso e aquilo, fazendo-se passar pelo filho de um nobre de menor importância. Muito descobriu nesse tempo.

Avistou Martin e Amos chegando, quase uma hora antes do horário marcado. Ambos estavam de cara fechada e olhavam nervosos para todos os lados. Sem uma palavra, Amos fez sinal para que os seguisse quando passaram por ele. Abriram caminho pela multidão do final da manhã e se afastaram depressa da região da praça central. Chegando a uma área de aspecto menos hospitaleiro, mas não menos movimentada, prosseguiram até o Capitão gesticular para que entrassem em um dos edifícios.

Assim que atravessaram a porta, Arutha foi recebido por uma atmosfera quente e fumegante, e um serviçal veio recebê-los.

— Banhos públicos? — indagou Arutha.

Sem rir, Amos explicou:

— Precisa tirar um pouco do pó da estrada, Arthur. — Ao serviçal, disse: — Um banho de vapor para nós três.

O homem os levou até um vestiário, entregando a cada um uma toalha áspera e um saco de lona para colocarem seus pertences. Despiram-se, colocaram as toalhas ao redor da cintura e levaram a roupa e as armas nos sacos até a sala de banho.

A grande sala era completamente coberta de azulejos, ainda que as paredes e o chão estivessem manchados e com partes verdes. O ar era abafado e fétido. Um menino seminu estava agachado no centro da sala, junto ao leito de pedras que fornecia o vapor. Colocava lenha alternadamente no enorme braseiro sob as pedras, despejando água por cima, o que gerava nuvens gigantes de vapor.

Ao se sentarem em um dos bancos, no canto mais distante da sala, Arutha perguntou:

— Por que uma casa de banhos?

— A nossa estalagem tem paredes *muito* finas — sussurrou Amos. — E muitos negócios são realizados em lugares como este; logo, três homens sussurrando em um canto não serão motivo de atenções indevidas. — Gritou ao menino: — Você aí, garoto, vá pegar vinho fresco, depressa. — Amos atirou uma moeda de prata ao menino, que a apanhou em pleno voo. Como ele ficou parado, Amos atirou outra e o menino saiu correndo. Suspirando, Amos disse: — O preço do vinho fresco duplicou desde a última vez que estive aqui. Ficarei ausente por algum tempo, mas não muito.

— Do que se trata? — perguntou Arutha, sem se esforçar para esconder seu desagrado. A toalha coçava, a sala fedia e o Príncipe duvidava que sairia dali mais limpo do que se tivesse ficado na praça.

— Martin e eu temos notícias inquietantes.

— Eu também. Já sei que Guy é Vice-Rei em Krondor. O que mais descobriram?

— Ouvi uma conversa que me fez acreditar que Guy prendeu Erland e a família no palácio — disse Martin.

Arutha estreitou os olhos e a sua voz ganhou um tom grave e zangado:

— Nem mesmo Guy se atreveria a ferir o Príncipe de Krondor.

— Ele se atreveria se tivesse a permissão do Rei — retorquiu Martin. —Sei pouco dos problemas entre o Rei e o Príncipe, mas é óbvio que Guy agora está no poder em Krondor e age com a permissão do Rei, talvez até com a sua bênção. Lembro-me de você ter me contado a respeito da advertência de Caldric da última vez que esteve em Rillanon. Talvez a doença do Rei tenha se agravado.

— Loucura, para sermos claros — retrucou Arutha.

— Para complicar ainda mais a situação em Krondor — prosseguiu Amos —, parece que estamos em guerra contra o Grande Kesh.

— O quê? — exclamou Arutha.

— É um rumor, nada mais. — Amos falou em voz baixa, mas depressa. — Antes de encontrar Martin, eu me enfiei em uma casa de prazer, não muito longe das casernas da guarnição. Ouvi uns soldados de licença que diziam estar de partida para uma campanha quando o dia raiasse. Quando o atual objeto de paixão do soldado lhe perguntou quando voltaria a vê-lo, ele disse: “O tempo que levarmos para marchar até o vale e voltar de lá, se a sorte nos acompanhar”, e nessa hora invocou o nome de Ruthia, para que a Senhora da Boa Sorte não encarasse com maus olhos a menção feita ao seu domínio.

— O vale? — indagou Arutha. — Isso só pode significar uma campanha no Vale dos Sonhos. Kesh deve ter atacado a guarnição de Shamata com uma força expedicionária de infantaria. Guy não é tolo. Sabe que a única resposta possível é um ataque rápido e firme de Krondor, para mostrar à Imperatriz do Grande Kesh que ainda somos capazes de defender a nossa fronteira. Quando os infantes forem expulsos para o sul do vale, teremos outra rodada de conversações inúteis de tratados sobre quem tem direito sobre o quê. Isso significa que, mesmo que Guy estivesse disposto a ajudar Crydee, o que duvido muito, não poderia fazê-lo. Não há tempo para tratar de Kesh, regressar e chegar a Crydee na primavera ou mesmo no início do verão. — Praguejou. — São péssimas notícias, Amos.

— Ainda tem mais. Hoje bem cedo me dei ao trabalho de ir visitar o navio, para me certificar de que Vasco tem tudo sob controle e que os homens não estavam muito irritados por não poderem desembarcar. O nosso navio está sendo vigiado.

— Tem certeza?

— Tenho. Há dois garotos por lá, fingindo que consertam uma rede, mas não fazem trabalho nenhum. Observaram com atenção quando eu remei até lá e voltei.

— Quem você acha que são?

— Nem imagino. Podem ser homens de Guy ou homens ainda leais a Erland. Podem ser agentes do Grande Kesh, contrabandistas, até Zombadores.

— Zombadores? — perguntou Martin.

— A Guilda dos Ladrões — respondeu Arutha. — Não há nada que aconteça em Krondor sem o conhecimento do líder deles, o Justo.

— Essa personagem misteriosa lidera os Zombadores com um punho mais firme do que o de um capitão sobre a sua tripulação — disse Amos. — Há lugares na cidade onde nem sequer o Príncipe consegue chegar, mas não há lugar em Krondor que não esteja ao alcance do Justo. Se ele está interessado em nós, seja por que motivo for, temos muito a temer.

A conversa foi interrompida pelo retorno do menino. Trazia um jarro de estanho de vinho fresco e três taças.

— Vá até o vendedor de incenso aqui perto, garoto — ordenou Amos. — Este lugar fede. Compre algo adocicado para jogar no fogo.

O menino fitou-o com um ar um pouco desconfiado, acabando por encolher os ombros quando Amos lhe atirou outra moeda. Saiu da sala correndo e Amos disse:

— Ele não vai demorar e não tenho mais razões para mandá-lo sair. De qualquer forma, logo este lugar vai estar repleto de mercadores para tomar o banho de vapor da tarde. Quando o garoto voltar, bebam um pouco do vinho, tentem relaxar e saiam logo. Agora, no meio de toda essa confusão desanimadora, resta um raio de esperança.

— Então vamos ouvir do que se trata — disse Arutha.

— Em breve, Guy vai deixar a cidade.

Arutha apertou os olhos.

— De qualquer forma, deixará os seus homens no comando. Mesmo assim, isso me consola um pouco. Poucas pessoas em Krondor me reconhecerão, pois já se passaram quase nove anos desde que estive aqui, e grande parte dessa gente provavelmente desapareceu com o Príncipe. Além disso, tenho pensado em um plano. Com Guy ausente de Krondor, terei mais chances de ser bem-sucedido.

— Qual plano? — perguntou Amos.

— Vou contar depois que tiver mais tempo para pensar a respeito. Onde poderemos nos reunir em segurança?

Amos refletiu.

— Bordéis, casas de drogas e casas de jogos são tão ruins quanto a estalagem. Das duas, uma: ou os Zombadores controlam esses locais e reparam em todas as pessoas que entram e saem, ou há outras pessoas lá à procura de informações para vender. Se alguém ouvir a frase errada, os Zombadores ou os guardas da cidade cairão em cima de você em questão de minutos. — Ficou calado por alguns instantes. Depois, sorriu. — Lembrei-me do lugar ideal! Quando a sentinela da cidade tocar o sino das horas, duas horas após o pôr do sol, encontre-se comigo na extremidade leste da Praça dos Templos.

O garoto voltou, atirando um pequeno pacote de incenso no fogo, o que interrompeu a conversa. Arutha recostou-se e bebeu o vinho fresco, que esquentava rapidamente com o calor da sala de vapor. Fechou os olhos, mas não conseguiu relaxar enquanto pensava na situação. Pouco depois, começou a sentir que o seu plano talvez desse certo se conseguisse chegar a Dulanic. Impaciente, foi o primeiro a se levantar, lavar-se, vestir-se e partir.

Arutha aguardou por Martin e Amos, que atravessavam a Praça dos Templos vindos de diferentes zonas da cidade. De todos os lados erguiam-se os templos dos deuses maiores e menores. Em vários, era grande a agitação de peregrinos e adoradores que entravam e saíam, enquanto outros estavam praticamente desertos.

— Como passou esta tarde? — disse Amos, aproximando-se do Príncipe.

— Ocupei o meu tempo em uma taverna, pensando com os meus botões — respondeu Arutha com serenidade. — Ainda assim, ouvi uma conversa a respeito de Erland, mas, quando tentei me aproximar, as pessoas se afastaram. De resto, pensei no plano de que falei.

— Escolheu um lugar de mau agouro, Amos — disse Martin após olhar ao redor. — Neste lado estão reunidos os deuses e deusas das trevas e do caos.

Amos encolheu os ombros.

— O que significa menos viajantes por perto quando a noite cai. Além de uma visão perfeita caso alguém se aproxime. — A Arutha, disse: — Então, que plano é esse?

— Esta manhã, reparei em dois detalhes: a guarda pessoal de Erland continua patrulhando os terrenos do palácio, logo o controle de Guy deve ter limites — explicou Arutha em voz baixa e depressa. — Em segundo lugar, vários membros da corte de Erland entraram e saíram sem grandes restrições, de modo que uma grande parte dos assuntos diários relativos ao governo do Reino Ocidental deve permanecer inalterada.

Amos afagou o queixo, pensativo.

— Faz sentido. Guy trouxe com ele o exército, mas não os administradores. Esses continuam a administrar Bas-Tyra.

— O que significa que Lorde Dulanic e outros que não sejam muito solidários a Guy talvez ainda possam nos ajudar. Se Dulanic ajudar, talvez a minha missão seja bem-sucedida.

— Como assim? — perguntou Amos.

— Como Marechal da Corte de Erland, Dulanic controla as guarnições subordinadas a Krondor. Bastaria a sua assinatura para chamar às fileiras as guarnições do Vale de Durrony e da Cruz de Malac. Se lhes ordenasse que marchassem até Sarth, poderiam se juntar a essa guarnição e embarcar para Crydee. Seria uma marcha dura, mas ainda conseguiríamos fazê-los chegar a Crydee até a primavera.

— E também pouparia aflições a seu pai. Ia lhe contar: ouvi dizer que Guy enviou soldados da guarnição krondoriana para auxiliar o seu pai.

— Isso parece estranho. Não consigo imaginar Guy querendo auxiliar o meu pai — comentou Arutha.

Amos sacudiu a cabeça.

— Não é tão estranho assim. O seu pai achará que Guy foi enviado pelo Rei somente para ajudar Erland, pois desconfio que os rumores de que Erland está preso no próprio palácio ainda não se espalharam. Além disso, é um belo pretexto para que a cidade fique sem oficiais e homens leais ao Príncipe. Ainda assim, trata-se de uma grande dádiva ao seu pai. Pelo que apurei, já partiram ou estão de partida rumo ao norte quase quatro mil homens. Talvez seja o suficiente para enfrentar os tsurani caso ataquem o Duque.

— E no caso de atacarem Crydee? — perguntou Martin.

— Para isso, precisamos buscar ajuda. Precisamos entrar no palácio e procurar Dulanic.

— Como? — perguntou Amos.

— A minha esperança era você ter alguma sugestão.

Amos abaixou os olhos, dizendo em seguida:

— Conhece alguém no palácio em quem possa confiar?

— Antes, eu poderia mencionar uma dúzia, mas esta situação me faz duvidar de todo mundo. Não consigo sequer imaginar quem possa estar do lado do Vice-Rei e quem possa estar do lado do Príncipe.

— Sendo assim, temos de bisbilhotar mais um pouco. E temos de prestar atenção em notícias a respeito de navios que possam servir para transportar as tropas. Assim que conseguirmos alugar alguns, tentaremos tirá-los rapidamente de Krondor, um ou dois de cada vez, com intervalos de alguns dias. Precisaremos de pelo menos vinte para levar os homens de três guarnições. Partindo do princípio de que você consiga obter o apoio de Dulanic, o que nos traz de volta à questão sobre o acesso ao palácio. — Amos praguejou em voz baixa. — Tem certeza de que não quer desistir disso e se tornar corsário? — A expressão de Arutha mostrou claramente que não estava achando graça. — Amos suspirou. — Achei mesmo que não.

— Você parece conhecer bem o lado marginal da cidade, Amos — disse Arutha. — Use a sua experiência para descobrir uma forma de nos infiltrar no palácio, nem que seja pelo esgoto. Estarei atento caso veja algum dos homens de Erland passar pela praça central. Martin, mantenha os ouvidos alertas.

— Entrar no palácio é um plano arriscado e não me importo de dizer que não gosto das probabilidades — disse Amos, com um longo suspiro de resignação. Com o polegar, indicou um templo próximo. — Sou até capaz de dar um pulo no templo de Ruthia para pedir à Senhora da Boa Sorte que sorria para nós.

Arutha tirou uma moeda de ouro da bolsa e atirou-a para Amos.

— Faça uma oração à Senhora por mim. Vejo vocês mais tarde na taverna.

Arutha avançou a passos largos para a escuridão e Amos inclinou a cabeça para o templo da Deusa da Sorte.

— Não quer fazer uma oferenda, Martin?

O silêncio da noite foi interrompido por trombetas que chamavam os homens às armas. Arutha foi o primeiro a chegar à janela, afastando as persianas de madeira e olhando para a rua. Com grande parte da cidade adormecida, eram poucas as luzes que ocultavam o brilho a leste. Amos chegou ao lado de Arutha, com Martin logo atrás, e este disse:

— Fogueiras, centenas delas. — O Mestre de Caça olhou para o céu, observando a posição das estrelas no firmamento límpido, para depois afirmar: — Faltam duas horas para o amanhecer.

— Guy está preparando o exército para marchar — disse Arutha calmamente.

Amos debruçou-se na janela. Esticando o pescoço, conseguiu entrever o porto. A distância, viu homens embarcando nos navios.

— Parece que também estão preparando os navios.

Arutha apoiou as duas mãos na mesa junto à janela.

— Guy vai enviar a infantaria por mar, descendo a costa e entrando no Mar dos Sonhos, até Shamata, enquanto a cavalaria avança para o sul. A infantaria chegará à cidade bem descansada para ajudar a reforçar a defesa e os cavalos vão por terra para que não estejam indispostos devido à viagem por mar. Chegarão com uma diferença de poucos dias.

Como que para comprovar suas palavras, do leste chegou o som de homens marchando. Passados poucos minutos, avistaram a primeira companhia de infantaria de Bas-Tyra. Arutha e os companheiros os observaram passar pelo portão aberto do pátio da estalagem. As lanternas conferiam aos soldados um aspecto estranho e sobrenatural ao marcharem em colunas rua abaixo. Caminhavam em cadência, com os estandartes da águia dourada esvoaçando por cima de suas cabeças.

— São tropas bem disciplinadas — disse Martin.

— Guy pode ser muitas coisas, a maioria delas desagradável, mas não se pode negar uma coisa: é o melhor general do Reino — disse Arutha. — Até meu pai é forçado a admitir, ainda que não tenha nada de bom a dizer sobre ele. Se eu fosse Rei, enviaria os exércitos do leste sob o seu comando para enfrentar os tsurani. Por três vezes Guy marchou contra Kesh e nas três vezes os arrasou. Se os keshianos não sabem que ele veio para o oeste, a mera visão de seu estandarte no campo de batalha deve bastar para levá-los à mesa do tratado de paz, pois o temem e o respeitam. — A voz de Arutha ganhou um tom pensativo. — Mas há outra coisa. Quando Guy se tornou Duque de Bas-Tyra, sofreu algum tipo de desonra pessoal, meu pai nunca me contou o que foi exatamente, e, a partir daí, começou a se vestir de preto, como uma espécie de emblema, o que lhe valeu o nome de Guy, o Negro. Esse tipo de coisa requer um tipo incomum de coragem. Digam o que disserem sobre Guy du Bas-Tyra, mas ninguém lhe chamará de covarde.

Enquanto os soldados continuavam a passar embaixo, Arutha e os companheiros contemplavam em silêncio. Até que, com o sol levantando-se ao leste, os soldados desapareceram nas ruas que levavam ao porto.

Na manhã seguinte à marcha do exército de Guy, foi anunciado o isolamento da cidade, o fechamento dos portões a todos os viajantes e o bloqueio do porto. Arutha pensou ser uma prática habitual, para evitar que agentes keshianos saíssem da cidade em uma chalupa rápida ou em um cavalo veloz para levar a notícia da marcha das tropas de Guy. Em uma das visitas ao *Vento da Aurora*, Amos examinou o bloqueio do porto e descobriu que não era muito rigoroso, pois Guy ordenara que grande parte da frota se afastasse da costa, preparada para uma emboscada no mar, atentos à chegada de alguma flotilha keshiana, caso Kesh descobrisse que a cidade estava desguarnecida. Krondor passou a ser patrulhada pela guarda da cidade trajando as cores de Guy, pois os últimos soldados krondorianos tinham partido para o norte. Corria o rumor de que Guy também enviaria a guarnição de Shamata para a frente de combate assim que se iniciasse a batalha com Kesh, deixando todas as guarnições do Principado ocupadas por soldados leais a Bas-Tyra.

Arutha passava a maior parte de seu tempo em tavernas, locais de negócios e nos mercados ao ar livre que tinham a maior probabilidade de serem frequentados pelos habitantes do palácio. Amos perambulava pela região das docas ou pelos setores mais duvidosos da cidade, especialmente pelo Bairro Pobre, nos quais começara a inquirir com discrição quanto à disponibilidade de navios. Martin fazia uso de sua aparência de simples habitante das florestas para entrar em qualquer local que parecesse promissor.

Assim se passou quase uma semana, sem que conseguissem descobrir novas informações. Até que, no final do sexto dia após a partida de Guy, Arutha ouviu Martin chamá-lo no meio da movimentada praça.

— Arthur! — bradou o caçador ao correr para Arutha. — Melhor vir depressa. — Partiu em direção ao cais e à estalagem Sossego do Marinheiro.

Já na estalagem, encontraram Amos no quarto, descansando em seu catre antes da habitual saída à noite pelo Bairro Pobre. Assim que a porta se fechou, Martin disse:

— Acho que eles já devem saber da presença de Arutha em Krondor.

Amos levantou-se de um pulo, enquanto Arutha balbuciava:

— O quê? Como...?

— Entrei em uma taverna próxima à caserna, antes da refeição do meio-dia. Com o exército fora da cidade, havia pouco movimento. Um homem entrou quando eu me preparava para sair. Era um escriba do quartel-general da cidade, que parecia prestes a explodir com um boato e precisava de alguém a quem contar. Com a ajuda de um pouco de vinho, fiz a sua vontade, passando-me por um camponês simplório e demonstrando respeito por uma pessoa tão importante. Foram três as novidades que esse homem me contou. Lorde Dulanic desapareceu de Krondor, na noite da partida de Guy. Dizem que se retirou para propriedades desconhecidas ao norte, agora que Guy é Vice-Rei, embora o escriba não ache provável. A segunda notícia foi a morte de Lorde Barry.

O rosto de Arutha ficou em choque.

— O Lorde-Almirante do Príncipe morreu?

— Esse homem me disse que Barry morreu em circunstâncias misteriosas, ainda que não haja qualquer comunicado oficial previsto. O comando da frota krondoriana foi dado a um lorde do Leste, um tal de Jessup.

— Jessup é homem de confiança de Guy — disse Arutha. — Comandou as esquadras de Bas-Tyra na frota do Rei.

— Por último, o homem fez questão de mostrar que sabia de um segredo sobre a procura de alguém a quem chamou simplesmente de "parente real do Vice-Rei".

Amos praguejou.

— Não sei como, mas alguém o reconheceu. Com Erland e a família praticamente cativos no palácio, são poucas as chances de outro primo real andar vagando por Krondor nos últimos dias, a menos que você tenha alguns por aí que não nos contou.

Arutha ignorou o humor sem graça do marinheiro. Enquanto Martin do Arco contava sua história, todos os seus planos para ajudar Crydee tinham sido reduzidos a cinzas. A cidade se encontrava sob controle daqueles que eram leais a Guy ou indiferentes a quem governava em nome do Rei. Não havia ninguém na cidade a quem pudesse recorrer e o fracasso em levar ajuda para a sua terra era amargo.

— Então não vejo outra solução a não ser regressarmos a Crydee o quanto antes — afirmou em voz baixa.

— Isso pode não ser tão fácil — contrapôs Amos. — Há outras coisas estranhas acontecendo. Estive em lugares onde é normal entrar em contato com aqueles necessários para uma ou outra tarefa menos honesta, mas por todo lado onde perguntei, discretamente, não tenha dúvida, só recebi o mais absoluto silêncio. Se eu não conhecesse tão bem este mundo, seria capaz de jurar que o Justo encerrou as atividades e que todos os Zombadores estão agora a serviço do exército de Guy. Nunca vi tantos empregados de balcão mudos, prostitutas ignorantes, mendigos mal informados e apostadores de boca fechada. Não é preciso ser um gênio para ver que a mensagem se espalhou. Ninguém deve falar com forasteiros, não importa o quão promissora seja a transação apresentada. Por isso, não vale a pena procurarmos ajuda para sair da cidade e, se os agentes de Guy sabem que você está em Krondor, não levantarão o bloqueio nem abrirão os portões até o encontrarem, por mais alto que os mercadores berrem.

— Estamos presos em uma armadilha — concordou Martin.

— No entanto, caso os homens de Guy apenas desconfiem de que estou em Krondor, poderão se cansar de procurar.

— É verdade — concordou Amos —, e, passado algum tempo, os Zombadores também poderão acabar falando. Caso concordem em nos ajudar, por um valor substancial, sem dúvida, teremos um auxílio poderoso para sair da cidade.

Arutha cerrou o punho e deu um murro no catre onde estava sentado.

— Maldito Bas-Tyra. Eu teria gosto em matá-lo neste exato momento. Além de pôr o Oeste em perigo, ele arrisca uma divisão ainda maior entre os dois reinos ao colocar a sua bandeira no Principado. Se acontecer alguma desgraça a Erland e à sua família, é quase certo que acontecerá uma guerra civil.

Amos sacudiu a cabeça devagar.

— Esta é uma missão arruinada, e você não tem culpa, Arutha — suspirou. — Seja como for, não podemos entrar em pânico. O nosso amigo Martin pode ter compreendido mal o último comentário do escriba, ou o homem pode ter dito aquilo simplesmente por dizer. Temos de ter cuidado, mas não podemos sair correndo. Se você desaparecesse por completo, alguém poderia reparar. Por enquanto, o melhor é você ficar perto da estalagem, mas não deixe de fazer o que tem feito. Continuarei as minhas tentativas de encontrar alguém que possa nos tirar da cidade; que sejam os contrabandistas, se não forem os Zombadores.

— Não tenho fome, mas temos comido no salão comum todas as noites — disse Arutha se levantando. — Acho que é melhor descermos para o jantar.

Amos fez sinal para que voltasse para o catre.

— Fique mais um pouco. Vou correndo até as docas ver como está o navio. Se o escriba de Martin não estava apenas inventando histórias, certamente irão fazer buscas nos navios do porto. É melhor avisar Vasco e a tripulação, para estarem preparados para saltar amurada afora, caso necessário, e para ele encontrar um local seguro para guardar o seu baú. O navio só deve ser içado para os reparos daqui a uma semana, por isso temos de agir com cuidado. Já atravessei bloqueios em outras ocasiões. Não gostaria de arriscar fazê-lo com um casco vazando como o do *Vento da Aurora*, mas se não encontrar outro navio... — Na porta, virou-se para Arutha e Martin. — Estamos no meio de uma tempestade assustadora, rapazes, mas já passamos por piores.

Arutha e Martin estavam sentados em silêncio quando Amos entrou no salão. O marinheiro puxou uma cadeira e pediu uma cerveja e um prato. Depois de ser servido, disse:

— Está tudo arranjado. O seu baú estará em segurança enquanto o navio estiver ancorado.

— Onde o escondeu?

— Está envolto em um oleado e bem amarrado à âncora.

Arutha pareceu impressionado.

— Debaixo d'água?

— Você pode comprar roupas novas. Ouro e joias não enferrujam.

— Como estão os homens? — perguntou Martin.

— Resmungando por ficarem mais uma semana no porto e ainda continuarem a bordo, mas são bons rapazes.

A porta da estalagem se abriu e entraram seis homens. Cinco se sentaram junto à porta, enquanto o sexto ficou em pé examinando o salão.

— Estão vendo aquele camarada com cara de ratazana que acabou de se sentar? — sibilou Amos. — É um dos rapazes que têm vigiado as docas na última semana. Parece que fui seguido.

O homem que permaneceu de pé localizou Amos e aproximou-se da mesa. Era um homem de aspecto simples, de rosto franco. Tinha o cabelo louro avermelhado solto ao redor da cabeça e usava a roupa habitual dos marinheiros. Segurava um gorro de lã e sorria para os três homens.

Amos fez um aceno com a cabeça e o homem disse:

— Se você é o Capitão do *Vento da Aurora*, gostaria de falar com você.

Amos franziu a testa, mas nada disse. Indicou a cadeira livre e o homem sentou-se.

— Chamo-me Radburn. Procuro trabalho, Capitão.

Amos olhou em volta, vendo os homens de Radburn fingindo não estarem prestando atenção ao que acontecia naquela mesa.

— Por que no meu navio?

— Já tentei outros. Todos têm a tripulação completa. Pensei em lhe perguntar.

— Quem foi o seu capitão anterior e por que não está mais a serviço dele?

Radburn riu, produzindo um som amigável.

— Bom, a última vez que naveguei foi com uma companhia de barqueiros, que levavam mercadorias dos navios para o porto. Fiquei fazendo isso durante um ano. — Calou-se quando a criada se aproximou. Amos mandou vir outra rodada de cerveja e, quando Radburn viu que tinha uma caneca à frente, agradeceu: — Obrigado, Capitão. — Deu um gole demorado e limpou a boca nas costas da mão. — Antes de ficar encalhado, naveguei com o Capitão John Avery, a bordo do *Bantamma*.

— Conheço o Pequeno Galo, e John Avery, embora não o veja desde que estive em Durbin pela última vez, há cinco ou seis anos.

— Bem, bebi um pouco de mais e o capitão disse que não queria ninguém que bebesse no navio dele. Não bebo mais do que qualquer outro homem, Capitão, mas conhece a reputação do Mestre Avery, um seguidor abstêmio de Sung, o Branco.

Amos olhou para Martin e Arutha, mas nada disse.

— São seus oficiais, Capitão? — perguntou Radburn.

— Não, são sócios. — Quando percebeu que Amos não iria acrescentar mais nada, Radburn não insistiu no tópico das identidades. — Chegamos à cidade há pouco mais de uma semana e tenho andado ocupado com assuntos pessoais — disse Amos por fim. — Há novidades?

Radburn encolheu os ombros.

— A guerra continua. Bom para os mercadores, ruim para o resto. Agora, há a questão com Kesh. Antes, os problemas eram na Costa Extrema, agora...

Krondor pode deixar de ser um lugar tão bom se o Vice-Rei não enxotar os cães de Kesh para a terra deles. Além disso, há os boatos habituais... — Olhou ao redor, como se estivesse à procura de alguém que pudesse ouvi-los — ... e outros mais estranhos.

Amos levou a caneca aos lábios sem dizer nada.

— Desde a chegada do Vice-Rei — continuou Radburn em voz baixa —, as coisas estão diferentes em Krondor. Um homem honesto já não pode andar na rua em segurança, com os traficantes de escravos de Durbin de um lado para outro e os bandos de recrutamento forçado, que são quase tão ruins quanto os outros. É por isso que preciso de um navio, Capitão.

— Bandos de recrutamento forçado! — explodiu Amos. — Há trinta anos que não se via um bando de recrutamento forçado na cidade.

— Pois é, mas a situação mudou de novo. Se você ficar um pouco embriagado e não encontrar um lugar seguro para passar a noite, os bandos de recrutamento chegam e o jogam nas masmorras. Isso não está certo, não senhor. Ninguém tem o direito de despachar um homem para a frota do Lorde Jessup por sete anos, só porque o achou entre navios. Sete anos perseguindo piratas e combatendo as galés de guerra queguianas!

Amos estreitou os olhos.

— Como Guy passou a governar Krondor? Ouvimos histórias, mas parecem confusas.

Radburn acenou com a cabeça.

— Tem razão, Capitão. É confuso. Há um mês, Lorde Guy chegou a cavalo com o seu exército atrás, bandeiras tremulando, tambores rufando e todo o resto. O Príncipe, dizem por aí, recebeu-o de braços abertos e o tratou muito bem, mesmo com Bas-Tyra trazendo o decreto do Rei que o nomeava Vice-Rei. O Príncipe até ajudou, dizem, até lhe chegar aos ouvidos o assunto dos bandos de recrutamento forçado. — Baixando ainda mais a voz, acrescentou: — Ouvi dizer que, quando se queixou, Guy o trancou em seus aposentos. Devem ser uns quartos muito bons, mas são iguais a uma cela se não puder sair de lá. Foi o que ouvi.

Arutha ficou tão indignado com a história que estava quase fazendo algum comentário, mas Amos agarrou-lhe o braço, advertindo-o para que ficasse calado, e disse:

— Bem, Radburn, tenho sempre trabalho para um bom homem que tenha estado ao serviço de John Avery. Façamos assim: ainda tenho de ir ao barco esta noite e tenho alguns pertences no meu quarto que quero levar para lá. Venha comigo e me ajude a levá-los.

Amos levantou-se e, sem dar tempo ao homem para fazer objeções, agarrou-o pelo braço e levou-o até as escadas. Arutha olhou de relance para o grupo que entrara com Radburn. Por um momento, pareciam não estar vendo o que estava acontecendo do outro lado do salão apinhado, enquanto Amos levava Radburn escada acima, com Arutha e Martin logo atrás.

Amos empurrou Radburn pelo corredor e, assim que atravessaram a porta do quarto, girou e deu um murro inesperado na barriga de Radburn, que se dobrou. Uma joelhada brutal no rosto e Radburn ficou estendido no chão, inconsciente.

— O que é isso? — perguntou Arutha.

— Este homem é um mentiroso. John Avery é um homem marcado em Kesh. Há vinte anos, traiu os capitães de Durbin para uma frota de ataque queguiana. Porém Radburn nem piscou quando eu disse que tinha visto Avery em Durbin há seis anos. Além disso, foi rápido demais em desrespeitar o Vice-Rei. A história dele fede como peixe de uma semana. Se sairmos com ele porta afora, não andaremos nem dois quarteirões e já teremos uma dúzia de homens ou mais sobre nós.

— Que vamos fazer? — disse Arutha.

— Temos de sair daqui. Os amigos dele não devem demorar a subir aquelas escadas. — Apontou para a janela. Martin ficou junto à porta enquanto Arutha rasgava a cortina de lona suja e abria as folhas de madeira da janela com um empurrão.

— Agora entendem porque escolhi este quarto — disse Amos. O telhado do estábulo se encontrava a menos de um metro abaixo do peitoril da janela.

Arutha saiu, seguido por Martin e Amos. Desceram com cuidado o telhado inclinado até chegarem à beirada. Arutha saltou para o chão, aterrissando com leveza, logo seguido por Martin. Amos caiu mais pesadamente, sofrendo apenas um ligeiro arranhão em sua dignidade.

Ouviram uma tosse e um palavrão e, ao olharem para cima, viram um rosto ensanguentado à janela. Radburn gritou:

— Estão no pátio! — Os três fugitivos correram para o portão.

— Devia ter lhe cortado o pescoço — praguejou Amos.

Correram para o portão e, ao saírem para a rua, Amos deu um puxão em Arutha. Um grupo de homens vinha correndo rua abaixo. O Príncipe e os companheiros fugiram no sentido oposto, escondendo-se em um beco escuro.

Correndo entre as paredes brancas de duas construções, cortaram por uma rua movimentada, derrubando vários carrinhos de mão, entrando em outro beco, seguidos pelas pragas dos donos dos carrinhos. Continuaram a correr, atentos aos sons da perseguição a curta distância, seguindo por um labirinto tortuoso de becos e ruas secundárias através da Krondor às escuras.

Dobrando uma esquina, viram-se em uma rua comprida e estreita, pouco mais do que uma travessa, com construções altas dos dois lados. Amos foi o primeiro a dobrar a esquina, gesticulando para que Arutha e Martin parassem.

— Martin, vá até a esquina e dê uma olhada — instruiu em voz baixa. — Arutha, vá até o outro lado. — Indicou um ponto onde se avistava uma luz tênue. — Ficarei ali de vigia. Se nos separarmos, corram para o navio. Será um esforço desesperado quebrar o bloqueio, mas, se conseguirem, façam Vasco ir a Durbin. O seu ouro comprará a proteção de que precisarão para que o navio seja consertado e para que possam regressar a Crydee. Agora, vão.

Arutha e Martin correram pela rua em direções opostas e Amos ficou para trás, de sentinela. De repente, ouviram-se gritos vindos da rua estreita e Arutha olhou para trás. No lado oposto, conseguiu distinguir a silhueta vaga de Martin lutando contra vários homens. O Príncipe ia já voltando, mas Amos gritou:

— Continue. Eu vou ajudá-lo. Vá!

Arutha hesitou, porém acabou retomando a corrida em direção à luz distante. Quando alcançou a esquina, já estava sem fôlego e quase escorregou ao parar em uma avenida movimentada e bem iluminada. Junto a carrinhos decorados com lanternas, os mascates vendiam os seus produtos a cidadãos que passeavam depois do jantar. O tempo estava ameno — parecia pouco provável que nevasse naquele inverno — e havia muita gente na rua. Pelas condições dos prédios e pelo estilo das pessoas que via, Arutha percebeu que se encontrava em uma parte mais próspera da cidade.

Avançou, forçando-se a caminhar sem pressa. Virou-se, fingindo apreciar as peças de vestuário de um vendedor quando vários homens surgiram da travessa de onde acabara de fugir. Puxou um manto de um vermelho berrante do meio de um monte de roupas, jogando-o nos ombros e pondo o capuz.

— Você aí, o que acha que está fazendo? — perguntou um velhote de rosto seco em um sussurro esganiçado.

Simulando uma voz nasalada, Arutha respondeu:

— Bom homem, espera que eu adquira uma peça de roupa sem experimentá-la?

Subitamente confrontado por um cliente, o homem mostrou uma amabilidade falsa:

— Oh, não, senhor, claro que não. — Olhando para Arutha com o manto mal talhado, disse: — Cai-lhe perfeitamente, senhor, e a cor combina muito bem, se me permite dizer.

Arutha olhou de relance para os homens que o perseguiam. Radburn estava parado na esquina, com sangue seco no rosto e o nariz inchado, mas ainda apto a liderar a busca. Arutha ajeitou o manto, uma coisa enorme e pesada que quase batia no chão.

— Acha mesmo? — perguntou Arutha, encenando uma futilidade espalhafatosa. — Não gostaria de aparecer na corte parecendo um vagabundo.

— Oh, na corte, senhor? É a roupa certa, ouça o que digo. Dá certa elegância à sua aparência.

— Quanto custa? — Arutha viu os homens de Radburn avançarem através da agitação da rua, alguns espreitando para dentro de todas as tavernas e vitrines, enquanto outros corriam para outros destinos. Surgiram mais alguns vindos da travessa e Radburn falou depressa. Colocou alguns para vigiar os que se encontravam na rua, virou-se e levou os restantes pelo mesmo caminho de onde tinham vindo.

— É o melhor tecido que se faz em Ran, senhor — afirmou o vendedor. — Foi trazido com muito custo da costa do Mar do Reino. Não posso vendê-lo por menos de vinte soberanos de ouro.

Arutha empalideceu e, por instantes, ficou tão chocado pelo preço ultrajante que quase perdeu a cabeça.

— Vinte! — Abaixou a voz, quando um membro do bando de Radburn passou e olhou para ele de relance. — Meu bom homem — disse, regressando à sua personagem —, preciso adquirir uma capa e não criar uma pensão para os seus netos. — O homem de Radburn virou-se e desapareceu na multidão. — Afinal, não passa de um simples manto. Creio que dois soberanos são mais do que suficientes.

O homem parecia abalado.

— O senhor quer me levar à miséria. Não posso imaginar me separar dessa peça por uma soma menor do que dezoito soberanos.

Negociaram por mais dez minutos e Arutha acabou levando a capa por oito soberanos e dois reais de prata. Foi o dobro do preço justo, mas os perseguidores tinham ignorado o homem que pechinchava com o vendedor ambulante, e valia a pena pagar até cem vezes mais para não chamar atenção.

Arutha ficou atento a sinais de que estava sendo observado enquanto avançava pela rua. Infelizmente, conhecia pouco de Krondor e não fazia ideia de onde estava depois da fuga. Permaneceu na parte mais movimentada da rua, aproximando-se de grupos com mais pessoas, procurando passar despercebido.

Arutha viu em uma esquina um homem que parecia estar apreciando a noite descontraidamente, embora fosse evidente que estava atento a quem passava. Olhou ao redor e viu uma taverna do outro lado da rua, indicada por uma tabuleta pintada com uma pomba branca. Atravessou a rua a passos rápidos, mantendo o rosto virado para o lado oposto do homem na esquina, e aproximou-se da entrada da taverna. Ao chegar à porta, uma mão agarrou a sua capa e Arutha girou, com a espada quase sacada da bainha. À sua frente estava um garoto com cerca de treze anos, vestindo uma simples túnica remendada e calças de homem cortadas nos joelhos. Tinha cabelos e olhos escuros e o seu rosto sujo mostrava um sorriso.

— Aí não, senhor — disse, com um tom alegre na voz.

Arutha voltou a embainhar a espada e assumiu a personagem anterior.

— Fora daqui, garoto. Não tenho tempo para pedintes nem alcoviteiros, mesmo os de baixa estatura.

O sorriso do rapaz aumentou.

— Se insiste, mas há dois deles aí dentro.

Arutha abandonou a pronúncia nasalada.

— Quem?

— Os homens que vieram atrás do senhor pela travessa.

Arutha olhou em volta. O garoto parecia estar sozinho.

— Do que está falando? — perguntou, olhando nos olhos dele.

— Vi bem como agiu. O senhor foi rápido. Mas eles estão cobrindo a área toda e o senhor não conseguirá passar por eles sozinho.

Arutha inclinou-se.

— Quem é você, garoto?

Com um meneio de cabeça que lhe agitou os cabelos desgrenhados, respondeu:

— Meu nome é Jimmy. Trabalho nas redondezas. Posso tirá-lo daqui. Por um preço, claro.

— O que o faz pensar que quero sair daqui?

— Não se faça de tolo como fez com o vendedor, senhor. Precisa fugir de alguém que provavelmente está disposto a me pagar se lhe mostrar onde o senhor está. Já tive problemas com Radburn e os seus homens, então simpatizo mais com o senhor do que com ele. Desde que consiga oferecer mais pela sua liberdade do que ele pela sua captura.

— Conhece Radburn?

Jimmy sorriu.

— Não da forma como gostaria, mas sim, já fizemos negócios.

Arutha ficou admirado pelo modo frio do garoto, algo que não esperaria dos meninos que conhecera em sua terra. Ali estava alguém experiente em negociar os atalhos traiçoeiros da cidade.

— Quanto?

— Radburn me pagará vinte e cinco ouros para encontrá-lo, cinquenta, se ele quiser muito a sua pele.

Arutha pegou a bolsa de moedas e a entregou ao garoto.

— Aí tem mais de cem soberanos, garoto. Tire-me daqui e leve-me até as docas e dobrarei o valor.

O garoto arregalou os olhos por um momento, sem deixar de sorrir.

— O senhor deve ter ofendido alguém muito importante. Venha comigo.

Ele saiu dali com tanta velocidade que Arutha quase o perdeu na multidão. O garoto se deslocava com a confiança da experiência através da turba, enquanto Arutha tinha de se esforçar para evitar esbarrar nas pessoas.

Jimmy o conduziu a uma viela, a vários quarteirões de distância. Mal tinham entrado na viela quando Jimmy disse:

— É melhor jogar essa capa fora. O vermelho não é a minha cor preferida quando quero passar despercebido. — Depois de Arutha ter atirado a capa dentro de um barril vazio, o menino continuou: — Não vão demorar a procurá-lo nas docas. Se alguém nos encontrar, você está por sua conta. No entanto, por mais aqueles cem ouros, tentarei levá-lo até lá.

Avançaram até o final da viela, aparentemente pouco usada, pelo enorme acúmulo de lixo e objetos abandonados: caixotes, mobília quebrada e artigos indefiníveis encostados nas paredes. Jimmy afastou um caixote, revelando um buraco.

— Isto deve bastar para nos afastar da rede de Radburn, pelo menos eu espero — disse o garoto.

Arutha descobriu que tinha de rastejar para conseguir seguir o garoto através da passagem diminuta. Pelo cheiro fétido do túnel, era óbvio que algo rastejara até ali e morrera havia pouco tempo. Como se tivesse lido o seu pensamento, Jimmy explicou:

— De vez em quando, jogamos aqui um gato morto. Assim ninguém vem meter o nariz.

— Jogamos? — perguntou Arutha.

Jimmy ignorou a pergunta e continuou andando. Pouco depois, saíram em outra viela atulhada de lixo. À entrada da viela, Jimmy fez sinal para que Arutha parasse e aguardasse. Avançou a passos rápidos pela rua escura, para logo regressar correndo.

— Os homens de Radburn. Deviam saber que o senhor iria se dirigir ao porto.

— Conseguiremos passar por eles?

— Nem pensar. Há mais deles aqui do que piolhos em um mendigo. — O garoto partiu na direção oposta pela rua na qual tinham entrado vindos da viela. Arutha o seguiu e Jimmy voltou a entrar em outro beco. Arutha esperava não ter feito um mau negócio ao confiar naquele menino de rua. Após alguns minutos andando, Jimmy parou. — Conheço um lugar onde poderá se esconder até conseguir encontrar mais alguém para ajudar a levá-lo ao seu navio. Mas terá de pagar mais do que cem.

— Leve-me ao meu navio antes do dia nascer e eu lhe darei o que quiser.

Jimmy sorriu.

— Sei pedir muito. — Contemplou Arutha por mais algum tempo até que, fazendo uma mesura curta com a cabeça, saiu em disparada. Arutha o seguiu e os dois avançaram pela cidade por caminhos tortuosos. O som das pessoas na rua diminuiu, e Arutha calculou que estavam entrando em um lugar menos frequentado à noite. Os edifícios ao redor indicavam que estavam chegando a outra região pobre da cidade, embora longe das docas, pelo que Arutha sabia.

Depois de várias viradas abruptas em becos escuros e estreitos, Arutha ficou completamente perdido. De repente, Jimmy virou-se e disse:

— Chegamos. — Abriu uma porta em uma parede toda branca e entrou. Seguindo o garoto, Arutha subiu um enorme lance de escadas.

Jimmy o levou por um corredor comprido no topo das escadas até chegar a uma porta. O garoto a abriu, fazendo sinal a Arutha para que entrasse. O Príncipe deu um único passo, parando ao ver três pontas de espadas apontadas para a sua barriga.

7

Fuga

Um homem gesticulou para que Arutha entrasse.

Ele estava sentado atrás de uma pequena mesa virada para a porta. Inclinando-se até a luz de uma pequena lamparina sobre a mesa, disse:

— Entre, por favor.

A luz revelou um rosto coberto de cicatrizes de varíola e um grande nariz adunco. Não tirou os olhos de Arutha quando os três homens com as espadas recuaram para dar passagem ao Príncipe, que hesitou ao ver as formas amarradas e inconscientes de Amos e Martin encostadas na parede. O Capitão se mexeu e gemeu, mas Martin permaneceu imóvel.

Arutha mediu a distância até os três homens com as espadas, mão perto do punho de seu florete. Qualquer ideia de saltar e desembainhar a espada desapareceu quando sentiu a ponta de uma adaga encostada em suas costas. Uma mão veio de trás e pegou sua espada.

Jimmy avançou à frente do Príncipe, examinando o florete enquanto escondia com cuidado a adaga nas dobras da túnica larga. Sorriu de orelha a orelha.

— Já vi alguns destes. É tão leve que eu mesmo conseguiria usá-lo.

— Considerando as circunstâncias, talvez não fosse inapropriado lhe deixar como herança — retorquiu Arutha secamente. — Faça bom uso dele.

— Guarde suas gracinhas para você — disse o homem de rosto marcado, enquanto Arutha era empurrado para dentro da sala por um dos homens de espada. Um dos outros guardou a arma e amarrou as mãos de Arutha atrás de suas costas. Em seguida, ele foi atirado com força em uma cadeira, em frente ao homem que falara, que prosseguiu: — Meu nome é Aaron Cook e você já conheceu Jimmy, a Mão — indicou o rapaz. — Por enquanto, os outros preferem permanecer no anonimato.

Arutha olhou para o garoto.

— Jimmy, a Mão?

O rapaz fez uma imitação decente de uma mesura cortês e Cook disse:

— O melhor batedor de carteiras de Krondor e a caminho de se tornar também o melhor ladrão, se você acreditar na avaliação que ele faz de si mesmo. Mas vamos ao que interessa. Quem é você?

Arutha relatou a história de ser sócio de Amos, disse que se chamava Arthur e Cook o estudou pacientemente. Suspirando, acenou com a cabeça e um dos homens calados avançou e deu um soco na boca de Arutha. A cabeça do Príncipe se inclinou para trás devido à força do golpe e seus olhos lacrimejaram.

— Caro Arthur — disse Aaron Cook, sacudindo a cabeça —, podemos conduzir esta entrevista de duas formas. Aconselho a não escolher a mais difícil. Será muito desagradável e ficaremos sem saber o que queremos. Por isso, peço que considere as suas respostas com cuidado. — Levantou-se e contornou a mesa. — Quem é você?

Arutha começou a repetir a história e o homem que o esmurrara voltou a avançar, e a resposta terminou com outro soco sonoro. O homem chamado Cook se inclinou, de modo a ficar cara a cara com Arutha. O Príncipe piscou para afastar as lágrimas dos olhos e Cook disse:

— Amigo, diga o que queremos saber. Agora, para não perdermos mais tempo — apontou para Amos —, que aquele é o capitão de seu navio, podemos admitir, mas você ser sócio dele... não acredito. Aquele outro se fez passar por um caçador das montanhas em várias tavernas da cidade, e não acho que seja disfarce; ele tem jeito de ser alguém que conhece as montanhas melhor do que as ruas da cidade, algo difícil de falsificar. — Ele examinou Arutha. — Mas você é, no mínimo, um soldado, e as suas botas caras e a bela espada o distinguem como nobre. No entanto, creio que não seja apenas isso. — Olhando nos olhos de Arutha, prosseguiu: — Diga, por que Jocko Radburn está tão empenhado em encontrá-lo?

Arutha olhou Aaron Cook nos olhos, sem vacilar.

— Não sei.

O homem que batera em Arutha começou a avançar novamente, mas Cook levantou a mão.

— Isso pode ser verdade. Você tem andado por aí como um tolo, aparecendo aqui e ali, rondando os portões do palácio, se fazendo de inocente. Ou são espiões muito ruins, ou então são pobres idiotas, mas não resta dúvida de que você despertou o interesse dos homens do Vice-Rei e, dessa forma, o nosso interesse.

— Quem são vocês?

Cook ignorou a pergunta.

— Jocko Radburn é o principal oficial da polícia secreta do Vice-Rei. Apesar daquela cara honesta, Radburn é um canalha inabalável de nervos de aço, daqueles com os quais raras vezes os deuses agraciaram este mundo. De bom grado ele arrancaria o coração da própria avó se desconfiasse que a velhota andou divulgando segredos de Estado. O fato de ter aparecido em pessoa indica que, no mínimo, ele o considera potencialmente importante. Um ou dois dias depois de você chegar aqui, ficamos sabendo que três homens andavam bisbilhotando pela cidade e, quando a nossa gente ouviu dizer que os homens de Radburn os estavam vigiando, decidimos fazer o mesmo. Quando começaram a oferecer pequenos subornos em troca de informações sobre os três, ficamos particularmente interessados. Estávamos satisfeitos em apenas observá-los, esperando que revelassem o que queriam. No entanto, quando Jocko e seus homens apareceram no Sossego do Marinheiro, fomos forçados a agir. Apanhamos aqueles dois debaixo do nariz de Jocko, mas ele e seus homens correram por uma travessa e ficaram entre nós e você, e tivemos de tirá-los de lá. Foi um golpe de sorte Jimmy ter encontrado você, pois ele não sabia que estávamos prontos para recebê-lo. — Acenou a cabeça para o garoto, à guisa de aprovação. — Fez bem em trazê-lo aqui.

Jimmy riu.

— Estava nos telhados, vendo a cena toda. Soube que você iria querê-lo assim que pegou os outros dois.

Um dos homens praguejou.

— Melhor você não estar procurando uma promoção sem ordem do Mestre da Noite, garoto.

Cook levantou a mão e o homem se calou.

— Não faz mal você saber que alguns de nós são Zombadores, outros não, mas estamos todos unidos em um empreendimento de grande importância. Preste atenção no que digo, Arthur. A sua única esperança de sair vivo daqui depende da nossa convicção de que você não coloca em perigo esse empreendimento que mencionei. Pode ser que o interesse de Radburn em você seja pura coincidência com o interesse que ele tem em outros assuntos. Ou pode haver aqui uma trama, com alguns padrões que ainda não foram descobertos. Seja como for, descobriremos a verdade e, quando estivermos satisfeitos com o que nos contar, iremos libertá-los, talvez até os ajudemos, ou iremos matá-los. Agora, comece pelo início. O que o trouxe a Krondor?

Arutha refletiu. Mentindo, tinha pouco a ganhar a não ser sofrimento; porém não estava disposto a contar toda a verdade. Não tinha provas de que esses homens não eram colaboradores de Guy. Podia ser um estratagema, com Radburn no quarto ao lado, atento a tudo o que dizia. Decidiu que parte da verdade deveria contar.

— Sou um agente a serviço de Crydee. Vim falar com o Príncipe Erland e com Lorde Dulanic, pessoalmente, para pedir ajuda contra um ataque tsurani. Quando soubemos que Guy du Bas-Tyra estava controlando a cidade, decidimos avaliar a situação antes de decidirmos que rumo seguir.

Cook ouviu atentamente, dizendo em seguida:

— Por que um emissário de Crydee entraria escondido na cidade? Por que não entraria com os estandartes esvoaçando de modo a ser recebido oficialmente?

— Porque Guy, o Negro, não demoraria a jogá-lo dentro de uma cela, seu maldito estúpido.

Cook virou a cabeça. Amos estava sentado encostado na parede, sacudindo a cabeça, ainda atordoado.

— Acho que você quebrou a minha cabeça, Cook.

Aaron Cook olhou atentamente para Amos.

— Você me conhece?

— É claro que conheço, sua ratazana do mar de cabeça oca. E o conheço tão bem que não diremos nem mais uma palavra até você buscar Trevor Hull.

Aaron levantou-se da mesa, uma expressão hesitante no rosto. Fez sinal para um dos homens junto à porta, que também parecia ter ficado incomodado com as palavras de Amos. O homem acenou para Cook com a cabeça e saiu. Passados poucos minutos, regressou seguido por outro homem, alto, de cabelos grisalhos, mas com um aspecto vigoroso. Uma cicatriz rasgada ia da testa ao olho direito, que era de um branco turvo, e descia pela face. Olhou demoradamente para Amos, até que deu uma gargalhada sonora e apontou para os prisioneiros.

— Desamarrem-nos.

Amos foi erguido por dois homens, que o desamarraram. Enquanto as cordas iam se soltando, disse:

— Achei que tinham enforcado você há muitos anos, Trevor.

O homem lhe deu uma palmada nas costas.

— E eu achei que tinham feito o mesmo com você, Amos.

Cook olhava curioso para o recém-chegado, enquanto desamarravam Arutha e Martin era reanimado com um copo d'água no rosto. O homem chamado Trevor Hull olhou para Cook e o repreendeu:

— Para onde foi o seu juízo, homem? Ele deixou crescer a barba e cortou seus famosos cachos compridos, perdeu algum cabelo no alto da cabeça e também ganhou uns quilos, mas continua a ser Amos Trask.

Cook estudou Amos por mais um momento, até arregalar os olhos.

— Capitão Trenchard?

Amos assentiu e Arutha o olhou, espantado. Até na remota Crydee tinham ouvido falar de Trenchard, o Pirata, a Adaga dos Mares. A sua carreira fora curta, mas famosa. Era dito que mesmo galés de guerra queguianas mudavam de rumo e fugiam quando avistavam a frota de Trenchard, e não havia uma única cidade ao longo da costa do Mar Amargo que não temesse os seus saqueadores.

Aaron Cook estendeu a mão.

— Desculpe-me, Capitão. Passaram-se muitos anos desde a última vez em que nos encontramos. Não sabíamos se faziam parte de um estratagema de Radburn para nos localizar.

— Quem são vocês? — perguntou Arutha.

— Tudo a seu tempo — respondeu Hull. — Venham.

Um dos homens ajudou o ainda atordoado Martin a se levantar, enquanto Cook e Hull os levavam para uma sala mais confortável, com cadeiras para todos. Sentados, Amos disse:

— Este velhaco é Trevor Hull, Capitão Olho Branco, mestre do *Corvo Vermelho*.

Hull sacudiu a cabeça com tristeza.

— Não mais, Amos. Meu navio foi incendiado ao largo de Elarial, há três anos, por cúteres imperiais de Kesh. O meu imediato, Cook, e mais alguns homens, conseguiram chegar à costa comigo, mas grande parte da tripulação afundou com o *Corvo Vermelho*. Voltamos a Durbin, mas a situação está mudando, com as guerras e tudo mais. Viemos para Krondor há um ano e desde então estamos trabalhando aqui.

— Trabalhando? Você, Trevor?

— Contrabandeando, na verdade — disse o homem sorrindo, com a cicatriz se enrugando. — Foi isso que nos uniu aos Zombadores. Pouco acontece em Krondor nessa área sem a permissão do Justo. Quando o Vice-Rei chegou a Krondor, começamos a nos confrontar com Jocko Radburn e sua polícia secreta. Ele tem sido desde o início uma pedra em nosso caminho. Isso de ter guardas se esgueirando por aí, vestidos como gente comum, não é nada honrado.

— Sabia que devia ter lhe cortado a garganta quando tive a oportunidade — resmungou Amos. — Da próxima vez não serei tão civilizado, raios.

— Está ficando lento, Amos? Bem, há uma semana recebemos um recado do Justo, dizendo que tinha um carregamento valioso para tirar da cidade. Tivemos de esperar pelo momento certo até termos o barco adequado a postos. Radburn está ansioso para descobrir esse carregamento antes que saia de Krondor. Por isso, como veem, é uma situação bastante delicada, pois não podemos colocar nada a bordo até o bloqueio ser levantado ou até encontrarmos um capitão do bloqueio a quem possamos subornar. Quando nos chegou aos ouvidos que vocês andavam fazendo perguntas, achamos que se tratava de um grande ardil de Jocko para encontrar essa mercadoria. Agora que o ambiente ficou mais leve, gostaria de ouvir a explicação para a resposta dada à pergunta de Cook. Por que um emissário de Crydee temeria ser descoberto pelos homens do Vice-Rei?

— Estava escutando, é? — Amos virou-se para Arutha, que consentiu. — Não se trata de um simples emissário, Trevor. O nosso jovem amigo é o Príncipe Arutha, filho do Duque Borric.

Os olhos de Aaron Cook se arregalaram e o homem que socou Arutha empalideceu. Trevor Hull balançou a cabeça, mostrando entender.

— O Vice-Rei pagaria maravilhosamente bem para pôr as mãos no filho de seu velho inimigo, especialmente quando chegar a hora de apresentar a sua pretensão ao Congresso dos Lordes.

— Que pretensão? — perguntou Arutha.

Hull inclinou-se para a frente, colocando os cotovelos nos joelhos.

— Você não saberia, claro. Também só ouvimos há alguns dias essa notícia, e não é de conhecimento geral. Ainda assim, não estou autorizado a falar com franqueza sem permissão.

Levantou-se e saiu. Arutha e Amos trocaram olhares curiosos e o Príncipe olhou para Martin.

— Você está bem?

Martin levou a mão à cabeça, tocando-a com cuidado.

— Vou me recuperar, mas devem ter me batido com uma árvore.

Um dos homens exibiu um sorriso amigável, como um pedido de desculpas.

— O homem é difícil de derrubar, sem dúvida — disse ele, batendo de leve em um porrete preso ao cinto.

Hull voltou, seguido por mais alguém. Os homens presentes se levantaram e Arutha, Amos e Martin seguiram o exemplo. Atrás de Hull vinha uma jovem que não tinha mais de dezesseis anos. Arutha ficou imediatamente impressionado pela promessa de beleza nas feições da garota: grandes olhos verde-claros, nariz reto e delicado e lábios ligeiramente carnudos. Vestígios de sardas salpicavam a sua pele, que de resto era clara. Era alta e esguia e caminhava com altivez. Atravessou a sala até Arutha, ficou na ponta dos pés e deu-lhe um beijo delicado no rosto. Ele ficou surpreso com o gesto, observando-a recuar com um sorriso nos lábios. Vestia um vestido simples azul-escuro e o cabelo ruivo-acastanhado caía solto em seus ombros.

— Mas é claro, que tola eu sou — disse ela, passado um segundo. — Você não me conhece. Eu o vi na última vez em que esteve em Krondor, mas nunca nos encontramos. Sou sua prima Anita, filha de Erland.

O Príncipe ficou estupefato. Além do efeito inquietante da garota em sua compostura, com o sorriso cativante e o olhar límpido, ficou duplamente surpreso por encontrá-la na companhia daqueles salteadores. Sentou-se devagar e ela procurou uma cadeira. Estava tão habituado à informalidade da corte do pai que ficou um pouco admirado quando ela deu permissão aos outros para se sentarem.

— Como...? — começou Arutha.

— A mercadoria valiosa do Justo? — interrompeu Amos.

Hull confirmou e a Princesa falou. O belo rosto foi tomado de emoção:

— Quando o Duque de Bas-Tyra chegou com ordens do Rei, meu pai o recebeu calorosamente e não ofereceu resistência. De início, meu pai fez tudo o que estava ao seu alcance para ajudá-lo a assumir o comando do exército, mas, quando ouviu o que Guy andava fazendo com sua polícia secreta e seus bandos de recrutamento forçado, protestou. Quando Lorde Barry faleceu e Guy colocou Lorde Jessup no comando da frota, sob protestos de meu pai, e Lorde Dulanic desapareceu de forma tão misteriosa, meu pai enviou uma carta ao Rei, exigindo o regresso de Guy. Guy interceptou a mensagem e ordenou que ficássemos sob vigilância em uma ala do palácio. Foi então que, uma noite, Guy apareceu no meu quarto.

Anita estremeceu.

— Você não precisa falar sobre isso — disse Arutha quase bufando. A raiva repentina deixou a garota sobressaltada.

— Não — disse ela —, não foi nada disso. Foi bastante respeitador, quase formal. Informou-me, simplesmente, que iríamos casar, e que o Rei Rodric iria nomeá-lo herdeiro do trono de Krondor. Ele parecia até irritado pelo incômodo de ter de passar por tudo aquilo.

Arutha deu um murro na parede atrás dele.

— Então é isso! Guy quer a coroa de Erland e a de Rodric em seguida. Ele pretende ser Rei.

Anita olhou timidamente para Arutha.

— É o que parece. Meu pai não está bem de saúde e não pôde resistir, embora tivesse se recusado a assinar a proclamação do noivado. Guy mandou-o para as masmorras até ele a assinar. — Seus olhos se encheram de lágrimas ao dizer: — Meu pai não pode viver em um lugar tão frio e úmido. Temo que possa morrer antes de concordar com os desejos de Guy. — Continuou a falar, seu rosto dissimulando controle, embora as lágrimas escorressem enquanto falava da mãe e do encarceramento do pai. — Então uma das minhas aias me disse que uma das criadas conhecia certas pessoas na cidade que talvez estivessem dispostas a ajudar.

— Com sua permissão, Alteza — disse Trevor Hull. — Uma das garotas no palácio é irmã de um Zombador. Com tudo o que está acontecendo, o Justo decidiu que talvez fosse vantajoso interferir. Tratou de arranjar uma forma de tirar a Princesa do palácio na noite da partida de Guy e desde então ela está aqui.

— Então o rumor que ouvimos antes de fugirmos do Sossego do Marinheiro sobre a caçada a um "parente real" era por causa de Anita, e não de Arutha — disse Amos.

Hull indicou o Príncipe.

— É possível que Radburn e sua gente ainda não façam ideia de quem vocês são. O mais provável é que tenham caído em cima de vocês na esperança de que estivessem envolvidos na fuga da Princesa. É quase certo que o Vice-Rei não saiba que a Princesa desapareceu do palácio, pois ela escapou após a sua partida. Calculo que Radburn esteja desesperado para recuperá-la antes que seu senhor regresse da guerra com Kesh.

Arutha observou a Princesa, sentindo uma vontade muito forte de ajudá-la, um anseio além da recompensa de enganar Guy. Pôs de lado a peculiar pontada de emoção.

— Por que o Justo iria querer entrar em disputa com Guy? — perguntou a Trevor Hull. — Por que não a entrega por uma recompensa?

Trevor Hull olhou para Jimmy, a Mão, cuja reação foi um sorriso largo.

— O meu senhor, um homem muito perceptivo, logo notou que seus interesses seriam beneficiados ajudando a Princesa. Desde que Erland se tornou Príncipe de Krondor, os assuntos da cidade sempre transcorreram sem sobressaltos, um ambiente propício ao êxito dos empreendimentos do meu senhor. A estabilidade é benéfica para todos, compreende? A presença de Guy faz com que a sua polícia secreta ande por aí, perturbando as transações habituais de nossa guilda. Além do mais, somos súditos leais de Sua Alteza, o Príncipe de Krondor. Se ele não quer que a filha se case com o Vice-Rei, nós também não queremos. — Dando uma gargalhada, acrescentou: — Seja como for, a Princesa concordou em pagar vinte e cinco mil soberanos de ouro ao nosso senhor se a guilda a levar para fora de Krondor, sendo devolvida quando o pai regressar ao poder, ou o destino colocá-la no trono.

Arutha pegou a mão de Anita e disse:

— Bem, prima, não há mais nada a fazer. Temos de levá-la para Crydee assim que possível.

Anita sorriu e Arutha se viu sorrindo de volta.

— Como já disse, estávamos à espera da oportunidade certa para fazê-la sair da cidade em segredo — disse Trevor Hull e virou-se para Amos. — Você é o homem certo para essa tarefa. Não há ninguém melhor em furar bloqueios do que você em todo o Mar Amargo, à exceção de mim mesmo, claro, mas tenho outros assuntos a tratar por aqui.

— Só podemos sair daqui a algumas semanas — disse Trask. — Mesmo que o bloqueio fosse levantado, o meu navio precisa desesperadamente de reparos. Se partíssemos agora, teríamos de ficar dando voltas até que o tempo melhorasse nos Estreitos. Com a frota de Jessup preparada para emboscar no mar, seria arriscado. Eu diria que seria melhor ficarmos escondidos aqui por algum tempo, depois sairmos depressa rumo ao Oeste, atravessando os Estreitos e subindo sem demora a Costa Extrema.

Hull lhe deu uma palmada no ombro.

— Muito bem, assim teremos tempo. Ouvi falar de seu navio. Os rapazes dizem que é pouco melhor do que uma barca. Vamos encontrar outro. Na hora certa, enviarei uma mensagem a seus homens. É provável que Radburn não incomode a sua tripulação, na esperança de que você apareça por lá. Iremos passá-los para o outro navio durante a noite, um de cada vez, substituindo-os pelos meus rapazes, assim os homens de Radburn não notarão nada de estranho a bordo. — Virou-se para Arutha: — Estará a salvo aqui, Alteza. Este edifício é um de muitos que pertencem aos Zombadores, e ninguém se aproxima sem que sejamos avisados com bastante antecedência. No momento certo, iremos tirar todos vocês da cidade. Agora vamos levá-los a um quarto para que possam descansar.

Arutha, Martin e Amos foram levados para um quarto no fundo do mesmo corredor da sala onde tinham estado com Anita, enquanto a Princesa regressou aos seus aposentos. O quarto onde entraram era simples, mas estava limpo. Os três estavam cansados. Martin deixou-se cair em um catre e adormeceu depressa. Amos se abaixou devagar e Arutha ficou observando-o por algum tempo.

— Quando você chegou a Crydee, eu logo pensei que fosse um — disse, esboçando um sorriso.

— Com toda a honestidade, tentei deixar tudo isso no passado, Alteza — disse Amos, debatendo-se para descalçar uma bota. Riu. — Talvez tenha sido a forma de os deuses se vingarem de mim, mas sabe, durante quinze anos, homem e rapaz, fui corsário e capitão; quando tentei a minha sorte em um ofício honesto, o meu navio foi capturado e incendiado, a minha tripulação chacinada e eu dei comigo encalhado tão longe do centro do Reino quanto é possível sem sair de seus limites.

Arutha se deitou em seu catre.

— Tem sido um bom conselheiro, Amos Trask, e também um companheiro corajoso. A sua ajuda ao longo dos anos lhe rendeu uma grande dose de perdão por crimes passados; porém — sacudiu a cabeça —, Trenchard, o Pirata! Deuses, homem, é muito a perdoar.

Amos bocejou e espreguiçou-se.

— Quando regressarmos a Crydee, pode me enforcar, Arutha, mas por ora, por favor, tenha a bondade de ficar em silêncio e apagar a vela. Estou ficando velho para essas tolices. Preciso dormir.

Arutha estendeu a mão, apagando o pavio da vela com a ponta dos dedos. Ficou deitado no escuro, com imagens e pensamentos amontoados na cabeça. Pensou no pai e no que ele faria se estivesse em seu lugar, depois pensou em como estariam o irmão e a irmã. Ao pensar em Carline, lembrou-se de Roland e seus pensamentos se dirigiram ao progresso das fortificações de Jonril. Com esforço, afastou os mil pensamentos e deixou a mente vagar. Porém, antes de ser dominado pelo sono, lembrou-se de Anita, na ponta dos pés para lhe dar um beijo no rosto e, novamente, sentiu uma agitação que tinha algo de desconfortável. Ao adormecer, um leve sorriso se formou em seus lábios.

Anita bateu palmas elogiosamente quando Arutha afastou a ponta da espada de Jimmy. O menino-ladrão corou pela falta de jeito demonstrada, mas Arutha disse:

— Agora foi melhor.

O Príncipe e Jimmy andavam praticando esgrima básica; Jimmy usava um florete adquirido com parte do dinheiro que Arutha lhe dera. Tinham passado o tempo assim por um mês e Anita tinha o hábito de assistir aos treinos. Sempre que a Princesa estava por perto, o geralmente extrovertido Jimmy, a Mão, ficava reprimido, corando ostensivamente sempre que ela lhe dirigia a palavra. Arutha estava certo de que o menino-ladrão sofria do pior tipo de paixão pela Princesa, somente três anos mais velha do que ele. Arutha reconhecia a angústia do garoto, pois também se distraía com a presença da jovem. Apesar de estar no começo da idade adulta, comportava-se com a graciosidade de uma educação da corte, tinha vivacidade de espírito e instrução, exibindo a promessa de grande beleza nos anos vindouros. Arutha achava mais fácil pensar em outros assuntos do que na Princesa.

O porão onde trabalhavam o manejo de espada era úmido e pouco ventilado, e logo ficou abafado.

— Basta por hoje, Jimmy — disse Arutha. — Você continua impaciente para dar o golpe final e isso pode acabar sendo fatal. É bastante veloz e é excelente que possa aprender ainda jovem, mas lhe falta força no braço para dar estocadas como fazem os homens mais velhos; com o florete, isso também poderá acabar sendo fatal. Lembre-se: o fio é para golpear...

— ...e a ponta para matar — terminou Jimmy, com um sorriso constrangido. — Eu entendo que é preciso ser cauteloso contra um homem com uma espada larga. Ele poderia partir a lâmina se eu tentasse bloquear em vez de me esquivar do golpe, mas como agir se um desses guerreiros do outro mundo me atacasse com aquela espada enorme que você descreveu?

Arutha riu.

— Descobriria quem corre mais depressa. — O riso de Anita se juntou aos de Arutha e Jimmy. O Príncipe continuou: — Falando sério, você precisa ficar do lado fraco do oponente. Com as espadas grandes, o seu adversário consegue efetuar *um* golpe e aí você consegue uma abertura...

A porta se abriu e Amos entrou, acompanhado por Martin e Trevor Hull.

— Maldita sorte, com o perdão da Princesa — disse o primeiro. — Arutha, aconteceu o pior.

— Não fiquem aí parados esperando que eu adivinhe — disse Arutha, limpando o suor da testa com uma toalha. — O que foi?

— As notícias chegaram esta manhã — disse Hull. — Guy está retornando a Krondor.

— Por quê? — perguntou Anita.

— Parece que o nosso Lorde de Bas-Tyra entrou em Shamata e hasteou o seu estandarte nas muralhas — respondeu Amos. — O comandante keshiano teve a elegância de montar mais uma ofensiva, pelo bem dos costumes, e depois quase teve um ataque de tanto que correu de volta para casa. Deixou uma meia dúzia de nobres de menor importância negociando as condições do armistício com os tenentes de Guy, até ser redigido um tratado formal entre o Rei e a Imperatriz keshiana. Só pode haver uma razão para Guy voltar com tanta pressa.

— Ele sabe que eu fugi — disse Anita com serenidade.

— Sim, Alteza — disse Trevor Hull. — Guy, o Negro, é esperto. Deve ter um espião entre os homens de Radburn. Parece que não confia cegamente nem em sua polícia secreta. Felizmente, ainda temos gente no palácio leal ao seu pai ou nunca saberíamos dessa reviravolta.

Arutha sentou-se ao lado da Princesa.

— Bem, então temos de partir em breve. Navegamos de volta para casa ou rumo a Ylith para alcançarmos o meu pai.

— Levando em conta as opções, não há muito que nos faça escolher uma opção ao invés de outra. Ambas apresentam riscos e vantagens — afirmou Amos.

Martin olhou para a garota, dizendo em seguida:

— Embora não me pareça que o acampamento de guerra do Duque seja adequado para uma jovem.

Amos sentou-se ao lado de Arutha.

— A sua presença em Crydee não é vital, pelo menos por enquanto. Fannon e Gardan são homens capazes e, caso seja necessário, acredito que a sua irmã não se sairá mal no comando. Devem ser capazes de manter a situação sob controle tão bem quanto você.

— Contudo — disse Martin —, você precisa se perguntar o seguinte: o que o seu pai fará quando souber que Guy não só governa Krondor como assessor de Erland como mantém a cidade sob o seu jugo, que não pretende enviar ajuda à Costa Extrema e que quer subir ao trono?

Arutha balançou a cabeça com vigor.

— Tem razão, Martin. Você conhece bem o meu pai. Isso significará guerra civil. — A tristeza transpareceu em seu rosto. — Ele retirará metade dos Exércitos do Oeste para marchar costa abaixo até Krondor e só irá parar quando tiver a cabeça de Guy em um poste nos portões da cidade. Aí ficará traçado o rumo. Terá de virar para leste e marchar contra Rodric. Ele nunca desejou a coroa para si, mas, uma vez em marcha, não poderá parar até a derrota ou a vitória absoluta. Porém acabaria perdendo o Oeste para os tsurani. Brucal não conseguiria contê-los por muito tempo com o exército reduzido pela metade.

— Essa guerra civil parece uma coisa horrível — comentou Jimmy.

Arutha inclinou-se para a frente. Limpando a testa, olhou por entre os cabelos molhados.

— Não se trava uma guerra civil há duzentos e cinquenta anos, desde que o primeiro Borric assassinou o meio-irmão, Jon, o Pretendente. Comparado com o que ocorreria aqui, com todo o Leste mobilizado contra o Oeste, aquela guerra não passaria de uma escaramuça.

Amos olhou para Arutha, a preocupação estampada no rosto.

— História não é o meu forte, mas acho que será melhor deixar o seu pai na ignorância a respeito dessa reviravolta até a ofensiva dos tsurani terminar na primavera.

Arutha exalou demoradamente.

— Não há mais nada a fazer. Sabemos que Crydee não poderá contar com ajuda alguma. Quando regressar, poderei decidir melhor. Talvez no conselho, com Fannon e os outros, consigamos arranjar uma forma de defesa para quando os tsurani chegarem. — O seu tom era quase resignado. — Meu pai irá saber dos planos de Guy no devido tempo. É difícil manter notícias desse tipo em segredo. O melhor que podemos esperar é que só venha a saber disso após a ofensiva tsurani. Talvez então a situação já tenha mudado. — Pelo seu tom de voz, era óbvio que não acreditava que isso fosse possível.

— Pode ser que os tsurani optem por marchar contra Elvandar ou que prossigam com a batalha até o seu pai — disse Martin. — Quem pode dizer?

Arutha se recostou e percebeu que a mão de Anita estava pousada com delicadeza em seu braço.

— Que escolha temos? — disse ele, em voz baixa. — Encarar a possibilidade de perder Crydee e a Costa Extrema para os tsurani ou mergulhar o Reino em uma guerra civil. Os deuses devem mesmo odiar o Reino.

Amos levantou-se.

— Trevor me disse que tem um navio. Podemos zarpar dentro de alguns dias. Com sorte, os Estreitos estarão desanuviando quando chegarmos lá.

Perdido na melancolia de sua derrota pessoal, Arutha mal o ouviu. Viera a Krondor tão confiante. Conquistaria o apoio de Erland para a sua causa e

Crydee seria salvo dos tsurani. Mas, naquele momento, enfrentava uma situação mais desesperadora do que se tivesse permanecido em sua terra. Todos o deixaram sozinho, exceto Anita, que permaneceu minutos silenciosos sentada ao seu lado.

Figuras sombrias se deslocavam em silêncio rumo ao cais. Trevor Hull conduzia uma dúzia de homens com Arutha e os seus companheiros pelas ruas silenciosas. Andavam colados às paredes dos prédios e, de poucos em poucos metros, Arutha olhava de relance para trás para verificar como estava Anita. Ela devolvia o interesse do Príncipe com sorrisos corajosos, que quase passavam despercebidos na escuridão que antecedia o amanhecer.

Arutha sabia que mais de uma centena de homens estava se deslocando pelas ruas adjacentes, varrendo a área de sentinelas da cidade e de agentes de Radburn. Os Zombadores tinham aparecido em peso para que Arutha e os outros pudessem deixar a cidade em segurança. Na noite anterior, Hull trouxera notícias de que, a um custo substancial, o Justo conseguira que um dos navios do bloqueio fosse "desviado" da sua posição. Desde que soubera da real situação, incluindo o plano de Guy para se tornar Príncipe de Krondor, o Justo aplicara os seus significativos recursos para ajudar na fuga de Arutha e Anita. A Princesa cogitou se um dia alguém de fora da Guilda dos Ladrões conheceria a verdadeira identidade do líder misterioso. Considerando alguns comentários fortuitos que Arutha ouvira por acaso, a impressão era de que somente alguns Zombadores sabiam quem ele era.

Com Guy a caminho da cidade, os homens de Jocko Radburn tinham aumentado a busca em um nível quase frenético. Tinha sido instituído um toque de recolher e, no meio da noite, entravam ao acaso em casas para vasculharem. Todos os informantes conhecidos da cidade, assim como muitos mendigos e alcoviteiros, tinham sido arrastados para as masmorras e questionados, mas, o que quer que os homens de Radburn fizessem, não conseguiram descobrir o paradeiro da Princesa. Apesar de temerem muito Radburn, os cidadãos temiam ainda mais o Justo.

Anita ouviu Hull falando em voz baixa com Amos:

— É um navio para furar bloqueios que se chama *Corredor Marinho*, e o nome lhe faz justiça. Não há navio mais rápido no porto, uma vez que todas os navios de guerra estão fora, na armada de Jessup. Vocês devem ganhar velocidade para o oeste. Os ventos estão vindo principalmente do norte, então navegarão grande parte do percurso com eles pela popa.

— Trevor, já naveguei algumas vezes pelo Mar Amargo. Sei como sopra o vento nesta época do ano tão bem quanto qualquer outro homem — retorquiu Amos.

— Pois bem, como quiser — Hull resfolegou. — Os seus homens e o ouro do Príncipe já estão seguros a bordo e os vigias de Radburn parecem não ter a menor ideia do que fazemos. Continuam vigiando o *Vento da Aurora* como gatos à espreita de ratos, mas não querem saber do *Corredor Marinho*. Conseguimos arranjar documentos falsos que colocamos em um agente mercante, anunciando que o navio está à venda; por isso, mesmo que não houvesse bloqueio, nunca imaginariam que ele iria sair do porto.

Chegaram às docas e correram até um escaler. Ouviram sons abafados e Arutha percebeu que os Zombadores e os contrabandistas de Trevor estavam cuidando dos vigias de Radburn.

Foi então que ouviram gritos vindos de trás. O som de ferro se chocando rompeu a serenidade da madrugada e Arutha ouviu Hull gritar:

— Para o barco!

O som de botas na madeira das docas desencadeou um tumulto quando os Zombadores saíram em massa das ruas próximas, interceptando quem quer que procurasse obstruir a fuga.

Chegaram ao final da doca e desceram a escada que levava ao escaler. Arutha aguardou no alto até Anita embarcar e depois se virou. Ao pôr o pé no primeiro degrau, ouviu o som de cascos cada vez mais perto e viu cavalos abrindo caminho pela multidão de Zombadores, que, vítimas da investida, tombavam. Cavaleiros vestidos com o preto e dourado de Bas-Tyra brandiam espadas, de modo a se livrarem de quem tentava atrasá-los.

Martin gritou do escaler e Arutha desceu a escada em um instante. Ao chegar ao escaler, uma voz bradou de cima:

— Adeus!

Anita olhou para cima e viu Jimmy, a Mão, pendurado na beira da doca, um sorriso nervoso no rosto. Como o garoto conseguira juntar-se a eles quando todos achavam que tinha ficado na segurança do esconderijo, Arutha não conseguia imaginar. Vendo o garoto desarmado, o Príncipe sobressaltou-se. Desafivelou o florete e lançou-o para o alto.

— Tome, faça bom uso dele! — Tão rápido quanto uma serpente atacando a presa, Jimmy apanhou a bainha e desapareceu.

Os marinheiros começaram a remar com vigor e o escaler se afastou depressa das docas. Surgiram lanternas no cais à medida que o som da luta aumentava. Mesmo naquele período que antecedia a aurora, se ouviram muitos gritos de "O que está acontecendo?" e "Quem vem lá?" dos homens que guardavam os navios e a carga no porto. Anita espreitou por cima do ombro do primo, tentando ver o que estava acontecendo. Cada vez mais lanternas apareciam e um incêndio começou nas docas. Grandes fardos de uma mercadoria qualquer, protegidos por uma lona, explodiram em chamas.

Os que estavam no escaler viam nitidamente a luta. Muitos dos ladrões escapavam pelas ruas da cidade ou saltavam para as águas geladas do porto. Arutha não conseguia ver em lugar nenhum a silhueta da cabeça grisalha de Trevor Hull, ou a forma menor de Jimmy. Até que viu claramente Jocko Radburn, vestido com uma simples túnica, tal como o vira antes. Radburn aproximou-se da beira da doca, contemplando o escaler que se afastava. Apontou para o barco fugitivo com a espada, gritando palavras que se perderam na confusão.

Arutha se virou e viu a prima sentada no lado oposto, com o capuz caído para trás e o rosto distintamente visível na claridade do incêndio. O seu olhar estava preso à cena que se passava na costa, parecendo ignorar que estava exposta. O Príncipe puxou depressa o capuz dela, cobrindo-lhe o rosto e despertando-a do deslumbramento, mas sabia que o mal já estava feito. Voltou a olhar para trás e viu Radburn dar ordens para que os seus homens seguissem os Zombadores fugitivos que se afastavam pelas docas. Ficou sozinho, até que se virou, desaparecendo na penumbra quando o escaler alcançou o *Corredor Marinho*.

Assim que embarcaram, a tripulação de Amos soltou as amarras e subiu nos mastros para abrir as velas. O *Corredor Marinho* começou a se afastar do porto.

A prometida abertura no bloqueio do porto surgiu e Amos rumou até ela. Passaram antes que fosse feita qualquer tentativa para detê-los e, de repente, estavam fora do porto, em mar aberto.

Arutha sentiu uma exaltação incomum ao perceber que estavam livres de Krondor. Até que ouviu Amos praguejar.

— Olhem!

À luz fraca da falsa aurora, Arutha entreviu uma forma escura no local para onde Amos apontava. O *Grifo Real*, o navio de guerra de três mastros que tinham avistado ao entrarem no porto, estava ancorado além do molhe, escondido da vista de quem quer que estivesse na cidade.

— Achei que tivesse ido com a frota de Jessup — disse o Capitão. — Maldito seja aquele Radburn, que me saiu um belo de um patife astuto. Virá no nosso encalço assim que embarcar. — Gritou para que dessem mais pano às velas e em seguida contemplou o navio que deixavam para trás. — Eu faria uma oração a Ruthia se fosse o senhor, Alteza. Se conseguirmos ganhar tempo antes que aquele navio zarpe, talvez ainda consigamos escapar. No entanto, vamos precisar de toda a sorte que a Senhora da Boa Fortuna possa dispensar.

A manhã estava límpida e fresca. Amos e Vasco assistiam à faina da tripulação com ar de aprovação. Os homens menos experientes tinham sido substituídos por homens escolhidos a dedo por Trevor Hull. Trabalhavam depressa e bem, e o *Corredor Marinho* deslocava-se veloz para oeste.

Anita fora levada para uma cabine, enquanto Arutha e Martin permaneciam no convés com Amos. O vigia anunciava que nada via no horizonte.

— Estamos por um triz, Alteza — explicou o Capitão. — Se eles colocaram aquele navio imenso a caminho quando tiveram chance, só temos uma ou duas horas de vantagem. O capitão deles poderá optar pelo rumo errado, mas, uma vez que estamos tentando não sofrer uma emboscada pela armada de Jessup, certamente irão seguir junto à costa keshiana, correndo o risco de se depararem com um navio bélico de Kesh para não nos perderem. Não ficarei sossegado até passarmos dois dias sem os avistar. No entanto, mesmo que zarpassem de imediato, só conseguiriam reduzir uma pequena distância por hora. Por isso, até termos certeza de que nos avistaram, é melhor todos descansarmos um pouco. Desçam que eu mandarei chamá-los caso ocorra alguma alteração.

Arutha concordou e partiu. Martin o seguiu. O Príncipe desejou um bom descanso a Martin e ficou vendo o Mestre de Caça entrar na cabine que dividia com Vasco. Arutha entrou em sua cabine, detendo-se quando viu Anita sentada em seu beliche. Fechou a porta devagar e disse:

— Achei que estava dormindo em sua cabine.

Ela sacudiu a cabeça devagar e, de repente, atravessou o curto espaço que os separava, encostando a cabeça no peito dele.

— Tentei ser valente, Arutha, mas tive tanto medo — disse ela, sacudida por soluços.

Arutha ficou parado, constrangido por um instante, até envolvê-la delicadamente em um abraço. A atitude autoconfiante se desmoronara e Arutha percebeu naquele momento o quão jovem era a Princesa. A educação e os modos da corte tinham servido para manter a compostura na companhia rude dos Zombadores durante aquele mês, mas a máscara não suportava mais a pressão.

— Vai ficar tudo bem — disse Arutha, afagando-lhe o cabelo.

Ele emitiu outros sons tranquilizadores, sem ter consciência do que dizia, sentindo-se perturbado pela proximidade da garota. Ela era jovem a ponto de ele considerá-la ainda uma menina, mas já tinha idade para fazê-lo duvidar dessa percepção. Nunca conseguira gracejar com as moças da corte como Roland fazia, preferindo uma conversa direta, o que parecia deixar as senhoras indiferentes. Além disso, também nunca dominara as atenções delas como acontecia com Lyam, louro e bonito, de modos alegres e descontraídos. Em geral, as mulheres o deixavam constrangido e esta mulher — ou menina, não conseguia decidir — mais do que o habitual.

Quando as lágrimas acalmaram, levou-a à única cadeira da apertada cabine e sentou-se no beliche. A Princesa fungou uma vez, conseguindo por fim falar:

— Desculpe, isso foi tão inapropriado.

Inesperadamente, Arutha começou a rir.

— Mas que garota você é! — disse, com afeição genuína. — Se fosse eu que estivesse no seu lugar, escapulindo do palácio, escondendo-me entre degoladores e ladrões, esquivando-me dos patifes de Radburn e tudo o mais, teria tido um colapso há muito tempo.

Ela tirou um lencinho da manga e limpou o nariz com delicadeza. Depois, sorriu.

— Agradeço suas palavras, mas acho que você teria se saído melhor. Nas últimas semanas, Martin me falou muito sobre você e, de acordo com esses relatos, você é um homem de grande bravura.

Arutha sentiu-se envergonhado pela atenção de que era alvo.

— O Mestre de Caça tende a exagerar — disse, sabendo que não correspondia à verdade, e mudou de assunto. — Amos diz que, caso não avistemos aquele navio nos próximos dois dias, conseguiremos escapar.

Ela baixou o olhar.

— Que bom.

Arutha se inclinou para a frente e enxugou uma lágrima da face da Princesa; mas, quase de imediato, sentindo-se constrangido, afastou a mão.

— Você estará a salvo conosco em Crydee, longe dos estratagemas de Guy. A minha irmã irá recebê-la calorosamente em nossa casa.

Ela esboçou um sorriso.

— Ainda assim, estou preocupada com meu pai e com minha mãe.

Arutha tentou tranquilizá-la o melhor que pôde.

— Com você longe de Krondor, Guy não terá nada a ganhar prejudicando os seus pais. Poderá forçar seu pai a assinar o consentimento para que case com ele, mas Erland não perderá nada em fazê-lo agora. Com você fora do alcance de Guy, o noivado será em vão. Antes que tudo isto termine, ainda iremos acertar as contas com o nosso querido primo Guy.

Anita suspirou, sorrindo um pouco mais.

— Obrigada, Arutha. Você fez com que me sentisse melhor.

Ele levantou-se e disse:

— Tente dormir. Por ora, ficarei na sua cabine. — A Princesa sorriu ao se dirigir ao beliche dele. Arutha fechou a porta ao sair. Já não precisava mais descansar, então voltou ao convés. O Capitão estava ao lado do timoneiro, com os olhos fixos à popa. Arutha colocou-se ao seu lado.

— Ali, no horizonte, o que vê? — perguntou Amos.

Arutha apertou os olhos, conseguindo avistar um pequeno ponto branco no azul do céu.

— Radburn?

Amos cuspiu por cima do gio.

— Eu diria que sim. A dianteira que tínhamos está diminuindo aos poucos, porém uma perseguição à popa é uma perseguição demorada, como diz o ditado. Se conseguirmos nos manter bastante à frente durante todo o dia, talvez consigamos escapulir à noite, se houver nuvens escondendo o nosso rumo.

Arutha nada disse, mirando o indistinto ponto a distância.

Ao longo do dia tinham observado o navio que os perseguia crescer lentamente. De início, o ponto aumentara com uma lentidão exasperante; depois, a uma velocidade assustadora. Arutha conseguia ver as velas com nitidez, não mais que uma mancha branca, e também um ponto preto no calcês, que devia ser, sem dúvida, o estandarte de Guy.

Amos observou o sol poente, diante do *Corredor Marinho* em fuga, depois olhou para o navio que os seguia.

— Consegue ver o que é? — gritou para o vigia lá no alto.

— Um navio de guerra de três mastros, Capitão — gritou o vigia para baixo.

Amos olhou para Arutha.

— É o *Grifo Real*. Irá nos alcançar ao pôr do sol. Se tivéssemos mais dez minutos, ou se o clima permitisse nos ocultar, ou se fosse só um pouco mais lento...

— O que você pode fazer?

— Pouco. Com o vento pela popa, ele é mais rápido, tão rápido que não conseguiremos nos livrar dele com nenhum tipo de manobra elaborada. Se eu tentasse navegar à bolina quando se aproximasse, podia nos afastar um pouco deles, pois ambos perderíamos velocidade, mas também sairíamos mais depressa da rota durante algum tempo. Em seguida, assim que eles ajustassem as velas, passariam à nossa frente. Mas com isso seguiríamos para o sul, e ao longo desta extensão da costa há alguns recifes e bancos de areia perigosos não muito longe daqui. Seria arriscado. Não, entrará um pouco de barlavento. Quando estiver ao nosso lado, os mastros mais altos vão nos tirar o vento e ficaremos lentos o suficiente para que nos abordem sem pedir licença.

Arutha ficou observando o navio se aproximar por mais meia hora. Martin subiu ao convés e ficou vendo enquanto a distância entre os dois navios diminuía alguns pés a cada minuto que passava. Amos manteve o *Corredor Marinho* a favor do vento, levando-o ao limite da sua velocidade; porém a outra embarcação continuava a ganhar terreno.

— Maldição! — exclamou Amos, quase bufando de frustração. — Se estivéssemos navegando para leste, conseguiríamos perdê-los na escuridão, mas para oeste verão o nosso contorno no céu do início da noite, mesmo depois do pôr do sol. Ainda conseguirão nos ver e nós não os veremos.

O sol baixou e a perseguição continuou. Quando o sol ia se aproximando do horizonte, uma furiosa bola vermelha acima do mar verde-escuro, o navio de guerra os perseguia a menos de mil metros.

— Podiam tentar enredar o cordame ou destruir nosso convés com aquelas bestas enormes — disse Amos —, mas, com a garota a bordo, Radburn é capaz de não querer arriscar, com medo de feri-la.

Novecentos, oitocentos metros, o *Grifo Real* avançava flutuando impiedosamente em direção ao *Corredor Marinho*. Arutha conseguia discernir contornos, pequenas silhuetas no cordame, negras contra o fundo vermelho-sangue do pôr do sol.

Quando o navio em perseguição estava a cerca de quinhentos metros, o vigia gritou:

— Nevoeiro!

Amos olhou para cima.

— Para que lado?

— A sudoeste. A uma milha ou mais.

O Capitão precipitou-se para a proa, seguido pelo Príncipe. A distância, viam o sol se pôr, enquanto à esquerda estendia-se uma enevoada faixa branca ao longo do mar negro.

— Pelos deuses! — bradou Amos. — Ainda temos uma chance.

Em seguida, gritou para que o timoneiro virasse de ló a sudoeste, e correu para a popa, com Arutha logo atrás. Quando chegaram lá, viram que a mudança de rumo tinha diminuído pela metade a distância que separava os navios.

— Martin, consegue mirar no timoneiro? — perguntou Amos.

— Está um pouco escuro, mas não é difícil de acertar — respondeu Martin, apertando os olhos.

— Veja se consegue distraí-lo o suficiente para se esquecer de manter o rumo atual.

Martin pegou seu onipresente arco, esticando-o. Tirou uma flecha de uma jarda e mirou no navio que os perseguia. Aguardou, alternando o peso para compensar o balanço do navio, e disparou-a. Como um pássaro enfurecido, a flecha formou um arco acima da água, passando pela popa do navio inimigo.

Martin observou o percurso da flecha e murmurou um "Ah" para si mesmo. Em um único movimento fluido, pegou outra flecha, colocou-a na corda do arco, puxou e disparou. Ela seguiu caminho idêntico à primeira, mas, em vez de passar pela retaguarda do outro navio, atingiu o gio, passando a poucos centímetros da cabeça do homem ao leme.

Do *Corredor Marinho*, conseguiram ver o timoneiro do *Grifo Real* se atirando para a coberta e largando o leme. O navio deu uma guinada e começou a se afastar do rumo.

— Tem vento demais para fazer pontaria — explicou Martin, enviando outra flecha que caiu a poucos centímetros da primeira, mantendo o leme desgovernado.

Aos poucos, a distância entre os navios começou a aumentar e Amos dirigiu-se à tripulação:

— Passem a palavra. Quando eu der ordem de silêncio, o homem que der um sussurro sequer vai virar isca de peixe.

O navio bélico ziguezagueou atrás por um minuto, até que voltou ao rumo certo.

— Parece que não se aproximarão tanto de nós, Amos — disse Martin. — Não consigo fazer a flecha atravessar as velas.

— Não, mas, se puder fazer o favor de manter aqueles rapazes na proa afastados da balista, ficarei agradecido. Acho que você conseguiu irritar Radburn.

Martin e Arutha viram o grupo da balista preparando as armas. O Mestre de Caça lançou uma saraivada de flechas tendo como alvo a proa do navio que vinha em perseguição, uma flecha seguindo outra antes mesmo de chegar à metade do trajeto. A primeira atingiu um homem na perna, fazendo-o cair, enquanto os outros se atiravam ao chão para se protegerem.

— Nevoeiro à nossa frente, Capitão! — ouviu-se o grito vindo de cima.

Amos dirigiu-se ao timoneiro:

— Tudo a bombordo.

O *Corredor Marinho* desviou-se para o sul. O *Grifo Real* seguiu-o de perto, menos de quatrocentos metros atrás. Ao mudarem de rumo, o vento enfraqueceu. Com a aproximação do denso nevoeiro, Amos disse a Arutha:

— Ali os ventos diminuem até não passarem de um peido bilioso; vou recolher as velas, para que o som da lona batendo não nos denuncie.

Entraram bruscamente em uma parede de nevoeiro cinzento e cerrado, que escurecia depressa à medida que o sol baixava no horizonte. Assim que o navio desapareceu de vista, Amos bradou:

— Recolher velas!

A tripulação seguiu as ordens, o que fez o barco diminuir a velocidade quase imediatamente.

— Tudo a estibordo e passem a ordem de silêncio — disse o Capitão em seguida.

De repente, o navio ficou silencioso como um cemitério. Amos virou-se para Arutha, dizendo em um sussurro:

— Há correntes aqui que correm para oeste. Vamos deixar que nos levem daqui e esperemos que o capitão de Radburn seja um marujo do Mar do Reino.

— Cana do leme a meia-nau — sussurrou ao homem do leme. A Vasco, disse: — Dê ordem para amarrarem as vergas. E quem estiver lá em cima não pode se mexer.

De repente, Arutha notou a quietude. Após o tumulto da perseguição, com o gélido vento norte soprando, os panos e cordas soando nas vergas, a lona esvoaçando constantemente, aquele nevoeiro cerrado e abafado trouxera um silêncio nada natural. Um gemido ocasional de uma verga se mexendo ou o estalido de uma corda eram os únicos sons na névoa escura. O medo arrastou os minutos na aparentemente interminável vigília.

Foi então que, como um alarme soando, ouviram vozes e os sons de um navio. De todos os lados chegavam ecos de vergas rangendo e lona batendo enquanto avançava na brisa. Arutha não conseguiu discernir nada durante vários minutos, até ver um brilho débil através da névoa na retaguarda, passando de nordeste para sudoeste; eram lanternas do *Grifo Real* que os perseguia. Todos os homens do *Corredor Marinho*, no convés e no cordame, se mantiveram em seus postos, com receio de se mexerem devido ao ruído que seria levado por cima da água como um clarim. A distância, ouviram um grito da outra embarcação:

— Silêncio, raios! Não conseguimos ouvi-los com o barulho que estamos fazendo! — De repente, fez-se silêncio, exceto pela agitação da lona e das cordas do *Grifo Real*.

O tempo ia passando, imensurável, enquanto aguardavam na escuridão. Subitamente, ouviram um rangido horrível, ressoando como o estrondo de um trovão, um guincho estridente de madeira arrebentando e rachando. No mesmo instante ouviram-se gritos de homens e clamores de pânico.

Amos virou-se para os outros, a meia-luz.

— Bateram em um banco de areia. Pelo som, arrebentaram o casco por baixo. São homens mortos. — Deu ordem para que o leme fosse dirigido a noroeste, afastando o navio dos recifes, e os marinheiros hastearam depressa as velas.

— Que forma horrível de morrer — disse Arutha.

Martin encolheu os ombros, parcialmente iluminado pelas lanternas que eram trazidas para o convés.

— Existe alguma maneira agradável? Já vi piores.

Arutha deixou o tombadilho, ainda conseguindo ouvir a distância os gritos lastimosos dos homens que se afogavam, em macabro contraste com o grito mais mundano de Vasco para que abrissem a cozinha. Fechou a porta que dava para as camaratas, deixando aqueles sons tristes do lado de fora. Abriu a porta da sua cabine e viu Anita dormindo à luz fraca de uma vela coberta por um quebra-luz. O seu cabelo castanho-avermelhado parecia quase negro, espalhado ao redor da cabeça. Ele começava a fechar a porta quando a ouviu chamar:

— Arutha?

Entrou, vendo-a olhar para ele a meia-luz. Sentou-se na beira do beliche.

— Você está bem? — perguntou Arutha.

Ela se espreguiçou, acenando afirmativamente com a cabeça.

— Dormi profundamente. — Arregalou os olhos. — Está tudo bem? — Sentou-se, aproximando seu rosto ao do Príncipe.

Arutha estendeu os braços e a envolveu em um forte abraço.

— Está tudo bem. Estamos a salvo.

Ela suspirou, pousando a cabeça em seu ombro.

— Obrigada por tudo, Arutha.

Arutha não respondeu, repentinamente tomado por uma forte emoção, um sentimento protetor, uma necessidade de manter Anita em segurança, de cuidar dela. Assim permaneceram durante muito tempo, até que conseguiu recuperar o controle de suas emoções inquietantes.

— Você deve estar com fome, acho — disse, afastando-se um pouco.

Ela riu, um som genuinamente jovial.

— Sim, estou; na verdade, estou faminta.

— Vou pedir que lhe tragam algo, mas será uma comida modesta, lamento dizer, mesmo comparada ao que lhe era dado pelos Zombadores — disse ele.

— Qualquer coisa serve.

Ele subiu ao convés e deu ordens a um marujo para que fosse à cozinha buscar comida para a Princesa e, quando voltou, encontrou-a se penteando.

— Devo estar horrível — disse ela.

Arutha percebeu que lutava contra o impulso de sorrir. Não conseguia explicar, mas se sentia feliz.

— Nem um pouco — disse. — Na verdade, você está muito bonita.

A Princesa parou de se pentear e ele se maravilhou com a forma como ela parecia tão jovem em um minuto para no seguinte parecer uma mulher. Ela sorriu.

— Lembro-me de ter me escondido para vê-lo durante o jantar na corte de meu pai, da última vez que você esteve em Krondor.

— Para me ver? Por que faria isso?

A Princesa pareceu ignorar a pergunta.

— Naquela época, também o achei bonito, ainda que um pouco carrancudo. Um garoto me levantou para que eu pudesse olhá-lo. Veio com a comitiva de seu pai. Esqueci-me como se chamava, mas ele disse que era aprendiz de mago.

O sorriso de Arutha desapareceu.

— Era Pug.

— O que aconteceu com ele?

— Nós o perdemos no primeiro ano da guerra.

— Lamento — disse ela, largando a escova. — Ele foi gentil com uma criança chata.

— Era um bom garoto, dado a atos de bravura, e também muito especial para a minha irmã. Ela sofreu por seu desaparecimento durante muito tempo. — Reprimindo certa melancolia, prosseguiu: — Agora, por que a Princesa de Krondor iria querer espreitar um primo distante e rústico?

Anita fitou Arutha demoradamente, até que respondeu:

— Queria vê-lo porque os nossos pais achavam provável que viéssemos a nos casar.

Arutha ficou atônito. Precisou de todo o controle possível para manter a compostura. Puxou a única cadeira e sentou-se.

— O seu pai nunca lhe falou sobre isso? — perguntou Anita.

Por falta de uma resposta engenhosa, Arutha se limitou a sacudir a cabeça. Anita assentiu.

— Eu sei, a guerra e tudo o mais. Realmente, a situação ficou bastante descontrolada pouco depois de partirem para Rillanon.

Arutha engoliu em seco, percebendo que ficara com a boca repentinamente seca.

— Agora, o que você dizia sobre os planos de nossos pais para o... nosso casamento?

Arutha olhou para Anita, cujos olhos verdes tremeluziam com os reflexos da luz da vela e com algo mais.

— Receio que se trate de assuntos de Estado. Meu pai queria reforçar a minha pretensão ao trono e Lyam seria uma aliança muito perigosa, sendo o primogênito. Você seria ideal, pois o Rei certamente não iria se opor... ou não se oporia naquela época, acho. Agora, com Guy decidido a ficar comigo, suponho que o Rei deva estar de acordo com ele.

De súbito, Arutha ficou irritado, embora não soubesse ao certo o motivo.

— E suponho que nós não seriamos consultados sobre este assunto! — Havia subido o tom de voz.

— Por favor, não é culpa minha.

— Perdão. Não queria ofendê-la. É que nunca pensei muito em casamento, e muito menos por razões de Estado. — O sorriso irônico regressou. — Normalmente, é assunto para os filhos mais velhos. Via de regra, nós, os outros filhos, temos de nos virar o melhor que conseguirmos, uma condessa viúva e velha ou a filha de um mercador rico. — Tentou fazer pouco caso do assunto. — A bela filha de um mercador rico, se tivermos sorte, o que não acontece com frequência. — Ele não conseguiu falar em um tom mais leve e recostou-se. Por fim, disse: — Anita, você permanecerá em Crydee pelo tempo que for preciso. Talvez possa ser perigoso, durante algum tempo, por causa dos tsurani, mas resolveremos isso de alguma forma; talvez a enviemos para Carse. Quando esta guerra terminar, você voltará para casa em segurança, eu prometo. E nunca, nunca alguém irá forçá-la a fazer o que quer que seja contra a sua vontade.

A conversa foi interrompida quando alguém bateu à porta. Um marinheiro entrou com uma tigela fumegante de ensopado de peixe, pão duro e carne de porco salgada em uma travessa. Enquanto o marinheiro colocava a comida na mesa e servia um copo de vinho, Arutha observava Anita. Quando o marujo saiu, a jovem começou a comer.

O Príncipe falou de trivialidades com a prima, sentindo-se, mais uma vez, cativado por seus modos sinceros e atraentes. Quando, por fim, desejou boa-noite e fechou a porta, percebeu de repente que a ideia de um casamento de Estado lhe causava somente um ligeiro desconforto. Subiu ao convés; o nevoeiro levantara e navegavam novamente com uma ligeira brisa de popa. Olhou para as estrelas no céu e, pela primeira vez em muitos anos, assobiou uma ária alegre.

Junto ao leme, Martin e Amos dividiam um odre e falavam em voz baixa.

— O Príncipe parece excepcionalmente bem-disposto esta noite — disse o Capitão.

Martin deu uma baforada no cachimbo, que foi levada depressa pelo vento.

Aposto que ele sequer percebe o que o faz se sentir tão alegre. Anita é jovem, mas não é assim tão jovem para que ele possa continuar a ignorar suas atenções durante muito mais tempo. Se ela já se decidiu, e eu estou certo de que já, ela o terá amarrado dentro de um ano. E ele ficará feliz por ter sido apanhado.

Amos riu.

— Mas vai demorar um pouco até Arutha admitir. Estou disposto a apostar que o jovem Roland será levado ao altar antes de Anita.

Martin sacudiu a cabeça.

— Isso não é aposta nenhuma. Roland foi apanhado há anos. Anita ainda tem trabalho pela frente.

— Quer dizer que nunca esteve apaixonado, Martin?

— Não, Amos — respondeu. — Os caçadores, assim como os marujos, não são bons maridos. Ficam pouco tempo em casa e passam dias, até semanas, sozinhos. Costumamos ser muito solitários e melancólicos. E você?

— Não que se percebesse. — Amos suspirou. — Quanto mais velho fico, mais penso no que perdi.

— Mudaria alguma coisa?

— Provavelmente não, Martin, provavelmente não — disse Amos, dando uma risada.

Quando o navio atracou no cais, Fannon e Gardan desmontaram. Arutha acompanhou Anita pelo portaló e apresentou-a ao Mestre de Armas de Crydee.

— Não temos carruagens em Crydee, Alteza — disse-lhe Fannon —, mas pedirei que enviem de imediato uma charrete. É uma longa caminhada até o castelo.

Anita sorriu.

— Eu sei montar, Mestre Fannon. Qualquer cavalo que não seja muito arisco servirá perfeitamente.

Fannon deu ordens para que dois dos seus homens fossem até as cavalariças e trouxessem um dos corcéis de Carline, assim como uma sela adequada.

— Quais são as novidades? — perguntou Arutha.

Fannon afastou um pouco o Príncipe, para dizer:

— Degelo tardio nas montanhas, Alteza, de modo que não houve qualquer grande movimentação dos tsurani até agora. Algumas das guarnições menores sofreram ataques, mas nada indica que vá ocorrer uma ofensiva aqui na primavera. Provavelmente irão avançar sobre a posição de seu pai.

— Espero que tenha razão, pois meu pai recebeu grande parte da guarnição krondoriana. — Em linhas gerais, descreveu o que ocorrera em Krondor, enquanto Fannon ouvia atentamente.

— Tomou a decisão certa quando optou por não navegar até o acampamento de seu pai. Acho que avaliou bem a situação. Não haveria nada mais desastroso do que um grande ataque tsurani contra a posição do Duque Borric, com ele mobilizando forças para marchar contra Guy. Por enquanto, isso ficará apenas entre nós. Logo o seu pai saberá o que aconteceu, mas quanto mais tempo demorar em descobrir a traição de Guy, mais chances teremos de manter os tsurani afastados mais um ano.

Arutha pareceu preocupado.

— Esta situação não poderá se manter por muito mais tempo, Fannon. Precisamos acabar com esta guerra logo. — Virou-se por um momento e viu que as pessoas da cidade começavam a olhar boquiabertas para a Princesa. — Pelo menos ainda nos resta algum tempo para pensar em formas de conter os tsurani, se conseguirmos nos concentrar no assunto.

O Mestre de Armas pensou por um momento, começou a falar e logo parou. A sua expressão estava triste, quase doída.

— O que foi? — perguntou Arutha.

— Eu tenho notícias importantes e graves, Alteza. O Escudeiro Roland morreu.

Arutha ficou abalado com a notícia. Por um breve momento, pensou que Fannon estivesse lhe pregando uma peça de mau gosto, pois a sua mente não aceitava o que acabara de ouvir.

— O quê... Como? — disse por fim.

— A notícia chegou há três dias, enviada pelo Barão Tolburt, que está extremamente consternado. O Escudeiro foi morto em um ataque tsurani.

Arutha olhou para o castelo na colina.

— Carline?

— Como seria de esperar. Ela está sofrendo muito, mas ao mesmo tempo está aguentando bem.

Arutha reprimiu uma sensação sufocante. Com o rosto coberto de tristeza, voltou para junto de Anita, Amos e Martin. A notícia de que a Princesa de Krondor estava no cais se espalhara. Os soldados que tinham acompanhado Fannon e Gardan formavam um círculo silencioso ao redor dela, mantendo o povo a uma distância respeitosa, enquanto Arutha compartilhava as tristes notícias com Amos e Martin.

Pouco depois, os cavalos chegaram e todos montaram, cavalgando em direção ao castelo. O Príncipe esporeou o cavalo e já desmontava quando os outros entraram no pátio. Era aguardado por grande parte dos serviçais do castelo e, sem grandes cerimônias, gritou para Samuel, o Mordomo:

— A Princesa de Krondor é nossa hóspede. Providencie aposentos. Acompanhe-a ao grande salão e diga que me juntarei a ela em breve.

Entrou apressadamente na torre, passando pelos guardas, que ficaram em posição de sentido quando passou por eles. Chegou aos aposentos de Carline e bateu na porta.

— Quem é? — ouviu a voz delicada vinda de dentro do quarto.

— Arutha.

A porta se abriu de repente e Carline lançou-se nos braços do irmão, abraçando-o com força.

— Oh, estou tão feliz por você ter voltado! Nem sabe quanto. — Recuou e olhou para Arutha. — Desculpe. Eu queria descer para recebê-lo no cais, mas não tive coragem.

— Fannon acabou de me contar. Sinto muito.

Carline o olhou com serenidade, o rosto marcado pela resignação. Pegou-o pela mão e levou-o para dentro de seus aposentos.

— Sempre soube que podia acontecer — disse ela, sentada em um divã. — Foi ridículo, sabe? O Barão Tolburt escreveu uma carta extensa, pobre homem. Esteve pouco tempo com o filho e estava arrasado. — As lágrimas começaram a surgir e ela engoliu em seco, desviando o olhar de Arutha. — Roland morreu...

— Não precisa me contar.

Ela sacudiu a cabeça.

— Não faz mal. Dói... — Novamente, as lágrimas caíram, mas ela falou enquanto chorava: — Oh, dói tanto, mas vou superar a dor. Foi Roland que me ensinou a fazê-lo, Arutha. Sabia que os riscos existiam e que, se ele morresse, eu teria de continuar a viver a minha vida. Ensinou-me bem. Acho que pelo fato de ter, por fim, entendido o quanto o amava e por ter dito isso a ele, ganhei forças para lidar com a sua perda. Roland morreu tentando salvar as vacas de uns camponeses. — Entre lágrimas, sorriu. — Não é típico de Roland? Passou o inverno todo construindo o forte, até que, na primeira vez que ocorre um conflito, é com um grupo de tsurani esfomeados tentando roubar umas vacas magricelas. Roland saiu a cavalo com os seus homens para afugentá-los, mas foi atingido por uma flecha. Foi o único atingido, morrendo antes de conseguirem levá-lo de volta ao forte. — Suspirou demoradamente. — Às vezes era tão brincalhão que quase achei que fez de propósito.

Começou a soluçar e Arutha a observou em silêncio. Ela recuperou depressa o controle, prosseguindo:

— Nada de bom poderá vir disso, sabe? — Levantou-se, indo olhar pela janela e dizendo com serenidade: — Maldita seja esta guerra estúpida.

Arutha aproximou-se, abraçando-a com força.

— Malditas sejam todas as guerras — disse.

Ficaram calados alguns minutos, até que Carline perguntou:

— Conte-me, que notícias traz de Krondor?

Arutha fez um breve relato das experiências pelas quais passara em Krondor, mantendo parte da atenção centrada na irmã. Ela parecia ter aceitado a perda de Roland com mais facilidade do que quando chorara pelo desaparecimento de Pug. O Príncipe partilhava a dor da irmã, embora também estivesse certo de que ela iria superá-la. Ficou feliz por perceber que Carline amadurecera bastante ao longo dos últimos anos. Quando terminou o relato do resgate de Anita, Carline o interrompeu:

— Anita, a Princesa de Krondor, está aqui?

Arutha confirmou e Carline comentou:

— Eu devo estar horrorosa e você traz a Princesa de Krondor para cá. Arutha, você é um monstro. — Correu até um espelho de metal polido e ocupou-se do rosto, passando um pano úmido pelas faces.

Arutha sorriu. Sob o manto do luto, a irmã não deixava de exibir um lampejo da sua disposição natural.

Penteando-se, Carline se virou para o irmão:

— Ela é bonita, Arutha?

O leve sorriso irônico foi substituído por um sorriso largo.

— Sim, eu diria que é bonita.

Carline examinou o rosto do irmão.

— Estou vendo que terei de me tornar íntima dela. — Largou a escova e ajeitou o vestido. Estendendo a mão para que ele a segurasse, disse: — Vamos, não podemos deixar a sua jovem senhora à espera.

De mãos dadas, saíram do quarto e desceram as escadas até o corredor principal, para darem a Anita as boas-vindas a Crydee.

8

O Grande

A cidade podia ser vista da casa abandonada.

O local onde fora construída já vira, em outros tempos, as luzes de uma grande mansão de família. Estava no topo da mais alta das muitas colinas onduladas que rodeavam a cidade de Ontoset e tinha aquela que era considerada a melhor vista da cidade e do mar mais além. A família que nela habitara ficara arruinada, resultado de estar no lado derrotado em uma das muitas sutis e letais contendas políticas do Império. A casa estava em avançado estado de deterioração e a propriedade fora abandonada, pois, embora fosse um esplêndido ponto para construção como outros na área, a associação à má sorte era real demais para os supersticiosos tsurani.

Um dia, chegaram notícias à cidade de que uns pastores de kula tinham avistado uma única silhueta de manto negro subindo a colina rumo à casa em ruínas. Todos agiram depressa para evitá-lo, como era adequado à sua posição social. Ficaram na área, tratando de seus animais — a fonte de seus parcos rendimentos era a lã de kula —, quando, perto do meio-dia, ouviram um estrondo, como se o céu acima tivesse sido rasgado pelo avô de todos os trovões. Apavorado, o rebanho se dispersou e alguns kula subiram a colina. Os pastores, ainda que igualmente aterrorizados, permaneceram fiéis ao ofício e, afastando os temores, correram atrás dos animais.

Um dos pastores, um homem chamado Xanothis, chegou ao topo da outrora famosa colina, sendo recebido pela visão do mago de manto negro que vira antes, de pé, no cume. No local onde até momentos antes estivera a enorme casa em ruínas, via-se uma grande extensão de terra fumegante e nua, vários metros abaixo do nível da relva que a circundava. Temendo ter interferido em um assunto de um Grande, Xanothis começou a recuar, na esperança de passar despercebido, pois o Grande estava de costas para o pastor e tinha o capuz sobre a cabeça. Ao dar o primeiro passo para trás, o mago virou-se para ele, fixando-o com um par de profundos e perturbadores olhos castanhos.

O pastor caiu de joelhos, como exigia a tradição, os olhos postos no chão. Não se abaixou por completo, pois era um homem livre e, embora não pertencesse à nobreza, era chefe de família.

— Levante-se — ordenou o mago.

Ligeiramente confuso, Xanothis se ergueu, sem levantar os olhos do chão.

— Olhe para mim.

O homem levantou a cabeça e deparou-se com o rosto no capuz fitando-o atentamente. Uma barba tão escura quanto os olhos enquadrava um rosto de pele clara, detalhe que contribuiu para o desconforto de Xanothis, pois somente os escravos usavam barba. O mago sorriu diante de sua evidente confusão e andou ao seu redor, examinando-o.

O mago reparou que era um homem alto para um tsurani, dois a cinco centímetros acima dos seus um metro e setenta. De pele escura, como chocha límpida ou café. Tinha olhos pretos, assim como o cabelo, com fios grisalhos. A túnica verde e curta do pastor exibia a constituição forte de um antigo soldado, fato que o mago deduziu a partir da postura do homem e pelas várias cicatrizes. Aparentava ter mais de cinquenta anos, mas ainda era capaz de suportar a vida árdua de pastor. Embora mais baixo, este homem o fazia se lembrar de Gardan de Crydee.

— Seu nome? — perguntou o mago, dando a volta e ficando de frente para o pastor. Xanothis respondeu em um tom de voz que denunciou o constrangimento que sentia. Foi então que o mago o surpreendeu com a pergunta: — Você diria que este é um bom lugar para uma casa, pastor?

Confuso, Xanothis balbuciou:

— Se... se essa... for a sua vontade, Grande.

— Não pergunte o que eu penso! — retorquiu o mago. — Pedi a *sua* opinião!

Xanothis mal conseguia ocultar a raiva diante da própria vergonha. Os Grandes eram sacrossantos e enganar um deles era cometer uma desonra.

— Perdoe-me, Grande. Dizem que este lugar foi amaldiçoado pelos deuses.

— Quem diz isso?

A brusquidão na voz do mago levou a cabeça do homem mais velho a se erguer repentinamente, como se tivessem batido nele. Os olhos não escondiam a raiva que sentia, mas a voz permaneceu calma ao dizer:

— Os habitantes da cidade, Grande, e outros espalhados pelo campo. — O pastor olhou nos olhos do mago, sem desviar o olhar, e estes ganharam linhas de satisfação, e os cantos de seus lábios subiram um pouco, ainda que a voz continuasse ressoando:

— Quer dizer que você não pensa assim, pastor?

— Fui soldado durante quinze anos, Grande. Percebi que, em vários casos, os deuses favorecem aqueles que cuidam de seu próprio bem-estar.

O mago sorriu ao ouvir aquelas palavras, embora não fosse uma expressão totalmente afável.

— Um homem com autoconfiança. Ainda bem. Fico feliz de ver que pensamos de modo parecido, pois pretendo construir a minha casa aqui, já que gosto de ver o mar.

O mago percebeu certo constrangimento na atitude do homem diante daquele comentário.

— Tenho a sua aprovação, Xanothis de Ontoset? — perguntou.

Xanothis mudou o peso do corpo de uma perna para a outra, até que disse:

— O Grande está zombando de mim. Tenho certeza de que a minha aprovação ou desaprovação não tem importância.

— De fato, porém você continua evitando responder. Tenho a sua aprovação?

— Terei de deslocar os meus rebanhos, Grande — disse Xanothis, deixando os ombros caírem ligeiramente. — Só isso. Não quero faltar ao respeito.

— Conte-me sobre a casa que existia aqui até o dia de hoje, Xanothis.

— Era a residência do Lorde de Almach, Grande. Ele apoiou o primo errado contra Almecho quando foi contestado o posto de Senhor da Guerra. — Encolheu os ombros. — Já fui Líder de Patrulha desta casa. Eu era um homem orgulhoso, o que limitava a minha carreira como soldado. O meu senhor me deu permissão para deixar o seu serviço e me casar, por isso passei a cuidar dos rebanhos do pai de minha esposa. Se não tivesse deixado de ser soldado, agora seria escravo, estaria morto ou seria um guerreiro cinzento. — Olhou de relance para o mar ao longe. — Que mais deseja saber, Grande?

— Pode deixar os seus rebanhos nesta colina, Xanothis — disse o mago. — Os animais mantêm a grama aparada, e não gosto de terrenos descuidados. Apenas mantenha-os afastados da casa principal, onde estarei trabalhando, ou irei cozinhar um para o jantar, de vez em quando.

Sem mais uma palavra, o mago tirou um dispositivo do manto e o ativou. Por um momento, ouviu-se um estranho zumbido, até que a figura de manto negro desapareceu com um breve estalo. Xanothis ficou em silêncio por alguns minutos, retomando depois a procura pelos animais perdidos.

Naquela noite, em volta de uma fogueira, contou à família e aos outros pastores o encontro que tinha tido com o Grande. Ninguém duvidou de sua palavra, pois, apesar de seus defeitos, Xanothis não era homem de aumentar a verdade, mas ficaram espantados. Além disso, não conseguiam se habituar a outra situação: ao longo dos meses seguintes, enquanto uma nova mansão ia sendo construída, um ou outro dos pastores avistava ocasionalmente Xanothis conversando com um Grande, no alto da colina, enquanto os kula pastavam mais abaixo.

Uma casa nova e estranha se erguia no alto da colina. Era fonte tanto de alguma especulação quanto de um pouco de inveja. A especulação era sobre o proprietário, o estranho Grande. A inveja se devia ao estilo e à construção, que representavam certa revolução na arquitetura tsurani. Não era o tradicional edifício de três pisos, aberto no centro. Em seu lugar, tinha sido construído um edifício de um único piso, apresentando vários outros menores ligados por passagens cobertas. Era irregular, possuindo vários jardins e canais de água serpenteando entre as estruturas. Tal como o estilo, a construção também provocou grande comoção, pois a casa era, sobretudo, feita de pedra, com telhas de terracota no telhado. Alguns achavam que era uma proteção contra o calor do verão.

Dois outros fatores se somavam ao fascínio manifestado pela casa e por seu proprietário. Em primeiro lugar, a forma como o projeto fora contratado. Um dia, o mago aparecera em Ontoset, na casa de Tumacel, o agiota mais rico da cidade. Apropriara-se de mais de trinta mil imperiais em fundos, deixando o agiota arrasado com a perda de liquidez. Era esse o método de Milamber para lidar com a paixão dos tsurani pela burocracia. Qualquer mercador ou negociante a quem fosse exigido que prestasse serviços a um Grande era forçado a dirigir uma petição ao Tesouro Imperial de modo a ser reembolsado. Esses procedimentos resultavam em uma entrega demorada dos materiais encomendados, em um serviço menos solícito e de má vontade. Milamber limitou-se a pagar adiantado, deixando que o agiota recuperasse o dinheiro do Tesouro — estando mais habilitado a justificar as suas perdas do que a maioria dos mercadores, devido à sua contabilidade organizada. O outro fator tinha a ver com o estilo da decoração. Em vez de paredes pintadas com fortes cores berrantes, a construção ficou quase toda sem pintura, salvo uma paisagem esporádica em cores suaves e naturais. Foram contratados vários jovens artistas de grande talento e, no final, a procura dos serviços desses artistas foi extraordinária. No espaço de um mês, estava em curso um novo movimento na arte tsurani.

Cinquenta escravos trabalhavam atualmente nos campos adjacentes, eram livres para se deslocar e vestiam os trajes de seu mundo natal, Midkemia. O Grande trouxera todos do mercado de escravos, sem pagar.

Uma boa parte dos visitantes de Ontoset tirava uma tarde para subir as colinas nos arredores para ver a casa. A uma distância respeitável, obviamente. Xanothis, o pastor, era interrogado com frequência sobre o estranho Grande que vivia naquela casa, embora o antigo soldado nada revelasse, limitando-se a sorrir bastante.

— A crença de que o grande portal que leva a Midkemia pode ser controlado é apenas parcialmente verdade. — Milamber fez uma pausa, permitindo ao escriba concluir o que lhe ditava. — Podemos afirmar que os portais podem ser criados sem a liberação de energias destruidoras associadas à criação fortuita, seja devido a feitiços de magia realizados de modo deficiente, seja pela proximidade de muitos dispositivos mágicos instáveis.

A pesquisa de Milamber sobre os aspectos especiais das energias dos portais seria acrescentada aos arquivos da Assembleia quando estivesse concluída. Tal como outros projetos que tinha lido nos arquivos, a pesquisa dos portais revelara o que Milamber considerava ser uma falha grave em grande parte do trabalho de seus irmãos magos. Em geral, os projetos não eram concluídos, revelando que a pesquisa não fora exaustiva. Logo que o procedimento de criação de portais em segurança foi desenvolvido, tinham deixado de investigar a natureza destes. Prosseguindo, ditou:

— O que falta no conceito de controle é a capacidade de selecionar o término do contato, a capacidade de "visar" o portal. Foi demonstrado pelo surgimento do navio que levava Fanatha à praia de Crydee, no mundo de Midkemia, que é provável que exista uma determinada afinidade entre uma fenda recém-formada e outra já existente. Contudo, como foi demonstrado após a realização de outros testes, essa afinidade é limitada, sendo que os limites ainda não foram entendidos em sua totalidade. Embora exista uma maior probabilidade de surgir uma segunda fenda nas proximidades da primeira, isso não significa que haja uma certeza absoluta.

Quando o escriba concluiu, Milamber acrescentou:

— Além disso, permanece a questão de determinadas inconsistências reveladas pelos portais. O tamanho parece corresponder à energia empregada na formação dos mesmos; no entanto, outras características não aparentam seguir um padrão. Algumas fendas são de sentido único — Milamber perdera diversos dispositivos valiosos para descobrir esse fato —, ao passo que outras permitem movimentos nos dois sentidos. Existem também os "pares ligados": dois portais de sentido único surgem simultaneamente, permitindo o percurso de um sentido entre a origem e o ponto de chegada. Embora aparentem estar afastados por vários quilômetros, estão relacionados...

A narração de Milamber foi interrompida pelo som de um sino que anunciava a chegada de alguém pertencente à Assembleia. Dispensou o escriba e dirigiu-se à sala dos padrões. Enquanto andava, pensou sobre a verdadeira razão de ter mergulhado na pesquisa nos últimos dois meses. Andava evitando a decisão que teria de tomar em breve: se deveria ou não regressar à propriedade dos Shinzawai para buscar Katala.

Milamber sabia que havia a possibilidade de ela ter se tornado mulher de outro, visto que a separação se dera há quase cinco anos e ela não tinha razões para achar que ele voltaria. Contudo, nem o tempo nem o treino tinham conseguido diminuir o que sentia por ela. Ao chegar à sala de transporte com o padrão de azulejos, tomou uma decisão: no dia seguinte iria vê-la.

Quando entrou na sala, viu Hochopepa saindo do padrão no chão de azulejos.

— Ah — exclamou o mago gorducho —, aí está você. Como se passaram duas semanas desde a última vez que o vi, decidi fazer uma visita.

— Fico feliz em vê-lo. Tenho estado profundamente envolvido nos estudos e uma breve pausa me fará bem.

Saíram da sala para um dos vários jardins próximos.

— Já há algum tempo que queria lhe perguntar: qual o significado do padrão que escolheu? — disse Hochopepa. — Não o reconheço.

— Trata-se de uma recriação estilizada de um padrão que vi certa vez em uma fonte — respondeu Milamber. — Três golfinhos.

— Golfinhos?

Milamber descreveu os mamíferos marinhos de Midkemia enquanto se sentavam em almofadas entre duas árvores frutíferas anãs.

— Por que os golfinhos dessa fonte?

— Não sei. Um impulso, talvez. Além disso, quando fui submetido à prova final na torre, vi algo que só percebi um ou dois meses depois.

— O que tem uma coisa a ver com a outra?

— Na representação do desafio final ao Forasteiro, você se lembra de um único mago de manto marrom que dobrou o portal, impedindo que Kelewan entrasse no universo do Inimigo?

Hochopepa ficou com um ar pensativo.

— Não posso dizer que me lembro, Milamber. Se bem que o feitiço usado para criar essa imagem afeta cada pessoa de forma diferente. Se comparar visões com outros, descobrirá grandes variações. Contudo, na época do Forasteiro, vestíamos todos mantos negros. Quem poderia ser esse estranho mago de manto marrom?

— Um homem que conheci, anos atrás — respondeu Milamber.

— Impossível. Esse acontecimento ocorreu há séculos.

— Mesmo assim, eu o conheci — disse Milamber sorrindo. — Adotei os três golfinhos como meu padrão como uma espécie de comemoração de nosso encontro.

— Mas que estranho. Tem havido alguma especulação acerca de viagens no tempo, o que justificaria essa situação, a menos que sua mente bárbara o tenha enganado no alto da torre. — As últimas palavras foram ditas com um sorriso.

Milamber bateu palmas e um serviçal entrou com um tabuleiro de comida e bebida. O serviçal, Netoha, fora há tempos hadonra da família que morara ali antes. Milamber o encontrara quando procurava alguém para plantar as variedades de vegetação que queria em seus jardins. O homem teve coragem de interpelá-lo, algo que o destacou dos tsurani comuns. Incapaz de encontrar trabalho na área que conhecia desde o desaparecimento da propriedade de seu patrão, Netoha mal conseguiu sobreviver ao longo dos anos. Milamber o contratara tanto por compaixão quanto por uma necessidade real. Ele mostrou depressa a sua utilidade de uma centena de maneiras que o jovem mago nem sequer imaginara e a relação era mutuamente satisfatória.

Hochopepa aceitou os doces e a bebida.

— Eu vim lhe contar algumas novidades. Daqui a dois meses, vai ocorrer o Festival Imperial, com torneios. Você irá?

Milamber sentiu a sua curiosidade despertar. Com um aceno, mandou Netoha sair.

— O que torna esse festival tão especial? Não me lembro de vê-lo tão animado.

— Esse festival vai ser oferecido pelo Senhor da Guerra em honra do sobrinho, o Imperador. Ele tem planos para um novo ataque em larga escala na semana que antecede os torneios, e espera-se que anuncie o êxito da campanha nessa ocasião. — Abaixou a voz: — Não é segredo nenhum, pelo menos entre aqueles com acesso às fofocas da corte, que ele se encontra sob grande pressão para justificar a condução que tem feito da guerra perante o Conselho Supremo. Corre o rumor de que se viu forçado a fazer grandes concessões à Facção da Roda Azul de modo a recuperar esse apoio na guerra. Contudo, o que tornará os torneios excepcionais é o fato de que a Luz do Céu vai deixar o seu Palácio da Contemplação, quebrando a antiga tradição. Seria uma ocasião conveniente para você fazer algum tipo de entrada na sociedade da corte.

— Lamento, Hocho — disse Milamber —, tenho pouca vontade de assistir a festivais. No início deste mês, fui a um em Ontoset, como parte de meus estudos. As danças são cansativas, a comida tende para o horrível e o vinho é tão sem graça quanto os discursos. Os torneios são ainda menos interessantes. Se é essa a sociedade da corte de que fala, passarei bem sem isso.

— Milamber, a sua educação ainda possui muitas falhas. A obtenção do manto negro não implica uma maestria imediata de nossa arte. A proteção do Império implica muito mais do que ficar sentado imaginando novas formas de movimentar a energia ou do que criar caos econômico junto aos agiotas locais. — Pegou outro doce e voltou à repreensão: — São várias as razões pelas quais você deve me acompanhar às festividades, Milamber. Em primeiro lugar, você é uma espécie de celebridade entre os nobres do reino, pois a notícia a respeito de sua maravilhosa casa se espalhou de um canto a outro do Império, em grande parte com a ajuda daqueles jovens bandidos que você pagou regiamente para executarem as delicadas pinturas que tanto aprecia. Agora, é considerado sinal de certa distinção possuir o mesmo tipo de trabalho. Este lugar — com a mão, desenhou um arco à frente de ambos, com um deslumbramento fingido no rosto —, quem quer que tenha tido a habilidade de conceber uma construção destas, certamente é digno de atenção. — O tom debochado sumiu ao acrescentar: — A propósito, todo este disparate não diminuiu em nada quando você se isolou misteriosamente aqui dentro. Quando muito, aumentou ainda mais a sua reputação. Falemos agora de razões mais importantes do que as sociais. Como sem dúvida você sabe, cresce a preocupação de que as notícias da guerra estejam, de alguma forma, sendo minimizadas. Em todos esses anos, poucos foram os benefícios e fala-se que o Imperador poderá tomar posição contra as políticas do Senhor da Guerra. Se assim for... — Não terminou o raciocínio.

Milamber ficou calado durante algum tempo.

— Hocho, acho que chegou o momento de lhe contar algo, e, caso considere que seja o suficiente para tirar a minha vida, regresse à Assembleia e apresente as acusações.

Hochopepa prestou total atenção, abandonando todos os ditos espirituosos e comentários mordazes.

— Você, que me treinou, realizou o seu trabalho com perfeição, pois me sinto dominado pela necessidade de fazer o melhor pelo Império. Guardo somente um ínfimo sentimento pela terra onde nasci, e você nunca saberá o que isso significa. Contudo, no decorrer do processo para me tornar o que sou, você jamais conseguiria criar um amor pela pátria dentro de meu ser igual ao que outrora senti por Crydee. O que você criou foi um homem com um profundo sentimento de dever, sem qualquer tipo de amor pelo objeto desse sentimento. — Hochopepa permaneceu calado enquanto absorvia o impacto das palavras de Milamber, até que balançou a cabeça e o outro prosseguiu: — Posso ser a maior ameaça ao Império desde que o Forasteiro invadiu os seus céus, pois, se me envolver na política, farei justiça sem misericórdia. Conheci as facções dentro dos partidos, a transição das famílias de um partido para outro e as consequências desses atos. Acha que por ficar no topo de minha colina nas terras orientais não estou a par das mudanças e agitações dos animais políticos na capital? Claro que estou. Se a Facção da Roda Azul sucumbir e seus membros se voltarem para a Facção Bélica ou para os Imperialistas, não haverá mercador em Ontoset que não especule sobre essas notícias no dia seguinte. Estou a par do que acontece tanto quanto qualquer outro que não esteja diretamente envolvido. Nos meses desde que vim morar aqui, cheguei a uma conclusão: o Império está se matando aos poucos.

O mago mais velho não falou logo, perguntando por fim:

— Chegou a pensar o que em nosso sistema nos leva a isso?

Milamber levantou-se e começou a andar de um lado para outro.

— Claro. Estou estudando a questão e optei por aguardar antes de agir. Preciso de mais tempo para entender a história que você me ensinou tão bem. No entanto, restam-me algumas dúvidas quanto ao que está errado, e isso será meu ponto de partida. — Inclinou a cabeça, solicitando permissão para prosseguir. Hochopepa assentiu. — Parece que existem aqui vários problemas de grande dimensão, problemas sobre os quais posso apenas conjecturar quanto ao impacto que possam produzir no Império. Em primeiro lugar —

ergueu o indicador —, quem se encontra no poder está mais preocupado com a sua própria grandeza do que com o bem-estar do Império. Como são esses que aparecem ao olhar casual como sendo o próprio Império, é algo que passa despercebido.

— Como assim? — perguntou o mago mais velho.

— Quando você pensa no Império, o que lhe vem à cabeça? Uma história de exércitos em guerra pelas terras afora? Ou a ascensão da Assembleia? Pensa, talvez, em uma crônica de soberanos? Seja o que for, é provável que a única verdade óbvia seja ignorada. O Império é constituído por todos aqueles que vivem dentro de suas fronteiras, desde os nobres ao serviçal mais humilde, até os escravos que trabalham a terra. Ele tem de ser visto como um todo, e não associado a uma pequena, ainda que visível, parte, tal como o Senhor da Guerra ou o Conselho Supremo. Você entende?

Hochopepa pareceu incomodado.

— Não sei, mas acho... Continue.

— Se for verdade, considere o resto. Em segundo lugar, nunca poderá haver uma época em que a necessidade de estabilidade esteja acima da necessidade de crescimento.

— Mas sempre crescemos! — protestou Hochopepa.

— Não é verdade — contrapôs Milamber. — Sempre se expandiram e isso parece crescimento se não investigarmos atentamente. Porém, enquanto os seus exércitos foram trazendo novas terras para dentro das fronteiras, o que aconteceu à arte, à música, à literatura, à investigação? Até a orgulhosa Assembleia faz pouco mais do que refinar o que já é conhecido. Você insinuou ainda agora que eu andava perdendo tempo descobrindo novas formas de "movimentar a energia". Ora, que tem isso de mau? Nada. No entanto, há algo de errado em uma sociedade que suspeita das novidades. Olhe à sua volta, Hocho. Os seus artistas ficaram chocados por eu ter lhes descrito o que vira em quadros na minha juventude, e alguns jovens artistas ficaram entusiasmados. Os seus músicos passam o tempo aprendendo as canções antigas com perfeição, sem mudar uma nota, e ninguém compõe novas melodias, somente variações inteligentes de melodias com séculos de existência. Ninguém cria novos épicos, limitam-se a recontar os antigos. Hocho, vocês são um povo estagnado. Esta guerra é mais um exemplo. É injustificada, travada pela força do hábito, de modo a manter determinados grupos no poder, para colher riquezas para quem já as têm e para jogar o Jogo do Conselho. E a que custo! Desperdiçam milhares de vidas todos os anos, as vidas daqueles que são o próprio Império, os seus cidadãos. O Império é um canibal, devorando o seu próprio povo.

O mago mais velho estava nitidamente perturbado pelo que ouvia, em contradição absoluta com o que acreditava ver: uma cultura vibrante, cheia de energia, viva.

— Em terceiro lugar — continuou Milamber —, se é meu dever servir o Império, e se a ordem social do Império é responsável pela sua própria estagnação, é meu dever alterar essa ordem social, ainda que tenha de destruí-la.

Hochopepa estava horrorizado. A lógica de Milamber não tinha falhas, mas a solução sugerida estava repleta de perigo a tudo o que Hochopepa conhecia e venerava.

— Compreendo o que diz, Milamber, mas fala de algo difícil demais de contemplar de uma só vez.

A voz de Milamber ganhou tons tranquilizadores:

— Não pretendo insinuar que a destruição da ordem social atual seja a única solução, Hocho. Recorri a esse argumento para chocar e para chamar atenção. É disso que trata grande parte da minha pesquisa, não só o domínio visível da energia, mas também investigações acerca da natureza do povo tsurani e do Império. Acredite no que lhe digo, estou disposto a passar o tempo que for preciso dedicado a essa questão. Planejo passar mais tempo nos arquivos.

Hochopepa franziu a testa, examinando atentamente o rosto do amigo mais novo.

— Fique avisado: é possível que encontre coisas muito perturbadoras nesses arquivos. Como já disse, sua educação ainda não terminou.

Milamber baixou o tom de voz:

— Já me deparei com algumas questões inquietantes, Hocho. Muito do que as nações consideram verdadeiro é baseado em falsidades.

Hochopepa ficou preocupado.

— Há assuntos proibidos a quem não faça parte da Assembleia, Milamber, e, mesmo nesse caso, não é prudente falar deles até a um dos irmãos. — Desviou o olhar, pensativo, acabando por dizer: — Ainda assim, quando acabar de rondar aqueles velhos e bolorentos subterrâneos, caso precise discutir suas descobertas, irei ouvi-lo de bom grado. — Voltou a olhar para o amigo. — Gosto de você e acredito que é uma lufada de ar fresco entre nós, Milamber, mas muitos outros preferiam vê-lo morto. Não fale com ninguém, a não ser com Shimone e comigo, a respeito dessa pesquisa social que anda fazendo.

— Certo, porém, quando chegar a uma decisão quanto ao que tem de ser feito, terei de agir.

Hochopepa levantou-se, com um ar apreensivo no rosto.

— Não é que eu discorde de você, meu amigo, mas simplesmente preciso de tempo para assimilar tudo o que me disse.

— Por mais perturbador que seja, a você só posso dizer a verdade, Hocho.

Hochopepa sorriu.

— Uma circunstância pela qual fico grato, Milamber. Precisarei de algum tempo para refletir sobre a questão. — Uma parte do bom humor habitual voltou à voz do homem mais velho: — Talvez possa me acompanhar à Assembleia? Você tem estado ausente grande parte do tempo, com a construção desta casa e todo o resto; seria bom aparecer uma vez ou outra.

Milamber sorriu para o amigo.

— Claro. — Gesticulou para que Hochopepa fosse à frente até o padrão. Enquanto caminhavam, Hochopepa disse:

— Se pretende estudar a nossa cultura, Milamber, sugiro que compareça ao Festival Imperial. A atividade política que terá lugar nos assentos da arena nesse único dia será bem maior do que aquela que se dá ao longo de um mês no Conselho Supremo.

Milamber virou-se para Hochopepa.

— Talvez tenha razão. Vou pensar no assunto.

Quando surgiram no padrão da Assembleia, Shimone estava por perto. Fez uma ligeira mesura como cumprimento e disse:

— Bem-vindos. Estava prestes a ir à sua procura.

Hochopepa disse, com um ar levemente divertido:

— Somos assim tão imprescindíveis aos assuntos da Assembleia que tiveram de enviá-lo à nossa procura?

Shimone inclinou ligeiramente a cabeça.

— Talvez, mas não hoje. Pensei que achariam interessante o assunto atual.

— O que está acontecendo? — perguntou Milamber.

— O Senhor da Guerra enviou mensagens à Assembleia e Hodiku tem dúvidas sobre elas. Temos de nos apressar, pois estão quase começando.

Caminharam apressados até o salão central da Assembleia, onde entraram. O anfiteatro estava disposto em uma grande área aberta; sentaram-se em uma fileira mais baixa. Várias centenas de Grandes de mantos negros já estavam sentados. No centro, viram Fumita, o antigo irmão do Lorde

Shinzawai, sozinho; iria presidir os assuntos do dia. A presidência era atribuída aleatoriamente a um dos presentes. Desde que fora levado para lá, Milamber vira Fumita somente duas vezes na Assembleia.

— Faz quase três semanas desde a última vez em que o vi na Assembleia, Milamber — disse Shimone.

— Peço perdão, mas tenho andado ocupado cuidando de minha casa.

— Foi o que ouvi dizer. Você é uma espécie de fonte de fofocas na corte imperial. Ouvi dizer que o próprio Senhor da Guerra está ansioso para conhecê-lo.

— Um dia, quem sabe.

Hochopepa dirigiu-se a Shimone:

— Quem conseguirá entender este homem? Dedicou-se a construir uma casa tão insólita. — Virou-se para Milamber. — Só falta dizer que vai arranjar uma esposa.

Milamber riu.

— Ora, Hocho, como adivinhou?

Hochopepa arregalou os olhos.

— Não pode ser!

— Por que não?

— Milamber, não é uma atitude sensata, acredite. Até hoje me arrependo de ter me casado.

— Hocho, não sabia que era casado.

— Prefiro não falar muito no assunto. A minha mulher é esplêndida, ainda que tenha uma língua muito afiada e um espírito bastante mordaz. Na minha própria casa, sou pouco mais do que um criado que obedece às suas ordens. Por isso, visito-a somente em determinados dias; seria prejudicial para a minha saúde vê-la mais vezes.

— Quem é a sua prometida, Milamber? — perguntou Shimone. — A filha de um nobre?

— Não. Ela era escrava comigo na propriedade dos Shinzawai.

— Uma escrava... humm — refletiu Hochopepa. — Isso pode dar certo.

Milamber riu e Shimone deu uma risada abafada. Vários magos os olharam, curiosos, pois a Assembleia geralmente não era um local alegre.

Fumita levantou a mão e a Assembleia ficou em silêncio.

— Hoje, Hodiku traz um assunto perante a Assembleia.

Um Grande franzino, de cabeça raspada e nariz adunco, levantou-se de seu lugar à frente de Milamber e Hochopepa, dirigindo-se ao centro do anfiteatro.

Passou em revista os magos que se encontravam no salão, falando em seguida:

— Apresento-me hoje para falar a respeito do Império. — Era a abertura formal de qualquer assunto levado à Assembleia. — Falo para o bem do Império — acrescentou, concluindo o ritual. — Estou preocupado com a exigência de auxílio que o Senhor da Guerra emitiu hoje, de modo a poder expandir a guerra contra o mundo midkemiano.

Um coro de vaias e gritos de "Políticas" e "Sente-se!" surgiu no salão. Logo Shimone e Hochopepa se levantaram, juntando-se a outros que gritavam: "Deixem que fale!"

Fumita ergueu uma mão, pedindo silêncio, e, pouco depois, o salão se acalmou.

— Existem precedentes — prosseguiu Hodiku. — Há quinze anos, a Assembleia enviou uma ordem ao Senhor da Guerra para que terminasse a guerra contra a Confederação Thuril.

Um mago levantou de um salto.

— Se a conquista thuril tivesse prosseguido, poucos restariam no norte para rechaçar a migração dos thūn nesse ano. Estava em jogo a salvação da Província de Szetac e da Cidade Sagrada. Agora, as nossas fronteiras ao norte estão seguras. A situação é diferente.

Romperam argumentos por todo o salão e Fumita levou alguns minutos para restabelecer a ordem.

Hochopepa levantou-se e falou:

— Gostaria de ouvir as razões de Hodiku para considerar esse pedido como vital para a segurança do Império. Qualquer mago que esteja disposto é livre para trabalhar no interesse da conquista.

— É essa a questão — respondeu Hodiku. — Não há motivos que impeçam qualquer mago, que sinta que esta guerra em outro espaço-tempo seja correta e adequada ao Império, de trabalhar em prol dessa conquista. Sem os Mantos Negros que já servem ao Senhor da Guerra, a fenda nunca teria sido preparada para tal empreendimento. O que condeno é a forma como ele agora faz exigências à Assembleia. Se cinco ou seis magos optarem por servir no campo, se quiserem até viajar para o outro mundo e arriscar as vidas em uma batalha, isso só diz respeito a eles. Contudo, se um mago responder a essa exigência sem considerar as consequências, passará a ideia de que a Assembleia agora está sujeita à vontade do Senhor da Guerra.

Vários magos aplaudiram aquele sentimento, enquanto outros pareciam ponderar seus méritos. Foram poucos os que vaiaram e debocharam. Hochopepa voltou a se levantar.

— Gostaria de apresentar uma proposta. Em nome da Assembleia, irei me encarregar de enviar uma mensagem ao Senhor da Guerra lamentando o fato de que a Assembleia, como um todo, não poderá exigir aos magos que cumpram o que foi pedido; porém o Senhor da Guerra poderá procurar os serviços de qualquer mago disposto a colaborar em prol de seus interesses.

Um murmúrio geral de aprovação percorreu o salão e Fumita perguntou:

— Hochopepa apresenta a proposta de enviar uma declaração de princípios ao Senhor da Guerra, em nome da Assembleia. Alguém se opõe? — Sem que se levantassem objeções, prosseguiu: — A Assembleia agradece a Hochopepa pelo seu discernimento. — Após um momento de espera, acrescentou: — Há outro assunto que exige a nossa atenção: descobriu-se que o noviço Shiro não possui as qualidades morais necessárias à Grande Arte. As sondas mentais revelaram que acolhe sentimentos anti-imperiais, assimilados durante a juventude com a avó materna, uma mulher thuril. A Assembleia concorda?

Levantaram-se mãos, cada uma sustentando uma auréola de luz, enquanto os magos votavam. Verde para poupar a vida, vermelho para a condenação à morte e azul para as abstenções. Milamber se absteve; de resto, os votos foram unânimes pela condenação à morte. Um Manto Negro levantou-se e Milamber sabia que, em poucos minutos, o noviço perderia os sentidos, para depois ser teletransportado até o fundo do lago, onde o seu corpo sem vida permaneceria, gelado demais para permitir que subisse à superfície.

Após o encerramento da sessão, Shimone disse:

— Você devia vir mais vezes, Milamber. Mal o vemos atualmente. Além disso, passa tempo demais sozinho.

Milamber sorriu.

— É verdade, mas pretendo remediar a situação amanhã.

O sino soou pela casa e os serviçais correram para se preparar para a visita do Grande. Kamatsu, Lorde dos Shinzawai, sabia que um mago tocara o sino nos salões da Assembleia, fazendo o som chegar ali, anunciando a sua visita iminente.

No quarto de Kasumi, Laurie e o primogênito da casa estavam concentrados em um jogo de pashawa, jogado com peças de papelão pintado. Era comum nas tavernas e estalagens de Midkemia, constituindo mais um detalhe no anseio do jovem tsurani de dominar todos os aspectos da vida midkemiana.

Kasumi levantou-se.

— Deve ser aquele que já foi meu tio; é melhor ir.

Laurie sorriu.

— Ou será que deseja interromper as suas derrotas?

O tsurani sacudiu a cabeça.

— Temo ter criado um problema na minha própria casa. Você nunca foi um bom escravo, Laurie, e é capaz de ter ficado ainda mais intratável. Ainda bem que gosto de você.

Riram e o filho mais velho da casa saiu. Poucos minutos depois, um escravo chegou correndo para informar Laurie de que o senhor da casa exigia a sua presença de imediato. Laurie levantou-se com um salto, devido à nítida agitação do escravo, e não a uma obediência inata. Correu até os aposentos do senhor e bateu no batente da porta. A porta deslizou para o lado, com Kasumi segurando-a. Laurie entrou e viu o senhor dos Shinzawai com a sua visita, e logo a perplexidade tomou conta dele.

A visita trajava o manto negro dos Grandes tsurani, mas o rosto era o de Pug. Começou a falar, parou e voltou a tentar:

— Pug?

O senhor da casa ficou indignado com o comportamento atrevido do escravo, mas a repreensão quase proferida foi interrompida pelo Grande:

— Pode me ceder este espaço por alguns minutos, senhor? Desejo falar a sós com este escravo.

Kamatsu, Lorde dos Shinzawai, fez uma mesura rígida.

— Seja feita a sua vontade, Grande. — Saiu do quarto com o filho atrás; ainda estava abalado pelo aparecimento do antigo escravo e atordoado pelos próprios sentimentos. Era um Grande, não havia como ser uma fraude: a forma como chegara era prova disso; porém Kamatsu não conseguia evitar a sensação de que aquela chegada anunciava um revés para o plano que ele e o filho tinham acalentado com todo o cuidado ao longo dos últimos nove anos.

— Feche a porta, Laurie — disse Milamber.

Laurie a fechou, examinando atentamente o antigo amigo. Parecia bem, mas muito mudado. O porte era quase majestoso, como se o manto de poder que passara a usar refletisse uma força interior outrora inexistente.

— Eu... — começou Laurie, calando-se em seguida, sem saber o que dizer. Por fim, tentou: — Você está bem?

Milamber assentiu.

— Estou bem, velho amigo.

Laurie sorriu, atravessou o quarto e abraçou o amigo, afastando-se em seguida.

— Deixe-me olhar bem para você.

Milamber sorriu.

— O meu nome agora é Milamber, Laurie. O rapaz que conheceu como Pug está tão morto como as flores do ano que passou. Venha, vamos nos sentar e conversar.

Sentaram-se à mesa e serviram-se de duas xícaras de chocha. Laurie bebericou a mistura amarga, dizendo:

— Nunca mais ouvimos falar de você. Depois do primeiro ano, eu o considerei como perdido. Desculpe.

Milamber fez um aceno com a cabeça.

— É assim que a Assembleia funciona. Como mago, é esperado que eu renuncie a todos os meus laços antigos, excetuando aqueles que possam ser mantidos de uma forma socialmente aceitável. Como não possuía clã nem família, nada tinha a renunciar. Você sempre foi um escravo ruim que nunca soube agir de acordo. Que melhor amigo para um mago renegado e bárbaro?

Laurie concordou com a cabeça.

— Fico feliz por ter retornado. Você vai ficar?

Milamber negou, sacudindo a cabeça.

— Aqui não é o meu lugar. Além disso, tenho trabalho a fazer. Eu tenho uma propriedade agora, perto da cidade de Ontoset. Vim buscá-lo. E Katala, se... — A voz se perdeu, como se temesse perguntar por ela.

Pressentindo a angústia do mago, Laurie afirmou:

— Ela ainda está aqui e não se casou. Nunca o esqueceu. — Ele sorriu abertamente. — Deuses de Midkemia! Esqueci-me completamente. Você não tinha como saber.

— Do quê?

— Você tem um filho.

Milamber ficou estupefato.

— Um filho?

Laurie riu.

— Nasceu oito meses depois de o terem levado. É um belo garoto e Katala, uma excelente mãe.

Milamber sentiu-se abalado com a notícia.

— Por favor, pode ir buscá-la? — pediu a Laurie.

Laurie levantou-se de um salto.

— É para já.

Saiu correndo. Milamber ficou sentado, reprimindo a onda de emoções. Recompôs-se, recorrendo às suas habilidades de mago para acalmar a mente.

A porta se abriu e Katala surgiu, a incerteza visível no rosto. Laurie vinha atrás, com um menino de cerca de quatro anos no colo.

Milamber levantou-se e abriu os braços. Katala correu para ele e o mago quase chorou de alegria. Ficaram abraçados em silêncio por um instante, até que ela murmurou:

— Achei que o tinha perdido. Tinha esperança... mas achei que o tinha perdido.

Ficaram assim durante vários minutos, perdidos no simples prazer da presença um do outro, até que ela se afastou.

— Você precisa conhecer o seu filho, Pug.

Laurie trouxe o menino. Ele fitou Milamber com grandes olhos castanhos. Era um menino bem constituído, muito parecido com a mãe, ainda que houvesse algo na forma como inclinava a cabeça que fazia lembrar o rapaz do castelo de Crydee. Katala o pegou e entregou-o a Milamber.

— William, este é o seu pai.

O menino pareceu receber essa informação com algum ceticismo. Arriscou um sorriso tímido, ao mesmo tempo que se inclinava para trás, mantendo a distância.

— Quero descer — disse de repente. Milamber riu e largou o menino. Ele olhou para o pai e logo perdeu o interesse no estranho vestido de preto. — Oh! — exclamou, correndo para brincar com as peças de shāh do Lorde Shinzawai.

Milamber ficou observando o filho por algum tempo, até que disse:

— William?

Katala estava ao seu lado, abraçando-o pela cintura, como se temesse que ele voltasse a desaparecer.

— Ela queria um nome midkemiano para o filho, Milamber — disse Laurie.

Katala teve um sobressalto.

— Milamber?

— É o meu novo nome, meu amor. Precisa se habituar a me chamar assim. — Ela franziu a testa, parecendo não gostar muito da ideia.

— Milamber — repetiu, testando o som. Acabou por encolher os ombros. — É um bom nome.

— Como é que ele acabou se chamando William?

Laurie aproximou-se do menino, que tentava empilhar as peças, e as tirou dele devagar. O menino o olhou com um ar ameaçador.

— Quero brincar — disse, indignado.

— Dei-lhe vários nomes e ela escolheu esse — disse Laurie, pegando o menino.

— Gostei do som dele — disse Katala —, William.

Ouvindo o seu nome, o menino olhou para a mãe.

— Estou com fome.

— Eu preferia James ou Owen, mas ela insistiu — explicou Laurie, enquanto o menino se contorcia, tentando escapar de seu colo.

Katala o pegou.

— Tenho de alimentá-lo. Vou levá-lo à cozinha. — Beijou Milamber e saiu.

O mago ficou calado, até que disse:

— É mais do que esperava. Receava que ela tivesse encontrado alguém.

— Não, Pu... Milamber. Ela não quis nada com os homens que a cortejavam, e houve alguns. É uma boa mulher. Nunca duvide dela.

— Nunca o farei, Laurie.

Sentaram-se; uma tosse discreta à porta fez com que olhassem. Era Kamatsu.

— Permite que eu entre, Grande?

Milamber e Laurie começaram a se levantar, mas o senhor da casa fez sinal para que ficassem sentados.

— Por favor, não se levantem. — Kasumi entrou atrás do pai e fechou a porta. Pela primeira vez, Milamber reparou que o filho da casa vestia peças de roupa típicas de Midkemia. Levantou uma sobrancelha, mas nada disse.

O chefe da família Shinzawai parecia bastante inquieto e tentou se acalmar.

— Grande, posso falar com franqueza? — perguntou pouco depois. — A sua chegada hoje foi algo inesperado e dará origem a algumas prováveis dificuldades.

— Por favor — disse Milamber —, não é minha intenção causar qualquer tipo de perturbação em seu lar, meu senhor. Quero apenas a minha mulher e o meu filho. E também preciso deste escravo — indicou Laurie.

— Que a sua vontade seja feita, Grande. A mulher e o menino devem, é óbvio, acompanhá-lo. No entanto, rogo que permita a permanência do escravo.

Milamber olhou de rosto em rosto. Os dois Shinzawai mantiveram a calma, mas, pela forma como se entreolhavam e olhavam de relance para Laurie, a aflição estava sendo mal disfarçada. Nos últimos cinco anos, algo mudara. A relação entre os homens ali presentes não era o que uma relação entre amos e escravo deveria ser.

— Laurie? — Milamber olhou para o amigo. — O que está acontecendo?

Laurie olhou para os outros dois homens e depois para Milamber.

— Tenho de lhe pedir que me prometa uma coisa.

O choque de Kamatsu foi assinalado por uma inspiração audível.

— Laurie! Que ousadia! Não se negocia com um Grande. As palavras deles são lei.

Milamber levantou uma mão.

— Não. Deixe-o falar.

Em tom suplicante, Laurie dirigiu-se ao amigo:

— Entendo pouco desses assuntos, Milamber. Você sabe que não tenho noção de protocolo. Posso estar violando a tradição, mas lhe peço em nome da nossa antiga amizade: será que é capaz de prometer que não divulgará o que ouvir neste aposento?

O mago refletiu sobre a pergunta. Poderia ordenar ao Lorde Shinzawai que contasse tudo, e ele assim o faria, de modo tão automático como um soldado seguindo ordens; no entanto, considerava de grande importância a amizade com o trovador.

— Tem a minha palavra de que não irei repetir o que me contar.

Laurie suspirou e sorriu e os Shinzawai pareceram ficar menos tensos.

— Fiz um acordo com o meu senhor aqui presente — disse Laurie. — Depois de terminarmos algumas determinadas tarefas, a minha liberdade me será concedida.

Milamber sacudiu a cabeça.

— Isso não é possível. A lei não permite que um escravo seja libertado. Nem mesmo o Senhor da Guerra pode alforriar um escravo.

Laurie sorriu.

— E você?

Milamber assumiu um ar austero.

— Estou à margem da lei. Ninguém pode me dar ordens. Está alegando ser um mago?

— Não, Milamber, nada disso. É verdade que, aqui, não posso deixar de ser escravo. Mas não ficarei aqui. Regressarei a Midkemia.

Milamber pareceu intrigado.

— Como isso é possível? Existe somente um portal para Midkemia, controlado pelos magos do Senhor da Guerra. Não existem outros, ou seriam de meu conhecimento.

— Temos um plano. É complicado e requer uma explicação demorada, mas, em suma, é o seguinte: acompanharei Kasumi, disfarçado de sacerdote de Turakamu, o Vermelho. Ele irá comandar soldados que substituirão as tropas na frente de batalha. É provável que ninguém repare na minha altura, pois as pessoas evitam os sacerdotes do Vermelho. As tropas são todas leais aos Shinzawai. Uma vez em Midkemia, passaremos despercebidos pelas posições militares até conseguirmos chegar às forças do Reino.

Milamber balançou a cabeça.

— Agora entendo as aulas de língua e as roupas. Diga-me, Laurie, está disposto a ser espião dos tsurani em troca de sua liberdade? — A sua voz não continha desaprovação, tratava-se apenas de uma simples pergunta.

Laurie corou.

— Não vou como espião. Vou como guia. Tenho como missão levar Kasumi a Rillanon, para uma audiência com o Rei.

— Por quê? — Milamber parecia surpreso.

Kasumi interrompeu:

— Vou me encontrar com o Rei para lhe apresentar uma proposta de paz.

Milamber apresentou um argumento:

— Como pode esperar pôr fim à guerra com a Facção Bélica ainda controlando o Conselho Supremo?

— Temos algo a nosso favor — respondeu Kamatsu. — Esta guerra já dura nove anos e não se vê o fim. Grande, não ouso instruí-lo, mas posso dar algumas explicações?

Milamber fez um aceno com a cabeça, autorizando-o a prosseguir. Kamatsu bebeu um gole de sua bebida e retomou:

— Desde o fim da guerra com a Confederação Thuril, a Facção Bélica tem sido pressionada a manter o domínio sobre o Conselho Supremo. Cada confronto fronteiriço com os thuril se transformava em um apelo para reatar o conflito. Entre as lutas na fronteira e as constantes tentativas dos thūn para atravessarem os fortes no norte e recuperarem a antiga cordilheira ao sul, a Facção Bélica mal conseguiu manter a maioria. Uma coligação liderada pela Facção da Roda Azul quase conseguiu destituí-los dez anos atrás, quando a Assembleia descobriu o portal para seu antigo mundo. O apelo à guerra ecoou no conselho logo que se conheceu a existência de metais preciosos em seu mundo de origem. Naquele instante, foi por água abaixo tudo que tínhamos alcançado ao longo dos anos. Por conta disso, começamos desde cedo a contrariar essa loucura. Os metais que estão sendo extraídos em seu antigo mundo não passam, segundo Laurie nos contou, de restos em minas abandonadas, que aqueles a quem chamam de anões não consideram valer o trabalho de extraí-los. Em tudo isso, nada há para os Tsuranuanni a não ser a desculpa para voltar a levantar o Estandarte de Guerra e derramar sangue. Você conhece a nossa história. Sabe quão difícil é para nós resolvermos as nossas divergências de maneira pacífica. Fui soldado e experimentei as glórias da guerra. Também conheço a destruição que ela traz. Laurie me convenceu de que as minhas suspeitas a respeito dos habitantes do Reino estão certas. Não é um povo belicoso, apesar de seus nobres e exércitos. Vocês estariam dispostos a negociar.

— Tudo isso é verdade — interrompeu Milamber. — Contudo, não estou convencido de que tenha qualquer relevância para a situação atual. A minha antiga nação não combatia uma grande guerra há quase cinquenta anos, tirando escaramuças com os goblins do norte e ao longo da fronteira keshiana. No entanto, ouve-se agora o rufar dos tambores de guerra no Oeste. Os Exércitos do Reino foram sangrados. A nação foi invadida sem razão. Não acho que estariam dispostos a parar e perdoar, pura e simplesmente. Decerto exigiriam alguma retribuição ou, pelo menos, uma compensação. Estaria o Conselho Supremo disposto a ceder a honra dos Tsuranuanni e ressarcir os males causados pelos soldados?

O Senhor dos Shinzawai pareceu incomodado.

— Quanto ao conselho não estou certo. Já o Imperador...

— O Imperador? — perguntou Milamber, surpreso. — O que ele tem a ver com isso?

— Ichindar, que o céu o abençoe, acha que a guerra está extorquindo do Império os seus recursos. Quando fizemos a guerra contra os thuril, aprendemos que algumas fronteiras são vastas e longínquas demais para serem controladas pelo Império, a menos que gastemos muito mais do que valem as vitórias. A Luz do Céu entende que não encontraremos outra fronteira tão vasta e longínqua como a que encontramos em Midkemia. Ele está se envolvendo no Jogo do Conselho. Talvez seja o maior jogo já jogado na história dos Tsuranuanni. A Luz do Céu está disposta a exigir paz ao Senhor da Guerra, ordenar a sua destituição, se for o caso. Contudo, não correrá um risco tão grande de quebra da tradição a menos que tenha a garantia da disposição do Rei Rodric de chegar a um acordo. Ele tem de se apresentar perante o Conselho Supremo com a paz como fato consumado; caso contrário, o risco será enorme. Na história do Império, cometeu-se um único regicídio, Grande. O Conselho Supremo aclamou o assassino e nomeou-o Imperador. Era o filho do homem que foi morto. O pai tentara instituir a cobrança de impostos nos templos. Essa foi a última vez que um Imperador entrou no Jogo do Conselho. Podemos ser um povo duro, Grande, mesmo para nós mesmos, e nunca um Imperador tentou fazer o que Ichindar está tentando realizar, aquilo que outros, muitos outros, considerarão como o sacrifício da honra do Império, um ato impensável. Mas, se ele conseguir entregar a paz ao conselho, ficará claro que os deuses o abençoaram nessa tarefa, e ninguém se atreverá a desafiá-lo.

— Você se arrisca muito, Lorde dos Shinzawai.

— Amo a minha nação e o Império, Grande. Por ela, morreria feliz no campo de batalha, e corri esse risco quando jovem, durante as campanhas dos thuril. Do mesmo modo, arriscaria a minha vida, as dos meus filhos, a honra da minha casa, da minha família e do meu clã para levar o bom senso ao Império. Assim como o Imperador. Somos um povo paciente. Esse plano está sendo preparado há anos. Faz muito tempo que a Facção da Roda Azul se aliou secretamente à Facção pela Paz. Retiramo-nos no terceiro ano da guerra para envergonhar o Senhor da Guerra e organizar o treino de Kasumi para a viagem que o esperava. Passamos mais de um ano viajando ao encontro de diversos senhores da Facção da Roda Azul e da Facção pela Paz, garantindo cooperação, nos certificando de que todos os membros desempenhariam os seus papéis neste Jogo do Conselho, antes de trazer para cá o senhor e Laurie para que se tornassem seus professores. Somos tsurani, e a Luz do Céu jamais permitiria que fosse feita uma proposta até dispor de um mensageiro preparado. Transformamos Kasumi nesse mensageiro, procurando lhe dar as melhores chances de alcançar a salvo o seu antigo Rei. Tem de ser assim, pois, se alguém de fora da nossa facção descobrir e essa tentativa falhar, muitas cabeças rolarão, incluindo a minha; esse é o preço que pagarei por perder o jogo. Se levar Laurie com o senhor, Kasumi terá poucas probabilidades de se aproximar de seu antigo Rei e o esforço de paz terá de ser adiado até encontrarmos outro guia confiável, um atraso que durará mais um ou dois anos. Atualmente, a situação é grave. A Facção da Roda Azul integra novamente a Aliança pela Guerra, após anos de negociação com a Facção Bélica, e milhares de homens estão sendo enviados para combater, para conseguirmos fazer Kasumi passar as fronteiras do Reino e entrar em sua antiga pátria. Em breve, chegará o momento oportuno. O senhor precisa pensar no que significaria mais outro ano de guerra. Com a conquista de sua antiga pátria, o Senhor da Guerra ficaria invulnerável a qualquer uma de nossas jogadas.

Milamber ponderou, virando-se depois para Kasumi:

— Quando?

— Em breve, questão de semanas — respondeu Kasumi. — O Senhor da Guerra tem espiões por todo lado e tem suspeitas sobre nosso plano. Não tem muita confiança na mudança repentina da Roda Azul no conselho, mas não pode recusar a ajuda. Precisa muito de uma grande vitória. Ele planeja uma grande ofensiva na primavera contra os exércitos de Lorde Borric e de Lorde Brucal, a principal força do Reino. Esse plano será colocado em prática pouco antes do Festival Imperial, de modo que ele possa anunciar a vitória durante os Torneios Imperiais, para sua glória pessoal. — Kamatsu acrescentou: — Muito semelhante a um desafio de final de partida no shāh, Grande. Uma vitória esmagadora dará ao Senhor da Guerra tudo o que precisa para tomar o controle do Conselho Supremo, mas arriscamos isso nessa jogada final. A frente de batalha estará envolta em confusão devido à preparação para a ofensiva. Kasumi e Laurie terão aí a melhor oportunidade para passar despercebidos pelas tropas. Caso o Rei Rodric concorde, a Luz do Céu poderá surgir perante o Conselho Supremo com um anúncio de paz e tudo aquilo em que se baseia o poder e a influência do Senhor da Guerra irá desmoronar. Recorrendo aos termos do shāh, expomos a nossa última peça à possibilidade de captura, de modo que o nosso Imperador possa dar o xeque-mate no Senhor da Guerra.

Milamber ficou com ar pensativo durante algum tempo.

— Creio que embarcou em um plano ousado, Lorde Shinzawai. Honrarei a minha promessa de nada dizer. Laurie pode permanecer em sua casa. — Olhou para Laurie. — Que os deuses de nossos antepassados o protejam e tragam sucesso para vocês. Rezo para que esta guerra possa terminar em breve. — Levantou-se. — Se não se importam, farei as minhas despedidas. Peço que tragam a minha mulher e o meu filho.

Kasumi levantou-se e fez uma mesura.

— Gostaria de acrescentar uma coisa, Grande. — Milamber fez sinal para que prosseguisse. — Anos atrás, quando o senhor pediu Katala como esposa e eu disse que o pedido seria recusado, também disse que havia uma razão. O nosso plano também contemplava que o senhor regressasse ao seu mundo. Espero que agora compreenda. Somos um povo duro, Grande, mas não somos cruéis.

— Ficou evidente assim que o plano foi revelado. — Olhou para Laurie.

— Pelo que sou agora, esta é a minha pátria; contudo, dentro de mim ainda existe uma parte inalterada, e por isso invejo o seu regresso para casa. Será lembrado com carinho, velho amigo.

Dito isso, Milamber saiu. Do lado de fora, encontrou Katala à espera no jardim, vendo o filho brincar. Foi ao seu encontro e se abraçaram, apreciando a agradável reunião. Depois de muito tempo, ele disse:

— Venha, minha amada, vamos levar o nosso filho para casa.

9

Fusão

Martin do Arco chorava em silêncio.

Sozinho em uma clareira perto da orla das florestas dos elfos, o Mestre de Caça de Crydee se encontrava junto de três elfos caídos. Os corpos inanimados jaziam esparramados no chão, os braços e as pernas formando ângulos impossíveis e os belos rostos cobertos de sangue. Martin sabia o que significava a morte para os elfos, pois, por norma, uma família via nascer uma ou duas crianças em um século. Conhecia bem um dos rostos, Algavins, que tinha menos de trinta anos, ainda uma criança de acordo com o tempo de vida do povo elfo, e era companheiro de Galain desde tenra idade.

O som de passos levou Martin a secar as lágrimas e retomar a expressão usualmente impassível.

— Há mais um bando na trilha adiante, Mestre de Caça — ouviu Garret dizer. — Os tsurani passaram nesta parte da floresta como um vento nefasto.

Martin assentiu, começando a caminhar sem qualquer comentário. Garret o seguiu. Apesar de jovem, Garret era o melhor batedor de Martin e ambos avançavam rapidamente pela trilha rumo a Elvandar.

Depois de horas de viagem, atravessaram o rio a oeste de um acampamento tsurani e, quando estavam a salvo na floresta dos elfos, ouviram alguém chamá-los entre as árvores.

— É bom vê-lo, Martin do Arco.

Martin e Garret pararam e aguardaram, vendo três elfos surgirem por entre as árvores, como se aparecessem do nada. Galain e seus dois companheiros se aproximaram. Martin inclinou ligeiramente a cabeça em direção ao rio atrás deles e Galain confirmou. Era tudo o que precisavam para contar que ambos sabiam da morte de Algavins e dos outros. Garret reparou na troca, embora estivesse longe de entender as sutilezas dos modos dos elfos.

— Tomas? Calin? — perguntou Martin.

— No conselho, com a Rainha. Traz notícias?

— Mensagens do Príncipe Arutha. Estão a caminho do conselho?

Galain mostrou o meio sorriso dos elfos que indicava um humor irônico.

— Coube a nós guardar o caminho. Temos de permanecer aqui durante algum tempo. Iremos assim que os anões atravessarem o rio. Devem estar chegando.

O comentário não passou despercebido a Martin, que se despediu e seguiu com Garret em direção a Elvandar. Ao chegarem perto da clareira que rodeava a cidade nas árvores dos elfos, pensou na exclusão de Galain e dos outros jovens elfos do conselho. Eram todos companheiros inseparáveis de Tomas desde que ele decidira tornar Elvandar sua morada permanente. Martin não voltara àquele lugar desde o cerco a Crydee, mas durante esses anos falara com alguns patrulheiros nataleses que levavam mensagens do Duque para Elvandar e dali para Crydee. Tinham sido várias as ocasiões em que passara horas conversando com Leon, o Alto, e Grimsworth de Natal. Embora de poucas palavras quando estavam afastados de sua gente, não eram tão reservados perto de Martin do Arco, pois pressentiam um espírito irmão no Mestre de Caça de Crydee. Era o único homem, além dos patrulheiros de Natal, que podia entrar em Elvandar sem necessidade de convite. Leon e Grimsworth tinham mencionado grandes mudanças na corte da Rainha dos Elfos e Martin sentiu uma estranha inquietação.

Quando já estavam chegando a Elvandar, a passos lentos, Garret perguntou:

— Mestre de Caça, não vão enviar ninguém para recolher aqueles que pereceram?

Martin parou e apoiou-se no arco.

— O costume deles não é esse, Garret. Deixarão que a floresta os reclame, pois acreditam que seus verdadeiros espíritos já estão nas Ilhas Abençoadas. — Pensou um pouco e continuou: — Entre os meus batedores, talvez você seja o melhor que já conheci. — O jovem enrubesceu com o elogio e Martin acrescentou: — Não é um elogio, é simplesmente a constatação de um fato. Digo isso porque você é o meu mais provável substituto caso algo me aconteça. — A habitual expressão envergonhada de Garret deu lugar a uma de atenção ao que Martin dizia. — Caso aconteça alguma coisa que me tire desta vida, a minha esperança é que alguém continue a impedir que Elvandar e o mundo dos homens se afastem.

Garret acenou com a cabeça.

— Acho que entendo.

— Precisa entender, pois seria uma grande tristeza se as duas raças se afastassem — falou em voz baixa. — Precisa ir aprendendo tudo o que puder sobre as suas crenças, mas é preciso que saiba algumas coisas já, especialmente nestes tempos de guerra. Já ouviu dizer que determinados sacerdotes conseguem ressuscitar os mortos, se não tiverem falecido há mais de uma hora?

— Já ouvi essa história, mas nunca conheci ninguém que afirmasse ter visto isso ser feito ou que sequer dissesse conhecer alguém que tivesse visto — respondeu Garret.

— É verdade. O Padre Tully diz que é possível, e ele é daqueles que fala com franqueza sobre questões de fé. — Martin olhou para o chão. — Conta-se que um sacerdote importante, desconheço de qual ordem, percebeu que estava se afastando dos deuses e se enredando no mundo dos humanos. Abandonou os ricos mantos e ornamentos dourados e vestiu as peças simples de um monge itinerante. Vagou por lugares selvagens, em busca de humildade. O tempo e o acaso o trouxeram a Elvandar, onde se deparou com um elfo que acabara de morrer por acidente, poucos minutos antes da chegada do sacerdote. Ele, então, começou a fazer o elfo regressar à vida, pois era sacerdote de grandes poderes, procurando dividir o seu talento com aqueles que dele precisavam. Mas foi detido pela esposa do elfo e, quando lhe perguntou por que o fizera, ela respondeu: "Não é esse o nosso costume. Ele se encontra agora em um lugar muito melhor e, caso o invoque, regressará contrariado e para nossa grande tristeza. Por isso, não pronunciamos o seu nome, para que ele não ouça a saudade nas nossas vozes e regresse para nos consolar, às custas de seu próprio conforto." Pelo que sei, nunca elfo algum foi trazido de volta à vida. Já me disseram que os elfos não podem ser ressuscitados pelas artes dos homens. Outros me disseram que não possuem almas genuínas, e por isso não regressam. Creio que ambas as afirmações são falsas e eles possuem um sentido muito mais refinado de seu lugar no mundo.

Garret ficou calado algum tempo, enquanto assimilava aquelas informações.

— É uma lenda estranha, Mestre de Caça. Por que se lembrou dela?

— A morte daqueles elfos e a sua pergunta. Queria mostrar como são diferentes de nós e como você precisa trabalhar para aprender seus costumes. Passará algum tempo entre eles.

— A história sobre o elfo morto é verdadeira?

— É. O elfo recém-falecido era o antigo Rei dos Elfos, o marido da Rainha Aglaranna. Nessa época, há trinta anos, eu não passava de um menino, mas me recordo. Acompanhava o grupo de caça quando o acidente aconteceu e conheci o sacerdote.

Garret não comentou e Martin pegou a arma, retomando o caminho.

Não demorou para chegarem aos limites de Elvandar. Martin parou, vendo Garret arrebatado pela visão das árvores gigantescas. O sol do final de tarde lançava sombras pela floresta, mas os galhos no alto já cintilavam com as luzes encantadas.

O Mestre da Caça puxou o amigo pelo cotovelo, conduzindo devagar o boquiaberto batedor até a corte da Rainha. Chegou ao círculo do conselho e entrou, saudando a Rainha.

Aglaranna sorriu ao vê-lo.

— Bem-vindo, Martin do Arco. Há muito que não vinha até nós.

Martin apresentou Garret, que fez uma mesura desajeitada diante da Rainha. Nesse momento, outra figura entrou na corte, saindo da sombra de onde se encontrava.

Martin crescera entre as crianças élficas e era tão capaz de esconder suas emoções em caso de necessidade como qualquer outro, mas ao avistar Tomas ficou tão abalado que, por pouco, não soltou uma exclamação. Reprimindo um comentário, forçou-se a não encará-lo e percebeu o assombro de Garret pela respiração suspensa do companheiro. Tinham ouvido falar das mudanças que Tomas sofrera, mas nada preparara nenhum dos dois para a visão do homem altíssimo que contemplavam. Olhos alienígenas os observavam. Pouco restava do garoto feliz e sorridente que antigamente seguia Martin pela floresta, suplicando por histórias de elfos, ou que jogava bola nos barris com Garret. Sem cordialidade, Tomas avançou e perguntou:

— Que notícias trazem de Crydee?

Martin se apoiou no arco.

— O Príncipe Arutha envia saudações — disse à Rainha — e a sua amizade, bem como o desejo de que se encontre com boa saúde. — Virando-se para Tomas, que claramente usurpara uma posição de comando no conselho da Rainha, disse: — Arutha envia as seguintes notícias: Guy, o Negro, Duque de Bas-Tyra, está governando Krondor, de modo que não se espera qualquer ajuda de lá para a Costa Extrema. Além disso, o Príncipe tem razões para acreditar que os seres do outro mundo planejam uma grande ofensiva para logo, mas não sabe dizer se contra Crydee, Elvandar ou contra o exército do Duque. No entanto, os acampamentos ao sul não estão sendo reforçados através das minas dos anões, ainda que se encontrem bastante entrincheirados. Os meus batedores depararam com alguns sinais de movimento ao norte, mas nada em grande escala. Arutha supõe que a ofensiva mais provável será contra o seu pai e o exército de Brucal. — Acrescentou: — Também trago a notícia de que o escudeiro de Arutha foi morto. — Cumpriu o costume dos elfos, evitando nomear o falecido.

Os olhos de Tomas denunciaram um brilho fraco de emoção ao ouvir a notícia da morte de Roland, mas tudo o que disse foi:

— Na guerra, homens morrem.

Calin percebeu que a troca de palavras tinha algo de pessoal entre Martin do Arco e Tomas. Mais ninguém na corte conhecera bem Roland, ainda que Calin se recordasse dele no jantar daquela noite em Crydee, tantos anos antes. Martin ficou preocupado com a reação de Tomas à notícia da morte de seu amigo de infância. Regressando ao assunto da guerra, o Príncipe dos Elfos disse:

— Faz sentido. Se o exército do Reino no Oeste for destroçado, os seres do outro mundo poderão dar plena atenção às outras frentes, conquistando as Cidades Livres e Crydee rapidamente. Em um ano, dois no máximo, tudo o que antes foi a Bosania keshiana ficaria sob os seus estandartes. De lá, marchariam com facilidade até Yabon. Com o tempo, poderiam chegar aos portões de Krondor.

Tomas virou-se para Calin como se quisesse falar, os olhos apertados. Entre a Rainha e Tomas houve uma comunicação rápida, e ele retomou seu lugar no círculo do conselho. Calin prosseguiu:

— Se os seres do outro mundo não estão se preparando a oeste das montanhas, os anões devem se juntar a nós em breve. Tivemos algumas incursões deles ao longo do rio, mas não há sinais de que se aproxime um grande ataque. Creio que Arutha tenha razão em sua suspeita e, caso os duques chamem, devemos tentar ajudá-los.

Tomas virou-se para o Príncipe dos Elfos.

— E deixar Elvandar desprotegida! — Seu rosto mostrava indignação. Martin ficou surpreso pela ferocidade de sua raiva quase incontida. — Sem desguarnecer as florestas élficas, não é possível reunir soldados suficientes para fazer diferença nessa batalha.

O rosto de Calin permaneceu impassível, mas seus olhos refletiam a raiva de Tomas. As suas palavras foram proferidas com serenidade:

— Sou Comandante Militar de Elvandar. Jamais deixaria nossas florestas desprotegidas. Contudo, caso os seres do outro mundo montem uma grande ofensiva contra os duques, não deixarão soldados suficientes ao longo do rio para ameaçar as nossas florestas. Nunca mais nos atacaram desde que os derrotamos com o auxílio do feiticeiro e os Mantos Negros pereceram. No entanto, se atacarem os Lordes Borric e Brucal e se a batalha for equilibrada, nossos homens poderão pesar na balança, especialmente porque conseguimos atacar o flanco mais fraco do inimigo.

Tomas manteve o autocontrole, rígido por um instante; em seguida, em tom frio, disse:

— Os anões seguem Dolgan e Dolgan obedece ao meu comando. Não virão a menos que eu os chame para a batalha. — Sem mais uma palavra, deixou o círculo do conselho.

Martin observou Tomas indo embora. Ficou com a pele arrepiada ao sentir, pela primeira vez, o poder contido naquela estranha mescla de homem com o que quer que habitasse dentro do rapaz de Crydee. Somente vislumbrara o que existia no interior de Tomas e fora o bastante. Tomas era alguém a ser temido.

Foi então que Martin viu o lampejar de uma expressão no rosto de Aglaranna. Ela se levantou, dizendo:

— É melhor eu ir falar com Tomas. Ele anda exausto ultimamente.

Quando ela saiu, o caçador foi assaltado por uma certeza. Além de tudo, ele presenciara um conflito entre o filho da Rainha dos Elfos e seu amante, bem como um profundo conflito em seu interior. Aglaranna mostrara a expressão de alguém apanhado por um destino desesperado.

Após a partida da Rainha, Calin disse:

— Chegou em hora oportuna, Martin. Precisamos de sua sensatez.

Martin concordou com a cabeça. Mandou Garret ir comer e, quando este partiu, examinou o Príncipe dos Elfos com atenção e, em seguida, os outros presentes no conselho. Tathar se encontrava em seu lugar habitual, à direita do trono da Rainha. Outros rostos conhecidos, todos antigos e fiéis conselheiros da Rainha. Muitos deles eram idosos Tecedores de Feitiços.

Martin sentou-se, aguardando com paciência que Calin falasse. O Príncipe dos Elfos permaneceu calado por algum tempo. O humano o estudou, pois o conhecia e pressentia sua inquietação. Quando era jovem, Martin achava que o Príncipe era a encarnação perfeita de todas as virtudes élficas.

Embora a adoração infantil tivesse passado, ainda considerava Calin com um respeito inalterado.

— Martin, de todos aqui presentes, você foi o único que conheceu Tomas antes dessa alteração — disse Calin. — Que pode dizer quanto à mudança que presenciou?

Martin levou algum tempo pensando na resposta.

— Ao longo dos anos, apenas vislumbrei essas mudanças, hoje as vi. Elas são grandes, é óbvio. Porém não consigo imaginar o que estão anunciando. Ele era um bom garoto; um garoto não muito levado, embora a curiosidade o colocasse em apuros. Tinha um lado terno e não continha os seus afetos. De temperamento sóbrio, era capaz de perder o controle quando via um amigo ameaçado ou atacado. De modo geral, não era muito diferente dos outros garotos, um sonhador.

— E agora?

Martin estava preocupado e não se deu ao trabalho de ocultar:

— Ele é algo além da minha compreensão.

— Martin, compreendemos perfeitamente as suas palavras, que são verdadeiras, pois ele também ultrapassou a nossa compreensão — disse Tathar.

— Entre os homens, você conhece a nossa história como nenhum outro — disse Calin gentilmente. — Conhece o nosso ódio pelo tempo que passamos escravizados pelos valheru. Sabe que rejeitamos a Senda das Trevas que eles percorreram. Tememos o regresso desse poder, da mesma forma que tememos esta invasão dos seres do outro mundo e de seus Mantos Negros. Você viu Tomas. Deve entender o que somos forçados a considerar.

Martin concordou.

— Você pondera sobre a vida dele.

— Muitos dos elfos mais jovens o seguem cegamente — disse Tathar. — Falta-lhes a maturidade e a sensatez para resistirem à influência sutil da magia valheru que dele emana. Embora os anões não o sigam cegamente, ainda assim o seguem, pois não têm a nossa herança de medo e depositam grande fé em sua liderança. Há oito anos que demonstra ser o meio de sua sobrevivência, salvando muitos deles da morte, repetidas vezes. Contudo, ainda que Tomas tenha sido uma dádiva na luta contra os invasores, provavelmente teremos de ignorar todas as outras considerações, exceto esta: irá este meio-homem, meio-valheru tentar se tornar nosso mestre? — Tathar franziu a testa. — Se for assim, terá de ser destruído.

Martin sentiu um frio na espinha. De todos os garotos que conhecera em Crydee, sentia um afeto especial por três: Garret, Tomas e Pug. Chorara discretamente quando Pug fora capturado pelos tsurani, tendo se perguntado com frequência se o teriam levado para a morte ou para o cativeiro. Naquele momento, chorava por Tomas, pois, acontecesse o que acontecesse, Tomas jamais voltaria a ser o que era.

— Não há nada a fazer? — perguntou a Calin.

O Príncipe indicou a Tathar que deveria responder. O idoso Tecedor de Feitiços olhou ao redor do círculo, obtendo a concordância silenciosa de seus companheiros.

— Faremos o possível para que tudo isso termine bem — disse a Martin. — Contudo, se o valheru surgir em toda a sua imponência, não poderemos resistir, por isso temos medo. Não temos ódio de Tomas. Todavia, mesmo com pena, temos de abater um lobo raivoso.

Martin olhou com tristeza para as luzes de Elvandar, enquanto escurecia. Desde que se lembrava, considerava aquela vista reconfortante. No momento, sentia unicamente uma amargura fria.

— Quando vocês chegarão a uma decisão?

— Você compreende os nossos costumes — disse Tathar. — Decidiremos quando tivermos de decidir.

Martin levantou-se devagar.

— Sendo assim, este é o conselho que lhes dou: até que a alteração se apresente nitidamente inclinada para a Senda das Trevas, não errem atribuindo peso demais a medos antigos. Sempre me ensinaram que aqueles que agora governam Elvandar são de uma natureza mais calorosa e de mente mais independente do que os primeiros que foram libertados pelos valheru. Contenham a sua mão até o último momento. Talvez ainda surja algo de benéfico em tudo isso, ou, se não for assim, ao menos algo que não se revele totalmente maléfico.

Tathar balançou a cabeça.

— O seu conselho é sensato. Nós o recebemos de bom grado.

Martin parecia muito preocupado.

— Farei o que estiver ao meu alcance. Eu já tive a capacidade de influenciar Tomas, talvez ainda consiga fazê-lo. Irei pensar no assunto, para depois procurá-lo e conversar com ele. — No círculo ao redor da corte da Rainha, ninguém falou quando Martin partiu. Sabiam que o seu coração estava tão inquieto quanto os deles.

A palpitação piorara, embora não fosse exatamente dor, mas um desconforto cada vez mais constante e enervante. Tomas estava sentado na clareira fresca, junto à lagoa serena, debatendo-se consigo mesmo. A partir do momento em que começou a viver em Elvandar, deu-se conta de que os sonhos tinham se tornado pouco mais do que imagens indistintas e vagas, recordando somente partes de frases e nomes que tentava entender. Já não eram tão perturbadores nem tão assustadores e essa presença em sua vida diária diminuíra, embora a pressão na cabeça, uma dormência que era quase dor, tivesse aumentado. Quando estava no campo de batalha, deixava-se dominar por uma fúria escarlate e não sentia a dor, mas quando a ânsia da batalha abrandava, especialmente quando demorava a regressar a Elvandar, a palpitação regressava.

Ouviu passos delicados atrás de si e, sem se virar, disse:

— Quero ficar sozinho.

— É a dor, Tomas? — perguntou Aglaranna.

Uma leve agitação de um sentimento estranho surgiu brevemente em seu interior, levando-o a inclinar a cabeça, como se escutasse algo.

— É. Eu voltarei logo aos nossos aposentos — respondeu secamente. — Vá agora e se prepare, pois irei me juntar a você mais tarde.

Aglaranna recuou, as feições orgulhosas revelando dor com o tom que lhe era dirigido. Virou-se rapidamente e partiu.

Enquanto andava pela floresta, as emoções se agitavam em seu interior. Desde que cedera ao desejo de Tomas, bem como ao seu, perdera a capacidade de dominá-lo ou de resistir às suas ordens. Ele era agora seu senhor e ela se sentia envergonhada. Era uma união sem alegria, não era o retorno da felicidade perdida pelo qual ansiara. Contudo, havia uma compulsão que enfraquecia a sua vontade, uma necessidade de estar com ele, de lhe pertencer, que quebrara as suas defesas. Tomas era dinâmico, poderoso e, às vezes, cruel. Corrigiu-se: ele não era cruel, simplesmente estava tão distante dos outros seres que não era possível estabelecer comparações. Não era indiferente às necessidades de Aglaranna; simplesmente ignorava que ela as tivesse. Ao se aproximar de Elvandar, as suaves luzes encantadas refletiram as lágrimas trêmulas que lhe tocavam as faces.

Tomas mal percebeu a partida de Aglaranna. Sob a dor entorpecida de sua cabeça, ouvia uma voz fraca chamando por ele. Esforçou-se para ouvi-la, reconhecendo o timbre, a cor, reconhecendo quem o chamava...

— Tomas?

Sim.

Ashen-Shugar contemplou a desolação das planícies, terras secas e arrebentadas, desprovidas de umidade, exceto pelos poços alcalinos que borbulhavam, lançando odores nauseabundos no ar.

— Faz tempo que não nos falamos — disse em voz alta para o seu companheiro invisível.

Tathar e os outros procuram nos separar. Você muitas vezes é esquecido.

Os ventos fétidos sopraram do norte, frios e enjoativos. O cheiro de decadência estava espalhado por toda parte e, no resíduo da gigantesca loucura que tomara conta do universo ao redor, sentiam-se somente tênues agitações de vida se reafirmando.

— Não importa. Estamos juntos mais uma vez.

Que lugar é este?

— A Desolação das Guerras do Caos. O monumento de Draken-Korin, a tundra sem vida onde antes havia grandes planícies. Poucos seres vivos ainda moram aqui. A maior parte das criaturas foge para o sul, em busca de climas mais hospitaleiros.

Quem é você?

Ashen-Shugar riu.

— Sou aquilo em que você está se tornando. Somos um só. Assim você disse tantas vezes.

Tinha me esquecido.

Ashen-Shugar chamou e Shuruga precipitou-se até ele, sobrevoando uma paisagem pardacenta, enquanto nuvens negras trovejavam lá em cima. O poderoso dragão pousou e o mestre subiu em seu dorso. Olhando de relance para o ponto sinalizado por cinzas, a única lembrança da existência de Draken-Korin, o valheru disse:

— Venha, vamos ver o que o destino forjou.

Shuruga subiu aos céus e juntos sobrevoaram a desolação. Ashen-Shugar se mantinha calado no largo dorso do dragão, sentindo o vento bater no seu rosto. Voaram e o tempo passou por eles, enquanto partilhavam a morte de uma era e o nascimento de outra. Planaram bem alto no céu, livres do horror das Guerras do Caos.

É digno de tristeza.

— Não acho. Há uma lição a ser tirada, embora não consiga ainda entendê-la. Porém pressinto que você a entende. — Ashen-Shugar fechou os olhos quando a cabeça voltou a latejar.

Sim, eu me lembro.

— Tomas?

O rapaz abriu os olhos de repente. Deu com Galain a curta distância, no limite da clareira.

— Devo voltar mais tarde?

Tomas levantou-se com dificuldade de onde tinha estado sentado sonhando. A sua voz soou rouca e cansada:

— Não, do que se trata?

— O grupo de anões de Dolgan chegou à floresta exterior e aguarda por você junto ao riacho sinuoso. Os anões atacaram um acampamento de seres do outro mundo quando atravessaram o rio. — O rosto do jovem elfo mostrava um sorriso jovial. — Capturaram prisioneiros, finalmente.

Um olhar misturando satisfação e fúria atravessou o rosto de Tomas. Galain experimentou estranhas emoções ao contemplar a reação do guerreiro de branco e dourado a essas notícias. Como se estivesse ouvindo um chamado distante, Tomas falou de modo distraído:

— Vá para o acampamento dos anões. Irei me juntar a vocês daqui a pouco.

Galain se retirou e Tomas escutou. Uma voz distante ficou mais alta.

— Terei errado?

O salão ecoou com as palavras, pois estava por fim vazio, e os serviçais tinham escapulido. No seu trono, Ashen-Shugar pensava com afinco. Falou às sombras:

— Terei errado?

Agora, já conhece a dúvida, respondeu a voz onipresente.

— Esta estranha quietude dentro de mim, do que se trata?

É a morte que se aproxima.

Ashen-Shugar fechou os olhos.

— Achei que fosse isso mesmo. Foram poucos os da minha raça que sobreviveram à batalha. Eu era algo raro. Sou o último; porém gostaria de voar uma vez mais com Shuruga.

Shuruga partiu. Está morto, há muito tempo.

— Mas voei com ele esta manhã.

Era um sonho. Tal como agora.

— Quer dizer que também enlouqueci?

Você não passa de uma memória. Isto é somente um sonho.

— Assim sendo, farei o que está planejado. Aceito o inevitável. Outro virá tomar o meu lugar.

Isso já aconteceu, pois eu sou aquele que veio e aceitou a sua espada e vestiu as suas vestes; agora, a sua causa me pertence. Sou eu que enfrento aqueles que pretendem saquear este mundo.

— Nesse caso, estou disposto a morrer.

Abrindo os olhos, contemplou pela última vez o seu salão, coberto de poeira antiga. Fechando-os por fim, o Soberano do Horizonte das Águias lançou o último feitiço. Seus poderes em declínio, ainda sem par naquele mundo, excetuando os novos deuses, fluíram de seu corpo exausto para a sua armadura. Pequenas espirais de fumaça subiram do local onde o seu corpo repousara, até restarem unicamente a armadura dourada, o tabardo branco, o escudo e a espada branca e dourada.

Sou Ashen-Shugar. Sou Tomas.

Os olhos de Tomas se abriram e por um instante ele ficou confuso por se ver na clareira. Uma estranha emoção cresceu em seu interior quando se deu conta de que uma nova força percorria o seu ser. Na mente, ressoou um toque de clarim: sou Ashen-Shugar, o valheru. Destruirei todos aqueles que tentarem saquear o meu mundo.

Com tremenda determinação, deixou a clareira, em busca do lugar para onde os anões tinham levado os seus inimigos.

— É bom voltar a vê-lo, amigo Martin do Arco — cumprimentou Dolgan, fumando seu cachimbo. Não se viam desde um encontro casual vários anos antes, quando os anões atravessavam as florestas a leste de Crydee, a caminho de Elvandar.

Martin, Calin e alguns elfos tinham ido ver os prisioneiros dos anões, ainda amarrados. Aguardavam em grupo, em um canto da clareira, olhando furiosos os seus captores. Galain entrou na clareira, dizendo:

— Tomas já está vindo.

— Dolgan, como foi que, depois de tantos anos, conseguiu capturar prisioneiros e, ainda por cima, um acampamento inteiro? — perguntou Martin.

Atrás dos oitos guerreiros amarrados se via um grupo amedrontado de escravos tsurani, desamarrados, mas amontoados, incertos sobre o seu destino. Dolgan fez um aceno de pouco caso com a mão.

— Normalmente, atravessamos o rio para um ataque repentino e os prisioneiros costumam nos atrasar durante a retirada, uma vez que estão inconscientes ou não querem cooperar. Desta vez, não tivemos muita escolha no assunto, pois precisávamos atravessar o rio Crydee. Em outros anos, teríamos aguardado e aproveitado a escuridão para passar despercebidos, mas este ano eles estão amontoados como urtigas em um matagal ao longo do rio. Encontramos este grupo em um ponto relativamente isolado, onde só havia estes oito vigiando os escravos. Estavam consertando uma fortificação, que eu acho que foi assaltada há pouco tempo em um ataque dos elfos. Passamos por eles sem que percebessem e depois alguns rapazes subiram nas árvores, ainda que isso não os agradasse. Caímos em cima dos três guardas mais afastados, silenciando-os antes de conseguirem dar o alarme. Os outros cinco estavam cochilando, idiotas. Nós nos esgueiramos para o acampamento e, depois de alguns golpes bem dados com os nossos martelos, amarramos os malditos. Estes outros — indicou os escravos — estavam tão amedrontados que nem conseguiam emitir um único som. Quando nos certificamos de que não tínhamos alertado os acampamentos próximos, pensamos em trazê-los conosco. Pareceu-me uma pena deixá-los para trás. Achei que talvez pudéssemos aprender alguma coisa que nos fosse útil. — Dolgan tentou manter uma expressão impassível, mas o orgulho pelo trabalho de sua companhia transparecia como um farol em uma noite escura.

Martin sorriu, mostrando aprovação, e disse a Calin:

— Espero que possamos descobrir o que vem por aí, se essa temida ofensiva está mesmo sendo montada e onde. Aprendi algumas expressões da língua deles, mas não o suficiente para compreender o que podem ter para nos dizer. Somente o Padre Tully e Charles, o meu batedor tsurani, podem falar com eles fluentemente. Talvez devêssemos tentar levá-los para Crydee.

— Temos meios de aprender o idioma deles, com tempo — disse Calin. — Duvido que cooperassem em um deslocamento. O mais provável é que tentassem dar o alarme durante todo o caminho.

Martin deu razão ao argumento. Voltou-se ao ouvir um tumulto.

Tomas surgiu na clareira, caminhando a passos largos. Dolgan estava prestes a cumprimentá-lo, mas havia algo na atitude e na expressão do jovem guerreiro que o silenciou. Os olhos de Tomas revelavam uma loucura, algo que o anão já tinha vislumbrado, mas que agora transparecia com toda a clareza.

Tomas fitou os prisioneiros amarrados e desembainhou a espada lentamente, apontando-a aos invasores. Martin e os anões não reconheceram as palavras que proferiu; no entanto, os elfos ficaram chocados com o que ouviram. Vários elfos mais velhos caíram de joelhos, em súplica, enquanto os mais jovens recuaram, demonstrando o reflexo causado pelo terror. Somente Calin se manteve firme, embora parecesse abalado. Devagar, o Príncipe dos Elfos virou-se para Martin, com o rosto pálido.

— Finalmente, o valheru se encontra de fato entre nós — disse em tom horrorizado.

Ignorando todos os outros na clareira, Tomas avançou até o primeiro prisioneiro tsurani. O soldado amarrado olhou para cima com uma mistura de medo e desafio. De repente, a espada dourada se ergueu no alto e desceu, decepando a cabeça do homem. O tabardo branco ficou salpicado de sangue, que escorreu, deixando-o imaculado. Dos escravos amontoados, ouviu-se um gemido baixo de medo, e os olhos dos outros soldados se arregalaram de pavor. Em um movimento lento, Tomas se virou para o próximo soldado e, uma vez mais, a sua espada colheu uma vida.

Martin se libertou da paralisia do choque, forçando-se a desviar os olhos da carnificina. Sentia um pavor tremendo, mas que não se comparava ao que os elfos demonstravam na humilhação sentida perante Tomas. O rosto de Calin evidenciava uma luta interior, enquanto tentava superar a obediência quase instintiva às palavras proferidas no idioma antigo dos valheru, senhores de todos em tempos passados. Os elfos mais jovens, menos versados na sabedoria antiga, não compreendiam a necessidade avassaladora de obedecer àquele homem vestido de branco e dourado. O idioma dos valheru ainda era o idioma do poder.

Tomas deu as costas à sua chacina e Martin ficou espantado com a força do seu olhar. Não restava qualquer vestígio do garoto de Crydee. Agora, todo o seu ser estava preenchido por uma presença extraterrena. O braço de Tomas recuou e Martin se preparou para esquivar-se do golpe. Qualquer humano era uma vítima em potencial e até os anões recuaram diante da assustadora ameaça que ele projetava. Nesse instante, uma fraca centelha de reconhecimento atravessou o seu olhar e ele disse, em uma voz distante:

— Martin, pelo amor que antes nutria por você, saia ou perderá a vida.

Reunindo coragem para enfrentar o maior pavor que já sentira, Martin gritou:

— Não vou ficar aqui parado vendo você chacinar homens indefesos!

De novo, ouviu-se a voz distante, impregnada de soberania ancestral e grandiosidade recuperada.

— Esta gente entrou em meu mundo, Martin. Ninguém poderá disputar aquele que é o meu domínio, a minha reserva, unicamente meu! Você também, Martin, ousará entrar em meu mundo? — Valendo-se de uma velocidade sobrenatural, Tomas girou e dois tsurani pereceram.

Martin investiu, atravessando a distância que os separava com um salto, e, com um empurrão, afastou Tomas dos prisioneiros. Os dois caíram e Martin agarrou o pulso que segurava a espada dourada.

Ainda que fosse um homem forte, capaz de caminhar quilômetros com um gamo recém-abatido nos ombros, o caçador não era adversário à altura de Tomas. Da mesma forma com que se livraria de uma criança incômoda, Tomas o afastou e ficou de pé com rapidez. Martin voltou a saltar, mas desta vez Tomas estava preparado. Limitou-se a agarrá-lo pela túnica, dizendo:

— Ninguém poderá se opor à minha vontade. — Atirou Martin pela clareira como se pesasse menos do que um décimo de seu peso. Os braços de Martin se agitavam no ar enquanto ele descrevia um arco bem acima do chão, na tentativa de controlar a queda. Caiu com força e, ao bater, todos ao redor ouviram o ar que explodiu de seus pulmões.

Dolgan correu para junto dele, pois os elfos continuavam subjugados pelo que viam. O chefe dos anões jogou a água de um odre que trazia à cintura no rosto de Martin, sacudindo-o para que recobrasse a consciência. Quando recuperou os sentidos, foi recebido pelos gritos abafados de puro terror vindos dos escravos tsurani que assistiam à chacina dos soldados.

Martin se esforçou para focalizar a visão, pois a cena à sua frente oscilava e rodopiava. Quando conseguiu ver com nitidez, inspirou em um silvo de terror.

Tomas abateu o último soldado tsurani e começou a avançar para os escravos encolhidos. Pareciam incapazes de se mexer, contemplando de olhos arregalados o portador de sua destruição; para Martin, assemelhavam-se a uma manada de veados que foram surpreendidos por uma luz repentina na escuridão da noite.

Um grito rouco saiu dos lábios de Martin quando Tomas matou o primeiro escravo tsurani, um homem franzino de aspecto miserável. Martin do Arco tentou se levantar, com os sentidos vacilantes, e Dolgan o ajudou.

Tomas ergueu a espada e outro morreu. Novamente a lâmina dourada subiu e ele olhou para o rosto de sua vítima. De olhos escancarados de pavor, um garoto que não teria mais do que doze anos aguardava em pé o golpe que acabaria com a sua vida.

De repente, o tempo se dilatou, e Tomas ficou com aquele momento congelado em sua mente. Examinou os cabelos escuros e os grandes olhos castanhos do garoto. A criança se agachou, aguardando a morte que via pairar sobre si, sacudindo a cabeça enquanto os lábios repetiam uma única frase inúmeras vezes.

Na luz fraca da clareira, Tomas viu um fantasma antigo, o espectro de um amigo há muito esquecido. Um vínculo relembrado, originado nas primeiras memórias de criança, voltou a se associar à sua consciência. As imagens eram vagas, o passado e o presente misturados.

— *Pug?* — disse Tomas.

Em sua mente, explodiu uma dor e outra vontade procurou dominá-lo.

— *Pug!* — berrou.

— *Mate-o!* — foi a resposta enraivecida e em seu interior se digladiaram duas vontades.

— *Não!* — gritou o outro.

Todos os que estavam na clareira viam Tomas petrificado, estremecendo com alguma espécie de batalha interna, a espada erguida esperando ser largada.

Estes são inimigos! Mate-os.

É um menino! Não passa de uma criança!

Ele é inimigo!

Um menino!

O rosto de Tomas se tornou uma máscara de dor; cerrou os dentes e todos os músculos do corpo ficaram retesados, esticando a pele no seu crânio. Os olhos se arregalaram e começaram a surgir gotas de suor de baixo do elmo, descendo pelas sobrancelhas e faces.

Martin conseguiu se levantar, cambaleando. Deslocou-se devagar, cada movimento provocando dores devido à queda que sofrera.

A mão de Tomas se deslocou para baixo com lentidão, cada centímetro representando um passo trêmulo e vacilante enquanto lutava por dentro. O garoto estava paralisado, incapaz de se mexer, seguindo o movimento da espada com os olhos.

— *Sou Ashen-Shugar! Sou valheru!* — entoava uma voz em seu interior, em uma enxurrada de raiva, loucura de batalha e ânsia de sangue.

Contra esse mar de raiva, permanecia um singelo rochedo, uma voz calma e débil vinda de dentro que dizia, simplesmente: *Sou Tomas.*

O mar de raiva batia no rochedo de serenidade sem parar, submergindo-o constantemente, recuando e voltando a investir. Contudo, a maré baixava a cada investida e o rochedo ficava visível, erguendo-se acima da rebentação enfurecida. Ocorreu a aniquilação de algo, um trovejar de épocas perdidas e passadas, que agitou a mente de Tomas. Ficou zonzo, mergulhando em uma paisagem desconhecida, procurando um ponto de luz que sabia ser o caminho para a liberdade. As marés o arrastaram e ele batalhou, esforçando-se por manter a cabeça acima da superfície do mar negro que o sufocava. No alto, uivava um vento maléfico, cantando em seus ouvidos uma melodia funesta. Debateu-se e voltou a ver o ponto de luz. Uma vez mais a maré o engoliu, forçando-o a se afastar de seu objetivo, embora daquela vez parecesse mais fraca. Voltou a tentar nadar para a luz. Foi então que o mar se revoltou, uma derradeira e terrível investida, culminando em um ataque absoluto. *Sou Ashen-Shugar!* Seguiu-se o quebrar da vontade, arrebentando como o galho seco de uma árvore sob o peso da neve acabada de cair, como o som do gelo velho de inverno se partindo ao toque da primavera, como se a última investida tivesse representado um custo alto demais.

O mar negro perdeu a fúria e amainou e ele se viu mais uma vez em terra firme, um singelo rochedo. *Sou Tomas.* A distância, o ponto de luz começou a se expandir diante de seus olhos, precipitando-se até envolvê-lo.

Sou Tomas.

— Tomas!

Piscou e viu que voltara à clareira. À sua frente, viu o garoto agachado, à espera da morte. Virou a cabeça e viu Martin, apontando-lhe uma flecha.

— Abaixe a espada, pelos deuses, senão mato você aí mesmo — advertiu o Mestre de Caça de Crydee.

O olhar pasmo de Tomas percorreu a clareira e viu os anões com armas a postos, assim como alguns dos elfos mais velhos. Calin, ainda tremendo, desembainhara a espada e avançava devagar em sua direção.

Martin olhou para Tomas com atenção, sem temê-lo, mas respeitando sua incrível força e velocidade. Aguardou, vendo ainda um lampejo de loucura em seus olhos, até que, como se um véu tivesse sido erguido, ele os viu com clareza. A espada dourada caiu de repente da mão de Tomas e os olhos pálidos, quase incolores, se encheram de lágrimas. O rapaz caiu de joelhos e de seus lábios saiu um gemido de angústia, levando-o a exclamar:

— Oh, Martin, no que me tornei?

Martin abaixou o arco, vendo Tomas se abraçar. Tathar e outros Tecedores de Feitiços entraram na clareira. Aproximaram-se de Tomas, e então examinaram todos os que se encontravam naquele lugar. Tão terríveis eram os soluços atormentados do rapaz, tão imensamente envoltos em mágoa e remorso, que muitos dos elfos se viram chorando também.

— Sentimos o tecido de nossos feitiços se rasgar ainda há pouco, por isso corremos para cá — disse Tathar a Martin do Arco. — Temíamos a chegada do valheru e com razão, pelo visto.

— E agora? — perguntou Martin.

— O outro lado do equilíbrio. Que o valheru foi finalmente expulso pelo rapaz não há dúvida; contudo, agora Tomas deve estar sentindo o peso de anos e anos de chacina e de culpa, no lugar do júbilo de quando tirava outras vidas. Os fardos carregados pelos humanos voltaram a ser os dele, e veremos agora se consegue suportá-los. Essa agonia poderá ser seu fim.

Martin deixou o elfo idoso, indo ao encontro de Tomas. À luz fraca, foi o primeiro a perceber a mudança. Desaparecera a qualidade sobrenatural de suas feições, os olhos cintilantes, o modo altivo. Voltara a ser Tomas, um homem, embora o legado daquela experiência sempre o fosse declarar como algo mais do que um homem comum: as orelhas de elfo, os olhos claros. Desaparecera o Senhor de Poder, o Antigo, o Valheru. Onde antes existia um Senhor dos Dragões, via-se agora um homem subjugado, perturbado e enfermo, atormentado pelo que fizera.

Tomas levantou a cabeça quando Martin tocou no seu ombro. Olhos avermelhados, quase enlouquecidos pela dor, observaram-no por um breve instante, para depois se fecharem como se procurassem esquecer de tudo ao redor. Durante algum tempo, elfos e anões contemplaram e os escravos tsurani se mantiveram calados, cientes de que ocorrera uma espécie de milagre, sem conseguirem compreender, mas certos de que tinham sido poupados. E assim permaneceram, enquanto Martin do Arco embalava o homem de branco e dourado que soluçava, chorando em uma angústia terrível de se ouvir.

Aglaranna estava sentada em sua cama, penteando o longo cabelo louro avermelhado. Como antes, aguardava Tomas, tão esperançosa quanto temerosa.

Um grito de fora a fez se levantar. Ajeitou as vestes e saiu de seus aposentos. Em uma plataforma, viu um grupo de elfos e anões avançar rumo ao centro de Elvandar. Com eles vinham Martin do Arco e alguns humanos, sem dúvida seres do outro mundo, levando em conta a forma como estavam vestidos.

Levou as mãos à boca, arquejando. No centro do grupo vinha Tomas e, ao seu lado, um garoto de olhos arregalados diante do esplendor de Elvandar.

Aglaranna não conseguiu se mexer, receando que aquilo que estava testemunhando fosse fruto de uma ilusão nascida da esperança. Enquanto esperava, o tempo passou correndo, até que, por fim, Tomas estava à sua frente. Deixando o menino, avançou. Martin deu a mão ao garoto e o levou dali, concedendo à Rainha dos Elfos e a Tomas a privacidade necessária.

Tomas estendeu o braço devagar, tocando o seu rosto, deleitando-se com a visão dela, como se a estivesse vendo pela primeira vez em Crydee.

Por fim, sem dizer uma única palavra, envolveu-a em seus braços. Abraçou-a em silêncio, deixando que sentisse o fervor do amor que o invadia sempre que a via.

Passado algum tempo, sussurrou no ouvido dela:

— Por cada momento de amargura que lhe causei, ó minha senhora, rogo aos deuses que me concedam mais um ano para lhe oferecer muitas alegrias. Sou, novamente, o súdito que a adora.

Tomada completamente pela alegria para conseguir falar, a Rainha dos Elfos o abraçou com força, a tristeza não mais do que uma lembrança indistinta.

10

Emissário

As tropas estavam paradas em silêncio.

Longas colunas de homens aguardavam a vez para passar a fenda que levava a Midkemia. Oficiais passavam, garantindo, com sua presença, a disciplina nas fileiras. Laurie, de máscara e trajes típicos de um Sacerdote Vermelho, estava impressionado com o nível de controle que aqueles oficiais tinham sobre seus homens. Considerava o código de honra dos tsurani, em que se obedecia cegamente às ordens, algo muito exótico.

Laurie e Kasumi se deslocaram depressa ao longo das fileiras, logo atrás do primeiro destacamento que estava cruzando o portal. Laurie dobrou os joelhos e se curvou, de modo a disfarçar a sua altura. Como tinham previsto, quase todos os soldados desviavam o olhar quando passava o falso Sacerdote Vermelho.

Quando chegaram à dianteira da coluna, Kasumi entrou na fila. O seu irmão mais novo, que fora promovido a Líder de Ataque para a atual ofensiva, pareceu não prestar atenção à chegada tardia de seu comandante nem ao sacerdote de Turakamu que chegara com ele.

Após uma demora quase infindável, a ordem chegou e avançaram para o brilho reluzente de "nada" que marcava a fenda entre os dois mundos. Viram curtos clarões, sentiram tonturas passageiras e se viram caminhando em frente sob uma garoa midkemiana. Cortinas de umidade, pouco mais do que uma neblina densa, caíam ao redor deles. Os soldados tsurani, habituados a um clima quente, se enrolaram nas capas.

Um oficial consultou Kasumi rapidamente e foram dadas ordens às tropas para que se pusessem em marcha para nordeste e, a uma distância específica, montassem acampamento. Lá, Kasumi e Hokanu deveriam se apresentar na tenda do Senhor da Guerra para receberem instruções. O Senhor da Guerra tinha regressado a Kentosani, a Cidade Sagrada, se preparando para os Torneios Imperiais, mas o subcomandante os instruiria quanto aos deveres e áreas de responsabilidade até o seu regresso.

Avançaram depressa e montaram acampamento. Assim que a tenda do comandante foi erguida, Laurie e os irmãos Shinzawai entraram. Enquanto desfaziam trouxas de roupa midkemiana e armas, Kasumi disse:

— Assim que regressarmos da reunião com o subcomandante, comeremos. Hoje à noite, comandaremos uma patrulha em nossa área e, nessa hora, tentaremos nos esgueirar para longe. — Kasumi olhou para o irmão. — Após a nossa fuga, irmão, cabe a você ocultar a nossa ausência tanto tempo quanto conseguir. Assim que ocorrerem combates, poderá dizer que caímos nas garras do inimigo.

Hokanu concordou.

— Talvez seja hora de irmos nos apresentar.

Kasumi olhou para Laurie.

— Fique aqui dentro. Não queremos correr riscos. É o maldito sacerdote mais alto que já vi.

Laurie concordou. Sentou-se em algumas almofadas e esperou.

A patrulha se deslocava em silêncio pelas árvores. A chuva cessara, mas o tempo ficara mais fresco e Laurie reprimiu um arrepio. Os anos passados no clima quente de Kelewan tinham acabado com a sua capacidade de ignorar o frio. Pensou nas novas tropas de Tsuranuanni e em como reagiriam quando caíssem as primeiras neves. Provavelmente com uma indiferença deliberada, independentemente do que estivessem sentindo. Um soldado tsurani jamais demonstraria desconforto devido a algo tão trivial como água em formato sólido caindo do céu.

Escolheram a Passagem Norte, pois conduzia à frente de combate mais extensa e seria menos provável que os detectassem atravessando as fileiras. Chegaram à entrada da passagem, conduzidos por um guarda. Assim que saíram do vale, viraram um pouco mais para leste do que tinha sido pedido à patrulha.

Além dos bosques dispersos e colinas ondulantes, se encontrava a estrada de LaMut para Zūn. Assim que os dois viajantes deixassem a patrulha e alcançassem a estrada, rumariam para Zūn, comprariam cavalos e partiriam para o sul. Com sorte, chegariam a Krondor em duas semanas. Lá trocariam as montarias e seguiriam para Salador, onde embarcariam em um navio com destino a Rillanon.

O único obstáculo entre eles e a estrada era uma grande parte do Exército do Reino. Caso fossem descobertos por uma patrulha, tentariam se fazer passar por viajantes que tinham sido capturados pelos tsurani, mas que tinham conseguido escapar. Não tinham como confundir Laurie com um tsurani e o domínio que Kasumi tinha do Idioma do Reino era tão perfeito que podia facilmente passar por cidadão do Reino natural do Vale dos Sonhos, uma região fronteiriça ao Grande Kesh onde eram falados vários idiomas, de modo que facilmente aceitariam o leve sotaque de Kasumi.

A patrulha se deslocou a passo firme, devorando quilômetros. Laurie seguia ao lado de Kasumi, espantado com o vigor dos soldados. Podiam não estar demonstrando cansaço, mas ele o sentia. Hokanu fez sinal para que a patrulha parasse no alto de uma grande área plana, perto dos bosques.

— Retornaremos daqui para nossa área de patrulha. Não devemos encontrar mais nenhum soldado tsurani a partir deste trecho. Vamos torcer, pelo bem de vocês, que também não nos deparemos com tropas do Reino.

Deu um sinal e continuaram. Entregaram mochilas e roupas a Laurie e Kasumi, que se trocaram depressa e seguiram o caminho que a patrulha tomara. Seguiriam a curta distância, fazendo uso da patrulha como cobertura, caso surgissem tropas do Reino.

Entraram em um pequeno vale e deram com a patrulha detida por algo mais à frente. O último homem da fila gesticulou para que não fizessem barulho. Avançaram até a dianteira e Laurie olhou ao redor, procurando uma saída rápida se surgissem problemas.

— Pensei ter ouvido alguma coisa, mas há vários minutos que não se ouve um único som — disse Hokanu em voz baixa.

Kasumi fez um aceno com a cabeça.

— Então, avancem. Aguardaremos até terem atravessado aquele descampado mais à frente e depois seguiremos para o bosque. — Indicou um arvoredo, no outro lado da clareira.

Quando a patrulha chegou ao centro do descampado, as nuvens se abriram e raios de luar iluminaram a área.

— Maldição! — Kasumi praguejou em voz baixa. — Só falta acenderem tochas.

De repente, viram movimentos e ouviram ruídos vindos das árvores. O chão estremeceu quando os cavaleiros investiram, saindo das árvores que os escondiam. Todos usavam pesadas cotas de malha e elmos completos. Traziam lanças compridas apontadas para os atônitos soldados tsurani.

Os tsurani mal tiveram tempo para formar uma rude linha de defesa antes que os cavaleiros investissem. Guinchos de cavalos e homens invadiram o ar e os tsurani tombaram diante do ataque. Os cavaleiros atropelaram os tsurani, reagrupando na extremidade do vale, onde estavam escondidos os dois fugitivos. Deram meia-volta e tornaram a investir. Os tsurani que sobreviveram ao primeiro ataque, menos de metade do contingente, se deslocaram rapidamente para oeste do vale, onde as árvores e a inclinação da encosta poderiam dificultar a capacidade de ataque dos cavaleiros.

Laurie tocou no braço de Kasumi, fazendo sinal para a direita. Era evidente que o oficial tsurani estava com dificuldades para controlar o impulso de se juntar a seus homens. Subitamente, Kasumi partiu, prosseguindo junto à orla das árvores enquanto corria devagar. Laurie o seguiu, distinguindo o que parecia ser uma trilha tosca que seguia para leste. Puxou a manga de Kasumi e apontou. Deram as costas à batalha e partiram.

O dia seguinte revelou dois viajantes caminhando pela estrada que levava a Zūn. Ambos vestiam camisas de lã, calças e mantos. Um exame mais atento de um olho treinado revelaria que o material não era realmente lã, mas um produto semelhante. Os cintos e botas eram feitos de pele de needra, tingidos para se assemelharem a couro. O estilo era midkemiano, tal como as espadas que levavam nos cintos.

Um deles obviamente era um trovador, pois trazia um alaúde pendurado por cima da mochila. O outro parecia um mercenário ou saqueador. Um observador qualquer não seria capaz de adivinhar de onde vinham ou as riquezas que carregavam naquelas mochilas, pois cada um deles trazia uma pequena fortuna em pedras preciosas escondidas no fundo da mochila.

Por eles passaram rapidamente soldados de cavalaria rumo ao norte e Laurie disse:

— As coisas mudaram desde que saí daqui. Aqueles homens na floresta eram lanceiros reais krondorianos, e aqueles que acabaram de passar vestiam as cores do Mirante de Questor. Todas as forças dos Exércitos do Oeste devem estar se reunindo aqui. Parece haver algo no ar. Talvez tenham conseguido deduzir o plano do Senhor da Guerra para uma ofensiva em larga escala.

— Não sei. O que quer que esteja acontecendo, não parece indicar que a situação está tão estável quanto fomos levados a crer em nosso mundo. As Alianças estão muito inquietas desde a morte do Lorde Minwanabi e o surgimento de novas forças no Grande Jogo. O Senhor da Guerra poderá estar ainda mais desesperado do que o meu pai imagina. A concentração de forças aqui presente me leva a pensar que a vitória do Senhor da Guerra poderá não ser fácil de alcançar. — Kasumi permaneceu em silêncio por algum tempo enquanto caminhavam pela estrada. — Espero que Hokanu esteja entre os que conseguiram chegar às árvores. — Era a primeira vez que mencionava o irmão e Laurie não soube o que dizer.

Dois dias mais tarde, Laurie, um menestrel de Tyr-Sog, e Kenneth, um mercenário do Vale dos Sonhos, estavam sentados na Estalagem do Gato Verde na cidade de Zūn. Ambos comiam com um apetite voraz, pois há dois dias que viviam de rações militares: bolos de cereais e frutas secas.

Laurie passara mais de uma hora negociando com um comerciante de pedras preciosas pouco respeitável o valor de várias pedras menores. Contentara-se com um terço daquilo que realmente valiam, dizendo:

— Se achar que são roubadas, não vai querer fazer muitas perguntas.

— Por que não lhe vendeu todas as pedras preciosas? — perguntou Kasumi.

— O seu pai nos deu pedras preciosas que seriam suficientes para ficarmos descansados até o fim dos nossos dias. Mesmo que todos os negociantes de Zūn se juntassem, duvido que conseguissem reunir todo o ouro necessário para comprá-las. Venderemos algumas durante a viagem; além disso, são menos pesadas do que ouro.

Quando terminaram a refeição, os dois homens pagaram e saíram. Kasumi mal conseguia se conter ao ver metal por todo lado, as riquezas de uma vida em Kelewan. O custo de uma refeição pago em moedas de prata bastaria para sustentar uma família tsurani durante um ano.

Avançaram apressadamente por uma das ruas mais movimentadas da cidade, rumo ao portão sul. Tinham lhes dito que ali perto um respeitável mercador de cavalos lhes venderia montarias e o material necessário por um preço justo. Encontraram o homem, um tipo magro de nariz aquilino que atendia pelo nome de Brin. Laurie passou quase uma hora pechinchando duas das melhores montarias do mercador. Eles o deixaram demonstrando sua preocupação quanto à capacidade que os dois teriam de dormir à noite, depois de terem trapaceado um homem de negócios honesto, privando-o do dinheiro de que precisava para alimentar os filhos famintos.

Quando atravessaram o portão que os colocaria na estrada para Ylith, Kasumi disse:

— Grande parte de sua terra me parece estranha, mas me lembrei da minha pátria quando você negociava com aquele mercador. Os nossos mercadores são muito mais amáveis e jamais pensariam sequer em levantar a voz daquela forma, mas não deixa de ser tudo a mesma coisa. Todos têm filhos que passam fome.

Laurie riu e esporeou o cavalo, fazendo-o avançar. Não demorou para deixarem de avistar a cidade.

Ao sul do Mirante de Questor, cruzaram o caminho de alguns soldados, desta vez tropas regulares do Reino e reservas que se arrastavam penosamente a pé, enquanto os oficiais seguiam a cavalo.

Laurie e Kasumi tinham parado para soltar os cavalos, deixando-os pastar, enquanto a filcira passava. O guerreiro observou os soldados que passavam com um olhar de especialista. Soldados com fardas vermelhas marchavam em formação rigorosa, e mesmo os reservas mais esfarrapados ainda conseguiam ter um ar organizado. A caravana de mercadorias seguia ordenadamente, uma vez que os condutores experientes mantinham os animais a uma distância adequada. Quando passaram, Kasumi disse:

— Aqueles soldados são melhores do que todos os outros que já vi em seu mundo, Laurie. Os de farda vermelha parecem profissionais. Marcham bem. Os outros parecem ter experiência, apesar do aspecto descuidado.

Laurie balançou a cabeça.

— Reconheço o estandarte. Trata-se da guarnição de Shamata, no Vale dos Sonhos. Já tiveram a sua cota de conflitos contra os soldados de Kesh e são um grupo veterano. Os outros são reservas, mercenários vindos do Vale, um bando de rapazes menos afáveis que você não gostaria de enfrentar. — Laurie começou a aparelhar o cavalo. — Na verdade, são uma força de homens tão bem treinada quanto as que os seus conterrâneos já enfrentaram.

Assim que aprontaram os cavalos, Laurie e Kasumi voltaram a montar e partiram. Pouco depois, avistaram o Mar Amargo, quando a estrada contornou as colinas do Mirante de Questor.

Laurie parou o cavalo, olhando fixamente para o mar.

— O que foi? — perguntou Kasumi.

Laurie colocou a mão sobre os olhos.

— Navios! Uma frota inteira rumo ao norte. — Ficou algum tempo observando, até que Kasumi conseguiu ver pontos brancos no azul do mar.

— Para onde vão? — perguntou Kasumi.

— Ylith é o único grande porto ao norte. Devem levar mantimentos para a guerra.

Retomaram o caminho. Foram tomados por uma sensação de urgência, pois tudo o que tinham visto apontava que a guerra estava mais intensa, e quanto mais demorassem, menos chances teriam de cumprir a missão.

Quatorze dias depois, alcançaram o portão norte de Krondor. Ao passarem, vários guardas de preto e dourado os olharam com desconfiança. Quando os guardas do portão já não podiam ouvi-los, Laurie disse:

— Aqueles não são os tabardos do Príncipe. O estandarte de Bas-Tyra se ergue em Krondor.

Avançaram devagar mais um minuto, até que Kasumi perguntou:

— O que significa isso?

— Não sei. Mas acho que conheço um lugar onde poderemos descobrir. — Percorreram uma série de ruas delimitadas de cada lado por armazéns e casas comerciais. Ouviam-se os sons das docas, a muitas ruas de distância. Fora isso, o bairro estava calmo.

— Que estranho — observou Laurie enquanto avançavam. — Esta parte da cidade costumava ter mais movimento nesta hora do dia.

Kasumi olhou ao redor, sem saber o que esperava ver. As cidades midkemianas, comparadas às cidades do Império, pareciam pequenas e sujas. Ainda assim, havia algo estranho na ausência de atividade naquele lugar. Ao meio-dia, Zūn e Ylith fervilhavam de soldados, mercadores e cidadãos, mesmo sendo cidades menores do que Krondor. À medida que avançavam, uma sensação de inquietação tomou conta de Kasumi.

Entraram em uma zona da cidade ainda mais isolada do que o bairro dos armazéns. Ali, as ruas eram mais estreitas e os edifícios de quatro e cinco andares deixavam pouco espaço de passagem. Sombras sinistras eram constantes, ainda que fosse meio-dia. As pessoas que se viam na rua, alguns mercadores e mulheres a caminho do mercado, seguiam calados e a passo rápido. Para onde quer que os cavaleiros olhassem, viam expressões de cautela e desconfiança.

Laurie conduziu Kasumi até um portão, atrás do qual se podia ver a parte superior de um edifício de três andares. Laurie inclinou-se na sela e puxou a corda de uma sineta. Não obtendo resposta, após alguns minutos voltou a tocar.

Pouco depois, foi aberta uma portinhola na porta, onde viram um par de olhos e ouviram uma voz:

— O que querem aqui?

— Lucas, é você? — perguntou Laurie em tom severo. — O que está acontecendo para não deixar entrar dois viajantes?

Os olhos se arregalaram e a portinhola se fechou. O portão se abriu com um rangido de protesto e um homem saiu para abri-lo completamente.

— Laurie, seu patife! — disse, deixando os cavaleiros entrarem. — Já faz cinco... não, seis anos.

Entraram e Laurie ficou espantado com o estado da estalagem. De um dos lados, estava o estábulo, em ruínas. Do lado oposto, junto ao portão, pendia uma tabuleta acima da entrada principal, retratando em tons desbotados um papagaio de muitas cores de asas abertas. Atrás, ouviram o portão fechar.

O homem que se chamava Lucas, alto e magro, de cabelo grisalho, disse:

— Vocês terão de colocar os cavalos no estábulo. Estou sozinho aqui e tenho de voltar ao salão antes que os meus hóspedes comecem a roubar tudo por lá. Vejo vocês lá dentro e depois nos falamos. — Voltou-se e os dois cavaleiros foram tratar das montarias.

— Há muita coisa acontecendo aqui que eu não entendo — disse Laurie, enquanto tiravam as selas dos cavalos. — O Papagaio Arco-Íris nunca foi um lugar sensacional, mas sempre foi uma das melhores tavernas do Bairro Pobre. — Escovou o seu animal em silêncio. — Se há lugar onde podemos descobrir o que está acontecendo em Krondor, esse lugar é aqui. Ao longo dos anos que passei viajando pelo Reino, aprendi o seguinte: quando os guardas dos portões prestam muita atenção aos viajantes, é hora de ficar em um local onde não seja provável que eles frequentem. Podem lhe cortar a garganta rapidamente no Bairro Pobre, mas raramente verá um guarda por estas bandas. Se eles aparecerem, é bem provável que o homem que tentava cortar a sua garganta o esconda até eles partirem.

— E depois ele tentará cortar a minha garganta.

Laurie riu.

— Você aprende rápido.

Depois de cuidarem dos cavalos, os dois viajantes pegaram as selas e as sacolas e as levaram para a estalagem. Lá dentro, foram recebidos pela visão de um salão mal iluminado, com um balcão comprido ao longo da parede do fundo. À esquerda, via-se uma enorme lareira, e à direita, uma escadaria que levava ao piso superior. Havia várias mesas vazias e duas delas tinham clientes. Os hóspedes olharam de relance para os recém-chegados, mas logo retornaram às suas bebidas e conversas sussurradas.

Laurie e Kasumi foram até o bar, onde Lucas estava limpando alguns copos de vinho com um trapo nada limpo. Largaram as mochilas e Laurie disse:

— Tem vinho de Kesh?

— Um pouco, mas é caro — respondeu Lucas. — Tem havido pouco comércio com Kesh desde que começaram os problemas.

Laurie olhou para Lucas, como se estivesse calculando o custo.

— Sendo assim, duas cervejas.

Lucas serviu duas grandes canecas de cerveja e acrescentou:

— É bom vê-lo, Laurie. Senti falta da sua voz suave.

— Não foi isso que disse da última vez — disse Laurie. — Se bem me lembro, você a comparou aos guinchos de um gato à procura de briga.

Riram e Lucas disse:

— Com a situação tão desoladora, fiquei com o coração mais mole para os verdadeiros amigos. Restam poucos. — Olhou atentamente para Kasumi e Laurie o apresentou:

— Este é Kenneth, um verdadeiro amigo, Lucas.

Lucas não deixou de observar o tsurani, mas acabou sorrindo.

— A recomendação de Laurie tem muito peso. Seja bem-vindo. — Estendeu a mão, que Kasumi apertou, à maneira do Reino.

— Fico feliz com a acolhida.

Lucas franziu a testa ao ouvir a pronúncia.

— Forasteiro?

— Do Vale dos Sonhos — respondeu Kasumi.

— Do lado do Reino — acrescentou Laurie.

Lucas observou o soldado, então encolheu os ombros.

— Não importa. Não me importa nem um pouco, mas tenha cuidado. Vivemos uma época de desconfiança e há pouca simpatia com forasteiros. Tenha cuidado com quem fala, pois correm rumores de que os soldados de Kesh estão prestes a se deslocar mais uma vez para o norte, e você não está muito longe de ser um keshiano.

Antes que Kasumi pudesse retorquir, Laurie interveio:

— Quer dizer que haverá problemas com Kesh?

Lucas sacudiu a cabeça.

— Não sei dizer. No mercado correm mais boatos do que pulgas em um mendigo. — Abaixou a voz. — Há duas semanas, chegaram mercadores com notícias de que o Império do Grande Kesh estava novamente guerreando no sul, procurando voltar a subjugar os seus antigos vassalos da Confederação. Então, por enquanto a situação deve permanecer calma por estas bandas. Há mais de cem anos, aprenderam bem o que é a loucura de uma guerra em duas frentes, quando conseguiram perder Bosania por completo e, mesmo assim, não conseguiram derrotar a Confederação.

— Estamos viajando há muito tempo e poucas notícias nos chegaram aos ouvidos — disse Laurie. — Por que o estandarte de Bas-Tyra está hasteado em Krondor?

Lucas deu uma olhada pelo salão. Os clientes com as bebidas à frente pareciam alheios à conversa no balcão, mas, ainda assim, pediu silêncio.

— Vou lhes mostrar um quarto — disse em voz alta. Tanto Laurie como Kasumi ficaram um pouco surpresos, mas pegaram seus pertences e seguiram Lucas até o piso de cima, sem mais comentários.

Guiou-os até um pequeno quarto, com duas camas e uma mesinha de cabeceira. Depois de fechar a porta, disse:

— Confio em você, Laurie, por isso não lhe farei mais perguntas, mas fique sabendo que a situação mudou muito desde a última vez que você esteve aqui. Até no Bairro Pobre há ouvidos que pertencem ao Vice-Rei. Bas-Tyra tem a cidade sob o seu domínio e só um tolo fala sem ver quem está escutando.

Lucas sentou-se em uma das camas, enquanto Laurie e Kasumi fizeram o mesmo na cama em frente.

— Quando Bas-Tyra chegou a Krondor, trazia com ele o documento do Rei que o nomeava regente de Krondor, com plenos poderes de Vice-Rei — prosseguiu Lucas. — O Príncipe Erland e a família foram aprisionados no palácio, embora Guy diga que se trata de uma "prisão preventiva". Em seguida, Guy caiu sobre a cidade com vontade. Bandos de recrutamento forçado percorrem o cais e são muitos os homens que navegam agora na armada de Lorde Jessup, sem que as mulheres ou os filhos saibam o que aconteceu ao seu pai. Desde então, quem quer que fale em oposição ao Vice-Rei ou ao Rei simplesmente "desaparece", porque Guy possui uma polícia secreta ouvindo atrás de todas as portas da cidade. Todos os anos, os impostos sobem para custear a guerra e o comércio está se extinguindo, salvo aqueles que vendem para o exército, e mesmo esses estão sendo pagos com garantias que não valem nada. São tempos difíceis e o Vice-Rei nada faz para torná-los melhores. A comida está escassa e, quando aparece, há pouco dinheiro para comprá-la. Muitos agricultores perderam suas fazendas por não pagarem os impostos e agora a terra não é cultivada, pois não há quem a lavre. Assim, os agricultores vagam pela cidade, aumentando a população. Grande parte dos jovens foi recrutada para o exército ou para a armada. Tenham cuidado para não serem apanhados pelos guardas, seja lá por que motivo for, e fiquem atentos aos bandos de recrutamento forçado. Ainda assim — disse Lucas dando uma risada —, vivemos momentos excitantes por estes lados quando o Príncipe Arutha apareceu em Krondor.

— O filho de Borric? Ele está aqui? — perguntou Laurie.

Uma centelha de satisfação apareceu nos olhos de Lucas.

— Não mais. — Voltou a rir. — No inverno passado, com grande descaramento, o Príncipe entrou em Krondor por mar. Deve ter atravessado os Estreitos das Trevas no inverno, senão nunca teria chegado à cidade naquela época. — Contou-lhes resumidamente a fuga de Arutha e Anita.

— Regressaram a Crydee? — perguntou Laurie.

Lucas confirmou.

— Um mercador que chegou de Carse umas semanas atrás vinha cheio de novidades sobre isso e aquilo. Uma das coisas que ouviu foi que alguns tsurani andavam fazendo das suas ao redor de Jonril e que o Príncipe de Crydee estava disposto a ir até lá para ajudar, se fosse preciso. De modo que Arutha deve ter regressado a salvo.

— Guy deve ter ficado louco com essas notícias — comentou Laurie.

O sorriso de Lucas desapareceu.

— Bem, ficou, Laurie. Ele havia atirado o Príncipe Erland nas masmorras para obter sua permissão para se casar com Anita. Deixou-o lá quando soube da fuga da Princesa. Deve ter pensado que a moça iria preferir regressar a deixar o pai preso em uma célula úmida, mas se enganou. Corre o rumor pelas ruas de que o Príncipe está moribundo devido ao frio. É por isso que a cidade está neste estado. Ninguém sabe o que acontecerá se Erland falecer. Ele é querido, e poderemos ter problemas. — Laurie olhou Lucas com uma pergunta tácita. — Não tem nada a ver com uma rebelião — respondeu Lucas. — Estamos abatidos demais. Contudo, é possível que alguns guardas de Guy não apareçam na parada, e serão muitos os contratempos que os mantimentos sofrerão até chegarem à guarnição, bem como ao palácio e coisas assim. Eu não gostaria nada de estar na pele do coletor de impostos do Vice-Rei da próxima vez que o enviarem ao Bairro Pobre.

Laurie refletiu sobre tudo o que ouvira.

— Daqui seguiremos para o Leste. O que sabe das condições na estrada?

Com lentidão, Lucas sacudiu a cabeça.

— Ainda é possível viajar. Assim que passarem o Charco Negro, creio que não terão grandes dificuldades. Temos ouvido que as coisas no Leste continuam como costumavam ser. Ainda assim, se fosse eu, teria cuidado.

— Teremos dificuldades para sair da cidade? — perguntou Kasumi.

— O portão norte continua sendo a melhor forma de sair. Tem poucos homens, como sempre. Por um pequeno pagamento, os Zombadores poderão levá-los em segurança.

— Zombadores? — perguntou o guerreiro.

Lucas levantou as sobrancelhas, admirado.

— Você vem de muito longe. A Guilda dos Ladrões. Ainda controlam o Bairro Pobre e o Justo mantém sua influência sobre mercadores e comerciantes, especialmente nas docas. O bairro dos armazéns é seu segundo lar, depois do Bairro Pobre. Eles podem tirar vocês da cidade, caso tenham problemas no portão.

— Nós nos lembraremos disso, Lucas — disse Laurie. — Então, e a sua família? Não os vi por aqui.

Lucas pareceu encolher.

— A minha mulher morreu de febre, Laurie, há alguns anos. Os meus dois filhos estão no exército. No último ano, tive poucas notícias deles. Da última vez que recebi uma mensagem, estavam no norte, com os Lordes Borric e Brucal. A cidade está cheia de veteranos de guerra. Você pode vê-los por todo lado. São os que não têm membros ou que estão cegos. No entanto, não deixam de usar os velhos tabardos. São uma visão patética. — Ficou com um olhar distante. — Espero que os meus rapazes não acabem assim.

Laurie e Kasumi não comentaram nada. Lucas despertou de seus devaneios.

— Tenho de voltar lá para baixo. O jantar será servido daqui a quatro horas, embora não se pareça com o que eu costumava servir. — Quando o estalajadeiro se virou para sair, disse: — Se precisarem entrar em contato com os Zombadores, me avisem.

Depois que Lucas saiu, Kasumi disse:

— É difícil conhecer o seu país, Laurie, e continuar considerando a guerra como um feito glorioso.

Laurie concordou.

O armazém estava escuro e cheirava a mofo. Tirando Laurie, Kasumi e os dois cavalos novos, encontrava-se vazio. Tinham pernoitado no Papagaio Arco-Íris, comprado duas novas montarias a um preço elevadíssimo e tentado sair da cidade. Quando chegaram aos portões da cidade, foram impedidos por um destacamento de guardas de Bas-Tyra. Ficou evidente que os guardas não iriam deixá-los partir sem lhes causarem problemas, mas Laurie e Kasumi escaparam, e uma corrida desenfreada pela cidade teve início. Tinham despistado os perseguidores no Bairro Pobre e regressado ao Papagaio Arco-Íris. Lucas enviara um recado ao Justo e estavam naquele momento aguardando por um ladrão que os guiasse para fora da cidade.

Um assobio interrompeu o silêncio, e Laurie e Kasumi desembainharam as espadas em um instante. Foram cumprimentados por uma risada estridente e, do alto, uma silhueta caiu. Na escuridão, era difícil ver de onde saltara a figura, mas Laurie desconfiou que o visitante já estivesse escondido nas vigas há algum tempo.

A figura avançou e, a meia-luz, perceberam tratar-se de um garoto que não tinha mais do que treze anos.

— Há uma festa na casa da minha mãe — disse o recém-chegado.

— E todos se divertirão bastante — retorquiu Laurie.

— Então são os viajantes.

— Você é o guia? — perguntou Kasumi, sem se esforçar para esconder a surpresa na voz.

A voz do garoto parecia cheia de coragem.

— Sim, Jimmy, a Mão, é o seu guia. Não encontrarão melhor em toda Krondor.

— O que temos de fazer? — perguntou Laurie.

— Em primeiro lugar, tratemos de meus honorários. São cem soberanos cada um.

Sem comentários, Laurie tirou várias pedras preciosas e as entregou ao garoto.

— Servem?

O garoto se virou para a porta do armazém e a abriu um pouco, deixando entrar um raio de luar. Inspecionou as pedras com olhos de perito e regressou para junto dos dois fugitivos.

— Servem. Por mais cem, podem ficar com isto. — Apresentou um pergaminho.

Laurie o pegou, mas, com pouca luz, não conseguiu entender o que estava escrito. — Do que se trata?

Jimmy riu.

— Uma permissão real, dando autorização ao portador para percorrer a Estrada do Rei.

— É genuína? — quis saber o trovador.

— Tem a minha palavra. Afanei esta manhã de um mercador de Ludland. É válida por mais um mês.

— Certo — disse Laurie. O menestrel deu outra pedra preciosa ao garoto.

Depois de guardar as pedras no bolso, o ladrão disse:

— Daqui a pouco, vamos ouvir um tumulto no portão. Alguns de nossos rapazes vão montar um espetáculo para os guardas. Quando tudo virar uma grande confusão, passamos por eles.

Voltou à porta e olhou para fora, sem mais comentários. Enquanto esperava, Kasumi sussurrou:

— Podemos confiar nele?

— Não, mas não nos resta outra opção. Se o Justo percebesse que lucraria mais nos entregando, poderia fazê-lo. No entanto, os Zombadores não têm grande apreço pelos guardas, e, de acordo com Lucas, agora ainda menos, por isso é pouco provável. Ainda assim, fique atento.

O tempo foi passando de forma interminável, até que se ouviram gritos. Jimmy deu sinal com um assobio estridente, retribuído por alguém na rua.

— É agora — disse, saindo.

Laurie e Kasumi o seguiram, puxando os cavalos.

— Sigam-me de perto e depressa — disse o pequeno guia, avançando.

Ao dobrarem uma esquina, viram o portão norte. Um grupo de homens estava envolvido em uma briga, e muitos pareciam ser marinheiros das docas. Os guardas tentavam restabelecer a ordem, mas, sempre que tiravam um arruaceiro da confusão, outro surgia das sombras que rodeavam o portão e se juntava ao grupo. Em poucos minutos, todos os guardas estavam envolvidos na tarefa de dar fim à briga e Jimmy deu ordem:

— Agora!

Afastou-se do edifício correndo, seguido de perto pelos viajantes, precipitando-se para o muro perto da guarita. Deslocaram-se pelas sombras, o ruído dos cascos dos cavalos abafado pela gritaria da briga. Ao chegarem perto do portão, viram um único guarda, do outro lado, que não tinham conseguido avistar do ponto onde antes se encontravam.

Laurie pôs a mão no ombro de Jimmy.

— Teremos de derrubá-lo rápido.

— Não. Se desembainharem armas, os guardas deixarão a distração para trás como se fosse um bordel em chamas. Eu já cuido dele — contrapôs Jimmy.

Jimmy deu um salto e correu para o guarda. Quando o guarda apontou a lança para seu peito e gritou "Alto!", Jimmy o chutou com força na perna, acima da bota. O homem deu um gemido, olhando depois para o pequeno agressor com fúria estampada no rosto.

— Ora, seu pequeno...

Jimmy mostrou-lhe a língua e começou a correr para as docas. O guarda saiu atrás dele, enquanto os dois viajantes passavam sorrateiros pelo portão. Uma vez do lado de fora da cidade, montaram depressa e partiram. Enquanto se afastavam de Krondor, ouviam os sons da briga.

Descansaram um dia no Charco Negro, em uma estalagem no povoado que ficava abaixo do castelo. Tinham passado dois dias nas colinas e precisavam descansar as montarias antes de atravessarem os prados até Cruz de Malac. A cidade estava silenciosa e nada de interessante acontecera, até a porta da estalagem se abrir e entrar um homem de vestes marrons e sujas. O homem era idoso e curvado pelos anos e tão magro que parecia enfermo. O estalajadeiro ergueu os olhos das canecas de cerveja que estava lavando e disse:

— O que deseja?

— Por favor, senhor, um pouco de comida — disse o idoso devagar.

— Tem dinheiro?

— Posso fazer feitiços para livrar a sua estalagem de pragas, caso as ratazanas o aflijam, senhor. Talvez...

— Rua! Não tenho comida para mendigos nem magos. Para fora! E, se eu encontrar o leite azedo, solto os cães em cima de você!

O mago olhou ao redor. Laurie estendeu a mão por cima da mesa e tocou Kasumi no braço. As suas origens tsurani o estavam traindo, pois mostrava um assombro evidente com o que via. Diante dele se encontrava um mago sendo tratado tão miseravelmente quanto suas roupas. O toque de Laurie fez com que se recompusesse. O mago se virou lentamente e saiu da estalagem.

Laurie levantou-se de um salto e se dirigiu ao estalajadeiro. Atirando umas moedas no balcão, pediu:

— Depressa. Um pedaço de carne fria, um pão e um odre de vinho.

O estalajadeiro ficou admirado, mas as moedas no balcão o convenceram a satisfazer o pedido. Quando a comida pedida foi posta em cima do balcão, Laurie a pegou. Deteve-se para pegar uma fatia de queijo de um tabuleiro e correu porta afora. Kasumi ficou tão espantado quanto o estalajadeiro.

Laurie procurou o idoso, encontrando-o no final da rua, ereto enquanto avançava com um cajado na mão, que fazia as vezes de bengala. Correu atrás do homem, dizendo, quando o alcançou:

— Desculpe, mas eu estava na taverna e… — Mostrou a comida e o odre.

Viu o orgulho diminuir nos olhos do idoso.

— Por que está fazendo isso, menestrel?

— Tenho um amigo que é mago, um amigo muito especial. Uma vez, ele me fez um grande favor e eu... é como se fosse uma retribuição — explicou Laurie.

O mago aceitou a explicação e a comida. Enquanto se ocupava com os alimentos, o trovador conseguiu colocar sorrateiramente duas pedras preciosas na bolsa vazia que o mago trazia à cintura. Bastariam para garantir que o mago nunca mais precisasse passar fome se vivesse com modéstia.

— Como se chama esse mago? Talvez eu o conheça.

— Milamber.

O velhote sacudiu a cabeça.

— Nunca ouvi falar dele. Onde ele vive?

Laurie olhou para oeste, onde o sol estava se pondo atrás das colinas.

— Longe daqui, meu amigo — respondeu, uma emoção intensa na voz. — Muito longe daqui.

O navio batia contra as ondas enquanto a tripulação metia as velas nos rizes. Laurie e Kasumi se encontravam no convés, contemplando as torres de Rillanon à medida que o navio entrava no porto.

— Uma cidade fabulosa — disse o antigo oficial tsurani. — Não tão grande como as cidades do meu mundo, mas muito diferente. Todos aqueles dedos minúsculos de pedra e as cores dos estandartes a fazem parecer uma cidade das lendas.

— Estranho — comentou Laurie. — Pug e eu sentimos o mesmo quando vimos Jamar pela primeira vez. Deve ser porque diferem muito uma da outra.

Permaneceram na coberta, sentindo a brisa fresca, embora conseguissem também sentir o calor do sol. Vestiam ambos as roupas mais elegantes que conseguiram comprar em Salador, pois desejavam comparecer com boa aparência diante da corte, sabendo que as chances de deixarem que vissem o Rei seriam poucas se parecessem meros vagabundos.

O capitão do navio deu ordens para que fossem recolhidas as últimas velas e, pouco depois, o barco deslizou até o seu lugar, atracando nas docas.

Foram atiradas cordas a homens que aguardavam no cais e amarraram depressa a embarcação.

Logo que conseguiram, os dois viajantes desceram pelo portaló e se dirigiram à cidade. Rillanon, a antiga e lendária capital do Reino das Ilhas, se encontrava enfeitada com cores, reluzindo ao sol, embora se sentisse uma tensão quase palpável na atmosfera das ruas e dos mercados. Por todo lado por onde passavam, as pessoas conversavam em tons sussurrados, como se temessem ser ouvidas, e até os vendedores nas barracas de rua pareciam oferecer os seus produtos sem convicção.

Era quase meio-dia e, sem procurar alojamento, se dirigiram logo ao palácio. Quando chegaram ao portão principal, um oficial vestido com as cores roxa e dourada da Guarda da Casa Real indagou o que os levara até ali.

— Trazemos mensagens da mais alta importância para o Rei a respeito da guerra — disse Laurie.

O oficial ponderou. Estavam bem-vestidos e não aparentavam ser os loucos habituais com profecias de desgraças ou profetas de uma verdade indefinível, mas tampouco eram oficiais do exército, nem faziam parte da corte. Decidiu pela solução mais frequente nos exércitos de todas as nações, em todas as épocas: passá-los para um superior.

Foram escoltados por um guarda até o gabinete de um assistente do Chanceler Real. Fizeram com que aguardassem ali meia hora antes de serem recebidos pelo assistente. Entraram no gabinete do homem, sendo confrontados pelo Mordomo-Mor da Casa Real, um homenzinho arrogante e barrigudo. Quando falava, sua respiração era muito ruidosa.

— Que assuntos trazem os cavalheiros até aqui? — perguntou, deixando claro que aquela apreciação era provisória.

— Trazemos uma mensagem para o Rei a respeito da guerra — respondeu Laurie.

— Oh? — fungou. — Qual o motivo para que esses documentos ou mensagens, ou seja lá o que for, não sejam entregues pela adequada via militar?

Kasumi, claramente frustrado pela espera, depois de já se encontrarem no palácio, disse:

— Deixe-nos falar com alguém que possa nos levar até o Rei.

O Mordomo-Mor da Casa Real ficou indignado:

— Sou o Barão Gray. É comigo que falará, homem! Estou inclinado a pedir aos guardas que os atirem na rua. Não podemos incomodar Sua Majestade sempre que um charlatão tenta obter uma audiência. É a mim que têm de agradar e não o fizeram.

Kasumi avançou e agarrou a túnica do homem pelo peito.

— Sou Kasumi dos Shinzawai. O meu pai é Kamatsu, Lorde dos Shinzawai e Chefe de Guerra do Clã Kanazawai. Falarei com o seu Rei!

Lorde Gray empalideceu visivelmente. Puxava a mão de Kasumi de forma descontrolada, tentando falar. O choque diante do que acabara de ouvir e o que sentia por estar sendo tratado daquela forma competiam dentro dele. Era demais para conseguir falar. Balançou a cabeça, frenético, até Kasumi o largar.

— O Chanceler Real será informado imediatamente — disse o homem, alisando a frente da túnica.

Avançou até uma porta, enquanto Laurie o observava caso chamasse os guardas, tomando-os por loucos. Mesmo que tivesse outras ideias, os modos de Kasumi o convenceram de que era bastante diferente de tudo o que já vira. Um mensageiro foi enviado e, passados alguns minutos, entrou um homem de certa idade.

— Do que se trata? — disse ele simplesmente.

— Sua Graça — começou o Mordomo-Mor —, acho que será melhor o senhor falar com estes homens e avaliar se Sua Majestade deverá recebê-los.

O homem se virou para examinar os outros dois ali presentes.

— Sou o Duque Caldric, Chanceler Real. Que razões têm para serem recebidos por Sua Majestade?

— Trago uma mensagem do Imperador de Tsuranuanni — respondeu Kasumi.

O Rei estava sentado debaixo de um pavilhão na varanda com vista para o porto. Mais abaixo, um rio passava bem em frente ao palácio, fazendo parte do plano original de defesa, embora já não fosse usado como fosso. Por cima do leito, viam-se pontes graciosas, levando as pessoas de uma margem até a outra.

O Rei Rodric estava sentado, aparentemente atento ao que Kasumi dizia. Brincava de modo distraído com uma bola dourada na mão direita, enquanto o tsurani descrevia em detalhes a mensagem de paz enviada pelo Imperador.

Quando Kasumi terminou, Rodric ficou calado por algum tempo, como se estivesse pesando o que acabara de ouvir. O tsurani entregou um maço de documentos ao Duque Caldric e ficou à espera da resposta do Rei. Após mais um momento de silêncio, acrescentou:

— As propostas do Imperador estão delineadas em detalhe naqueles pergaminhos, Majestade, caso deseje estudá-las com calma. Aguardarei o tempo que for conveniente para levar a sua resposta.

Rodric permanecia calado e os membros da corte que se encontravam por perto se entreolharam de modo nervoso. Kasumi estava prestes a voltar a falar quando o Rei disse:

— Divirto-me sempre que vejo os meus suditozinhos correndo de um lado para outro da cidade, como formiguinhas. Pergunto-me com frequência no que pensam, em suas vidinhas simples. — Virou-se para os dois emissários. — Sabem, poderia mandar matar qualquer um deles. Bastaria escolher um, desta mesma varanda. Bastaria dizer aos meus guardas "Estão vendo aquele indivíduo de chapéu azul? Cortem-lhe a cabeça" e eles assim fariam. Porque eu sou Rei.

Laurie sentiu um arrepio subir pela sua espinha. Aquilo era pior do que qualquer coisa que imaginara. O Rei parecia não ter ouvido uma única palavra do que lhe fora dito.

— Se falharmos, um de nós terá de voltar para informar o meu pai — disse Kasumi em voz baixa no idioma tsurani.

Diante disso, o Rei levantou a cabeça com brusquidão. Arregalou os olhos e falou com voz trêmula:

— O que é isso? — A voz ficou estridente: — Não admito sussurros! — O seu rosto ganhou um aspecto feroz. —Sabem, andam sempre sussurrando sobre mim, os desleais, mas eu sei quem são e os verei diante de mim, de joelhos, ah, verei. Aquele traidor do Kerus se ajoelhou antes de ser enforcado. Também teria enforcado a família dele se não tivesse fugido para Kesh. — Olhou atentamente para Kasumi. — Você acha que consegue me enganar com essa história peculiar e esses supostos documentos. Qualquer tolo consegue perceber o seu disfarce. São espiões!

O Duque Caldric parecia angustiado e tentou acalmar o Rei. Havia vários guardas por perto, que iam mudando o peso do corpo de um pé para o outro, constrangidos com o que estavam ouvindo.

O Rei afastou o Duque solícito. A sua voz ganhou um tom que beirava a histeria:

— São agentes de Borric, aquele traidor. Ele e meu tio planejavam tirar o meu trono. Mas eu os impedi. O meu tio Erland morreu... — Fez uma pausa, como se estivesse confuso. — Não, quero dizer, ele está doente. É por isso que o meu leal Duque Guy foi enviado de Bas-Tyra para governar Krondor até que o meu amado tio recupere a saúde... — Os seus olhos pareceram se desanuviar por um momento, e ele prosseguiu: — Não estou me sentindo bem. Com licença. Voltarei a falar com vocês amanhã. — Levantou-se da cadeira. Deu um passo e se virou para trás, fitando Laurie e Kasumi. — Por que queriam falar comigo? Oh, sim, paz. Sim, parece-me bom. Esta guerra é horrível. Temos de lhe dar um fim para que eu possa voltar às minhas construções. Temos de recomeçar a construir.

Um pajem segurou Rodric pelo braço e o levou.

— Sigam-me e não digam nada — disse o Chanceler Real.

Levou-os às pressas pelo palácio até chegarem a uma porta ladeada por guardas. Um dos guardas a abriu e eles entraram. Lá dentro, viram que se tratava de um quarto com duas grandes camas e uma mesa com cadeiras em um canto.

— A sua chegada não é oportuna — disse o Chanceler. — O nosso Rei, como certamente perceberam, é um homem doente, e eu temo que ele não se recupere. Espero que amanhã esteja mais capaz de entender a sua mensagem. Permaneçam aqui, por favor, até que sua presença seja solicitada. Uma refeição lhes será trazida. — Voltou para a porta e, antes de sair, acrescentou: — Até amanhã.

Foram acordados por um grito na noite. Laurie levantou-se rapidamente e foi até a janela. Espreitando através das cortinas, avistou uma silhueta na varanda mais abaixo. Em roupa de dormir, o Rei Rodric estava com a espada na mão, golpeando os arbustos. Laurie abriu a janela e Kasumi juntou-se a ele. Conseguiam ouvir os gritos do Rei vindos de baixo:

— Assassinos! Eles chegaram! — Guardas correram e revistaram os arbustos, enquanto os pajens da corte conduziam o monarca aos gritos de volta ao seu quarto.

— Na verdade, os deuses o deixaram perturbado — disse Kasumi. — Devem mesmo odiar a sua nação.

— Temo, amigo Kasumi, que os deuses pouco tenham a ver com isso. Neste momento, creio que o melhor que temos a fazer é encontrar uma forma de sair daqui. Parece-me que Sua Majestade Real não vai estar com disposição para as delicadas questões de uma negociação de paz. Creio que será melhor rumarmos para oeste para falarmos com o Duque Borric — disse Laurie.

— Esse duque conseguirá pôr fim a esta guerra?

Laurie foi até a cadeira onde a sua roupa estava dobrada.

— Espero que sim — disse, pegando a túnica. — Se os lordes daqui ficam olhando o Rei se comportar daquela forma e não reagem, em breve ocorrerá uma guerra civil. Será melhor resolver uma guerra antes de se começar outra.

Vestiram-se depressa.

— Espero que encontremos um navio que zarpe com a maré da manhã — disse Laurie. — Se o Rei mandar fechar o porto, ficaremos encurralados. É bastante longe para ir nadando.

Enquanto arrumavam seus pertences, a porta se abriu e o Chanceler Real entrou. Parou ao vê-los de pé e vestidos.

— Ainda bem — disse, fechando a porta. — Têm o bom senso que eu achei que tivessem. O Rei mandou executar os espiões.

Laurie estava incrédulo.

— Ele acha que somos espiões?

O Duque Caldric sentou-se em uma das cadeiras junto à mesa, mostrando cansaço no rosto.

— Sei lá o que Sua Majestade acha esses dias. Alguns de nós ainda tentamos impedir os seus piores impulsos, mas a cada dia está ficando mais difícil. É horrível assistir à enfermidade que o domina. Anos atrás, era um homem impetuoso, é verdade, mas seus planos continham uma visão, certo brilho louco que poderia ter nos tornado a nação mais notável de Midkemia. Hoje em dia, são muitos os membros da corte que tiram partido de sua condição, usando os medos dele para promover seus próprios desígnios. Receio que, em breve, eu serei considerado traidor e me junte aos outros na morte.

Kasumi afivelou a espada.

— Por que fica, Vossa Graça? Se isso é verdade, porque não vem conosco falar com o Duque Borric?

O Duque olhou para o primogênito dos Shinzawai.

— Sou um nobre do Reino e ele é meu Rei. Cabe a mim fazer o que puder para evitar que ele prejudique o Reino, mesmo que tenha de pagar com a vida; contudo, não posso levantar armas contra ele, nem ajudar quem o fizer. Não sei como funciona o seu mundo, tsurani, mas neste tenho de ficar. Ele é meu Rei.

Kasumi balançou a cabeça.

— Compreendo. No seu lugar, faria o mesmo. É um homem de coragem, Duque Caldric.

O Duque levantou-se.

— Sou um homem cansado. O Rei tomou uma bebida forte que lhe dei. Não aceita que mais ninguém lhe dê, pois teme ser envenenado. Pedi ao médico que lhe desse algo para dormir. Vocês já vão estar em alto mar quando ele acordar. Não sei se ele se lembrará de sua visita, mas certamente alguém fará questão de lembrá-lo, hoje ou no máximo amanhã. Por isso, não demorem. Vão diretamente ao encontro do Duque Borric e contem a ele o que aconteceu.

— É verdade que o Príncipe Erland morreu? — perguntou Laurie.

— Sim, é verdade. A notícia chegou há uma semana. A sua saúde precária não aguentou a masmorra úmida. Borric é agora o herdeiro do trono. Rodric nunca se casou: o medo que sente das outras pessoas é avassalador. O destino do Reino está nas mãos de Borric. Vocês precisam lhe dizer isso.

Avançaram até a porta. Antes de abri-la, o Duque disse:

— Digam a ele também que é provável que eu esteja morto caso ele venha a Rillanon. Será melhor assim, pois eu teria de confrontar quem quer que erguesse armas contra o Estandarte Real.

Antes que Laurie e Kasumi pudessem falar, ele abriu a porta. Havia dois guardas do lado de fora e o Duque lhes deu ordem para que os acompanhassem até as docas.

— O *Andorinha Real* está ancorado no porto. Deem isto ao capitão. — Mostrou um pergaminho a Laurie. — Trata-se de uma proclamação real ordenando que sejam levados a Salador. — Mostrou outro pergaminho. — Este outro ordena a qualquer Exército do Reino que auxilie a sua jornada.

Despediram-se com um aperto de mão e os dois emissários seguiram os guardas pelo corredor. Laurie olhou para trás, vendo que o velho Duque aguardava, curvado e fatigado, com o rosto marcado pela inquietação e amargura, bem como pelo medo. Quando dobraram uma esquina, deixando de ver o Duque, Laurie pensou que não havia dinheiro no mundo que o levasse a trocar de lugar com aquele idoso.

Os cavalos espumavam. Os cavaleiros os açoitavam na subida da colina. Era a última etapa da viagem até Lorde Borric, iniciada há mais de um mês, e já avistavam o seu fim. O *Andorinha Real* os levara rapidamente até Salador, de onde tinham partido de imediato para oeste. Tinham dormido pouco pelo caminho, trocando montarias ou as requisitando, sempre que possível, a patrulhas de cavalaria, recorrendo à proclamação real que Caldric lhes dera. Laurie não tinha certeza, mas desconfiava que tinham percorrido aquela distância mais depressa do que alguém jamais conseguira.

Por diversas vezes, desde que haviam saído de Zūn, tinham sido parados por soldados. Em todas as vezes apresentaram a proclamação do Chanceler que lhes permitia seguir viagem. Aproximavam-se, por fim, do acampamento do Duque.

O Senhor da Guerra tsurani tinha lançado o seu grande ataque. As forças do Reino tinham conseguido aguentar por uma semana, sucumbindo, por fim, quando dez mil novos soldados tsurani tinham jorrado através das fileiras do Reino, desequilibrando a balança. Os combates então se tornaram implacáveis, uma batalha intensa e ininterrupta que durou três dias, até o momento em que o Exército do Reino foi destroçado. Ao fim, uma grande parte da frente de batalha sucumbira e os tsurani tinham erguido uma fortificação fora da Passagem Norte.

Naquele momento, elfos e anões, assim como os castelos da Costa Extrema, estavam isolados da força principal do Exército do Reino. Não havia qualquer forma de comunicação, pois os pombos que levavam as mensagens haviam sido mortos quando o antigo acampamento fora destruído. Desconhecia-se a sorte das outras frentes de combate.

Os Exércitos do Reino estavam se reorganizando, e Laurie e Kasumi demoraram algum tempo até encontrarem o acampamento que servia de quartel-general. Enquanto avançavam até o pavilhão de comando, viram sinais de uma amarga derrota por todo lado. Era o pior revés da guerra para o Reino. Para onde quer que olhassem, viam homens feridos ou enfermos e aqueles que não apresentavam ferimentos tinham uma expressão de desespero.

Um sargento da guarda verificou a proclamação e ordenou a um guarda que os acompanhasse até a tenda do Duque. Chegaram à enorme tenda do comando e um criado tomou conta dos cavalos enquanto o guarda entrava. Pouco depois, saiu um jovem alto, de barba loura, trajando o tabardo de Crydee. Atrás dele vinham um homem corpulento de barba grisalha — um mago, pelo traje — e outro homem, robusto, com uma cicatriz irregular no rosto. Laurie se perguntou se seriam os velhos amigos de que Pug falara, mas focou depressa a atenção no jovem oficial, que parou à sua frente.

— Trago uma mensagem para o Lorde Borric.

O jovem sorriu amargamente, dizendo:

— Pode me transmitir a mensagem, senhor. Sou Lyam, filho do Duque.

— Não quero lhe faltar com o respeito, Vossa Alteza, mas tenho de falar pessoalmente com o Duque. Assim me ordenou o Duque Caldric — afirmou Laurie.

À menção do nome do Chanceler Real, Lyam trocou olhares com os companheiros e afastou a aba da tenda. Laurie e Kasumi entraram, seguidos pelos outros. Lá dentro ardia um pequeno braseiro e uma mesa enorme era vista com mapas em cima. O Príncipe os conduziu a outra seção da enorme tenda, separada por uma cortina, que afastou, deixando que vissem um homem deitado sobre um catre.

Era um homem alto, de cabelo preto com madeixas grisalhas. O rosto denunciava exaustão, estava pálido e tinha os lábios azulados. A respiração era irregular e cada inspiração ressoava alto enquanto dormia. A roupa estava limpa, mas se viam muitas bandagens por baixo do colarinho aberto.

Lyam largou a cortina quando entrou outro homem na tenda. Envelhecido, com cabelo quase todo branco, caminhava ereto e tinha ombros largos.

— O que se passa? — perguntou em voz baixa.

— Estes homens trazem uma mensagem de Caldric para o meu pai — respondeu Lyam.

O velho guerreiro estendeu a mão.

— Deem a mensagem para mim.

Vendo Laurie hesitar, o homem quase ladrou:

— Raios, homem, sou Brucal. Com Borric ferido, sou eu que comando os Exércitos do Oeste.

— Não trago mensagens escritas, Vossa Graça — disse Laurie. — O Duque Caldric pediu que apresentasse o meu companheiro. Este é Kasumi dos Shinzawai, emissário do Imperador de Tsuranuanni, que traz uma oferta de paz ao Rei.

— A paz chegará, por fim? — perguntou Lyam.

Laurie balançou a cabeça.

— Infelizmente, não. O Duque também pediu para transmitir o seguinte: o Rei enlouqueceu e o Duque de Bas-Tyra assassinou o Príncipe Erland. Teme que somente Lorde Borric possa salvar o Reino.

Brucal ficou visivelmente chocado com as notícias.

— Sabemos agora que os rumores são verdadeiros — disse a Lyam em voz baixa. — Erland *era* prisioneiro de Guy. Erland está morto. Não consigo acreditar. — Sacudindo a cabeça para afastar o choque, prosseguiu: — Lyam, sei que está preocupado com o seu pai, mas precisa se conformar que o Duque está morrendo; em breve, você será o Duque de Crydee. Com Erland morto, também será herdeiro do trono por direito de nascença.

Brucal sentou-se pesadamente em um banco junto à mesa dos mapas.

— É um fardo pesado o que você irá carregar, Lyam, mas outros no Oeste procurarão sua liderança como procuravam a de seu pai. Se alguma vez existiu algum afeto entre os dois reinos, ele agora está sob tensão, perto do ponto de ruptura, com Guy no trono de Krondor. Agora está evidente que Bas-Tyra pretende se tornar Rei, pois não se pode deixar Rodric, enlouquecido, ocupar o trono por muito mais tempo. — Olhou o Príncipe fixamente. — Em breve, você terá de decidir o que nós no Oeste faremos. Se ordenar, teremos uma guerra civil.

11

Decisão

A Cidade Sagrada estava em festa.

Bandeiras esvoaçavam no alto dos edifícios. As pessoas ficavam na beira das ruas, atirando flores à passagem dos nobres que eram levados em suas liteiras até o estádio. Era um dia de grande celebração, quem poderia se sentir inquieto em um dia assim?

Alguém preocupado chegou à sala do padrão do estádio, as últimas reverberações de um sino indicando a chegada de um Grande de Tsuranuanni. Milamber tentou se livrar da inquietação por um instante, enquanto saía da sala, ao lado da tribuna central do Grande Estádio Imperial. A multidão de nobres tsurani que esperava pelo início dos torneios se afastou para deixar Milamber passar pelo arco que levava à tribuna dos magos. Olhando ao redor do pequeno mar de mantos negros, reparou em Shimone e Hochopepa, que guardavam um lugar para ele.

Gesticularam saudações quando deixou o corredor entre a seção dos magos e a da Facção Imperialista, indo juntar-se a eles. Lá embaixo, na arena, alguns seres que lembravam anões, habitantes de Tsubar — a chamada Terra Perdida que ficava além do Mar de Sangue —, combatiam grandes criaturas parecidas com insetos, como os cho-ja, mas desprovidas de inteligência. Espadas de madeira fraca e mordidas, em sua maioria inofensivas, proporcionavam um conflito que era mais cômico do que perigoso. Os plebeus e nobres de menor importância que já se encontravam sentados riam com interesse. Aquelas disputas os mantinham distraídos enquanto os notáveis e os quase notáveis aguardavam a entrada no estádio. O atraso em Tsuranuanni se tornava uma virtude quando se alcançava um determinado nível social.

— É uma pena ter demorado tanto a chegar, Milamber — disse Shimone. — Há pouco ocorreu um desafio particularmente agradável.

— Fiquei com a impressão de que as mortes ainda não tinham começado.

Hochopepa, mastigando avelãs cozidas em óleos doces, disse:

— É verdade, mas nosso amigo Shimone tem paixão pelos torneios.

— Há pouco, jovens oficiais de famílias nobres lutaram com armas de treino até o primeiro derramamento de sangue para demonstrar suas capacidades e conquistar honra para seus clãs... — disse Shimone.

— Para não falar nos frutos de apostas bastante disputadas — observou Hochopepa.

— Houve uma luta animada entre os filhos de Oronalmar e de Keda — prosseguiu Shimone, ignorando o comentário. — Há anos não via uma exibição tão boa.

Enquanto Shimone descrevia o combate, Milamber deixou o olhar vagar. Avistou os pequenos estandartes das famílias Keda, Minwanabi, Oaxatucan, Xacateca, Anasati e de outras famílias notáveis do Império. Reparou na ausência do estandarte dos Shinzawai e ponderou sobre esse fato.

— Parece muito apreensivo, Milamber — disse Hochopepa.

Milamber confirmou com um aceno de cabeça.

— Antes de partir para o festival, recebi a notícia de que o Conselho Supremo aprovou ontem uma moção para reformar os impostos sobre as terras e abolir a escravidão por dívidas. A mensagem chegou do Lorde Tuclamekla, e eu não consegui entender, por mais que pensasse, por que a teria enviado, até que, ao terminar, agradeceu-me por ter fornecido os conceitos de reforma social que a moção pretendia promulgar. Fiquei chocado com essa ação.

Shimone riu.

— Se tivesse sido um estudante tão obtuso, ainda hoje vestiria o manto branco.

Milamber o olhou sem entender e Hochopepa explicou:

— Você anda por aí causando todo tipo de rumores com seus discursos diante da Assembleia, insistindo com frequência em nossas enfermidades sociais, e depois fica espantado por alguém o ter ouvido?

— O que eu disse aos nossos irmãos magos não era para ser discutido fora dos salões da Assembleia.

— Que absurdo — disse Hochopepa. — Alguém na Assembleia falou com um amigo que não era mago!

— O que eu gostaria de saber — disse Shimone — é como esse punhado de reformas apresentadas ao Conselho Supremo pelo Clã Hunzan leva o seu nome anexado.

Milamber pareceu constrangido, para satisfação de seus amigos.

— Um dos jovens artistas que trabalharam nos murais da minha propriedade é filho dos Tuclamekla. É verdade que discutimos as diferenças de culturas e valores sociais dos tsurani e do Reino, mas somente como consequência natural de nossas discussões a respeito dos estilos de arte.

Hochopepa ergueu os olhos para o céu, como se procurasse orientação divina.

— Quando soube que a Facção pelo Progresso, dominada pelo Clã Hunzan, por sua vez dominado pela família Tuclamekla, citou você como inspiração, não consegui acreditar no que estava ouvindo, mas agora percebo que sua mão está em todos os problemas que afligem o Império. — Olhou para o amigo com uma expressão de seriedade falsa. — Diga, é verdade que a Facção pelo Progresso vai mudar de nome para Facção de Milamber?

Shimone riu, enquanto Milamber fixava Hochopepa com uma expressão ameaçadora.

— Katala acha graça quando fico aborrecido com este tipo de situação, Hocho. Você também tem o direito de achar graça, mas quero que se saiba publicamente que não era minha intenção que isso acontecesse. Limitei-me a fazer algumas observações e emitir algumas opiniões e aquilo que o Clã Hunzan e a Facção pelo Progresso fazem delas não é obra minha.

— Temo que, se uma figura tão famosa como vossa excelência não deseja que essas situações ocorram, então talvez seja melhor que costure a boca — disse Hochopepa, em tom de censura.

Shimone riu e Milamber sentiu vontade de rir também.

— Muito bem, Hocho — retorquiu Milamber. — Assumo a culpa; porém não sei se o Império está preparado para as mudanças que acho necessárias.

— Já ouvimos seus argumentos em outras ocasiões, Milamber, mas hoje não é hora para isso, nem este é o lugar adequado para debates sociais — disse Shimone. — Tratemos dos assuntos urgentes. Lembre-se de que muitos membros da Assembleia se sentiram ofendidos pelas suas preocupações a respeito de assuntos que consideram da esfera política. Embora eu me incline a apoiar suas noções incentivadoras e progressistas, não se esqueça de que está criando inimigos.

Soaram trombetas e tambores, assinalando a chegada iminente da Facção Imperialista e interrompendo as conversas. Os seres de Tsubar e os insetoides foram enxotados da arena, sendo levados pelos domadores. Quando o campo ficou vazio, surgiram serviçais com ancinhos e enxadas para alisar a areia. O som das trombetas voltou a ser ouvido e viu-se entrar os primeiros membros da procissão imperial, arautos trajando o branco do Império. Traziam trombetas compridas e curvas, inventadas a partir dos chifres de um grande animal, que se enrolavam ao redor dos ombros e terminavam acima da cabeça. Atrás deles vinham tocadores de tambores que batiam em um rufar constante.

Quando se colocaram em posição, diante da tribuna imperial, entrou a guarda de honra do Senhor da Guerra. Todos usavam armaduras e elmos com acabamentos em pele de needra completamente descolorida. A couraça e o elmo tinham bordas de precioso ouro que brilhava ao sol. Milamber ouviu Hochopepa resmungar a respeito do desperdício daquele metal raro.

Depois de se colocarem em posição, um arauto veterano anunciou:

— Almecho, Senhor da Guerra! — A multidão levantou-se, aplaudindo. Vinha acompanhado pelo seu séquito, incluindo vários Mantos Negros — os magos de estimação do Senhor da Guerra, como eram chamados pelos outros membros da Assembleia. Entre esses, se destacavam os dois irmãos: Elgahar e Ergoran.

Em seguida, o arauto anunciou:

— Ichindar! Noventa e uma vezes Imperador! — A multidão explodiu em vivas quando a jovem Luz do Céu entrou. Vinha acompanhado por sacerdotes de cada uma das vinte ordens. A multidão se levantou em uma tempestade de aplausos. O clamor parecia não terminar e Milamber se perguntou se o amor do povo tsurani poderia amparar a Luz do Céu caso ocorresse um confronto entre o Senhor da Guerra e o Imperador. Apesar da reverência dos tsurani pela tradição, ele não acreditava que o Senhor da Guerra fosse homem de abdicar de seu posto sem questionar — um acontecimento sem precedente na história —, caso o Imperador assim ordenasse.

Quando o barulho começou a diminuir, Shimone disse:

— Parece, amigo Milamber, que a vida contemplativa não condiz com a Luz do Céu. Não posso dizer que o censure, uma vez que fica sentado o dia todo sem outra companhia que não seja a de muitos sacerdotes e garotas tolas escolhidas pela beleza, e não pela capacidade de conversação. Deve ser muito entediante.

Milamber riu.

— Duvido que a maior parte dos homens concordasse.

Shimone encolheu os ombros.

— Sempre me esqueço de que você foi treinado já muito velho e que também tem uma esposa.

Hochopepa pareceu angustiado ao ouvir falar de esposas.

— O Senhor da Guerra vai fazer um anúncio — interrompeu.

Almecho levantou-se, erguendo as mãos para pedir silêncio. Quando o estádio ficou em silêncio, sua voz ressoou:

— Os deuses sorriem a Tsuranuanni! Trago novidades de uma grande vitória contra os bárbaros do outro mundo! Esmagamos o seu maior exército e os nossos guerreiros celebram! Logo todas as terras do que chamam Reino estarão prostradas aos pés da Luz do Céu. — Virou-se e fez uma mesura respeitosa ao Imperador.

Milamber sentiu uma estocada ao ouvir as notícias. Sem perceber, começou a levantar e Hochopepa o agarrou pelo braço, sibilando:

— Você é tsurani!

Milamber tentou se libertar do choque inesperado e conseguiu se recompor.

— Obrigado, Hocho. Quase perdi a cabeça.

— Silêncio! — pediu Hochopepa.

Voltaram a atenção para o Senhor da Guerra.

— ...e, em sinal de nossa devoção à Luz do Céu, dedicamos estes jogos a sua honra. — Explodiram vivas por todo o estádio e o Senhor da Guerra se sentou.

— Não parece que o Imperador esteja entusiasmado com as notícias — disse Milamber em voz baixa para o amigo. Hochopepa e Shimone observaram o Imperador, que mantinha uma expressão estoica.

— Ele oculta bem, mas acho que tem razão, Milamber — disse Hochopepa. — Algo nisso tudo parece incomodá-lo.

Milamber nada disse, sabendo perfeitamente a causa da inquietação: aquela vitória iria prejudicar a iniciativa de paz da Roda Azul e daria mais poder ao Senhor da Guerra às custas do Imperador.

Shimone tocou no ombro de Milamber.

— Os torneios vão começar.

Quando as portas da arena se abriram para que entrassem os combatentes, Milamber examinou o Imperador. Era jovem, vinte e poucos anos, e possuía um ar inteligente. Tinha a testa larga e seu cabelo castanho avermelhado caía até os ombros. Virou-se na direção de Milamber, para falar com um sacerdote ao seu lado, e Milamber viu os olhos verde-claros cintilarem ao sol. Por um instante, seus olhares se cruzaram e houve um breve lampejo de reconhecimento, levando Milamber a pensar: "Quer dizer que lhe contaram sobre a minha participação em seu plano." O Imperador prosseguiu a conversa sem hesitar, e ninguém mais percebeu a troca de olhares.

— É um combate de clemência — disse Hochopepa. — Lutarão até só restar um. Esse será perdoado por seus crimes.

— Que crimes são esses? — perguntou Milamber.

— O habitual: pequenos furtos, mendigar sem autorização do templo, prestar falso testemunho, fugir dos impostos, desobedecer a ordens lícitas e outros do gênero — respondeu Shimone.

— E quanto aos crimes capitais?

— Assassinatos, traição, blasfêmia, atacar o seu senhor são crimes sem perdão. — Subiu o tom de voz para se fazer ouvir acima do ruído da multidão: — São colocados junto com os prisioneiros de guerra que não servirão para serem escravos. São sentenciados a combater sem cessar até a morte.

Um grupo de soldados saiu da arena, deixando a areia para os prisioneiros.

— Criminosos comuns — disse Hochopepa. — Não será muito divertido.

A observação parecia certa, pois os prisioneiros eram um grupo deplorável. Vestidos somente com uma tanga, seguravam armas e escudos que não estavam acostumados a manejar. Muitos eram velhos e enfermos, parecendo desorientados e confusos, com os machados, espadas e lanças pendendo das mãos.

A trombeta anunciou o início do combate e os idosos e enfermos foram logo mortos. Alguns sequer conseguiram levantar as armas para se defender, confusos demais para tentarem se manter vivos. Em poucos minutos, vários prisioneiros jaziam mortos ou moribundos na areia. De repente, a ação diminuiu, pois os combatentes enfrentavam oponentes de igual perícia e habilidade. Lentamente, a quantidade de combatentes foi diminuindo e a natureza imprudente da disputa mudou. Às vezes, quando um oponente tombava, um combatente ficava junto de outra dupla que lutava, o que, muitas vezes, resultava em um combate a três, aprovado pela multidão com um entusiasmo ensurdecedor, uma vez que o combate grosseiro iria resultar em uma profusão de sangue derramado e sofrimento.

Por fim, restaram três lutadores. Dois deles não tinham conseguido dar fim ao combate. Estavam à beira da exaustão. O terceiro homem se aproximou com cautela, mantendo igual distância entre ele e os outros dois, procurando uma vantagem.

Poucos segundos depois, essa vantagem surgiu. Empunhando faca e espada, deu um salto e desferiu um golpe na cabeça que fez tombar um dos combatentes.

— Idiota! — exclamou Shimone. — Não vê que o outro homem é melhor lutador? Devia ter esperado até que um dos homens estivesse nitidamente em vantagem, para atacá-lo e deixar o oponente mais fraco ainda no combate.

Milamber sentiu-se trêmulo. Shimone, que fora seu professor, era seu melhor amigo depois de Hochopepa. Contudo, apesar de toda a educação, de toda a sabedoria, bradava pelo sangue de outros como se fosse o plebeu mais ignorante no lugar mais barato. Por mais que tentasse, Milamber não conseguia dominar o entusiasmo tsurani pela morte de outros. Virou-se para Shimone e disse:

— Estou certo de que ele estava muito ocupado para se preocupar com aspectos táticos. — O sarcasmo não teve qualquer efeito em Shimone, que observava atentamente o combate.

Milamber reparou que Hochopepa estava ignorando o combate. O astuto mago tomava nota de todas as conversas nas tribunas; para ele, os jogos representavam mais uma oportunidade de estudar os aspectos sutis do Jogo do Conselho. Milamber achou aquela cegueira diante da morte e do sofrimento que estavam ocorrendo mais abaixo tão perturbadora quanto o entusiasmo de Shimone.

A luta terminou depressa, o homem da faca saíra vencedor. A multidão saudou a vitória com entusiasmo. Foram atiradas moedas para a areia, para que o vitorioso regressasse à sociedade com uma pequena quantia.

Enquanto limpavam a arena, Shimone chamou um arauto, perguntando a respeito das atividades previstas para aquele dia.

Virou-se para os outros, visivelmente satisfeito com as notícias.

— Há só algumas lutas em duplas, depois dois desafios especiais, um grupo de prisioneiros contra um harulth faminto e um combate entre alguns soldados de Midkemia e guerreiros thuril capturados. Isso deverá ser muito interessante.

A expressão de Milamber revelava que não estava de acordo. Considerando ser a hora certa para perguntar, disse:

— Hocho, viu se alguém da Família Shinzawai está presente?

Ele olhou ao redor do estádio, procurando os estandartes de família das casas mais notáveis do Império.

— Minwanabi, Anasati, Keda, Tonmargu, Xacateca, Acoma... Não, Milamber. Não sei dizer se algum de seus antigos, ah, benfeitores, está aqui. Não que esperasse.

— Por quê?

— Ultimamente, caíram em desgraça junto ao Senhor da Guerra. Teve algo a ver com o fracasso de alguma tarefa de que foram incumbidos. Além disso, ouvi dizer que são considerados suspeitos, apesar de o clã deles ter se juntado subitamente ao esforço de guerra. O Clã Kanazawai se perde nas glórias passadas e os Shinzawai são os mais conservadores do grupo.

Os combates prosseguiram ao longo da tarde, cada um mais elaborado do que o anterior, pois o nível de habilidade dos oponentes também ia aumentando. Não tardou para que terminasse o combate das últimas duplas. A multidão aguardava em uma ansiedade silenciosa, e até os nobres ficaram calados, pois o evento que se seguia era incomum. Um grupo de vinte lutadores, midkemianos pela altura, marchou até o centro da arena. Traziam cordas, redes com pesos, lanças e grandes facas curvas. Usavam somente tangas e os seus corpos besuntados de óleo brilhavam à luz do fim de tarde. Ficaram parados, com um ar descontraído, embora os soldados que se encontravam na assistência tivessem reconhecido os sinais de tensão comuns aos combatentes antes do início de uma batalha. Passado um minuto, abriram-se as enormes portas duplas no lado oposto do estádio e um horror de seis patas entrou desajeitado.

O harulth ostentava presas compridas e garras afiadas, acompanhadas de uma atitude agressiva e pele grossa. Era praticamente do tamanho de um elefante de Midkemia. Hesitou apenas para piscar devido à luminosidade, investindo em seguida diretamente contra o grupo de homens, que correram em todas as direções, procurando confundir a criatura. O harulth, devido à ingenuidade ou à persistência, perseguiu um pobre infeliz. Com três enormes passadas, prendeu o homem com uma pata, devorando-o em duas mordidas. Os outros se reagruparam atrás do animal e abriram rapidamente as redes. A criatura girou, mais depressa do que se acharia possível para um animal daquele tamanho, voltando a investir. Desta vez, os homens aguardaram até o último momento, lançaram as redes e se atiraram para o chão. As redes tinham ganchos nas extremidades para se fincarem na pele grossa da besta, que, ao se ver envolvida, depressa começou a rasgá-las. Enquanto estava momentaneamente ocupada, os homens com lanças atacaram. O harulth reagiu com perplexidade, sem saber ao certo de que lado vinha o seu suplício. As lanças se mostravam ineficazes, pois não conseguiam penetrar na pele do animal. Percebendo depressa a inutilidade daquela abordagem, um dos lutadores puxou outro e apontou para a retaguarda da criatura. Correram para a cauda, que varria o chão de um lado para outro com a força de um aríete.

Falaram rapidamente, largando as lanças quando a criatura escolheu um alvo. Ela atacou furiosa e abocanhou outro homem. Ficou imóvel enquanto engolia a presa. Os dois homens à retaguarda correram e saltaram para a cauda do animal, que pareceu não notar de imediato, reagindo depois com um giro violento, atirando o segundo homem ao chão. Ficando completamente virada, deteve-se enquanto devorava o homem aturdido. O outro arranjou uma forma de se segurar, usando os poucos momentos de pausa em que o harulth engolia seu companheiro para subir pela cauda, até o ponto onde se unia à coxa da criatura. Erguendo o braço, enfiou a faca comprida entre duas vértebras que se viam delineadas por uma pele solta. Era uma jogada desesperada e a multidão no estádio gritou em aprovação. A faca penetrou a cartilagem dura entre os segmentos dos ossos, perfurando a coluna vertebral. A criatura urrou enraivecida e começou a rodopiar, ameaçando jogar o passageiro incômodo no chão, mas não demorou para que o par de patas de trás sucumbisse. O harulth ficou desorientado por um segundo, puxando com os dois pares de patas da frente o peso morto do último par. Por duas vezes tentou abocanhar em vão o pequeno atormentador, mas o pescoço largo não lhe permitia cumprir a tarefa. O homem retirou a faca e rastejou pela espinha, enquanto os homens sobreviventes corriam de um lado para outro, distraindo a criatura. Por três vezes quase foi atirado do dorso do animal, conseguindo manter a posição. Quando se encontrou um pouco à frente do par de patas do meio, enfiou a lâmina entre as vértebras novamente. As patas centrais sucumbiram logo a seguir, e o homem foi atirado ao chão. O harulth berrou de raiva e dor, mas foi imobilizado definitivamente. Os lutadores recuaram e esperaram. Dois cortes na coluna pareceram bastar, pois, passados alguns minutos, o harulth caiu, enfraquecido, agitando as patas dianteiras por instantes até deixar de se mexer.

O público gritou com entusiasmada aprovação, pois nunca antes um grupo de lutadores tinha levado a melhor contra um harulth sem que se perdessem, pelo menos, cinco vezes mais homens. Nessa disputa, tinham sido três as vítimas mortais. Os lutadores ficaram ali parados, com as armas escorregando de membros debilitados devido à exaustão. A batalha durara menos de dez minutos, mas o consumo de energia, a concentração, a transpiração e o medo desgastaram os homens a ponto de atingirem uma debilidade extrema. Entorpecidos e alheios aos aplausos da multidão, dirigiram-se cambaleando para a saída. Somente o homem que desferira os golpes mostrava alguma emoção, pois chorava ao avançar pela areia.

— Por que será que aquele homem está tão perturbado? — perguntou Shimone. — Foi uma esplêndida vitória.

Milamber respondeu em uma voz que forçou para soar calma:

— Porque está exausto, com medo e enojado. — Acrescentou em voz baixa: — Além disso, está longe da sua pátria. — Engoliu em seco, se debatendo contra a afronta. Em seguida, acrescentou: — Sabe que tudo isso não serviu a qualquer objetivo. Ele continuará a entrar nesta arena, combaterá outras criaturas, outros homens, até amigos de sua terra, até que, cedo ou tarde, morrerá. — Hochopepa olhou atônito para Milamber e Shimone parecia confuso. — Se eu não tivesse tido sorte, poderia ser um daqueles homens lá embaixo — acrescentou. — Aqueles que lutaram são homens. Tinham família e lares, amavam e riam. Agora, só lhes resta esperar a chegada da morte.

Hochopepa fez um aceno vago com a mão.

— Milamber, você tem o hábito inquietante de levar as coisas para o lado pessoal.

Milamber sentia-se enojado e irado pelo espetáculo sangrento, mas forçou essas emoções para o fundo do seu ser. Estava determinado a permanecer naquele mundo. Seria um tsurani.

A areia foi limpa e as trombetas voltaram a soar, anunciando o último combate da tarde. Uma dúzia de guerreiros com ar altivo trajando couraças de combate, punhos cravejados de pregos e toucas com penachos coloridos, saiu de um dos extremos da arena. Milamber nunca vira aquela gente pessoalmente, mas reconheceu as fardas das visões que tinha tido na torre. Eram os descendentes dos altivos Cavaleiros de Serpentes, os thuril. Todos tinham um olhar duro de determinação inflexível.

Na outra extremidade, marcharam para a arena doze guerreiros vestidos com imitações coloridas de armaduras midkemianas. A verdadeira armadura de metal que tinham envergado fora considerada demasiado valiosa e, ao mesmo tempo, sem graça para o torneio, e os artesãos tsurani tinham concebido imitações estilizadas.

Os thuril ficaram observando os recém-chegados com um desdém implacável. De todas as raças da humanidade, somente os thuril tinham conseguido resistir ao Império. Os thuril eram, incontestavelmente, os melhores combatentes das montanhas em Kelewan. Suas fortificações ficavam em elevadas pastagens agrícolas impossíveis de conquistar. Tinham conseguido manter o Império afastado durante anos até a paz ser declarada. Era um povo alto, resultado da quase inexistência de cruzamento com as raças mais baixas de Kelewan, que consideravam inferiores.

As trombetas voltaram a soar e a multidão ficou em silêncio. Um arauto gritou em voz clara:

— Uma vez que estes soldados da Confederação Thuril violaram o tratado entre as suas nações e o Império, guerreando contra soldados do Imperador, foram banidos pelo seu próprio povo, que os considerou proscritos, obrigando-os a sofrerem punições. Irão lutar contra os prisioneiros do mundo de Midkemia. Combaterão até que reste somente um deles em pé. — A multidão deu vivas.

A trombeta soou e os lutadores se colocaram em posição de combate. Os midkemianos se abaixaram, de armas em riste, enquanto os thuril se mantiveram em pé, exibindo expressões de desafio. Um dos thuril avançou a passos largos, parando em frente do midkemiano mais próximo. Em tons insolentes, falou depressa e fez um gesto que abrangia toda a arena.

Milamber sentiu um acesso fervoroso de raiva crescendo dentro de si, associado à vergonha por aquilo a que estava assistindo. Também havia torneios em Midkemia — ouvira falar deles —, mas não eram assim. Os homens que lutavam em Krondor e outros lugares por todo o Reino eram profissionais que ganhavam a vida lutando até que se derramasse sangue. Às vezes, poderia ocorrer um duelo até a morte, embora se tratasse sempre de um assunto pessoal, quando já não restava outra forma de resolver a disputa. Ali, tratava-se de um desperdício gratuito de vidas humanas, para satisfazer os entediados e ociosos, os saciados que buscavam lembranças cada vez mais vívidas de que suas vidas tinham algum valor. Milamber olhou ao redor, sentindo-se enojado ao ver as expressões nos rostos das pessoas perto dele.

O guerreiro thuril continuou o seu discurso, sendo observado pelo midkemiano, enquanto se percebia uma mudança na atitude de ambos que sugeria uma alteração de estado de espírito. Antes, estavam tensos, preparados para a batalha; naquele momento, pareciam quase descontraídos. O thuril prosseguiu, apontando para a aglomeração de gente.

Nesse momento, um midkemiano, alto e de ombros largos, avançou como se fosse falar. O thuril ficou em sentido, de espada em riste, preparado para atacar. Ouviu-se uma voz de trás, quando outro guerreiro disse algo que continha um tom que parecia transmitir tranquilidade. O primeiro thuril relaxou visivelmente.

O midkemiano tirou o elmo devagar, revelando um rosto cansado e macilento, enquadrado por cabelo preto encharcado e viscoso. Olhou ao redor da arena enquanto o público começava a sussurrar e resmungar diante do comportamento imprevisto dos guerreiros, fazendo um aceno brusco com a cabeça. Largou a espada e o escudo e falou aos companheiros. Logo os outros lutadores na arena seguiram o exemplo, até que todas as armas ficaram largadas no chão.

Milamber ficou intrigado com aquele estranho comportamento e Shimone disse:

— Isso vai acabar em uma carnificina. Os thuril não combatem os da sua espécie e parece que também não vão lutar contra os bárbaros. Uma vez, vi seis thuril matarem todos os que mandaram contra eles, mas depois se recusaram a lutar uns contra os outros. Quando os guardas entraram para matá-los, eles lutaram, fazendo-os recuar. Por fim, os arqueiros do alto tiveram de abatê-los. Foi uma desgraça. A multidão se revoltou e o diretor do torneio foi feito em pedacinhos. Morreu mais de uma centena de cidadãos.

Milamber sentiu-se aliviado: ao menos seria poupado de assistir ao povo de Katala e seu próprio povo se matando. Foi então que a multidão começou a gritar em desaprovação, vaiando os combatentes rebeldes.

Hochopepa deu uma cotovelada em Milamber, dizendo:

— O Senhor da Guerra parece não estar achando graça nenhuma.

Milamber reparou na expressão furiosa do Senhor da Guerra enquanto assistia à oferta que fizera ao Imperador transformar-se em uma farsa. Almecho levantou-se devagar de seu lugar ao lado da Luz do Céu e bradou:

— Que comece o combate!

Domadores corpulentos, guardas que trabalhavam para o diretor do torneio, correram para a arena empunhando chicotes. Cercaram os lutadores imóveis e começaram a chicoteá-los. Milamber sentiu o estômago revirar enquanto os domadores batiam com violência, cortando a pele exposta dos braços e pernas dos soldados thuril e midkemianos. Habituado ao chicote quando trabalhara nos pântanos, conhecia aquele toque terrível. Sentiu cada chicotada sofrida pelos que se encontravam na areia, lá embaixo.

A multidão começava a ficar nervosa, pois não tinham ido ver homens imóveis serem chicoteados. Soaram vaias e assobios dirigidos a quem se encontrava na tribuna imperial, enquanto algumas almas mais intrépidas lançavam lixo e moedas de baixo valor para a arena, mostrando o desagrado diante daquele espetáculo. Por fim, um dos domadores perdeu a paciência, aproximou-se de um guerreiro thuril e bateu-lhe no rosto com o cabo do chicote. Antes que pudesse reagir, o thuril saltou e arrancou o chicote das mãos do homem surpreso. De repente, enrolou-o ao redor do pescoço do homem e começou a estrangulá-lo.

Os outros domadores concentraram toda sua atenção no guerreiro que atacava o companheiro, começando a golpeá-lo descontroladamente. Após mais de uma dezena de golpes, o thuril começou a cambalear, caindo de joelhos. Contudo, não largou o chicote, estrangulando o homem, que arquejava. Os golpes desciam incessantes sobre o thuril, até que sua armadura ficou vermelha do sangue da flagelação. Mesmo assim, ele não largou a vítima.

Quando o homem sucumbiu, olhos esbugalhados em um rosto azulado, o que restava de força no thuril também pareceu definhar. Quando o corpo sem vida do domador caiu na areia, o guerreiro thuril caiu ao lado.

O primeiro a reagir foi um soldado de Midkemia. Mostrando uma indiferença fria, limitou-se a pegar uma espada e atravessá-la em um dos domadores. Em seguida, em conjunto, os soldados thuril e midkemianos empunharam as armas e, em menos de um minuto, mataram todos os outros. Depois, novamente em conjunto, os prisioneiros atiraram as armas ao chão.

Milamber esforçou-se para manter a calma diante dessa demonstração. Sentia uma grande admiração por aqueles homens. Aceitavam a morte em vez de matarem uns aos outros. Era possível que alguns daqueles homens tivessem cavalgado com ele pelo vale, no ataque em que descobriram a máquina do portal, tantos anos antes. Aparentava serenidade, um perfeito tsurani, mas fervilhava por dentro.

— Tenho um mau pressentimento — sussurrou Hochopepa. — Seja o que for que Almecho procurava obter para reforçar a sua posição junto ao Imperador, corre sérios riscos. Temo que não esteja aceitando bem a relutância de seus antigos compatriotas em morrer para diversão da Luz do Céu.

— Maldita seja esta diversão — disse Milamber quase bufando. Olhou para Hochopepa com uma expressão irada, uma expressão que o mago obeso nunca antes vira. Milamber disse, quase em pé: — Malditos sejam os que se divertem com um esporte tão sangrento.

Hochopepa agarrou-o pelo braço e tentou puxá-lo para o seu lugar, dizendo:

— Milamber, controle-se.

O mago mais jovem soltou-se, ignorando a ordem, e, juntamente com os companheiros, olhou para a tribuna imperial, onde um capitão da guarda falava com o Senhor da Guerra. Milamber sentiu um estranho arrebatamento em seu íntimo e, por um momento, lutou contra o impulso repentino de usar os poderes que tinha para colocar o Senhor da Guerra entre os que se encontravam na arena, para ver como se sairia contra aqueles que recusavam morrer com graciosidade quando ele assim ordenava.

Foi então que se ouviu a voz de Almecho, silenciando quem estava por perto.

— Não, sem arqueiros. Aqueles animais não irão morrer como guerreiros. — Virou-se para um dos seus magos de confiança, emitindo instruções. O homem de manto negro assentiu e começou a proferir o feitiço. Milamber sentiu os pelos da nuca arrepiados quando a presença da magia se manifestou.

Ouviu-se uma exclamação baixa de reverência por todo o estádio quando os homens na areia caíram sem sentidos, rolando desorientados.

— Amarrem-nos, construam um estrado e enforquem-nos à vista de todos — gritou o Senhor da Guerra.

As suas palavras foram recebidas com um silêncio atônito, seguido por gritos de "Não!", "São guerreiros!" e "Não há honra nenhuma nisso!".

Hochopepa fechou os olhos e suspirou ruidosamente. Falou tanto para si mesmo como para os companheiros:

— O Senhor da Guerra está deixando que o seu famoso mau gênio leve a melhor mais uma vez, e agora estamos diante de um colapso. Não será favorável à sua posição no Conselho Supremo nem à estabilidade no Império. — Como uma besta enraivecida e em apuros, Almecho se virou, silenciando todos os que estavam junto dele, mas os que se encontravam mais afastados prosseguiram os protestos. Pelos padrões tsurani, tratava-se de uma grande indignidade reservada apenas àqueles que não possuíam honra. Ainda que impedindo o esporte que a turba apreciava, os prisioneiros haviam demonstrado que não tinham deixado de ser guerreiros e, como tal, mereciam uma morte honrosa.

Hochopepa virou-se para dirigir a palavra a Milamber, detendo-se ao ver a expressão do amigo. A raiva de Milamber era evidente, rivalizando com a raiva do Senhor da Guerra. Pressentindo a iminência de algum acontecimento terrível, Hochopepa chamou a atenção de Shimone, notando que ele também observava calado o semblante assustador do amigo. Tudo o que Hochopepa conseguiu dizer, em voz baixa, foi:

— Milamber, não! — E o escravo que se tornara mago já avançava. Passou depressa pelo chocado mago obeso, dizendo somente:

— Proteja o Imperador. — A cabeça de Milamber girava com o impacto da emoção repentina, reprimida durante anos, que agora jorrava livremente.

Foi tomado por uma certeza estranha e poderosa. "Não sou tsurani!", admitiu para si mesmo. Jamais poderia compactuar com uma coisa daquelas. Pela primeira vez desde que vestira o manto negro, sentiu suas duas naturezas em harmonia. Pelos padrões de ambas as culturas, tratava-se de uma desonra, algo que lhe dava um propósito temeroso, isento de dúvidas.

Com exceção daqueles que se encontravam perto da tribuna imperial, a multidão em peso entoava "A espada, a espada, a espada", exigindo uma morte de guerreiro para cada homem na arena. O ritmo tornou-se uma pulsação latejante para Milamber, acentuando a sua fúria quase desenfreada.

Chegando a um ponto entre os magos e a tribuna imperial, Milamber reparou nos soldados e carpinteiros que corriam para a arena. Os midkemianos e thuril aturdidos estavam sendo amarrados como animais para abate e a raiva da multidão estava atingindo um nível perigoso. Alguns oficiais mais jovens de famílias nobres nos níveis mais baixos do estádio pareciam prestes a desembainhar as espadas e saltar para a areia, disputando pessoalmente o direito dos prisioneiros de morrerem como soldados. Aqueles tinham sido adversários valorosos e muitos dos que assistiam já tinham enfrentado soldados thuril e do Reino. Não hesitariam em matar aqueles homens no campo de batalha, mas se recusavam a assistir à humilhação que os seus valentes inimigos estavam sofrendo.

Uma avalanche negra de cólera, aversão e amargura invadiu Milamber. A sua mente gritava indignada, apesar das tentativas para controlá-la. Inclinou a cabeça para trás, os olhos reviraram e, tal como acontecera por duas vezes em sua vida, surgiram letras de fogo em sua mente. Porém nunca antes tivera a capacidade de aproveitar o momento, e com uma alegria quase animalesca mergulhou no recém-aberto poço de poder em seu interior. Ergueu o braço direito e da mão explodiu energia. Uma labareda azul, que brilhava mesmo sob a luz do sol, precipitou-se para baixo, atingindo a areia entre os guardas do Senhor da Guerra. Homens vivos foram arremessados em todas as direções, como folhas levadas pelo vento. Aqueles que entravam com o material para o cadafalso foram derrubados pela explosão e o público das filas mais abaixo ficou atordoado pela violência do impacto. O barulho na arena cessou quando a multidão ficou sem fala devido ao choque.

Todos os olhos se viraram para a origem daquela explosão, enquanto os que estavam perto dele começavam a recuar instintivamente. Milamber estava vermelho de raiva e as córneas brancas eram visíveis ao redor das íris escuras enquanto perscrutava a arena. Com um movimento curto como se estivesse dando um golpe, o mago bradou:

— Basta!

Ninguém se mexeu, a não ser Hochopepa e Shimone. Não sabiam quais seriam as intenções de Milamber, mas, considerando aquela atitude, levaram a ordem dele muito a sério. Correram até onde estava o Imperador, igualmente atônito e fascinado, tal como todos que se encontravam no estádio. Falaram rapidamente com Ichindar e logo o lugar do Imperador ficou vazio.

Milamber olhou para a esquerda ao ouvir um rugido indignado:

— Quem se atreve?

O mago foi confrontado com a visão do Senhor da Guerra, erguido como um semideus enfurecido em sua armadura branca. A expressão do Senhor da Guerra estava à altura do semblante de Milamber.

— Eu! — gritou também Milamber. — Isto não pode ocorrer; não continuará! Mais nenhum homem morrerá para a diversão de outros!

Mal conseguindo se controlar, Almecho, Senhor da Guerra das Nações de Tsuranuanni, gritou:

— Que direito tem para agir dessa forma? — Os tendões em seu pescoço estavam salientes e todos os músculos de seu corpo estremeciam, enquanto a testa se mostrava coberta por gotas de suor.

A voz de Milamber baixou de tom e as suas palavras foram cuidadosamente ditas com uma raiva provocadora:

— O direito que tenho de agir como acho correto. — Voltou-se e falou para um guarda perto dele: — Liberte os homens que se encontram na arena. Deixe-os ir em liberdade!

O guarda hesitou por um segundo, até que a educação tsurani se revelou.

— Seja feita a sua vontade, Grande.

— Fique onde está! — gritou o Senhor da Guerra.

A multidão sibilou ao inspirar em conjunto. Em toda a história do Império, nunca acontecera um confronto entre um Grande e um Senhor da Guerra. O guarda parou e Milamber disse com rispidez:

— As minhas palavras são lei. Vá!

Sem demora, o guarda avançou e o Senhor da Guerra berrou de raiva:

— Você está violando a lei! Ninguém pode libertar um escravo!

Com a raiva novamente fervilhando, Milamber gritou para o Senhor da Guerra:

— Eu posso! Estou à margem da lei!

O Senhor da Guerra sentou-se pesadamente, como se tivesse sido atingido por um golpe invisível. Em toda a sua vida, nunca ninguém se atrevera a contrariar a sua vontade daquela maneira. Em toda a história, nenhum

Senhor da Guerra tinha sido forçado a suportar tal humilhação em público. Estava atordoado.

Próximo a ele, outro mago levantou-se de um salto.

— Pois eu o chamo de traidor e falso Grande. Procura debilitar o poder do Senhor da Guerra, trazendo caos à ordem do Império. Deve se retratar dessa afronta!

No mesmo instante surgiu um alvoroço frenético quando todos os que tinham ouvido correram para se afastar dos dois magos. Milamber fitou o mago de estimação de Almecho.

— Pretende opor seus poderes aos meus?

O Senhor da Guerra contemplou Milamber com puro ódio estampado no rosto. Não desviou os olhos do rosto do jovem mago ao dizer ao seu favorito:

— Destrua-o!

Os braços de Milamber se lançaram para cima, cruzando os pulsos. De imediato, foi rodeado por uma suave auréola dourada de luz. O outro mago lançou um raio de energia e a bola azul de fogo atingiu o escudo dourado sem qualquer consequência.

Milamber ficou tenso, cheio de raiva. Em duas ocasiões em sua vida, quando fora atacado pelos trolls e quando lutara com Roland, tinha alcançado reservas ocultas, de onde extraíra o poder. Agora, afastou as últimas barreiras entre a mente consciente e aquelas reservas escondidas. Já não representava um mistério para Milamber aquele poço de onde todo o seu poder provinha. Pela primeira vez em sua vida, Milamber alcançou o pleno entendimento daquilo que era, de quem era: não um Manto Negro, limitado pelos ensinamentos antigos de um único mundo, mas antes um adepto da Arte Maior, um mestre que dominava plenamente toda a energia fornecida por dois mundos.

O mago do Senhor da Guerra o fitava amedrontado. Ali estava mais do que uma curiosidade, um mago bárbaro. Ali estava uma figura que inspirava profundo respeito, de braços no ar, corpo trêmulo de raiva e olhos que pareciam resplandecer com energia.

Milamber bateu palmas acima da cabeça e ouviu-se o estrondo de um trovão, abalando quem estava ao seu redor. De suas mãos, uma energia explodiu para o ar, pairando acima de sua cabeça. Um turbilhão de forças cintilantes rodopiava por cima do mago, erguendo-se como se estivesse prestes a lançar uma flecha. A fonte não parou até ficar bem no alto. Começou a se estender, cobrindo o estádio como uma cúpula gigantesca. A visão deslumbrante durou um pouco mais, até que os céus pareceram explodir, cegando aqueles que olhavam para cima. O céu ficou escuro e o sol enfraqueceu, como se estivesse sendo coberto por véus cinzentos.

A voz de Milamber chegou ao canto mais afastado do estádio:

— Porque viveram como viveram durante séculos não justifica esta crueldade. Todos os que estão aqui presentes serão julgados e ninguém é inocente.

Mais magos partiram, desaparecendo de seus lugares, mas foram muitos os que permaneceram. Outros plebeus sensatos fugiram pelas saídas mais próximas, restando ainda muitos que achavam que tudo aquilo se tratava de outro torneio para diversão. Eram muitos os que estavam embriagados demais ou excitados pelo espetáculo para entenderem a advertência do mago.

O braço de Milamber formou um arco ao seu redor.

— Já que retiram tanto prazer da morte e desonra de outros, vejamos como encaram a destruição! — Um arquejo emitido pela multidão respondeu à sua proclamação. Milamber ergueu uma mão bem acima de sua cabeça e todos ficaram em silêncio. Até a ligeira brisa de verão cessou. Em seguida, com uma força tremenda, falou e as pessoas empalideceram ao ouvi-lo, pois era como se a morte tivesse encarnado e falado. Ecoando por todo o estádio, as palavras de Milamber foram ouvidas:

— Tremam e se desesperem, pois eu sou o Poder!

Começou a se ouvir um som intenso e estridente vindo dele. O próprio ar estremeceu enquanto uma magia poderosa estava sendo forjada.

— Vento! — gritou Milamber.

Uma brisa cortante que fedia a putrefação, nauseabunda e repugnante ao passar, soprou pelo estádio. Um gemido baixo de tristeza e medo foi levado pelo vento que soprava cada vez com mais força e, enquanto aumentava de intensidade, trazia mais perigo, mais desespero. Esfriou, a ponto de provocar dor naqueles que poucas vezes tinham sentido frio. Os homens choravam ao sentirem aquela carícia cortante e, muito acima do estádio, formaram-se nuvens na escuridão.

Os ventos uivavam, abafando os gritos da multidão na arena. Os nobres tentavam fugir, aterrorizados demais para conseguirem fazer outra coisa a não ser empurrar a própria família, pisoteando os idosos e os que tinham dificuldades de locomoção. Muitos caíam de joelhos ou eram derrubados dos assentos para a areia da arena.

Enormes nuvens carregadas, pretas e cinzentas, deslizavam no céu, parecendo rodopiar em um ponto diretamente acima da cabeça de Milamber. Uma luz sinistra envolvia o mago, pulsando de energia. Encontrava-se no centro da tempestade, uma figura terrível na escuridão. O vento bradou a fúria que carregava e, ainda assim, a voz de Milamber atravessou o som como uma faca:

— Chuva!

Caiu uma chuva fria, levada pelas rajadas. Acelerou depressa o ritmo, tornando-se uma enxurrada e em seguida um dilúvio. A cascata tombava sobre os que se encontravam abaixo, empurrando-os dolorosamente para baixo, fustigando-os com uma força assustadora, obviamente sobrenatural. Alguns conseguiram escapar para os túneis, enquanto os demais se agarravam uns aos outros, horrorizados.

Alguns magos tentaram repelir os feitiços, mas em vão, e acabaram por desmaiar de exaustão. Jamais se vira uma demonstração tão imponente de poder bruto. Ali estava alguém que dominava verdadeiramente a magia, conseguindo controlar os elementos da natureza, revelando-se por completo. O mago que desafiara Milamber estava recostado em seu lugar, atônito e piscando, tentando perceber algum vestígio de ordem no caos onde estava envolvido. O Senhor da Guerra tentava suportar a tempestade, esforçando-se para se manter erguido e recusando-se a se submeter ao terror de todos os que estavam à sua volta.

Milamber abaixou o braço, ergueu uma mão à sua frente e a esticou.

— Fogo! — gritou, e, uma vez mais, todos conseguiram ouvi-lo.

As nuvens pareciam queimar. Os céus explodiram quando cortinas de cores terríveis, chamas de todas as tonalidades, percorreram descontroladas a escuridão. Relâmpagos irregulares dardejavam pelo céu, como se os deuses estivessem anunciando o julgamento final da humanidade. As pessoas gritavam com um terror primitivo diante daquele elemento enlouquecido da natureza.

Foi então que começou a chuva de fogo. Caíram gotas que atearam fogo nos braços e nas roupas, nos rostos e nos mantos. Guinchos de dor chegavam de todos os lados e as pessoas tentavam em vão extinguir as chamas que lhes queimavam a pele. Desapareceram mais magos da arena, levando com eles os companheiros inconscientes. Milamber ficou sozinho na seção dos magos. O fedor de carne queimada invadiu o ar, misturado com o odor acre do medo.

Milamber cruzou os braços à frente. Dirigiu o olhar para baixo.

— Terra!

Ouviu-se um intenso estrondo vindo de baixo. O chão sob o estádio começou a tremer devagar. As vibrações aumentaram de intensidade e o ar foi preenchido com um zumbido irritado, como se um enxame de insetos gigantes tivesse cercado a arena. Nesse momento, um ribombar abafado juntou sua harmonia ao zumbido e o chão começou a se deslocar.

As vibrações passaram a tremores, ganhando um violento movimento rolante e ondulante. Milamber se mantinha calmo, como se estivesse em uma ilha. Era como se o solo, a terra, tivesse ganhado fluidez. As pessoas eram atiradas para a arena. O enorme estádio vibrava com forças primitivas. Estátuas caíram dos pedestais e os grandes portões foram arrancados das dobradiças, ouvindo-se o estalar e o ranger de madeira antiga. Deslizaram da frente dos túneis cambaleantes como bêbados, caindo na areia e esmagando quem estivesse à frente. Muitas das feras sob a arena enlouqueceram com o terremoto e tanto bateram nas jaulas que quebraram ferrolhos e abriram portas. Fugiram dos túneis, e passaram por cima dos portões caídos; gritaram, rugiram e urraram ao sentirem a chuva de fogo. Enfurecidas pelo terror, lançaram-se sobre os espectadores aturdidos que jaziam na areia, matando aleatoriamente. Via-se um homem sentado e aturdido, que dava palmadas, distraído, nas gotas em chamas que caíam do céu, enquanto a poucos metros outro era estripado por algum terror de florestas distantes.

Então a arena começou a gemer quando as pedras antigas principiaram a se deslocar, movendo-se umas sobre as outras. A argamassa que durara um milênio transformou-se em pó em um segundo quando o estádio desmoronou. Os gritos de misericórdia foram levados pelos ventos ou abafados pela cacofonia da destruição. A violência aumentou e o mundo parecia prestes a ser despedaçado. Milamber voltou a erguer as mãos acima da cabeça. Juntou as palmas e ouviu-se o maior ribombar de trovão até então. Depois, subitamente, o caos cessou.

Acima, o céu ficou límpido e o sol brilhou, e uma brisa ligeira vinda do leste soprou novamente. O chão estava como deveria estar, imóvel e sólido, e a chuva de fogo não passava de uma lembrança.

O silêncio que se seguiu foi ensurdecedor. Começaram a se ouvir os gemidos dos feridos e os soluços dos aterrorizados. O Senhor da Guerra permanecia em pé, o rosto lívido, com pequenas queimaduras marcadas na face e nos braços. No lugar do grandioso líder do Império havia um homem privado de todas as emoções, exceto o terror. Tinha os olhos tão arregalados que se viam as córneas. Mexia os lábios, como se estivesse tentando falar, mas não emitia qualquer palavra.

Milamber voltou a erguer as mãos acima da cabeça e o Senhor da Guerra caiu para trás, soluçando de pavor. O mago bateu palmas e desapareceu.

A brisa vespertina levava a fragrância de flores do verão. No jardim, Katala entretinha William com um jogo de palavras; ela insistira que os dois deviam aprender o idioma da pátria de seu marido.

A tarde estava quase terminando, pois estavam mais para leste do que a Cidade Sagrada. O sol já ia baixo a oeste, e as sombras no jardim alongavam-se. Sem o toque de sino que anunciava a chegada de Milamber, Katala se sobressaltou quando o marido surgiu na entrada de casa. Levantou-se devagar, pois pressentiu que havia algo errado.

— Marido, o que foi?

William correu para o pai e Milamber disse:

— Mais tarde lhe conto tudo. Temos de pegar William e fugir.

William puxou o manto negro do pai.

— Papai! — gritou, exigindo atenção. O mago pegou o filho e o abraçou com força, até que disse:

— William, vamos viajar até a minha terra natal. Você precisa ser forte e não chorar.

O menino estendeu o lábio inferior, pois, se o pai estava pedindo que não chorasse, devia haver uma boa razão, mas acabou fazendo um aceno com a cabeça e conteve as lágrimas.

— Netoha! Almorella! — chamou Milamber e, pouco depois, os dois serviçais entraram no jardim. Netoha fez uma mesura, enquanto Almorella corria para o lado de Katala, que insistira que a acompanhasse para a nova casa de Milamber quando ele foi buscar a família na propriedade dos Shinzawai. Mais do que escrava, era como irmã de Katala e tia de William. Logo percebeu que alguma coisa estava acontecendo e surgiram lágrimas em seus olhos.

— Vocês vão partir — disse ela, mais uma afirmação do que uma pergunta.

Netoha olhou para o amo.

— Qual é a sua vontade, Grande?

— Vamos partir — disse Milamber. — É preciso. Eu sinto muito. — Netoha recebeu as notícias estoicamente, tal como era adequado a um tsurani, mas Almorella abraçou Katala, chorando copiosamente.

— É meu desejo suprir suas necessidades — prosseguiu Milamber. — Preparei documentos para quando este dia chegasse. Quando partirmos, encontrarão todo o meu trabalho catalogado em meu gabinete. Acima da mesa do gabinete, na prateleira do topo, encontrarão um pergaminho com lacre preto. Deixo-lhe esta propriedade, Netoha. — E disse a Almorella: — Sei que gostam um do outro. O documento que outorga a propriedade a Netoha contém uma cláusula que lhe concede a liberdade, Almorella. Ele será um bom marido para você. Nem mesmo o Imperador poderá ignorar um documento com o selo de um Grande, por isso não se preocupem.

A expressão de Almorella era uma mescla de descrença, alegria e tristeza. Balançou a cabeça devagar, indicando que compreendia, e em seus olhos a gratidão era evidente.

Milamber voltou-se novamente para Netoha:

— Vou doar os terrenos mais baixos das pastagens a Xanothis, o pastor. Cuide das necessidades dos outros que trabalham aqui, Netoha. Agora, no meu gabinete também irão encontrar vários documentos selados com lacre vermelho. Precisam queimá-los de imediato. O que quer que façam, não quebrem o lacre antes de queimá-los. Todos os outros trabalhos deverão ser enviados a Hochopepa, da Assembleia, com a minha profunda amizade e o desejo de que possam ser úteis. Ele saberá o que fazer com tudo isso.

Almorella voltou a abraçar Katala e, em seguida, beijou William.

— Depressa, garota — disse Netoha. — Ainda não é senhora desta casa e temos trabalho importante a fazer. — O hadonra começou a fazer uma mesura, mas acabou dizendo, balbuciando: — Grande, eu... eu espero que fiquem bem. — Fez uma mesura apressada e começou a se dirigir ao gabinete. Milamber pôde vislumbrar um vestígio de lágrimas nos olhos de Netoha.

Almorella, com as lágrimas escorrendo pelo rosto, seguiu Netoha para dentro de casa. Katala virou-se para Milamber:

— Agora?

— Agora. — Enquanto os levava para a sala do padrão, disse: — Tenho de descobrir uma coisa antes de tentarmos atravessar o portal. — Abraçou a esposa, com o filho entre os dois, e desejou chegar a outro padrão.

Por breves instantes, foram envolvidos por uma neblina esbranquiçada e logo chegaram a outra sala. Saíram e Katala percebeu que estavam na casa do senhor Shinzawai.

Correram para o gabinete de Kamatsu e abriram a porta sem cerimônia. Kamatsu levantou os olhos, irritado com a interrupção. Mudou logo de semblante quando viu quem estava à porta.

— Grande, o que se passa? — perguntou, enquanto se levantava.

Milamber resumiu os acontecimentos desse dia e Katala empalideceu ao ouvir o relato. O Lorde Shinzawai sacudiu a cabeça.

— É possível que tenha desencadeado processos que mudarão para sempre a ordem interna do Império, Grande. Espero que não seja um golpe fatal.

Seja como for, precisaremos de alguns anos para avaliar os efeitos. A Facção pelo Progresso já está fazendo ofertas de aliança à Facção pela Paz. Em tão pouco tempo, o senhor teve um grande efeito sobre a minha pátria. — Kamatsu prosseguiu, impedindo Milamber de falar: — Porém não se trata de um impulso de momento. O senhor, que outrora foi meu escravo, aprendeu muito, mas ainda não é tsurani. Decerto compreende que o Senhor da Guerra não poderá permitir tal revés sem ficar humilhado. O mais provável é que tire a sua própria vida devido à ignomínia, mas aqueles que o seguem, sua família, seu clã, seus subordinados, irão sentenciá-lo à morte. Já devem ter contratado um assassino ou magos dispostos a enfrentá-lo. O senhor não tem outra escolha a não ser fugir para sua terra natal com a sua família.

William decidiu que chegara a hora adequada de chorar, pois, apesar das tentativas de mostrar valentia, a mãe estava assustada e o garoto sentiu sua tristeza. Milamber deu as costas a Kamatsu e entoou um feitiço, fazendo William adormecer em um instante.

— Dormirá até estarmos em segurança. — Katala concordou, sabendo que seria melhor assim, ainda que não apreciasse essa necessidade.

— Não temo mago algum, Kamatsu — disse Milamber —, mas temo pelo Império. Bem sei que, por mais que os meus professores na Assembleia tentassem, nunca serei tsurani. Porém sirvo o Império. Na minha repugnância diante do que testemunhei na arena, soube com toda a certeza o que já suspeitava há algum tempo. O Império tem de mudar de rumo ou estará condenado a sucumbir. O coração podre e débil desta cultura não poderá suportar o seu próprio peso por muito mais tempo e, tal como uma árvore ngaggi com o tronco apodrecido por dentro, cairá sob o próprio peso. Há mais questões, sobre as quais não posso falar, que aprendi durante o tempo que aqui vivi e que me indicam que terão de ser feitas grandes mudanças. Tenho de partir, pois, se permanecer aqui, a Assembleia, o Conselho Supremo, enfim, todo o Império ficará dividido. Teria dificuldades em deixar o Império se a minha partida não fosse pelo que é melhor para os interesses de Tsuranuanni. Foi esse o meu treino. Contudo, antes de partir, tenho de saber: Laurie e o seu filho deram notícias a respeito da proposta de paz do Imperador?

— Não. Sabemos que desapareceram durante uma batalha na primeira noite. Os homens de Hokanu fizeram uma busca pela área depois do combate e não encontraram sinal deles, por isso partimos do princípio que conseguiram escapar ilesos. O meu filho mais novo tem certeza de que alcançaram uma estrada por trás das linhas de combate do Reino. Desde então, não recebemos mais notícias. Outros membros de nossa facção aguardam com tanta ansiedade quanto eu.

Milamber ponderou.

— Então o Imperador ainda não está preparado para agir. Tinha esperanças de que isso acontecesse em breve, para podermos sair em segurança durante o período de trégua, antes que a oposição a mim se organize. Agora, tendo o Senhor da Guerra anunciado a vitória sobre o exército do Duque Borric, talvez a paz nunca aconteça.

— É evidente que não é tsurani, Grande — disse Kamatsu. — Como o Senhor da Guerra caiu em desgraça devido à destruição dos torneios que ele dedicou à Luz do Céu, a Facção Bélica está desorganizada. Agora, o Clã dos Kanazawai irá uma vez mais se retirar da Aliança pela Guerra. Os nossos aliados na Roda Azul irão se esforçar para dobrar as pressões e conseguir a obtenção de uma trégua no Conselho Supremo. A Facção Bélica se encontra sem um líder efetivo. Mesmo que o Senhor da Guerra venha a se revelar sem honra e não se suicide, será afastado depressa, pois a Facção Bélica precisa de um líder forte e os Minwanabi são ambiciosos; há três gerações que procuram alcançar o branco e dourado. Contudo, surgirão outros no Conselho Supremo que também apresentarão as suas pretensões. A Facção Bélica ficará desorientada, o que nos fará ganhar tempo para reforçar a nossa posição enquanto prossegue o Jogo do Conselho.

Kamatsu olhou demoradamente para Milamber.

— Como disse antes, já há quem trame sua morte. Vá sem demora para o seu mundo. Se não demorar, talvez consiga atravessar a salvo. Talvez sejam poucos os que pensam que irá diretamente para a fenda. Qualquer outro Grande demoraria uma semana para organizar sua casa. — Sorriu para Milamber. — Grande, o senhor foi uma brisa fresca em um quarto com ar estagnado enquanto esteve conosco. Lamento vê-lo deixar a nossa terra, mas precisa partir imediatamente.

— Espero que chegue o dia em que possamos voltar a nos encontrar como amigos, Lorde Shinzawai, pois são muitos os conhecimentos que os nossos dois povos podiam trocar.

O Senhor dos Shinzawai colocou a mão no ombro de Milamber.

— Também espero a chegada desse dia, Grande. Enviarei as minhas preces com vocês. Só mais uma coisa: se, por acaso, encontrar Kasumi em seu mundo, diga-lhe que o pai pensa nele. Agora vá e adeus.

— Adeus — disse Milamber. Pegou a mulher pelo braço e fez o caminho de volta à sala do padrão. Quando chegaram lá, soou um sino e Milamber empurrou a esposa e o filho para trás dele. Uma breve neblina branca surgiu sobre o chão do padrão e Fumita apareceu, surpreso.

— Milamber! — exclamou, avançando.

— Pare, Fumita!

O mago mais velho se imobilizou.

— Não quero lhe fazer mal. Chegaram notícias àqueles da Assembleia que não assistiram aos torneios sobre o que ocorreu. A Assembleia está numa grande agitação. Tapek e os outros magos do Senhor da Guerra exigem a sua vida. Hochopepa e Shimone o defendem. Nunca antes se viu uma discórdia assim. No Conselho Supremo, a Facção Bélica exige o fim da neutralidade da Assembleia durante épocas de guerra e a Facção pelo Progresso e a Facção pela Paz estão unidas em uma aliança evidente com a Facção da Roda Azul. O Império está de cabeça para baixo.

O mago mais velho pareceu ficar cada vez mais abatido enquanto fazia o relato. Parecia anos mais velho do que em qualquer outra ocasião de que Milamber se lembrasse.

— Creio que você tenha razão em muitas de suas crenças, Milamber. Devemos ter mudanças no Império sob pena de entrarmos em declínio, mas tantas mudanças, tão depressa? Não sei.

Fez-se um momento de silêncio entre ambos, até que Milamber disse:

— Agi pelo Império, Fumita. Precisa acreditar.

O mago mais velho balançou a cabeça lentamente.

— Acredito em você, Milamber, ou pelo menos assim desejo. — Pareceu endireitar-se. — Seja qual for o resultado, a Assembleia terá muito com que se ocupar quando a situação tiver acalmado. Talvez consigamos guiar o Império para um rumo mais saudável. Porém precisa se apressar. Nenhum soldado tentará detê-lo, pois somente alguns fora da Cidade Sagrada conhecem seus atos, mas os favoritos do Senhor da Guerra já podem estar à sua procura. Nos torneios, apanhou os nossos irmãos de surpresa, e nenhum poderia enfrentá-lo individualmente, mas caso se organizem contra você, até os seus ostensivos poderes de pouco serviriam. Teria de matar outro mago ou morrer.

— Sim, Fumita, eu sei. Preciso ir. Não desejo matar outro mago, mas farei isso se for obrigado.

Fumita pareceu aflito ao ouvir aquelas palavras.

— Como irá alcançar o portal? Nunca esteve na região de escala, não é?

— Não, mas vou à Cidade das Planícies e de lá posso ir de liteira.

— É muito lenta. A liteira levará mais de uma hora para chegar à zona de escala. — Levou a mão ao manto e retirou um dispositivo de transferência.

Ofereceu-o a Milamber. — A terceira posição o levará diretamente à máquina da fenda.

Milamber aceitou.

— Fumita, é minha intenção tentar fechar o portal.

Fumita sacudiu a cabeça.

— Milamber, mesmo com os seus poderes, não creio que seja capaz disso. Mais de vinte magos trabalharam para criar a grande fenda e os feitiços de controle foram estabelecidos unicamente do lado de Kelewan. A máquina midkemiana serve apenas para estabilizar a localização do portal.

— Eu sei, Fumita. Em breve você saberá, pois enviei o meu trabalho a Hocho. A minha pesquisa "misteriosa" concentrou-se em um estudo intensivo das energias do portal. É possível que saiba mais sobre elas do que qualquer outro mago da Assembleia. Bem sei que poderá ser uma ação desesperada, talvez até aniquiladora, do lado midkemiano, mas esta guerra tem de acabar.

— Então chegue a salvo ao seu mundo e espere. O Imperador irá agir em breve, estou certo disso. O golpe que você desferiu contra o Senhor da Guerra foi pior do que qualquer derrota no campo de batalha. Se a Luz do Céu der ordens para que se faça paz, então talvez possamos lidar com a questão do portal. Contenha a sua mão até se informar acerca da reação do Rei à proposta de paz.

— Quer dizer que você também participa do Grande Jogo?

Fumita sorriu.

— Não sou o único mago que se entrega às jogadas políticas, Milamber. Eu e Hochopepa fazemos parte de tudo isso desde o início. Vá, e que os deuses os acompanhem. Desejo-lhes uma jornada sem perigos e uma vida longa e próspera em seu mundo.

Passou por Milamber e pela família dele. Quando deixaram de vê-lo, Milamber ativou o dispositivo.

O soldado deu um salto. Estava sentado debaixo de uma árvore, abrigando-se do calor do sol, que estava prestes a se pôr, quando, de repente, um mago, uma mulher e uma criança surgiram à sua frente. Ainda estava se levantando e eles já seguiam em direção à máquina do portal, a várias centenas de metros daquele local. Quando chegaram perto da máquina, uma plataforma com postes altos de cada lado, entre os quais podia se ver um espaço "vazio" que tremeluzia, o oficial encarregado de atravessar as tropas ficou em sentido.

— Tire estes homens da plataforma.

— Seja feita a sua vontade, Grande. — Berrou ordens e os homens recuaram. Milamber deu a mão a Katala e a levou pela fenda.

Um passo, um breve momento de desorientação e logo se viram no meio de um acampamento tsurani no vale das Torres Cinzentas. Era noite e viam-se fogueiras ardendo. Vários oficiais ficaram surpresos quando viram uma chegada tão inusitada, mas os deixaram passar.

— Você tem cavalos capturados? — perguntou Milamber.

Um dos oficiais balançou a cabeça, sem dizer nada.

— Traga dois, imediatamente. Selados.

— Seja feita a sua vontade, Grande — respondeu um dos homens e saiu correndo.

Pouco depois, um soldado trouxe dois cavalos. Quando se aproximou, Milamber viu que se tratava de Hokanu. O filho mais novo dos Shinzawai olhou ao redor ao entregar as rédeas a Milamber.

— Grande, acabamos de receber a notícia de que houve um terrível acontecimento nos Torneios Imperiais, embora os relatos sejam vagos. Desconfio de que sua vinda inesperada possa estar relacionada com esses relatos. Precisa partir de imediato, pois o acampamento está repleto de homens do Senhor da Guerra e, caso cheguem à mesma conclusão, não sei o que serão capazes de fazer.

Milamber pegou William no colo enquanto Katala montava com a ajuda de Hokanu. O mago lhe entregou o filho e montou o seu corcel.

— Hokanu, estive agora mesmo com o seu pai. Vá até ele; ele precisa de você.

— Regressarei à propriedade de meu pai, Grande. — O jovem tsurani hesitou, acabando por acrescentar: — Caso encontre meu irmão, diga-lhe que estou vivo, pois ele não sabe.

Milamber disse que assim faria, virando-se depois para Katala e pegando as rédeas do cavalo da mulher.

— Segure o cabeçote da sela, meu amor. Eu levo William.

Sem mais palavras, saíram do acampamento. Por várias vezes encontraram guardas dispostos a pará-los, mas detinham-se quando viam o manto negro. Cavalgaram durante horas ao luar. Milamber conseguia ouvir os gritos dos soldados enquanto levava sua família para um lugar seguro.

Katala aguentou tudo como os guerreiros dos quais descendia e Milamber ficou admirado. Nunca antes montara um cavalo, mas não se queixou. Ser retirada de seu lar e, de um momento para outro, ver-se em outro mundo escuro e estranho, onde não conhecia ninguém, devia ser uma experiência assustadora. Demonstrou ter a fibra que, antes, Milamber só imaginava.

Após uma viagem aparentemente interminável, uma voz soou na escuridão. Vislumbraram figuras vagas e sombrias entre as árvores.

— Alto! Quem vem lá esta noite? — A voz falava no Idioma do Rei. Os três viajantes pararam e o homem que seguia à frente, revelando alívio na voz, respondeu:

— Pug de Crydee!

12

Agitação

Kulgan estava sentado em silêncio.

Tratava-se de um reencontro temperado de tristeza. Pug se encontrava junto da cama de Lorde Borric, nitidamente transtornado, enquanto o Duque moribundo sorria com tristeza. Lyam, Brucal e Meecham aguardavam por perto, falando em voz baixa, e Katala distraía William enquanto o Duque e Pug conversavam.

Borric falava em voz baixa, pois a enfermidade debilitara sua voz e seu rosto se contorcia de dor devido à dificuldade para respirar.

— Fico feliz por ver... que regressou para nós, Pug. E fico ainda mais feliz por ver a sua esposa e o seu filho. — Tossiu e uma espuma, salpicada de sangue, surgiu nos cantos da boca.

Katala tinha lágrimas nos olhos, pois o afeto que o marido tinha por aquele homem a emocionava. Borric fez sinal a Kulgan e o corpulento mago colocou-se ao lado de seu antigo aprendiz.

— Diga, Vossa Graça.

Borric sussurrou e Kulgan se dirigiu a Meecham:

— Pode acompanhar Katala e o garoto até a nossa tenda? Laurie e Kasumi estão esperando lá.

Katala olhou interrogativamente para Pug e ele assentiu. Meecham já pegara no colo o menino, que o olhou com algum ceticismo. Depois de saírem, Borric se esforçou para se erguer um pouco, sendo ajudado por Kulgan, que colocou almofadas para apoiá-lo. O Duque tossiu ruidosa e demoradamente, os olhos fechados com força devido à dor.

Quando voltou a conseguir respirar, suspirou, falando pausadamente:

— Pug, lembra-se de quando o recompensei por ter salvado Carline dos trolls? — Pug acenou com a cabeça, com medo de falar por causa da emoção que sentia. Borric prosseguiu: — Lembra-se, por acaso, de que lhe prometi outra recompensa? — Pug voltou a confirmar. — Quem me dera Tully estivesse aqui para poder fazê-lo, mas vou tentar resumir. Há muito que acho que o Reino desperdiça um de seus melhores recursos ao considerar os magos como proscritos e mendigos. O serviço leal de Kulgan ao longo dos anos provou que eu estava certo. Agora, você regressou, e, embora entenda somente uma pequena parte do que me contou, percebo que se tornou mestre em sua arte. Eu esperava que você voltasse, pois tive uma visão. Deixei-lhe uma quantia de ouro, aguardando o dia em que se tornaria um mago mestre. Com esse ouro, gostaria que você, juntamente com Kulgan e outros magos, criasse um centro de instrução, que todos possam frequentar e onde compartilhem seu conhecimento. Tully lhe entregará os documentos que contêm as minhas instruções, explicando em detalhes a minha intenção. Contudo, por ora posso apenas perguntar: aceita essa tarefa? Construirá uma academia para o estudo da magia e outros saberes?

Pug balançou a cabeça confirmando, os olhos cheios de lágrimas. Kulgan estava boquiaberto, sem acreditar no que estava ouvindo. O seu maior anseio, a ambição de uma vida, partilhada com o Duque nas horas de ócio em que se confessavam sonhos na companhia de cálices de vinho, iria se concretizar.

Borric começou a tossir mais uma vez até que, passado o ataque, voltou a falar:

— Possuo o título de propriedade de uma ilha, no centro do Grande Lago das Estrelas, perto de Shamata. Quando, por fim, esta guerra terminar, vá para lá e construa ali a sua academia. Talvez um dia venha a ser o maior centro de aprendizagem do Reino.

Mais uma vez, o Duque foi atormentado pela tosse, produzindo um som ainda mais terrível do que antes. Arquejou após o ataque de tosse, mal conseguindo falar. Fez sinal para que Lyam se aproximasse e apontou para Pug:

— Conte-lhe — disse, deixando-se cair nas almofadas.

Lyam engoliu em seco, reprimindo as lágrimas, e falou para Pug:

— Quando você foi levado pelos tsurani, meu pai desejou fazer uma homenagem à sua memória. Ponderou o que seria adequado, pois você havia demonstrado valentia em três ocasiões, duas vezes salvando a vida de Kulgan, além da vida de minha irmã. Considerou que só lhe faltava um nome, pois ninguém conhecia a sua ascendência. Por isso, ordenou a redação de um documento que foi enviado para os Arquivos Reais, inscrevendo o seu nome nos anais da família conDoin, adotando-o em nossa casa. — Lyam forçou um sorriso. — Quem me dera poder partilhar com você essas notícias em tempos mais felizes.

Emocionado, Pug ajoelhou-se ao lado de Borric. Pegou a mão do Duque e beijou o anel com sinete, incapaz de falar. Com voz debilitada, Borric disse:

— Não podia ter mais orgulho de você se fosse meu filho verdadeiro — arquejou. — Use o nosso nome honradamente.

Pug apertou a mão outrora poderosa, agora débil e sem forças. Os olhos de Borric começaram a se fechar enquanto tentava respirar. Pug largou a mão e o Duque gesticulou para que todos se aproximassem. Até o velho Brucal tinha os olhos vermelhos enquanto esperavam que a vida do Duque se apagasse.

— Você é testemunha, velho companheiro — sussurrou a Brucal.

O Duque de Yabon ergueu uma sobrancelha e olhou com expressão interrogativa para Kulgan.

— O que ele quer dizer?

— Deseja que testemunhe a sua declaração no leito de morte. Tem esse direito — respondeu Kulgan.

Borric olhou para o mago e disse:

— Tome conta de todos os meus filhos, velho amigo. Deixe que a verdade seja revelada.

— Por que meu pai diz "todos os meus filhos"? — perguntou Lyam a Kulgan. — Que verdade?

Kulgan olhou para Borric, que balançou fracamente a cabeça, dando consentimento. As palavras do mago foram proferidas com serenidade:

— O seu pai reconhece o seu filho mais velho: Martin.

Lyam arregalou os olhos.

— Martin?

O braço de Borric esticou-se de súbito em um surto repentino de força, agarrando a manga de Lyam. Puxou-o para junto dele e murmurou:

— Martin é seu irmão. Tratei-o injustamente, Lyam. É um bom homem e o amo muito. — A Brucal falou com voz áspera uma única palavra: — Testemunhe!

Brucal concordou. Com lágrimas escorrendo até o bigode branco, jurou:

— Eu, Brucal, Duque de Yabon, testemunho o que acabei de ouvir.

De repente, o olhar de Borric ficou inexpressivo. O estertor da morte soou em seu peito e o Duque ficou imóvel.

Lyam caiu de joelhos e chorou e os outros não refrearam a tristeza que sentiam. Nunca antes Pug vivera um momento tão agridoce.

Naquela noite, o silêncio imperava na tenda que Meecham destinara a Pug e à sua família. A notícia da morte de Borric lançara uma mortalha sobre o acampamento e muito da alegria de Kulgan pelo retorno de seu aprendiz, são e salvo, ficou nublado. O dia passou devagar, com todos reatando amizades, ainda que falassem em voz baixa e pouca felicidade sentissem. De vez em quando, alguém saía da tenda, afastando-se para ficar sozinho com seus pensamentos. Iam sendo partilhados nove anos de história e, naquele momento, Pug falava de sua fuga do Império.

Katala vigiava William, enroscado em uma cama com o braço por cima de Fantus. O dragonete e o garoto tinham olhado um para o outro e logo decidiram que eram amigos. Meecham estava junto da fogueira onde cozinhavam, prestando atenção nos outros. Laurie e Kasumi estavam sentados no chão, de acordo com o costume tsurani, enquanto Pug terminava o relato.

Kasumi foi o primeiro a falar:

— Grande, como conseguiu deixar o Império neste momento e não antes?

Kulgan ergueu uma sobrancelha. Ainda estava absorvendo as alterações em seu antigo aprendiz. Aquela conversa sobre o Caminho Superior e o Caminho Inferior ainda era difícil de entender e não queria acreditar na atitude do tsurani em relação ao garoto. Corrigiu-se: ao jovem homem.

— Após o meu confronto com o Senhor da Guerra, ficou evidente que eu serviria o Império deixando-o, pois a minha presença só poderia causar divisões em um momento em que o Império precisa se curar. A guerra tem de terminar e a paz precisa ser restabelecida, pois o Império está sendo exaurido.

— Sim — acrescentou Meecham —, tal como está acontecendo ao Reino. Nove anos de guerra estão nos deixando esgotados.

Kasumi sentia-se igualmente incomodado pelo tom informal com que aquelas pessoas falavam com Pug.

— Grande, o que acontecerá se o Imperador não conseguir deter o novo Senhor da Guerra? O conselho não tardará a elegê-lo.

— Não sei, Kasumi. Nesse caso, tentarei fechar o portal.

Kulgan deu uma baforada demorada no cachimbo, produzindo uma nuvem espessa.

— Continuo sem entender tudo o que disse, Pug. Pelo que contou, não vejo nada que possa impedi-los de abrir outra fenda.

— Nada os impedirá, exceto o fato de que os portais são instáveis. Não há forma de controlar onde surgirá a fenda; foi por acaso que surgiu esta entre o nosso mundo e Kelewan. Assim que foi estabelecida, poderiam surgir outras, como se o caminho entre os dois mundos atraísse outras fendas como o ímã é atraído pelo metal. Os tsurani poderiam voltar a tentar criar o portal, mas é provável que cada tentativa os levasse a outros mundos. Se voltassem para cá, seria pura sorte, uma possibilidade entre milhares. Se a fenda se fechar, talvez demorem anos para voltar, se é que alguma vez voltarão.

— Pelo que relatou sobre o suicídio do Senhor da Guerra — disse Kulgan —, devemos contar com uma trégua nos combates?

Foi Kasumi que respondeu:

— Temo que isso não ocorra, amigo Kulgan, pois conheço o Subcomandante deste Senhor da Guerra. É Minwanabi, uma família orgulhosa de um clã poderoso, e a sua causa ganharia muito se durante a reunião do Conselho Supremo o seu clã levasse notícias de uma vitória esmagadora. O mais provável é que lance um grande ataque dentro de poucos dias.

Kulgan sacudiu a cabeça.

— Meecham, talvez seja melhor pedir a Lorde Lyam que se junte a nós; ele precisa ouvir isso. — O homem alto se levantou e saiu da tenda.

Kasumi franziu a testa.

— Acabei conhecendo um pouco deste mundo e concordo com o Grande. É óbvio que a paz seria vantajosa para ambos, mas não me parece iminente.

Poucos minutos depois, o jovem Duque entrou na tenda atrás de Meecham e Kasumi repetiu a advertência.

— Sendo assim, temos de nos preparar para o ataque — foi a reação de Lyam.

Kasumi pareceu incomodado.

— Lorde, tenho de lhe pedir perdão, mas, caso os combates venham a ocorrer, não posso lutar contra o meu povo. Permite que eu regresse às minhas fileiras?

O Duque refletiu sobre aquele pedido e Pug reparou que o rosto estava ficando marcado pela pressão do comando. Os olhos sorridentes e o sorriso permanente tinham desaparecido. Mais do que nunca, lembrava o pai.

— Compreendo. Darei ordens para que o deixem passar, se me der a sua palavra de honra de que não repetirá nada do que ouviu aqui.

Kasumi concordou e levantou-se com intenção de partir. Pug fez o mesmo, dizendo:

— Darei a você uma última ordem, Kasumi, como mago de Tsuranuanni. Volte para junto do seu pai, pois ele precisa de você. Mais um soldado morto em nada ajudará a sua nação.

Kasumi fez uma mesura com a cabeça.

— Seja feita a sua vontade, Grande.

Kasumi deu um abraço em Laurie e saiu com Lyam.

— Foram tantas as coisas que contou que tenho dificuldade para absorver tudo — disse Kulgan. — Creio que, por ora, talvez seja melhor nos recolhermos, pois eu preciso descansar.

Quando o velho mago se levantou, Pug lhe disse:

— Tenho adiado uma pergunta. E Tomas?

— O seu amigo de infância está bem e se encontra com os elfos de Elvandar. É um guerreiro muito famoso, tal como desejava se tornar.

Pug sorriu.

— Fico feliz por ouvir isso. Obrigado.

Kulgan, Laurie e Meecham se despediram e saíram.

— Marido, está cansado — disse Katala. — Venha repousar.

Pug foi até a cama onde ela estava sentada.

— Você me surpreende. Esta noite passou por tanta coisa e ainda se preocupa comigo.

Ela pegou a mão dele.

— Quando estou com você, tudo está como deve ser. Mas você parece que carrega o mundo nos ombros.

— Temo que seja o peso de dois mundos, meu amor.

Foram acordados por trombetas. Quando Pug e Katala se levantavam, foram surpreendidos pela entrada repentina de Laurie na tenda. Pela luminosidade quando afastara a aba, era evidente que tinham dormido até tarde.

— O Rei está chegando! — Ofereceu umas peças de roupa a Pug. — Vista isto.

Percebendo a sensatez de não andar pelo acampamento de manto negro, Pug obedeceu. Laurie virou as costas e Katala vestiu a túnica. Foi para junto de William, que estava sentado na cama com ar assustado. Ele se acalmou depressa e começou a puxar a cauda de Fantus, fazendo o dragonete resmungar em protesto a suas afrontas.

Pug e Laurie saíram da tenda, dirigindo-se ao pavilhão de comando, que tinha vista para o acampamento dos Exércitos do Rei. Ao longe, na extremidade sudeste do acampamento, avistaram a comitiva real se aproximando depressa, ouvindo os vivas dos soldados quando viam passar o estandarte real. Milhares de soldados aclamavam, pois nunca tinham visto o Rei e a sua presença lhes elevava o espírito, bastante abatido desde a derrota contra os tsurani.

Laurie e Pug ficaram ao lado da tenda de comando, mas em um ponto onde conseguissem ouvir o que sucedia. O Duque Brucal não desviou os olhos do Rei, mas Lyam reparou nos dois, fazendo com a cabeça um aceno de aprovação à presença de ambos.

As duas fileiras da Guarda da Casa Real avançaram até a entrada da tenda, dividindo-se para que o Rei pudesse avançar até a frente. Rodric, Rei do Reino, vinha montado em um enorme cavalo de batalha preto, que começou a raspar o solo ao parar diante dos dois duques. Rodric vestia uma vistosa armadura de batalha decorada com ouro, com muitas caneluras e relevos gravados na couraça. O elmo era dourado, com uma coroa ao redor. No topo, esvoaçava uma pluma roxa, soprada pelo vento matinal.

Após algum tempo, retirou o elmo e o entregou a um pajem. Permaneceu montado e examinou os dois comandantes, olhando-os de cima com um sorriso enigmático.

— Então, não cumprimentam o seu soberano?

Os duques fizeram uma mesura.

— Majestade, ficamos surpresos — disse Brucal. — Estamos sem palavras.

Rodric riu e o som tinha traços de loucura.

— Isso é porque não avisei de antemão. Queria fazer uma surpresa. — Olhou para Lyam. — Quem é este com o tabardo de Crydee?

— Lyam, Vossa Majestade — respondeu Brucal. — Duque de Crydee.

— Só é Duque se eu disser que é Duque — gritou o Rei. Mudando repentinamente de humor, disse, em tom apreensivo: — Lamento a morte de seu pai. — Seguiram-se risadinhas. — Mas ele era um traidor, sabe? Eu ia mandar enforcá-lo. — Lyam ficou tenso ao ouvir as palavras de Rodric e Brucal o agarrou pelo braço.

O Rei percebeu e bradou:

— Você atacaria seu Rei? Traidor! Você, seu pai e os outros são todos farinha do mesmo saco. Guardas, prendam-no! — Apontou para o jovem.

Quando os guardas reais começaram a desmontar, os soldados do Oeste avançaram para impedi-los.

— Parem! — ordenou Brucal, detendo os soldados ocidentais. Virou-se para Lyam. — Uma palavra sua e estourará a guerra civil — sibilou.

— Entrego-me, Vossa Majestade — disse Lyam. Os soldados do Oeste protestaram.

— Terei de mandar enforcá-lo, sabe disso — disse o Rei com frieza. — Levem-no para a tenda dele e não o deixem sair. — Os guardas acataram. O Rei voltou a atenção para Brucal. — É leal a mim, Lorde Brucal, ou Yabon também ganhará um novo Duque, assim como Crydee?

— A minha lealdade está com a coroa, Majestade — foi a resposta.

O Rei desmontou.

— Sim, acredito. — Voltou a rir. — Sabe que o meu pai o tinha em grande estima, não sabe? — Deu o braço ao Duque e entraram na tenda de comando.

Laurie tocou no ombro de Pug, dizendo:

— É melhor ficarmos em nossas tendas. Se alguém da corte me reconhecer, ainda me junto ao Duque na forca.

Pug concordou.

— Vá chamar Kulgan e Meecham e diga para nos encontrarem em minha tenda.

Laurie saiu correndo e Pug voltou à tenda. Katala estava alimentando William com uma tigela de ensopado da noite anterior. — Infelizmente, parece que encontramos outro caldeirão de problemas, meu amor — disse Pug. — O Rei se encontra no acampamento e está mais louco do que eu imaginava. Teremos de partir em breve, pois ele mandou prender Lyam.

Katala ficou horrorizada.

— Para onde iremos?

— Eu consigo nos levar a Crydee, para junto do Príncipe Arutha. Conheço o pátio do Castelo de Crydee tão bem como se ali houvesse um padrão. Não devo ter dificuldades em nos transportar para lá.

Laurie, Meecham e Kulgan chegaram pouco depois e Pug descreveu o plano de fuga. Kulgan sacudiu a cabeça, dizendo:

— Leve o garoto e Katala, Pug, mas eu fico.

— E eu — acrescentou Meecham.

Pug parecia incrédulo.

— Mas por quê?

— Servi o pai de Lyam e agora é a ele que sirvo. Se o Rei tentar executar Lyam, haverá luta. Os Exércitos do Oeste não ficarão parados enquanto Lyam é enforcado. O Rei só traz com ele a Guarda Real, que será rapidamente subjugada. Quando isso acontecer, começará a guerra civil. Bas-Tyra liderará os Exércitos do Leste. Lyam irá precisar de minha ajuda.

— A questão não será resolvida assim tão depressa — disse Meecham. — Os Exércitos do Oeste têm experiência, mas estão cansados. Não estão motivados. Os Exércitos do Leste não estão cansados e Guy, o Negro, é o melhor general do Reino. Lyam ainda não foi posto à prova. A batalha será longa.

Pug entendeu o que estava sendo dito.

— Talvez não cheguemos a esse ponto. Brucal parece disposto a seguir o comando de Lyam, mas o que acontecerá se mudar de ideia? Quem poderá dizer se Ylith, Tyr-Sog e os outros continuarão a seguir Lyam sem a orientação de Yabon?

Kulgan suspirou.

— Brucal não irá vacilar. Odeia Bas-Tyra tanto quanto Borric odiava, embora por razões não tão pessoais. Vê o dedo de Guy em todas as movimentações para submeter o Oeste. Creio que o Duque de Yabon de bom grado cortaria a cabeça de Rodric, mas, ainda assim, é possível que Lyam se renda em vez de provocar uma guerra civil e deixar que o Oeste caia nas mãos dos tsurani. Temos de esperar para ver. O que é mais uma razão para você ir para Crydee, Pug. Se Lyam morrer, Arutha é o herdeiro da coroa. Se o Rei levar isso adiante, não parará até Arutha estar morto. Até Martin — cuja pretensão seria manchada pela sua ilegitimidade — e Carline seriam perseguidos e assassinados. Talvez até Anita. Rodric não iria arriscar o nascimento de um herdeiro ocidental do trono. Com a morte de Lyam, o derramamento de sangue só parará quando um dos dois, Rodric ou Arutha, estiver sentado no trono do Reino, sem contestações. Você é o mago mais poderoso do Reino. — Pug começou a protestar. — Sei o bastante das artes para avaliar suas habilidades pelo que você nos contou. Recordo-me como era promissor quando garoto. Você é capaz de feitos inigualáveis em nosso mundo. Arutha precisará muito de você, pois não permitirá que a morte do irmão fique impune. Crydee, Carse e Tulan avançarão assim que a questão dos tsurani estiver controlada. Outros se juntarão, especialmente Brucal. A essa altura, a guerra civil estará em marcha.

Meecham cuspiu para fora da tenda. Ficou petrificado, segurando a abertura por um instante, dizendo em seguida:

— Creio que a discussão chegou ao fim. Olhem.

Juntaram-se a ele na entrada. Nenhum deles tinha os olhos de lince do homem livre e, de início, não conseguiram avistar o que ele indicava. Até que, aos poucos, reconheceram a nuvem de pó, ao longe, a sudeste. Estendia-se por quilômetros e quilômetros ao longo do horizonte, uma faixa marrom suja que avançava debaixo do azul do céu.

O homem livre virou-se e olhou para os outros.

— Os Exércitos do Leste.

Estavam junto a um pavilhão de comando, no meio de um grupo de soldados laMutianos. Acompanhando Laurie, Kulgan, Pug e Meecham estava o Conde Vandros de LaMut, o antigo oficial de cavalaria que comandara o ataque no vale anos antes, quando houve o primeiro contato com o portal. Recebera o título após a morte do pai, menos de um ano depois da captura de Pug, revelando-se um dos comandantes mais capazes do Reino no campo de batalha.

Uma companhia de nobres vinha subindo a colina em direção ao pavilhão. O Rei e Brucal os aguardavam. Ao lado de cada lorde seguia um porta-estandarte com a insígnia do nobre. Vandros anunciou o nome de cada exército representado:

— Rodez, Timons, Sadara, Ran, Cibon, estão todos presentes. — Virou-se para Kulgan. — Duvido que restem mil soldados entre este local e Rillanon.

— Não vejo um estandarte: Bas-Tyra — disse Laurie.

Vandros perscrutou as tropas.

— Salador, Taunton Profundo, Ponta da Flecha... tem razão. A águia dourada sobre o fundo negro não se encontra entre os estandartes.

— Guy, o Negro, não é tolo. Já ocupa o trono de Krondor. Caso Lyam seja enforcado e Rodric sucumba no campo de batalha, não demorará a alcançar o trono em Rillanon — comentou Meecham.

Vandros olhou para trás, onde os nobres estavam reunidos.

— Quase todo o Congresso de Lordes está presente. Caso regressem a Krondor sem o Rei, Guy não demorará a ser coroado. Muitos destes são homens de sua confiança.

— Quem é aquele sob o estandarte de Salador? — perguntou Pug. — Não é Lorde Kerus.

Vandros cuspiu no chão.

— É Richard, antigo Barão de Dolth, atual Duque de Salador. O Rei mandou enfocar Kerus e sua família escapou para Kesh. Hoje em dia, Richard rege o terceiro ducado mais poderoso do Leste. É um dos preferidos de Guy.

Quando os nobres se apresentaram perante o Rei, Richard de Salador, um homem de rosto corado que lembrava um urso, falou:

— Meu suserano, estamos reunidos. Onde podemos montar acampamento?

— Acampamento? Não vamos fazer acampamento nenhum, senhor Duque. Avançamos a cavalo! — Virou-se para Lorde Brucal: — Reúna os Exércitos do Oeste, Brucal. — O Duque fez sinal e os arautos precipitaram-se pelo acampamento, gritando ordens para que se reunissem. Logo se ouviram os tambores e trombetas de guerra por todo o acampamento ocidental.

Vandros foi se juntar aos seus soldados e, pouco depois, eram poucos os observadores que restavam. Kulgan, Pug e os outros se afastaram para um dos lados, saindo do campo de visão do Rei.

O Rei se dirigiu aos nobres reunidos:

— Há nove anos que temos suportado os modos delicados do comando ocidental. Eu mesmo irei liderar o ataque que expulsará o inimigo de nossas terras. — Virou-se para Brucal: — Por uma questão de deferência para com a sua idade avançada, meu caro, transmito o comando da infantaria ao Duque Richard. Você permanecerá aqui.

O velho Duque de Yabon, que estava vestindo sua armadura, pareceu ficar ofendido, mas limitou-se a dizer:

— Majestade — A palavra saiu num tom frio e tenso. Virou-se rigidamente e entrou na tenda de comando.

Trouxeram o cavalo do Rei e Rodric montou. Um pajem passou-lhe o elmo com a coroa e o Rei o colocou na cabeça.

— A infantaria deverá seguir tão depressa quanto possível. Agora, partamos!

O Rei incitou o cavalo colina abaixo, seguido pela Guarda Real e pelos nobres reunidos. Depois de desaparecer de vista, Kulgan virou-se para os outros e disse:

— Só nos resta esperar.

O dia parecia não ter fim. Cada hora que passava era como um dia passando lentamente. Estavam sentados na tenda de Pug, pensando no que estaria ocorrendo a oeste.

O exército avançara, sob o estandarte do Rei, ao som de tambores e trombetas. Mais de dez mil soldados de cavalaria e vinte mil soldados de infantaria tinham investido contra os tsurani. Restavam poucos soldados no acampamento, os feridos e uma companhia de plantão. A calma que se sentia lá fora era enervante após o barulho quase permanente do dia anterior.

William estava cada vez mais agitado e Katala fora brincar com ele do lado de fora. Fantus recebeu de bom grado a oportunidade de descansar sem ser incomodado pelo seu incansável companheiro de brincadeira.

Kulgan estava calado fumando seu cachimbo. Ele e Pug tinham passado o tempo falando esporadicamente sobre assuntos de magia, embora se mantivessem calados a maior parte do tempo.

Laurie foi o primeiro a aliviar a tensão.

— Não aguento mais esta espera — disse ele, se levantando. — Acho que devíamos ver Lorde Lyam e ajudá-lo a decidir as ações a serem tomadas quando o Rei regressar.

Kulgan acenou com a mão para que Laurie voltasse a se sentar.

— Lyam não tomará qualquer atitude, pois é filho de seu pai e não iria começar uma guerra civil, não aqui.

Sentado, Pug se entretinha com uma adaga.

— Com os Exércitos do Leste em campo, Lyam sabe que uma revolta poderia levar à entrega do Oeste aos tsurani e da coroa a Bas-Tyra. Subirá ao cadafalso e ele mesmo colocará a corda em volta do pescoço antes de assistir a uma situação dessas.

— Isso seria a maior das tolices — contrapôs Laurie.

— Não — argumentou Kulgan —, não seria tolice, menestrel, antes uma questão de honra. Lyam, tal como o pai, acredita que a nobreza tem a responsabilidade de dedicar o trabalho de uma vida, e a própria vida se for necessário, ao Reino. Uma vez que Borric e Erland morreram, Lyam é o primeiro na linha de sucessão ao trono. Contudo, a sucessão é incerta, pois Rodric não nomeou um herdeiro. Lyam não suportaria usar a coroa se o julgassem usurpador. Com Arutha a questão é outra, pois faria o que julgasse conveniente: subiria ao trono, ainda que não desejasse fazê-lo, preocupando-se com o que dissessem dele quando fosse dito.

Pug concordou.

— Creio que Kulgan está analisando corretamente. Não conheço os irmãos tão bem quanto ele, mas julgo que teria sido melhor se tivessem nascido na ordem inversa. Lyam daria um bom rei, mas Arutha seria um rei admirável. Os homens seguiriam Lyam até a morte, mas o irmão mais novo faria uso de sua astúcia para mantê-los vivos.

— Uma avaliação justa — admitiu Kulgan. — Se há alguém que poderá encontrar uma forma de sairmos desta confusão, esse alguém é Arutha. Tem a coragem do pai, mas também tem um discernimento tão rápido quanto o de Bas-Tyra. Poderia resistir às intrigas da corte, embora as abomine. — Kulgan sorriu. — Quando eram pequenos, chamávamos Arutha de "a pequena nuvem tempestuosa", pois, quando se irritava, era dado a olhares ameaçadores e a grande turbulência, enquanto Lyam se irritava depressa, lutava depressa e se esquecia de tudo em seguida.

As reminiscências de Kulgan foram interrompidas pelo som de gritos vindos de fora. Levantaram-se de um salto e correram para fora da tenda.

Um cavaleiro coberto de sangue, com o tabardo de LaMut, passou por eles a toda a velocidade, e eles correram atrás. Chegaram à tenda do comando quando Lorde Brucal saía.

— Quais são as novidades? — perguntou o velho Duque de Yabon.

— O Conde Vandros enviou esta mensagem: Vitória! — Ouviram-se mais cavaleiros aproximando-se. — Passamos por eles como vento. Conseguimos romper a frente de combate a leste do inimigo e a fortificação caiu. Nós os separamos, conseguindo isolar os que se encontravam lá, depois viramos para oeste e atropelamos os que procuravam ajudá-los. A infantaria está aguentando bem e a cavalaria está fazendo os tsurani regressarem à Passagem Norte. Fogem em debandada! O dia está ganho!

Foi dado um odre ao cavaleiro, pois parecia que sua voz estava prestes a falhar. Inclinou-o por cima do rosto e deixou o vinho verter para a boca, escorrendo pelo queixo e se juntando ao vermelho mais escuro que salpicava seu tabardo. Atirou o odre no chão.

— Há mais. Richard de Salador tombou, bem como o Conde de Silden. E o Rei foi ferido.

O rosto de Brucal revelou preocupação.

— Como está o Rei?

— Mal, infelizmente — respondeu o cavaleiro, segurando o cavalo nervoso, que empinava. — É um ferimento grave. Racharam o seu elmo com uma espada larga depois de matarem o seu cavalo. Morreram cem homens para protegê-lo, pois o seu tabardo real era um chamariz para os tsurani. Ele está vindo. — O cavaleiro apontou para o caminho de onde viera.

Pug e os outros se viraram, vendo que se aproximavam tropas a cavalo. Na primeira linha, viram um guarda real segurando à sua frente o Rei, cujo rosto estava coberto de sangue. Segurava-se no cabeçote da sela com a mão direita, enquanto o outro braço pendia a seu lado. Pararam diante da tenda e o soldado auxiliou o Rei a desmontar. Começaram a levá-lo para dentro, mas o Rei conseguiu pronunciar, com uma voz débil e arrastada:

— Não. Não me tirem do sol. Tragam-me uma cadeira para que possa me sentar.

Ainda estavam chegando nobres quando foi trazida uma cadeira para o Rei. Ajudaram-no a se sentar, inclinado para trás, com a cabeça pendendo à esquerda. Tinha o rosto coberto de sangue e, através da ferida no couro cabeludo, entrevia-se o osso branco.

Kulgan aproximou-se de Rodric.

— Meu Rei, posso tratar seus ferimentos?

O Rei se esforçou para ver quem falara. Os seus olhos pareceram ficar desfocados por instantes, ganhando nitidez em seguida.

— Quem falou? O mago? Sim, o mago de Borric. Faça o favor, estou sofrendo.

Kulgan fechou os olhos, concentrando seus poderes para aliviar o sofrimento do Rei. Colocou a mão no ombro de Rodric e quem estava perto pôde observar o soberano do Reino relaxar a olhos vistos.

— Agradeço-lhe, mago. Sinto-me melhor. — Rodric virou um pouco a cabeça com grande esforço. — Meu Lorde Brucal, traga Lyam à minha presença.

Lyam estava em sua tenda, sob escolta, e ordenaram a um soldado que fosse chamá-lo. Pouco depois, o jovem se curvou diante do primo.

— Meu senhor, está ferido?

Um Sacerdote de Dala aproximou-se de Kulgan, concordando com a avaliação do ferimento feita por este. Olhou para Brucal e sacudiu a cabeça devagar. Foram trazidas ervas e bandagens e trataram do Rei. Kulgan deixou o sacerdote prestando assistência e voltou para junto dos outros. Katala se juntara a eles, com William ao colo.

— Receio que o ferimento seja fatal — disse Kulgan. — O crânio está quebrado e fluidos estão saindo pela abertura.

Assistiram em silêncio. O sacerdote afastou-se para o lado, começando a rezar por Rodric. Todos os nobres, com exceção dos que se encontravam no comando da infantaria, estavam agora enfileirados diante do Rei. Ouviam-se mais cavaleiros se aproximarem. Juntaram-se aos outros que presenciavam e que os punham a par dos acontecimentos. Fez-se silêncio quando o Rei falou.

— Lyam — disse em voz fraca. —, tenho estado doente, não é verdade? — O jovem Duque não respondeu, embora seu rosto revelasse emoções contraditórias. Não nutria grande afeto pelo primo, mas ele ainda era o Rei.

Rodric arriscou um leve sorriso. Um dos lados de seu rosto se moveu ligeiramente, como se não conseguisse controlar os músculos por completo. Rodric estendeu a mão direita, que ainda conseguia mexer, e Lyam a segurou.

— Não sei o que me passou pela cabeça nos últimos tempos. Muito do que aconteceu me parece um sonho, sombrio e assustador. Tenho estado preso nesse sonho, mas agora consegui me libertar. — A testa começou a ficar suada e o rosto empalideceu. — Expulsei o demônio de dentro de mim, Lyam, e consigo agora ver que agi erroneamente em muitas ocasiões. Cheguei a ser cruel.

Lyam ajoelhou-se diante o Rei.

— Não, meu Rei, não cruel.

O Rei tossiu com violência, arquejando em seguida quando o ataque acalmou.

— Lyam, resta-me pouco tempo. — Subiu um pouco o tom de voz: — Brucal, seja testemunha. — O velho Duque olhava para o Rei, o rosto implacável como uma máscara. Avançou para junto de Lyam e disse:

— Aqui estou, Majestade.

O Rei apertou a mão de Lyam, endireitando-se ligeiramente. Subiu o tom de voz ao dizer:

— Nós, Rodric, o quarto deste nome, soberano hereditário do Reino das Ilhas, proclamamos desta forma que Lyam conDoin, nosso primo de sangue, possui sangue real. Como primogênito conDoin, o nomeamos Herdeiro do trono de nosso Reino.

Lyam lançou um olhar alarmado a Brucal, mas o idoso Duque sacudiu brevemente a cabeça, exigindo-lhe silêncio. Lyam abaixou a cabeça, mostrando uma tristeza sincera. Apertou com força a mão do Rei.

— Eu, Brucal, Duque de Yabon, testemunho o que acabei de ouvir — disse Brucal.

A voz de Rodric soou fraca:

— Lyam, peço-lhe um favor. Seu primo Guy fez o que fez sob minhas ordens. Lamento a loucura que me levou a depor Erland. Sabia bem que, ao mandá-lo para as masmorras, estaria condenando-o à morte, e nada fiz para impedir que isso acontecesse. Por isso, tenha compaixão de Guy. É um homem ambicioso, mas não é perverso.

Em seguida, o Rei falou de seus planos para o Reino, pedindo que fossem retomados, embora com mais consideração pelo povo. Falou de muitos outros assuntos: da sua infância e da tristeza que sentia por nunca ter se casado. Passado algum tempo, a fala tornou-se incompreensível, até que a cabeça tombou para frente, caindo sobre o seu peito.

Brucal ordenou a alguns guardas que cuidassem do Rei. Levantaram-no com cuidado e o levaram para dentro. Brucal e Lyam entraram na tenda, enquanto os outros nobres ficaram aguardando do lado de fora. Iam se juntando mais recém-chegados, para os quais as notícias eram relatadas. Quase um terço dos Exércitos do Reino se encontrava em frente ao pavilhão de comando, um mar de rostos que se estendia pela encosta da colina. Ninguém falava, participando pacientemente da vigília da morte.

Brucal fechou a aba da tenda, impedindo a passagem do brilho avermelhado do ocaso. Depois de examinar o Rei, o Sacerdote de Dala olhou para os dois duques.

— Ele não voltará a recuperar os sentidos, meus senhores. É só uma questão de tempo.

Brucal pegou Lyam pelo braço, levando-o para um canto.

— Não deve dizer nada quando eu o proclamar Herdeiro, Lyam — falou em um sussurro.

Lyam soltou o braço, fitando o idoso guerreiro.

— Você foi testemunha, Brucal — retorquiu em tons também sussurrados. — Presenciou meu pai reconhecer Martin como meu irmão, legitimando-o. É ele o conDoin mais velho. A proclamação de sucessão feita por Rodric não tem validade. Partiu do princípio de que eu era o mais velho!

Brucal falou serenamente, ainda que as palavras fossem ríspidas:

— Você tem uma guerra para terminar, Lyam. Posteriormente, caso consiga realizar esse simples feito, terá de levar seu pai e Rodric de volta a Rillanon, para enterrá-los no túmulo de seus antepassados. A partir do dia do sepultamento de Rodric, serão cumpridos doze dias de luto até que, ao meio-dia do décimo terceiro, todos os pretendentes à coroa irão se apresentar perante os Sacerdotes de Ishap e perante todo o maldito Congresso de Lordes. Entre agora e esse dia, terá muito tempo para decidir o que fazer. Por ora, precisa ser o Herdeiro. Não há alternativa. Esqueceu-se de Bas-Tyra? Caso você vacile, ele entrará em Rillanon com o seu exército um mês antes de você. Então terá de lidar com uma implacável guerra civil, meu rapaz. Assim que concordar em se manter de boca fechada, ordenarei às minhas tropas de confiança que se dirijam a Krondor, levando o selo real, para deterem Guy, o Negro. Jogarão Bas-Tyra nas masmorras antes que os homens dele consigam intervir; há krondorianos leais suficientes para se certificarem disso. Pode mantê-lo preso até você chegar a Krondor, depois fazê-lo chegar a Rillanon para a coroação, seja a sua ou a de Martin. Porém você precisa agir, senão, pelos deuses, teremos os lacaios de Guy incitando à guerra civil menos de um dia depois de você ter declarado Martin o legítimo Herdeiro. Você entende?

Lyam confirmou em silêncio com um aceno de cabeça.

— Será que os homens de Guy permitirão que seja detido? — perguntou com um suspiro.

— Nem mesmo o capitão de sua guarda pessoal irá contrariar um despacho real, especialmente se for ratificado pelos representantes do Congresso de Lordes. Eu mesmo me encarregarei de garantir as assinaturas nesse despacho — afirmou, cerrando a mão diante do rosto.

Lyam ficou calado por algum tempo, até que disse:

— Tem razão. Não desejo desencadear problemas no Reino. Farei como disse.

Os dois homens regressaram para junto do Rei e aguardaram. Passaram quase duas horas até que o sacerdote levou o ouvido ao peito do Rei, informando:

— O Rci morreu.

Brucal e Lyam juntaram-se ao sacerdote em uma oração silenciosa por Rodric. Em seguida, o Duque de Yabon tirou um anel da mão de Rodric e dirigiu-se a Lyam:

— Venha, chegou o momento.

Afastou a aba da tenda e Lyam olhou para fora. O sol já se pusera e as estrelas cintilavam no céu noturno. A multidão parecia um oceano de luzes, pois tinham acendido fogueiras e trazido tochas.

Nem um único homem arredara pé, ainda que estivessem exaustos e esfomeados após a vitória.

Brucal e Lyam surgiram à entrada da tenda e o Duque idoso anunciou:

— O Rei morreu. — Mostrava uma expressão glacial, embora seus olhos estivessem raiados de vermelho. Lyam estava pálido, mas se manteve ereto, de cabeça erguida.

Brucal ergueu algo acima da cabeça. Viu-se o clarão das chamas vermelhas refletido no pequeno objeto quando captou a luz das tochas. Os nobres que estavam mais próximos balançaram as cabeças ao entenderem, pois aquele era o sinete real, usado por todos os reis conDoin desde que Delong, o Grande, zarpara de Rillanon e cruzara o mar, colocando o estandarte do Reino das Ilhas na costa do continente.

Brucal pegou a mão de Lyam, colocando-lhe o anel. Lyam examinou a velha joia gasta, com a divisa gravada no rubi ainda bem visível, sem sinais de deterioração pela passagem do tempo. Quando levantou o olhar para contemplar a multidão, um nobre avançou. Era o Duque de Rodez, que se ajoelhou diante de Lyam.

— Alteza — disse. Um a um, todos os que se encontravam na frente da tenda, nobres do Leste e do Oeste, ajoelharam-se em homenagem e, como uma onda, todos os que estavam reunidos ali também se ajoelharam, até Lyam ser o único em pé.

O jovem olhou para todos, emocionado e incapaz de falar. Colocou a mão no ombro de Brucal e fez sinal para que todos se erguessem.

De repente, toda a multidão estava em pé e explodiram vivas:

— Salve, Lyam! Longa vida ao Herdeiro! — Os soldados do Reino bradaram a sua aprovação em dose dupla, pois eram muitos os que sabiam que, horas antes, a ameaça de guerra civil tinha pairado sobre suas cabeças. Homens do Leste e do Oeste abraçaram-se e celebraram, pois fora evitado um terrível futuro.

Lyam ergueu as mãos e fez-se silêncio. Sua voz ressoou acima das outras e todos ouviram suas palavras:

— Que nenhum homem se alegre esta noite. Que os tambores sejam abafados e as trombetas toquem baixo, pois esta noite choramos a morte de um Rei.

Brucal indicou o mapa.

— A fortificação está cercada e todas as tentativas de invadi-la foram rechaçadas. Conseguimos isolar quase quatro mil dos soldados tsurani.

A noite já ia avançada. Rodric fora enterrado com as honras possíveis no acampamento. Não tiveram os aparatos da realeza comuns a um funeral real, pois os assuntos de guerra não o permitiam. Fora embalsamado e enterrado com a armadura ao lado de Borric, em uma encosta com vista para o acampamento. Quando a guerra chegasse ao fim, seriam trasladados para os túmulos de seus antepassados em Rillanon.

Naquele momento, o jovem Herdeiro examinava o mapa, analisando a situação à luz do último comunicado vindo da frente de batalha. Os tsurani mantinham-se firmes na Passagem Norte, à entrada do vale. A infantaria abrira trincheiras diante deles, retendo os que se encontravam no vale e isolando ambas as forças ao longo do rio Crydee e do que restava da fortificação.

— Repelimos a ofensiva do inimigo — disse Lyam —, mas é uma faca de dois gumes. Não podemos tentar lutar em duas frentes. Também temos de estar preparados caso os tsurani tentem nos atacar a partir do sul. Não prevejo um fim próximo, apesar de nossos avanços.

— Com certeza os que se encontram no forte não vão demorar para se render — disse Brucal. — Estão isolados, com pouca comida e pouca água e não podem esperar que venham reabastecê-los. Estarão morrendo de fome daqui a poucos dias.

— Perdoe, Lorde Brucal, mas isso não irá acontecer — interrompeu Pug.

— O que podem ganhar com a resistência? A posição deles é desesperada.

— Estão ocupando forças que poderiam estar atacando o acampamento principal. Não deve demorar até que a situação em Tsuranuanni se resolva de algum modo, permitindo que os magos regressem da Assembleia. Então comida e água serão transportadas sem interferências. Além disso, a cada dia que passa os tsurani saem fortalecidos, pois chegam reforços de Kelewan. São tsurani e preferirão morrer a serem capturados.

— Estão assim tão sujeitos à honra a ponto de preferirem morrer? — perguntou Lyam.

— Sim, estão. Em Kelewan, sabem somente que prisioneiros se tornam escravos. Desconhecem o conceito de troca de prisioneiros.

— Então temos de atacar a fortificação imediatamente e com todas as nossas forças — afirmou Brucal. — Temos de esmagá-los, deixando nossos soldados livres para outras ameaças.

— Vai ser difícil — comentou Lyam. — Desta vez, não teremos o elemento surpresa do nosso lado e eles estão entrincheirados como toupeiras. É provável que percamos dois homens para cada soldado do inimigo.

Kulgan tinha se mantido afastado em um canto com Laurie e Meecham.

— É uma verdadeira tragédia que tenhamos somente conseguido uma ampliação das batalhas. Tão pouco tempo após a proposta de paz do Imperador.

— Talvez ainda não seja tarde — disse Pug.

Lyam olhou para Pug.

— Como assim? Kasumi já deve ter enviado a notícia de que a proposta foi recusada.

— É verdade, mas talvez ainda tenhamos tempo de enviar uma mensagem dizendo que será coroado um novo rei disposto a negociar a paz.

— Quem levará essa mensagem? — perguntou Kulgan. — Você poderá pagar com a vida se regressar ao Império.

— Podemos até conseguir resolver dois problemas de uma só vez. Alteza, o senhor me permitirá prometer aos tsurani salvo-conduto até suas fileiras?

Lyam ponderou o pedido.

— Eu o farei, caso me deem a sua palavra de honra de que não regressarão durante um ano.

— Então irei falar com eles — afirmou Pug. — Talvez ainda consigamos pôr fim a esta guerra, apesar das calamidades que se abateram sobre nós.

Os guardas tsurani, nervosos e alertas, ficaram tensos ao ouvirem um cavaleiro se aproximar.

— Estão chegando! — gritou um deles, e logo homens correram para pegar em armas, dirigindo-se às barricadas. As fortificações do sul ainda permaneciam intactas, mas ali, na extremidade oeste, sentinelas tinham construído às pressas uma barreira de árvores abatidas e valas rasas.

Os arqueiros se posicionaram, flechas nos arcos, mas a investida aguardada não chegou. Avistaram uma única silhueta a cavalo. Tinha as mãos erguidas acima da cabeça, de palmas juntas indicando que pretendia negociar. Além disso, trajava um manto negro.

O cavaleiro avançou com o cavalo até junto da barricada e perguntou, com um tsurani perfeito:

— Quem está no comando?

— O Comandante Wataun — respondeu um oficial surpreso.

— Que modos são esses, Líder de Ataques? — perguntou o cavaleiro com rispidez. Notou as cores e insígnias na couraça e no elmo do homem. — Será que os Chilapaningo perderam a civilidade?

O oficial ficou em sentido.

— Perdão, Grande — gaguejou o homem. — É que não esperávamos o senhor.

— Traga aqui o Comandante Wataun.

— Seja feita a sua vontade, Grande.

Pouco depois, surgiu o comandante da fortificação tsurani. Era um velho guerreiro de pernas arqueadas e peito largo e, tratando-se ou não de um Grande, a sua preocupação principal residia no bem-estar das suas tropas. Olhou com desconfiança para o mago.

— Aqui estou, Grande.

— Vim aqui lhe dar ordens para que regresse ao vale com seus soldados.

O Comandante Wataun sorriu pesaroso, sacudindo a cabeça.

— Lamento, Grande, mas não posso fazê-lo. Chegou-nos a notícia de suas façanhas e de que a Assembleia pôs em dúvida a sua posição. A esta altura, é provável que o senhor já não se encontre à margem da lei. Caso não tivesse se aproximado sinalizando o pedido de negociação, já o teria capturado, ainda que pudesse nos sair muito caro.

Pug sentiu-se ruborizar. Sabia que seria provável que a Assembleia viesse a expulsá-lo, mas ouvi-lo lhe causava sofrimento. Infelizmente, sabia que, devido ao treino a que fora sujeito, não deixaria de experimentar um sentimento de lealdade para com aquele lugar estrangeiro e nunca iria se sentir completamente em casa na sua terra natal.

Suspirando, Pug disse:

— Sendo assim, o que irá fazer?

O Líder de Forças Militares encolheu os ombros.

— Manter a posição atual. Morrer, se for necessário.

— Então lhe faço uma proposta, Comandante. Caberá a você decidir se é ou não uma artimanha. Kasumi dos Shinzawai levou uma proposta da Luz do Céu ao Rei midkemiano. Tratava-se de uma proposta de paz. O Rei a rejeitou, mas agora será coroado um novo rei, que está disposto a negociar a paz. Peço-lhe que leve à Cidade Sagrada, ao Imperador, a mensagem de que o Príncipe Lyam aceitará a paz. Aceita fazê-lo?

O comandante ponderou.

— Se é verdade o que diz, seria estúpido desperdiçar os meus homens. Que garantias está disposto a conceder?

— Dou-lhe a minha palavra, como Grande, se é que isso ainda tem algum valor, de que digo a verdade. Também lhe prometo que será concedido salvo-conduto a seus homens para regressarem ao vale, com a promessa de que voltarão e permanecerão no Império durante um ano. Além disso, irei até a entrada do vale, até suas fileiras, como refém. Isso basta?

O comandante meditou por instantes enquanto passava em revista seus homens fatigados e sedentos.

— Concordo, Grande. Se a vontade da Luz do Céu é o fim da guerra, quem sou eu para prolongá-la?

— Os Oaxatucan há muito são conhecidos por sua valentia. Que se saiba que também são dignos de honra pela sensatez que revelam.

O comandante fez uma mesura, virando-se depois para os soldados:

— Deem o aviso. Marchamos... rumo à nossa terra.

Quatro dias depois, chegou ao acampamento a notícia de que o Imperador concordaria com a paz. Pug passara uma mensagem para

Wataun levar pelo portal. Tinha o selo preto da Assembleia, e ninguém iria impedir a rápida entrega. Tinha como destinatário Fumita, pedindo-lhe que levasse à Cidade Sagrada a mensagem de que o novo Rei do Reino não exigia ressarcimento e que aceitaria a paz.

Lyam se mostrara emocionado quando Pug lera a mensagem. Dentro de um mês, o próprio Imperador atravessaria a fenda de modo a assinar os tratados formais com o Reino. Pug quase chorara ao ler aquelas palavras, que depressa se espalharam pelo acampamento, anunciando o fim da guerra. Ouviam-se vivas entusiasmados.

Pug e Kulgan estavam sentados na tenda do mago mais velho. Pela primeira vez em anos, experimentavam uma sensação que se aproximava da relação que tinham antes. Pug estava concluindo uma demorada explicação acerca do sistema de instrução a noviços aplicado pelos tsurani.

— Pug — disse Kulgan ao dar uma prolongada baforada no cachimbo —, acho que agora, com o final da guerra, poderemos regressar ao nosso ofício de magos. No entanto, agora você é o mestre e eu, o estudante.

— Temos muito a aprender um com o outro, Kulgan. Porém receio que seja difícil perder velhos hábitos. Não creio que conseguiria me habituar à ideia de você ser estudante. Além disso, são muitas as coisas que consegue realizar e que eu ainda não consigo.

Kulgan ficou admirado.

— Verdade? Achei que as minhas simples artes estavam abaixo da sua grandeza.

Pug voltou a sentir o embaraço dos tempos em que fora aprendiz de Kulgan.

— Continua fazendo pouco de mim.

Kulgan riu.

— Só um pouco, rapaz. E você continua a ser um rapaz, tendo em conta a minha idade avançada. Não é fácil ver um aprendiz desinteressado se tornar o mago mais poderoso de outro mundo.

— Creio que desinteressado é a palavra correta. A princípio, só queria ser soldado. Acho que você sabia disso. Foi quando decidi, finalmente, me dedicar aos estudos que a invasão teve início. — Pug sorriu. — Creio que teve pena de mim, naquele dia em que fiquei sozinho diante da corte do Duque, o único menino que não foi chamado.

— Em parte, é verdade, embora eu tivesse sido o primeiro a pressentir o poder que você tinha. Esse juízo foi corroborado, independentemente dos extraordinários acontecimentos que foram necessários para que o seu talento se tornasse realidade.

Pug suspirou.

— Bem, a Assembleia é muito completa na educação que dá. Logo que o poder é detectado, só existem duas opções: sucesso ou morte. Uma vez que todos os outros pensamentos são banidos, poucas preocupações restam ao estudante além do estudo da magia. Sem isso, duvido que tivesse alcançado este patamar.

— Não acho — disse Kulgan. — Se os tsurani nunca tivessem aparecido, você ainda teria um grandioso caminho.

Ficaram ali sentados, consolados pela presença um do outro. Passado pouco tempo, acenderam o fogo, pois a escuridão estava chegando. Katala espreitou à entrada da tenda com intenção de perguntar ao marido se iria se juntar a ela e ao filho no banquete de comemoração dado pelo Rei Lyam. Olhou para dentro e viu que estavam ambos absortos conversando.

Recuou e, esboçando um sorriso, regressou para junto do filho.

13

Desilusões

Tomas acordou sobressaltado.

Na escuridão que antecedia a aurora, sentiu algo estranho. Sentou-se, com todos os sentidos alertas, tentando entender o que o despertara.

Ao seu lado, Aglaranna se mexeu. Desde que voltara do confronto com Martin por causa dos prisioneiros tsurani, ele ficou livre de seus sonhos estranhos e ataques cegos de raiva. Já não era o garoto de Crydee, nem o antigo Senhor dos Dragões, era agora um novo ser que possuía características de ambos.

Ela despertou e estendeu a mão devagar até tocá-lo no ombro. Os músculos estavam relaxados, livres da tensão que assinalava a sua luta com os antigos sonhos. Respirou fundo e perguntou:

— Tomas, o que se passa?

Ele cobriu a mão dela com a sua.

— Não sei. Senti algo estranho agora há pouco. — Sentou-se com a cabeça ligeiramente inclinada, como se estivesse escutando algo ao longe. — Uma alteração... uma mudança no padrão das coisas, talvez.

A Rainha dos Elfos não disse nada. Desde que se tornara sua amante, se acostumara àquela inquietante capacidade de pressentir acontecimentos em outros lugares, uma capacidade sem igual, mesmo entre os melhores dos velhos Tecedores de Feitiços. Vestígio da herança valheru, aquela consciência ganhara plenitude desde que recuperara a humanidade. Considerava estranho, embora, de certa forma, tranquilizador, que os poderes valheru de Tomas só tivessem ficado mais marcantes e intensos depois de ter recuperado a humanidade. Era como se alguma força tivesse conspirado para mantê-los contidos até Tomas possuir a sensatez para usá-los.

Tomas desistiu de tentar ouvir.

— Tem origem a leste, uma mistura de júbilo com grande tristeza. — A voz parecia carregada de emoção. — É uma era que acaba.

Rolou do catre e levantou-se, a luz fraca revelando músculos poderosos aos olhos élficos de Aglaranna. Ficou à porta dos aposentos de ambos, olhando para além de Elvandar, escutando os sons da noite. Tudo parecia tranquilo.

O odor da floresta, carregado, adocicado e inebriante, tinha vestígios de aromas da ceia da noite anterior e do cheiro de pão fresco saindo do forno para a refeição daquela manhã. Os pássaros notívagos cantarolavam, enquanto os pássaros diurnos davam início aos chilreios que antecediam a aurora; o sol se preparava para nascer no leste. Tomas sentia o toque do ar fresco na pele nua como uma carícia, uma sensação de estar completo e tranquilo como nunca antes em sua jovem vida.

Os braços de Aglaranna lhe envolveram a cintura e ele sentiu o abraço, apertado a ponto de perceber as batidas de seu coração.

— Meu senhor, meu amor — disse ela —, volte para nossa cama.

Virou-se no círculo de seus braços, sentindo o calor do corpo.

— Sinto algo... — Abraçou-a com força, ainda que com carinho. — É um sentimento de esperança.

Aglaranna podia sentir o calor que emanava dele quando seu desejo reagiu ao dela.

— Esperança. Quem dera fosse verdade.

Tomas olhou para o rosto da Rainha, os sentidos tão vivos quanto os dela, deleitando-se com a visão.

— Nunca perca a esperança, minha Rainha.

Beijou-a intensamente e o que quer que o tivesse despertado foi esquecido depressa.

Lyam estava sentado em sua tenda, em silêncio. Redigia uma missiva que iria enviar para Crydee quando um guarda entrou, anunciando a chegada de Pug e Kulgan. Lyam levantou-se para cumprimentá-los e, quando o guarda saiu, fez sinal para que se sentassem:

— Preciso muito da sabedoria de vocês. — Recostou-se e acenou para os pergaminhos à sua frente. — Se queremos que Arutha chegue a nós a tempo da conferência de paz, estas missivas deverão sair hoje daqui. Porém nunca tive grande aptidão para cartas e, confesso, estou com grandes dificuldades em separar os acontecimentos da semana passada.

— Posso? — perguntou Kulgan, apontando para a carta.

Lyam acenou dando consentimento e o mago pegou o pergaminho e leu:

— "Para os meus estimados irmão e irmã: é com profunda tristeza que lhes comunico a morte de nosso pai. Ele foi ferido mortalmente durante a grande investida tsurani, liderando um contra-ataque com o intuito de salvar soldados cercados, sobretudo montanheses Hadati que auxiliavam a guarnição de Yabon. Os Hadati louvam o seu nome e criam sagas em sua honra, tamanha foi a sua valentia. Faleceu com o pensamento nos filhos e o seu amor por todos nós nunca esmoreceu. O Rei também faleceu e coube a mim a liderança de nossos exércitos. Arutha, gostaria de tê-lo a meu lado, visto que estamos perto do término da guerra. O Imperador está disposto a negociar a paz. Iremos nos reunir no vale ao norte das Torres Cinzentas daqui a vinte e nove dias, ao meio-dia. Carline, peço que embarque com Anita rumo a Krondor, pois há muito a ser feito lá e a Princesa Alicia precisa da filha. Arutha e eu nos juntaremos a vocês assim que a paz se concretizar. Com amor, partilhando a sua tristeza, seu irmão dedicado, Lyam."

Kulgan ficou calado até Lyam dizer:

— Achei que você pudesse acrescentar uma coisa aqui e ali, para lhe conferir elegância.

— Creio que comunicou o falecimento de seu pai com simplicidade e suavidade — disse Kulgan. — É uma excelente missiva.

Lyam se mexeu, desconfortável na cadeira.

— Ainda falta escrever muita coisa. Não falei sobre Martin.

Kulgan pegou uma pena.

— Vou copiá-la, pois sua letra está um pouco espremida, Lyam. — Com um sorriso afetuoso, acrescentou: — Você sempre preferiu a espada à pena. Acrescentarei algumas instruções no final, solicitando a Martin que acompanhe sua irmã a Krondor. Gardan e Fannon também deverão acompanhá-los. Bem como uma companhia de honra da guarnição do castelo. Assim, parecerá que deseja honrar aqueles que tão bem serviram Crydee. Desta forma, terá bastante tempo para decidir qual o melhor modo de contar a Martin o que precisa.

Pug sacudiu a cabeça com tristeza.

— Quem dera você pudesse acrescentar o nome de Roland a essa lista. — Depois que chegara ao acampamento, fora informado da morte do Escudeiro de Tulan. Kulgan lhe contara tudo o que sabia a respeito dos acontecimentos em Crydee e em outros lugares, ao longo dos últimos anos, envolvendo os antigos amigos de Pug.

— Que cabeça a minha! — exclamou Lyam. — Carline não faz ideia de seu regresso, Pug. Precisa acrescentar esse fato, Kulgan.

— Espero que não seja um grande choque — disse Pug.

Kulgan riu.

— Não tanto quanto descobrir que você tem esposa e um filho.

Memórias de sua adolescência e de sua relação tempestuosa com a Princesa voltaram, fazendo com que Pug dissesse:

— Espero que também tenha abandonado algumas das ideias que acalentava há nove anos.

Lyam riu pela primeira vez desde a morte do pai, genuinamente divertido pelo desconforto de Pug.

— Relaxe, Pug. Falei muitas vezes com meu irmão e minha irmã ao longo dos anos e creio que Carline é uma jovem muito diferente da menina que você conheceu. Tinha quinze anos da última vez que a viu. Pense em suas próprias mudanças nos últimos nove anos.

Pug balançou a cabeça.

Kulgan terminou o trabalho, passando o documento a Lyam, que o leu e disse:

— Agradeço-lhe, Kulgan. Acrescentou a dose certa de amabilidade.

A aba da tenda se ergueu e Brucal entrou, o rosto velho e enrugado cheio de contentamento.

— Bas-Tyra fugiu!

— Como? — perguntou Lyam. — Os nossos soldados ainda devem estar a uma semana ou mais de Krondor.

O velho Duque sentou-se pesadamente em uma cadeira.

— Encontramos uma gaiola de pombos-correios escondida, pertencentes ao falecido Richard de Salador. Um de seus homens enviou uma mensagem a Guy informando-o da morte de Rodric e de sua nomeação como Herdeiro. Interrogamos esse sujeito, um criado particular de Richard. Admitiu ser um dos espiões de Bas-Tyra na corte de Richard. Guy escapou da cidade, achando que um de seus primeiros atos como Rei seria mandar enforcá-lo. Meu palpite é que irá diretamente para Rillanon.

— Pois eu acho que esse seria o último lugar de Midkemia onde ele desejaria estar — observou Kulgan. — Digam o que quiserem, mas Guy, o Negro, não é nada tolo. Permanecerá na clandestinidade, não duvido, mas voltaremos a ver a mão dele antes de tudo isso acabar. Até a coroa assentar na cabeça de Lyam, Guy ainda possuirá um poder imenso no Reino.

Lyam pareceu inquieto ao ouvir o último comentário, lembrando-se da declaração do pai às portas da morte. Desde a advertência de Brucal para que não citasse Martin, todos mencionavam somente a coroação de Lyam, sem referências à possível pretensão à coroa por parte de Martin.

Lyam tentou afastar aqueles pensamentos enquanto Brucal prosseguia:

— Ainda assim, com Bas-Tyra escondido, grande parte de nossos problemas se resolveram. Com a guerra perto do fim, podemos regressar à questão de reconstruir o Reino. Quanto a mim, estou contente. Estou ficando muito velho para toda essa bobagem de guerra e política. Lamento apenas não ter um filho para poder renunciar em seu favor e me afastar.

Lyam olhou atentamente para Brucal com uma descrença afetuosa.

— Jamais se submeteria espontaneamente, velho guerreiro. Irá para o leito de morte arranhando e golpeando, e isso daqui a muitos anos.

— Quem falou em morrer? — resfolegou Brucal. — O que eu quero é caçar com os meus cães e soltar os meus falcões, e também ir pescar, de vez em quando. Quem sabe? Pode até ser que encontre uma graciosa camponesa enérgica o suficiente para me aturar, que me case de novo e ainda tenha um filho. Se aquele tonto do Vandros tiver inteligência suficiente para casar com a minha Felinah, verão que não demorará a se tornar Duque de Yabon quando eu me afastar. Por que ela ainda espera por ele é uma incógnita. — Levantou-se da cadeira. — Vou tomar um banho quente e dormir um pouco antes do jantar. Com a sua licença.

Lyam fez sinal permitindo que se retirasse e, quando Brucal saiu, disse:

— Nunca conseguirei me habituar às pessoas pedindo minha permissão para ir e vir.

Pug e Kulgan se levantaram de suas cadeiras.

— É melhor se habituar, pois de agora em diante todos o farão — disse Kulgan. — Com a sua permissão...?

Simulando aversão, Lyam fez sinal para que saíssem.

O conselho estava reunido em assembleia e Aglaranna tomou seu lugar no trono. Além dos conselheiros habituais, Martin do Arco estava presente, ao lado de Tomas. Quando todos tinham ocupado seus lugares, Aglaranna anunciou:

— Você pediu a reunião do conselho, Tathar. Diga o que traz à nossa presença.

Tathar fez uma mesura demorada diante da Rainha.

— Nós, membros do conselho, julgamos que chegou a hora de um consenso.

— Sobre o quê, Tathar? — perguntou a Rainha dos Elfos.

Tathar respondeu:

— Há muito que nos esforçamos para dar um final pacífico e seguro a esta questão do Tomas — respondeu Tathar. — É do conhecimento de todos aqui presentes que as nossas artes foram usadas para acalmar a fúria interior, atenuando o poderio do valheru, para que o jovem transformado não ficasse sobrecarregado com o passar do tempo.

Fez uma pausa e Martin se aproximou de Tomas, sussurrando:

— Problemas.

Tomas o surpreendeu com um sorriso sutil, piscando o olho. Uma vez mais, Martin sentiu alguma tranquilidade ao perceber que o divertido garoto que conhecera em Crydee estava tão presente naquele jovem homem quanto o Senhor dos Dragões.

— Vai ficar tudo bem — sussurrou Tomas.

— Chegamos à conclusão — prosseguiu Tathar — de que este assunto está encerrado, pois já não tememos Tomas como um Antigo.

— Sem dúvida são boas notícias — disse Aglaranna. — Porém isso é motivo para convocar o conselho?

— Não, senhora. Há mais um assunto que temos que dar por terminado. Pois, embora não tenhamos mais medo de Tomas, ainda assim não nos sujeitaremos ao seu comando.

Aglaranna levantou-se, claramente ultrajada.

— Quem ousa supor que assim será? Ouviram alguma palavra sugerindo que Tomas procura governar?

Tathar manteve-se firme perante o desagrado da Rainha:

— Minha senhora, a sua perspectiva é a de quem ama. — Antes que ela conseguisse retorquir, levantou a mão. — Não me dirija palavras ríspidas, filha de meu melhor amigo; não estou julgando ninguém. O fato de partilhar a sua cama com ele não diz respeito a ninguém, a não ser a vocês dois. Não levamos a mal. Contudo, ele agora tem meios para fazer uma reivindicação e queremos resolver o assunto sem mais demora.

Aglaranna empalideceu e Tomas avançou.

— Do que está falando? — perguntou, com voz autoritária.

Tathar pareceu um pouco surpreso.

— Ela carrega o seu filho no ventre. Não sabia?

Tomas ficou sem palavras. Dentro dele, fluíram sentimentos em conflito. Um filho! Ainda não tinha sido informado. Olhou para Tathar.

— Como sabe?

Tathar sorriu, sem o menor vestígio de zombaria.

— Sou velho, Tomas. Sei ver os sinais.

Tomas olhou para Aglaranna.

— É verdade?

Ela confirmou com um aceno de cabeça.

— Só iria lhe contar quando já não fosse possível ocultar a verdade.

Ele sentiu uma pontada de incerteza.

— Por quê?

— Para lhe poupar preocupações. Até o término da guerra, não pode se preocupar com mais nada. Era minha intenção não o sobrecarregar com outros pensamentos.

Tomas ficou calado por um instante, até que lançou a cabeça para trás e desatou a gargalhar, produzindo um som límpido e alegre.

— Um filho. Louvados sejam os deuses!

Tathar olhou para Tomas, pensativo.

— Você reivindica o trono?

— Sim, reivindico, Tathar — respondeu Tomas, sorrindo.

— A sucessão cabe a mim, Tomas — disse Calin, pela primeira vez. — Terá de disputá-la comigo.

Tomas sorriu para o Príncipe.

— Não erguerei a espada contra você, filho de minha amada.

— Se pretende ser nosso Rei, terá de fazê-lo.

Tomas aproximou-se de Calin. Nunca existira afeto entre ambos, pois, mais do que qualquer outro, Calin sempre temera a ameaça potencial que Tomas representava para o seu povo e estava agora preparado para lutar, se fosse necessário.

Tomas colocou a mão no ombro de Calin e o olhou nos olhos.

— Você é o Herdeiro. Não estou falando de me tornar seu Rei. — Afastou-se, dirigindo-se ao conselho: — Sou como me apresento diante de vocês, um ser de dois legados. Em mim, possuo o poder dos valheru, ainda que deles não tenha nascido. Minha mente se recorda de eras que há muito não passam de pó. Contudo, possuo as memórias de um garoto e consigo, uma vez mais, sentir a alegria de rir e do toque de uma amante. — Olhou para a Rainha dos Elfos. — Reclamo, somente, o direito de me sentar ao lado da minha Rainha, com a sua bênção, como seu consorte. Receberei unicamente os poderes que me conferirem, quer da parte dela, quer de sua parte, nada mais. Caso decidam não me atribuir qualquer poder, permanecerei ao seu lado. — Em seguida, acrescentou com firmeza: — Porém não cederei neste ponto: o legado do nosso filho não sofrerá qualquer mácula devido a um nascimento desafortunado.

Ouviu-se um murmúrio geral de aprovação e Tomas virou-se para Aglaranna:

— Caso me aceite como marido — disse, no antigo idioma dos elfos.

Os olhos de Aglaranna cintilavam. Olhou para Tathar.

— Aceito. Há alguém aqui presente que me negue esse direito?

Tathar olhou para os outros conselheiros. Não percebendo qualquer divergência, disse:

— Tem a nossa permissão, senhora.

De súbito, ouviram-se gritos de aprovação dos elfos reunidos e não demorou para que outros se aproximassem para indagar a incomum demonstração de atividade no conselho. Em seguida, juntaram-se aos festejos, pois todos conheciam o amor que a Rainha nutria pelo guerreiro de branco e dourado e o consideravam um consorte adequado.

— Suas atitudes são sensatas, Tomas — disse Calin. — Caso tivesse agido de modo diferente, haveria confrontos ou permaneceriam dúvidas. Agradeço a sua prudência.

Tomas apertou a mão dele com força.

— É justo, Calin. A sua pretensão está além de qualquer dúvida. Quando a sua Rainha e eu fizermos a viagem para as Ilhas Abençoadas, o nosso filho permanecerá sendo seu súdito leal.

Aglaranna veio para junto de Tomas e Martin juntou-se a eles.

— Felicidades para a sua vida. — Tomas abraçou o amigo e a Rainha seguiu-lhe o exemplo.

Calin pediu silêncio. Quando o barulho diminuiu, disse:

— Chegou a hora de falarmos sem subterfúgios. Que todos saibam que aquilo que há anos é fato consumado é reconhecido agora publicamente. Tomas é Comandante Militar de Elvandar e Príncipe Consorte da Rainha. Todos lhe devem obediência, salvo a Rainha. Eu, Calin, assim afirmei.

— Eu também atesto a veracidade dessa afirmação — ecoou Tathar. O conselho curvou-se diante da Rainha e de seu futuro marido.

— Faço bem em deixar Elvandar no momento em que a felicidade retorna — disse Martin.

— Vai partir? — perguntou Aglaranna.

— Infelizmente, é preciso. A guerra continua e ainda sou Mestre de Caça de Crydee. Além disso — disse, sorrindo de orelha a orelha —, receio que o jovem Garret esteja se habituando ao repouso e a desfrutar de sua generosidade. Tenho de colocá-lo a caminho antes que engorde.

— Ficará para assistir ao casamento? — perguntou Tomas.

Quando Martin começou a se desculpar, Aglaranna contrapôs:

— A cerimônia poderá ocorrer amanhã.

Martin cedeu.

— Mais um dia? Com todo o gosto.

Ouviu-se outro grito e Tomas viu Dolgan abrir caminho na multidão. Quando o líder dos anões chegou junto deles, explicou:

— Não fomos convidados para o conselho, mas, quando ouvimos gritos, viemos. — Atrás dele, Tomas e Aglaranna viram outros anões se aproximando.

Tomas colocou a mão no ombro de Dolgan.

— Velho companheiro, você é bem-vindo. Chegou durante uma celebração. Haverá um casamento.

Dolgan os olhou com um sorriso de cumplicidade.

— Sim, e já não era sem tempo.

O cavaleiro incitou seu cavalo, ultrapassando as fileiras de soldados tsurani. Ainda sentia algum desconforto ao ver tantos avançarem para o leste e o inimigo recente ficou vendo-o passar com expressões cautelosas enquanto seguia rumo a Elvandar.

Laurie parou o cavalo junto a um grande afloramento de rochas onde um oficial tsurani de armadura branca e laranja supervisionava a passagem dos soldados. Pela pluma e as insígnias de oficial, tratava-se de um Líder de Forças Militares, rodeado pelo seu quadro de Líderes de Ataques e Líderes de Patrulha. Dirigiu-se ao Líder de Forças Militares:

— Onde fica o vau mais próximo?

Os outros oficiais fitaram Laurie com desconfiança; no entanto, caso o Líder de Forças Militares tivesse ficado surpreso com o domínio quase perfeito do idioma tsurani pelo estrangeiro, não o demonstrou. Inclinou a cabeça para o local de onde os seus homens vinham e disse:

— Fica perto daqui. A menos de uma hora de marcha. Mais depressa no seu animal, sem dúvida. Está marcado por duas grandes árvores de cada lado de uma clareira, acima de um lugar onde há uma pequena queda d'água.

Laurie não teve dificuldades em identificar as cores da casa que o homem vestia, pois era uma das Cinco Grandes Famílias, e disse:

— Obrigado, Líder de Forças Militares. Honra seja feita à sua casa, filho dos Minwanabi.

O Líder de Forças Militares se endireitou. Não sabia quem era o cavaleiro, mas era cortês e essa cortesia tinha de ser retribuída.

— Honra seja feita à sua casa, desconhecido.

Laurie passou pelos desanimados soldados tsurani que se arrastavam ao longo das margens do rio. Encontrou a clareira acima da pequena cascata e entrou na água. Naquele local a corrente era forte, mas o cavalo conseguiu atravessá-la sem incidentes. O menestrel sentia o borrifo da queda d'água quando o vento soprava em sua direção. Era uma sensação refrescante depois da viagem no calor. Montara antes do raiar do dia e só poderia parar após o cair da noite. Quando já estivesse nas proximidades de Elvandar e fosse interceptado por sentinelas dos elfos. Certamente estariam observando com interesse a retirada dos tsurani, e um deles poderia levá-lo até a Rainha.

Laurie se oferecera para levar a missiva, pois julgava que o mensageiro correria menos perigo se falasse tsurani. Durante a viagem, fora interceptado três vezes, esclarecendo a oficiais desconfiados para onde se dirigia. As tréguas poderiam estar em vigor, mas a confiança ainda era pouca.

Quando passou o rio, Laurie desmontou, pois o cavalo estava exausto. Levou o animal para se refrescar. Retirou a sela do dorso da montaria e penteava-o com uma escova que trouxera no alforje quando viu alguém sair do meio das árvores. Laurie se assustou, pois não se tratava de um elfo. Era um homem de cabelo escuro, grisalho nas têmporas, vestido com uma túnica marrom e com um cajado na mão. Aproximou-se do menestrel, sem pressa; parecia à vontade.

— Bons olhos o vejam, Laurie de Tyr-Sog.

O homem revelava modos estranhos e Laurie não se recordava de tê-lo encontrado em outra ocasião.

— Eu o conheço?

— Não, mas eu sei quem você é, trovador.

Laurie se aproximou da sela, onde estava a espada. O homem sorriu, agitando a mão no ar. Subitamente, Laurie sentiu-se muito calmo e parou de avançar para a espada. Quem quer que fosse aquele homem, era obviamente inofensivo, pensou.

— O que o traz à floresta dos elfos, Laurie?

Sem perceber por quê, Laurie respondeu:

— Trago mensagens para a Rainha dos Elfos.

— O que você tem a dizer?

— Que Lyam é agora o Herdeiro e que a paz foi restaurada. Ele convida os elfos e os anões para que viajem até o vale daqui a três semanas, pois será lá que a paz será assinada.

O homem acenou a cabeça.

— Compreendo. Vou agora ao encontro da Rainha. Transmitirei o recado. Você deve ter algo mais interessante com que ocupar o tempo.

Laurie estava prestes a protestar, mas se deteve. O homem deu uma risada.

— E se descansasse aqui esta noite? O som da água acalma e não é provável que chova. Amanhã, regresse ao Príncipe e lhe diga que levou a sua mensagem a Elvandar. Falou com a Rainha e com Tomas, e ambos aceitaram os desejos do Príncipe. Os anões da Montanha de Pedra também serão informados. Depois, diga a Lyam que os elfos e os anões estarão presentes. Que ele fique descansado, pois todos comparecerão.

Laurie fez um aceno com a cabeça. O que o homem dizia fazia sentido. O estranho virou-se para partir, dizendo em seguida:

— A propósito, é melhor não mencionar o nosso encontro.

Laurie nada disse, aceitando o que lhe fora transmitido pelo desconhecido sem levantar objeções. Quando o homem partiu, sentiu um grande alívio por estar voltando de Elvandar e por ter transmitido a mensagem.

A cerimônia teve lugar em uma clareira tranquila, onde Aglaranna e Tomas trocaram votos diante de Tathar. Não havia mais ninguém presente, como era costume entre os elfos quando trocavam votos de amor. Tathar invocou as bênçãos dos deuses e os instruiu nos deveres que tinham um com o outro. No final da cerimônia, disse:

— Agora, retornem a Elvandar, pois é tempo de festejar e celebrar. Trouxeram alegria ao seu povo, minha Rainha e meu Príncipe.

Levantaram-se da posição de joelhos e se beijaram. Tomas recuou, dizendo:

— Recordarei para sempre este dia, minha amada. — Virou-se e colocou as mãos em concha ao redor da boca. No idioma antigo dos elfos, gritou: — Belegroch! Belegroch! Venha a nós.

Ouviu-se o som de cascos batendo na terra. Uma pequena manada de cavalos brancos entrou velozmente na clareira, se dirigiu a eles e todos se empinaram em saudação à Rainha dos Elfos e ao seu consorte. Tomas saltou para a garupa de um deles. O garanhão élfico ficou quieto e Tathar disse:

— Não poderia ter demonstrado melhor que agora é um de nós.

Aglaranna e Tathar montaram e fizeram o caminho de volta a Elvandar. Quando foram avistados da cidade das árvores, irromperam gritos de alegria dos elfos reunidos. Como Tathar dissera, a visão da Rainha e de seu Príncipe Consorte montados nos garanhões élficos confirmava o lugar de Tomas em Elvandar.

Os festejos se prolongaram durante horas e Tomas notou que a alegria que sentia era partilhada por todos. Aglaranna estava sentada ao seu lado, pois fora colocado um segundo trono no espaço do conselho, em reconhecimento da posição de Tomas. Todos os elfos que não estivessem vigiando os seres do outro mundo passavam diante dos dois, jurando lealdade e oferecendo bênçãos à união. Os anões também vieram dar os parabéns, juntando-se às festividades de corpo e alma e inundando as clareiras de Elvandar com as suas ruidosas cantorias.

A celebração prosseguiu até altas horas da noite. De repende, Tomas ficou tenso. Pareceu sentir um vento gelado. Aglaranna agarrou-lhe o braço, sentindo que algo de errado estava acontecendo.

— Marido, o que foi?

Tomas olhou para o vazio.

— Algo... estranho... como na outra noite: esperançoso, porém triste.

Subitamente, ouviram um grito da orla da clareira abaixo de Elvandar, que se sobrepôs aos ruídos da celebração, mas que não conseguiram entender. Tomas levantou-se, com Aglaranna ao seu lado, indo até a beira da grande plataforma. Olhando para baixo, viu um batedor elfo no chão, claramente sem fôlego.

— O que se passa? — gritou Tomas.

— Meu senhor — ouviu-se a resposta —, os seres do outro mundo: estão se retirando.

Tomas ficou paralisado. Aquelas simples palavras o atingiram como um soco. Não conseguia entender o que fizera os tsurani partirem após tantos anos de guerra. Afastou aquela sensação.

— Com que finalidade? Estão se reunindo?

O batedor sacudiu a cabeça.

— Não, meu senhor, não estão se preparando. Deslocam-se sem pressa, sem agitação. Os soldados parecem desanimados. Estão levantando os acampamentos ao longo do rio Crydee e rumam para leste. — O rosto virado para cima do guarda mostrava uma expressão de entendimento atônito, ainda que alegre. Olhou para quem estava ali perto e, com um sorriso, se limitou a constatar: — Estão indo embora.

Irrompeu um incrível clamor de júbilo, levando muitos às lágrimas, pois parecia que, por fim, a guerra acabara. Tomas se virou e viu lágrimas no rosto da esposa. Ela o abraçou e assim ficaram por alguns momentos. Passado algum tempo, o novo Príncipe Consorte de Elvandar disse a Calin, que se encontrava ali perto:

— Envie batedores para que os sigam. Pode se tratar de uma artimanha.

— Acha mesmo que é, Tomas? — perguntou Aglaranna.

Ele sacudiu a cabeça.

— Desejo apenas me certificar, mas algo dentro de mim me diz que terminou mesmo. O que senti foi a esperança pela paz misturada com a tristeza da derrota. — A Rainha tocou-lhe a face e ele prosseguiu: — Vou enviar mensageiros ao acampamento do Reino para que Lorde Borric possa nos esclarecer o que está acontecendo.

— Em caso de paz, ele nos enviará uma missiva — disse Aglaranna.

Tomas olhou para ela.

— Tem razão. Sendo assim, aguardemos. — Olhou para o rosto dela, com séculos de idade, mas ainda pleno da beleza de uma mulher em seu auge. — Este dia será duplamente relembrado como um dia de celebração.

Tomas e Aglaranna não ficaram surpresos quando Macros chegou a Elvandar, pois tinham deixado de se admirar com o mago desde a sua primeira visita. Sem cerimônia, ele surgiu das árvores que rodeavam a clareira, atravessando-a até a cidade nas árvores.

Toda a corte estava reunida, incluindo Martin do Arco, quando Macros parou diante da Rainha e de Tomas. Fez uma mesura e disse:

— Saudações à senhora e ao seu consorte.

— Bem-vindo, Macros, o Negro — disse a Rainha. — Veio esclarecer o mistério da retirada dos seres do outro mundo?

Macros se apoiou no cajado e acenou afirmativamente com a cabeça.

— Trago novidades. — Pareceu ponderar cuidadosamente as palavras. — Fiquem sabendo que tanto o Rei quanto o Lorde de Crydee morreram. Lyam é agora o Herdeiro.

Tomas prestou atenção em Martin. O rosto do Mestre de Caça ficou lívido. As feições permaneceram impassíveis, mas Tomas percebeu claramente que o amigo ficara abalado com as notícias. Tomas se virou para Macros:

— Não conheci o Rei, mas o Duque era um excelente homem. Lamento ouvir tais notícias.

Macros se aproximou de Martin, que observou o feiticeiro, pois, embora ainda não o conhecesse, já ouvira falar dele, visto que Arutha lhe contara o encontro na ilha e Tomas relatara a intervenção que fizera durante a invasão tsurani a Elvandar.

— Você, Martin do Arco, deverá partir de imediato para Crydee. De lá, embarcará com as Princesas Carline e Anita rumo a Krondor. — Martin estava prestes a falar quando Macros ergueu a mão; os que se encontravam na corte pareceram parar para ganhar fôlego. Quase sussurrando, Macros disse: — Por fim, seu pai pronunciou o seu nome com amor. — Deixou cair a mão e tudo ficou como estava antes.

Martin não se sentiu agitado, experimentando uma sensação de conforto com as palavras do mago; sabia que mais ninguém percebera a sucinta observação.

— Ouçam agora outras boas notícias — prosseguiu Macros. — A guerra terminou. Lyam e Ichindar vão se encontrar daqui a vinte dias para assinarem o tratado de paz.

Ouviram-se vivas na corte e os que se encontravam no topo gritaram as notícias aos que se encontravam mais abaixo. Não tardou para que toda a floresta dos elfos ecoasse com sons de júbilo. Dolgan voltou a entrar no conselho, esfregando os olhos.

— O que se passa aqui? Outra celebração sem a nossa presença enquanto eu cochilava? Assim, vou acabar achando que já não somos bem-vindos.

Tomas riu.

— Não é nada disso, Dolgan. Vá buscar seus irmãos e juntem-se a nós nas celebrações. A guerra terminou.

Dolgan pegou o cachimbo, jogando fora o resto de tabaco queimado que havia ali e empurrando-o com o pé pela beirada da plataforma.

— Até que enfim — disse, abrindo a bolsa. Virou-se, como se estivesse ocupado enchendo o cachimbo, e Tomas fingiu não reparar no rosto molhado do líder dos anões.

Arutha estava sentado no trono do pai, sozinho no grande salão. Tinha na mão a carta do irmão, que já lera diversas vezes, tentando entender que o pai, de fato, partira. A tristeza se abatera sobre ele.

Carline recebera bem as notícias. Quis permanecer no jardim tranquilo ao lado da torre, sozinha com seus pensamentos.

Na cabeça de Arutha, os pensamentos estavam descontrolados. Recordou-se da primeira vez que o pai o levara para caçar, depois se lembrou de outra ocasião quando regressara da caça com Martin do Arco e como, estufado de orgulho, escutara a exclamação do pai ao ver o grande gamo que trouxera. Lembrava-se vagamente da tristeza quando soubera da morte da mãe, mas era um acontecimento distante, embaçado pelo tempo. De repente, surgiu-lhe a imagem do pai enfurecido no palácio do Rei e Arutha suspirou demoradamente.

— Pelo menos — disse para si próprio —, grande parte do que você desejou veio a acontecer. Rodric faleceu e Guy caiu em desgraça.

— Arutha? — chamou uma voz do outro lado do salão.

Arutha levantou o olhar: Anita surgiu das sombras da porta e seus chinelos de cetim não faziam barulho ao atravessar o chão de pedra da sala.

Perdido em pensamentos, o Príncipe não notara que ela entrara. Trazia uma pequena vela, pois o cair da noite deixara o salão envolto em escuridão.

— Os pajens não queriam incomodá-lo, mas eu já não aguentava vê-lo aqui sentado e sozinho no escuro — disse ela. Arutha sentiu-se satisfeito e aliviado por ela ter aparecido. Uma jovem de bom senso incomum e de modos carinhosos, Anita fora a primeira pessoa que enxergara por baixo da aparência calma e do humor mordaz de Arutha. Mais do que aqueles que o conheciam desde pequeno, ela compreendia seus estados de espírito e conseguia aliviá-los, sabendo as palavras certas que o consolavam. — Já sei das notícias, Arutha — disse sem esperar resposta. — Sinto muitíssimo.

Arutha sorriu.

— Ainda não superou o pesar pelo falecimento de seu pai e já partilha o meu. Você é muito bondosa.

A notícia da morte de Erland chegara uma semana antes em um navio vindo de Krondor. Anita sacudiu a cabeça, fazendo o seu macio cabelo ruivo se deslocar como uma onda ao redor do rosto.

— Meu pai estava doente há muitos anos. Preparou-nos para a sua morte. Não restavam grandes dúvidas quando o levaram para as masmorras. Eu estava ciente disso quando parti de Krondor.

— Ainda assim, demonstra força. Espero suportar tão bem quanto você. Há tanto a fazer.

— Acho que ambos irão governar com sensatez — ela falou serenamente —, Lyam em Rillanon e você em Krondor.

— Eu? Em Krondor? Tenho evitado pensar nisso.

Ela se sentou ao lado dele, no trono que Carline ocupava quando ficava ao lado do pai na corte. Estendeu a mão, pousando-a sobre a mão de Arutha no braço do trono.

— Tem de ser. Depois de Lyam, você é o Herdeiro da coroa. Cabe ao Herdeiro a função de Príncipe de Krondor. Não há mais ninguém que possa governar lá.

Arutha pareceu constrangido.

— Anita, sempre pressupus que um dia me tornaria Conde de um castelo de menor relevância ou que talvez fizesse carreira como oficial em um dos exércitos dos Barões fronteiriços. Jamais pensei que viria a governar. Ainda não sei se recebo com agrado a ideia de me tornar Duque de Crydee, quanto mais Príncipe de Krondor. Além disso, Lyam irá se casar, tenho certeza: ele sempre atraiu as atenções das garotas e, como Rei, certamente terá muitas pretendentes. Quando ele tiver um filho, o garoto poderá se tornar Príncipe de Krondor.

Anita sacudiu a cabeça com convicção.

— Não, Arutha. Há muito trabalho a fazer agora. O Reino Ocidental precisa de alguém com pulso forte, o seu pulso. Não é provável que outro Vice-Rei venha a inspirar confiança, pois todos os Lordes desconfiarão de quem for nomeado. Precisa ser você.

Arutha olhou atentamente para a jovem. Nos cincos meses de estadia em Crydee, começara a gostar muito dela, ainda que não fosse capaz de lhe transmitir o que sentia; nunca encontrava as palavras certas quando estavam juntos. Dia após dia, ela era cada vez mais uma bela mulher e cada vez menos uma menina. No entanto, ainda era muito nova, o que contribuía para deixá-lo constrangido. Com a guerra em curso, não pensara nos planos dos pais de ambos a respeito de um possível casamento, que lhe tinham sido revelados naquela noite a bordo do *Corredor Marinho*. Agora, com a paz quase estabelecida, Arutha se viu repentinamente confrontado com aquela questão.

— Anita, o que disse talvez seja verdade, mas você também tem pretensões ao trono. Não disse que o plano de seu pai de nos casar tinha como propósito reforçar a sua pretensão a Krondor?

Anita o encarou com enormes olhos verdes.

— Era um plano para enfrentar as ambições de Guy. Destinava-se a reforçar a pretensão de seu pai ou de seu irmão à coroa, caso Rodric morresse sem herdeiros. Agora você não precisa se sentir preso a esses planos.

— Se eu aceitar o trono de Krondor, o que você fará?

— Minha mãe e eu temos outras propriedades. Acho que poderemos viver muito bem desses rendimentos, estou certa disso.

Debatendo-se com as emoções em seu íntimo, Arutha falou pausadamente:

— Ainda não tive tempo de pensar em tudo isso. Da última vez que estive em Krondor, percebi quão pouco sei sobre cidades grandes e ainda menos sobre a arte de governar. Você foi criada tendo em vista essas responsabilidades. Eu... eu era apenas o segundo filho. Não tenho preparo.

— Não faltam homens competentes, tanto aqui como em Krondor, para aconselhá-lo. Você tem uma boa cabeça, Arutha, bem como a capacidade de ver o que tem de ser feito e a coragem para agir. Será um bom Príncipe de Krondor. — Levantou-se, inclinando-se para lhe dar um beijo no rosto. — Tem muito tempo para decidir como melhor servir seu irmão, Arutha. Tente apenas não deixar que esta nova responsabilidade o sobrecarregue.

— Vou tentar. Ainda assim, iria me sentir melhor se soubesse que você estaria perto de mim... você e sua mãe — acrescentou depressa.

Ela sorriu afetuosamente.

— Estaremos perto caso precise de nosso conselho, Arutha. É provável que permaneçamos na nossa propriedade nas colinas perto de Krondor, a poucas horas a cavalo do palácio. Krondor é a única terra que conheço e minha mãe sempre viveu ali, desde muito nova. Caso deseje nos ver, basta enviar a ordem e nós regressaremos de bom grado à corte. Além disso, caso deseje descansar do fardo de sua função, será um hóspede muito bem-vindo.

Arutha sorriu para a garota.

— Desconfio que irei visitá-las regularmente, mas espero não esgotar essa hospitalidade.

— Jamais, Arutha.

Tomas estava sozinho na plataforma, contemplando as estrelas através dos galhos acima. Seus sentidos de elfo perceberam alguém se aproximando. Com um aceno de cabeça, cumprimentou o feiticeiro:

— Tenho somente vinte e cinco anos de vida, Macros, embora carregue memórias de muitas épocas. Passei toda a minha vida adulta guerreando. Tudo parece um sonho.

— Não tornemos esse sonho um pesadelo.

Tomas olhou com atenção para o feiticeiro.

— Como assim?

Macros ficou calado durante algum tempo e Tomas aguardou as suas palavras pacientemente.

— Resta uma última tarefa, Tomas, e sobre você recaiu a responsabilidade de terminar esta guerra — disse o feiticeiro por fim.

— Não gosto do tom de suas palavras. Achei que havia dito que a guerra acabara.

— No dia do encontro entre Lyam e o Imperador, você terá de reunir os elfos e os anões a oeste do campo. Quando os monarcas se reunirem no centro do campo, ocorrerá uma traição.

— Que traição será essa? — O rosto de Tomas traía a raiva que sentia.

— Pouco mais posso adiantar, a não ser que, quando Ichindar e Lyam estiverem sentados, você terá de atacar os tsurani com todas as suas forças. Só assim Midkemia poderá se salvar da destruição total.

Um olhar de desconfiança atravessou o rosto de Tomas.

— Pede muito para alguém disposto a dar tão pouco.

Macros estava perfeitamente ereto, com o cajado ao seu lado, como um soberano segurando o cetro.

Apertou os olhos escuros e as sobrancelhas se uniram acima do nariz adunco. A voz se manteve suave, mas as palavras mostravam irritação. Até Tomas sentia algo semelhante a um profundo respeito na presença do feiticeiro.

— Pouco! — disse, remoendo a palavra. — Dei-lhe tudo, valheru! Está aqui à custa de minhas ações ao longo dos anos. Grande parte da minha vida, mais do que possa imaginar, foi dedicada à preparação da sua vinda. Se eu não tivesse subjugado e depois feito amizade com Rhuagh, você jamais teria sobrevivido nas minas de Mac Mordain Cadal. Fui eu que preparei a armadura e a espada de Ashen-Shugar, deixando-as juntamente com o Martelo de Tholin e o meu presente ao dragão, para que séculos mais tarde você os descobrisse. Fui eu que o encaminhei na direção certa, Tomas. Se não tivesse vindo em seu auxílio, anos atrás, hoje Elvandar não passaria de cinzas. Acha que Tathar e os outros Tecedores de Feitiços de Elvandar foram os únicos a trabalhar em seu interesse? Sem a minha ajuda ao longo desses últimos nove anos, você teria sido completamente aniquilado pelos presentes do dragão. Nenhum humano poderia ter suportado uma magia tão antiga e poderosa sem a intervenção que só eu poderia providenciar. Quando era levado nas visitas oníricas ao passado, fui eu que o guiei de volta ao presente, eu o trouxe de volta à sanidade. — A voz do feiticeiro se elevou: — Fui eu que lhe forneci o poder para conseguir influenciar Ashen-Shugar! Você foi o meu instrumento! — Tomas recuou diante da fúria controlada das palavras do feiticeiro. — Não, Tomas, eu não lhe dei pouco. Dei-lhe tudo!

Pela primeira vez desde que vestira a armadura em Mac Mordain Cadal, Tomas sentiu medo. Na fibra mais básica do seu ser, percebeu o poder que o feiticeiro possuía e que, caso Macros assim desejasse, poderia esmagá-lo como a um inseto incômodo.

— Quem é você? — perguntou em voz baixa, com o medo controlado na voz.

A raiva de Macros se dissipou. Voltou a se apoiar no cajado e os medos de Tomas o abandonaram; com eles sumiram todas as memórias desses medos. Com uma risada, Macros disse:

— Às vezes, perco a cabeça. Peço perdão. — Voltou a ficar sério. — Não lhe peço isso por qualquer exigência de gratidão. O que fiz está feito, e nada me deve. Porém fique sabendo: tanto a criatura chamada Ashen-Shugar quanto o rapaz de nome Tomas partilham um amor duradouro por este mundo, cada um à sua maneira, embora não compreendam a forma que o amor do outro toma. Ambos possuem os aspectos do amor a esta terra: o desejo dos valheru de proteger e controlar e o desejo do rapaz humano de cuidar e prover. Contudo, caso falhe nesta tarefa que lhe apresento, caso falte determinação quando o momento se aproximar, fique sabendo com uma certeza horrenda que este mundo no qual nos encontramos desaparecerá para sempre. Isto lhe juro como sendo verdade.

— Então farei como me instruiu.

Macros sorriu.

— Vá então até sua esposa, Príncipe Consorte de Elvandar, mas, quando chegar a hora, reúna seu exército. Eu vou à Montanha de Pedra, pois Harthorn e seus soldados irão se juntar a você. Irão precisar de todas as espadas e de todos os martelos de guerra.

— Eles irão reconhecê-lo?

Macros fitou Tomas.

— É óbvio que me reconhecerão, Tomas de Elvandar, não tenha dúvida.

— Reunirei todo o poderio de Elvandar, Macros. — Um tom sinistro tomou conta da sua voz: — Poremos um fim a esta guerra, para todo o sempre.

Macros agitou o cajado e desapareceu. Tomas ficou sozinho durante bastante tempo, debatendo-se com um receio recente: o medo de que aquela guerra pudesse durar para sempre.

14

Traição

Os exércitos estavam frente a frente.

Veteranos de guerra fitavam-se através do vale descampado, parecendo não estar preparados para relaxar na presença de um inimigo que combatiam há mais de nove anos. Cada um dos lados trouxera companhias de honra, representando os nobres do Reino e os clãs do Império. Cada uma perfazia mais de mil homens. O que restava do exército de invasão tsurani estava entrando no portal, regressando a Kelewan, e deixando para trás somente o destacamento de honra do Imperador. O exército do Reino permanecia acampado à entrada das duas passagens para o vale e só se retiraria quando o tratado estivesse firmado. A recente confiança ainda era marcada pela cautela.

Do lado do vale ocupado pelo Reino, Lyam estava montado em um cavalo de batalha branco, aguardando a chegada do Imperador. Perto dele, os nobres do Reino, de armaduras limpas e polidas, também estavam montados em seus cavalos. Com eles, encontravam-se os líderes da milícia das Cidades Livres e um destacamento de patrulheiros nataleses.

Ouviram-se trombetas do outro lado do campo e a comitiva do Imperador surgiu da fenda. Os estandartes imperiais esvoaçavam ao vento, enquanto avançavam para a frente do contingente tsurani.

Aguardando o arauto tsurani que atravessava as várias centenas de metros que separavam os monarcas antagônicos, o Príncipe Lyam virou-se para verificar quem estava ali perto. Tinham sido atribuídas a Pug, Kulgan, Meecham e Laurie posições de honra devido aos serviços prestados ao Reino. O Conde Vandros, bem como vários outros oficiais que se tinham notabilizado, também estavam por perto. Ao lado de Lyam estava Arutha, montado em um alazão que empinava, animado, sem sair do lugar.

Pug olhou ao redor, com uma sensação vertiginosa ao avistar todos os símbolos de duas poderosas nações cujos destinos estiveram tão intimamente ligados a ele. Do outro lado da planície, conseguia avistar e reconhecer os estandartes das poderosas famílias do Império: Keda, Oaxatucan, Minwanabi e outras. Atrás dele, esvoaçavam os estandartes do Reino, de todos os ducados de leste a oeste, desde Crydee até Ran.

Kulgan reparou no olhar distante de seu antigo aprendiz e tocou-lhe no ombro com o cajado comprido que trazia na mão.

— Tudo bem?

Pug se virou.

— Tudo. Senti-me ligeiramente sobrecarregado por um instante, consumido por lembranças. De certa forma, é estranho ver este dia chegar. Ambas as facções desta guerra eram inimigas implacáveis e, ainda assim, tenho ligações com ambas as terras. Acho que tenho sentimentos que ainda devo explorar.

Kulgan sorriu.

— Depois disto, haverá muito tempo para introspecções. Quem sabe eu e Tully possamos auxiliá-lo. — O velho clérigo acompanhara Arutha naquela cavalgada brutal, não querendo perder a conferência de paz. Contudo, os catorze dias na sela tinham cobrado o seu preço: Tully jazia enfermo na tenda de Lyam, que tivera de lhe ordenar que não saísse, pois continuava determinado a acompanhar a comitiva real.

O arauto tsurani parou na frente de Lyam. Fez uma mesura pronunciada para depois dizer algo no idioma tsurani. Pug avançou para traduzir:

— Ele disse: "Sua Grandiosa Majestade Imperial, Ichindar, noventa e uma vezes Imperador, Luz do Céu e soberano de todas as nações de Tsuranuanni, envia saudações ao seu irmão monarca, Sua Grandiosa Alteza Real, Príncipe Lyam, soberano das terras conhecidas como Reino. O Príncipe aceita o seu convite para se juntar a ele no centro deste vale?"

— Diga-lhe que retribuo as saudações e que terei muito prazer em ir ao seu encontro no local indicado — respondeu Lyam. Pug traduziu, recorrendo às formalidades tsurani adequadas à ocasião, e o arauto voltou a fazer uma mesura, regressando às suas fileiras.

Quando viram a liteira imperial avançar, Lyam fez sinal para que sua escolta o acompanhasse e partiram ao encontro do Imperador no centro do vale. Pug, Kulgan e Laurie faziam parte da escolta de honra; Meecham aguardou com os soldados.

Os cavaleiros do Reino chegaram primeiro ao local designado e aguardaram enquanto o séquito imperial avançava. A liteira era sustentada pelas costas de vinte escravos, escolhidos pela semelhança de altura e aparência. Os volumosos músculos sobressaíam com o esforço de carregar a pesada liteira incrustada de ouro. Leves cortinas brancas pendiam de suportes de madeira embutidos a ouro, decorados com pedras preciosas de grande valor e beleza. As joias e o metal raro reluziam com os raios de sol.

Atrás da liteira marchavam os representantes das famílias mais importantes do Império, Chefes de Guerra dos clãs. Eram cinco, um para cada família apta a eleger um novo Senhor da Guerra.

A liteira foi abaixada e Ichindar, Imperador das nações de Tsuranuanni, desceu. Trajava uma armadura dourada, de valor incalculável de acordo com os padrões tsurani. Na cabeça, trazia um elmo enfeitado com um penacho e coberto com o mesmo metal. Avançou até Lyam, que desmontara para ir ao seu encontro. Pug, que seria o tradutor, desmontou e se colocou de um dos lados dos dois soberanos. O Imperador lhe fez um breve aceno com a cabeça.

Lyam e Ichindar se examinaram atentamente, parecendo ficar surpresos com a juventude um do outro. Ichindar era somente três anos mais velho do que o novo Herdeiro do Reino.

Lyam começou dando as boas-vindas ao Imperador com amizade e esperança na paz. Ichindar respondeu de modo semelhante. Depois, a Luz do Céu deu um passo à frente e estendeu a mão direita.

— Creio que é este o seu costume, não?

Lyam apertou a mão do Imperador de Tsuranuanni. De um momento para outro, a tensão desapareceu e ouviram-se vivas de ambos os lados do vale. Os dois jovens monarcas sorriam e o aperto de mãos foi forte e firme.

— Que este seja o início de uma paz duradoura entre as nossas duas nações — disse Lyam.

— A paz é novidade para Tsuranuanni, mas estou confiante de que aprenderemos depressa — respondeu Ichindar. — O meu Conselho Supremo se encontra dividido quanto às minhas ações. Espero que os frutos das trocas e a prosperidade obtida pela aprendizagem mútua permitam unificar as atitudes.

— Esse também é o meu desejo — disse Lyam. — Para assinalar a trégua, pedi que lhe preparassem um presente. — Fez sinal e um soldado avançou das fileiras do Reino em seu cavalo, trazendo pela mão um lindo cavalo de batalha preto. Na garupa, trazia uma sela preta trabalhada em ouro e da cabeça da sela pendia uma espada larga, cujo punho estava ornamentado com joias, tal como a bainha que a protegia.

Ichindar contemplou o cavalo com algum ceticismo, mas ficou abismado pela arte da espada. Ergueu a enorme lâmina, dizendo:

— É uma grande honra, Príncipe Lyam.

Ichindar virou-se para um de seus acompanhantes, que deu ordem para que trouxessem um baú. Dois escravos o depositaram em frente ao Imperador. Era esculpido em madeira ngaggi, com um bonito acabamento escuro e brilhante. Arabescos rodeavam entalhes de animais e plantas tsurani em baixo-relevo. Cada um desses desenhos fora habilmente tingido com tons mais claros e mais escuros, em um detalhe que se aproximava do natural. Por si só, era um belíssimo presente, porém, quando abriram o baú, uma pilha das mais valiosas pedras preciosas lapidadas, todas maiores do que o polegar de um homem, cintilou ao sol.

— Teria dificuldade em explicar uma indenização ao Conselho Supremo — disse o Imperador —, e minha posição junto a ele não é a melhor no momento; porém não podiam negar um presente para assinalar a ocasião. Espero que sirva para ressarcir uma parte da destruição causada pela minha nação.

Lyam fez uma ligeira mesura.

— É generoso e lhe agradeço. Aceita tomar uma bebida em minha companhia? — O Imperador aceitou e Lyam ordenou que fosse montado um pavilhão. Uma dúzia de soldados galopou para a frente e desmontou. Vários carregaram postes e rolos de tecido. Em pouco tempo, foi levantado um grande pavilhão, aberto dos lados. Sob a cobertura, foram colocadas uma mesa e cadeiras. Outros soldados colocaram vinho e comida na mesa.

Pug puxou uma grande cadeira almofadada para o Imperador e Arutha fez o mesmo ao irmão. Os dois soberanos sentaram-se e Ichindar disse:

— Parece mais confortável do que o meu trono. Tenho de mandar fazer uma almofada.

Foi servido vinho e Lyam e o Imperador beberam à saúde um do outro. Depois, foi proposto um brinde à paz. Todos os presentes brindaram e beberam.

Ichindar dirigiu-se a Pug:

— Grande, parece-me que esta ocasião será mais saudável para quem está à nossa volta do que o nosso último encontro.

— Estou confiante de que será, Vossa Majestade Imperial. Espero que tenha perdoado a perturbação que provoquei nos Torneios Imperiais.

O Imperador franziu a testa.

— Perturbação? Estava mais para destruição.

Pug traduziu para os outros, enquanto Ichindar sorria pesarosamente em reconhecimento.

— Este Grande introduziu muitas inovações em meu Império. Receio que não conseguiremos ver o fim de sua obra mesmo quando o seu nome já tiver sido esquecido. Ainda assim, faz parte do passado. Preocupemo-nos com o futuro.

Os convidados de honra de ambos os acampamentos permaneceram no pavilhão, enquanto os dois monarcas iniciavam a discussão quanto à melhor forma de estabelecer relações entre os dois mundos.

Tomas contemplava o pavilhão. Calin e Dolgan o ladeavam, aguardando. Atrás deles, mais de dois mil elfos e anões estavam a postos. Tinham entrado no vale pela Passagem Norte, passando pelas forças do Reino ali reunidas. Contornaram a clareira, reunindo-se no bosque a oeste, de onde usufruíam de uma visão sem impedimentos de tudo o que se passava.

Um segundo anão, Harthorn da Montanha de Pedra, se aproximou deles.

— Sim, jovem elfo. Parece que está tudo bem calmo, apesar das advertências do feiticeiro.

De repente, perceberam uma névoa de calor atravessando o campo, como se tivessem ficado com a visão marejada e tremulando; logo Tomas e os outros avistaram soldados tsurani de armas em riste.

Tomas se virou para os que estavam atrás, avisando:

— A postos!

Um soldado do Reino levou o cavalo até o pavilhão. Os lordes tsurani o fitaram desconfiados, pois até então os únicos soldados que tinham se aproximado do pavilhão eram os que serviam a comida e as bebidas.

— Alteza! — gritou. — Algo estranho está acontecendo.

— O quê? — exclamou Lyam, perturbado pela excitação do homem.

— De nossa posição, conseguimos ver silhuetas se deslocando pelas florestas para oeste.

Lyam se levantou e vislumbrou figuras na beira da floresta. Pouco depois, enquanto Pug traduzia o diálogo ao Imperador, disse:

— São os anões e os elfos. — Virou-se para Ichindar. — Informei a Rainha dos Elfos e os Comandantes Militares dos anões sobre a paz. Devem estar chegando.

O Imperador se aproximou de Lyam e examinou os bosques.

— Por que permanecem nas árvores? Por que se escondem?

Lyam se dirigiu ao cavaleiro:

— Vá até lá e convide-os a se juntarem a nós.

O guarda obedeceu. Quando estava a meio caminho do bosque, ouviu-se um grito vindo das árvores e, logo em seguida, precipitaram-se elfos vestidos de verde e anões com armaduras. Nada mais se ouvia além de cânticos e gritos de guerra. Ichindar olhou com ar confuso para as figuras que avançavam. Vários de seus acompanhantes desembainharam armas. Um soldado das fileiras tsurani correu até o pavilhão e gritou:

— Majestade, estamos perdidos. É uma cilada!

Todos os tsurani recuaram, espadas em punho.

— É desta forma que negocia a paz? — gritou Ichindar. — Fazendo promessas enquanto planeja traição?

Lyam não entendeu as palavras, mas o tom era bastante claro. Agarrou Pug pelo braço, dizendo:

— Diga-lhe que não sei o que está acontecendo!

Pug tentou se fazer ouvir acima do alvoroço no pavilhão, mas os nobres tsurani já estavam se afastando, rodeando a Luz do Céu, enquanto soldados corriam das fileiras tsurani para ajudar na proteção de Ichindar.

— Recuem! Recuem para as nossas fileiras! — gritou Lyam quando os soldados tsurani se aproximaram. Os midkemianos montaram de pronto.

Pug ainda conseguiu ouvir a voz de Ichindar acima do ruído:

— Traidor, mostrou sua verdadeira natureza. Jamais Tsuranuanni irá negociar com quem não tem honra. Iremos esmagar seu Reino até não restar nada além de pó.

Ouviram-se sons de combate quando os elfos e os anões entraram em confronto com os soldados tsurani. Lyam e os outros cavalgaram até seus soldados, que aguardavam a ordem para se juntar à batalha.

— Avançamos, Alteza? — perguntou Brucal quando Lyam puxou as rédeas.

Lyam sacudiu a cabeça.

— Não quero participar dessa traição.

Contemplou a cena que se desenrolava à sua frente. Os elfos e os anões estavam fazendo os tsurani recuarem de volta à máquina do portal. O Imperador e seus guardas estavam contornando-os, evitando a batalha, mantendo os guardas de honra entre os atacantes e a comitiva. Viam-se mensageiros desaparecerem pela fenda.

Pouco depois, começaram a surgir soldados tsurani vindos do portal. Correram para atacar o inimigo. As fileiras tsurani que estavam sucumbindo conseguiram aguentar, obrigando os elfos e os anões a recuar.

Arutha aproximou o cavalo da montaria de Lyam.

— Lyam! Temos de atacar. Não demorará para que os elfos e os anões sejam esmagados. Do outro lado da fenda há mais dez mil soldados tsurani, a um passo de distância. Se deseja pôr fim a esta guerra sangrenta, é preciso capturar e manter aquela máquina.

Pug incitou o cavalo e se colocou do outro lado de Lyam.

— Lyam! — gritou. — Precisa fazer o que Arutha diz.

A dúvida ainda dominava o jovem Herdeiro. Pug levantou ainda mais o tom de voz:

— Entenda o seguinte: durante nove anos, você enfrentou uma parte do poder do Império, apenas os soldados que pertencem aos clãs da Facção Bélica. Até agora, você contou com muitos aliados ocultos, que conseguiram bloquear um esforço de guerra em larga escala contra o Reino. Contudo, esta traição enraiveceu o único homem que pode exigir uma obediência inquestionável de todos os clãs do Império. Ichindar pode ordenar a mobilização de todos os clãs de Tsuranuanni! Você nunca enfrentou mais de trinta mil guerreiros espalhados pelas várias frentes. Até amanhã, esses trinta mil poderão regressar ao vale. Dentro de uma semana, esse número dobrará. Lyam, você não faz ideia da imensidão do poder que Ichindar tem. No espaço de um ano, poderá enviar um milhão de homens e mil magos contra nós! Precisa agir!

Lyam estava rígido em cima do cavalo, a amargura evidente no rosto.

— Pode nos ajudar?

— Sim, caso você consiga abrir caminho para que eu chegue à máquina, mas não sei se terei a capacidade de desligá-la. Possuo outros poderes, é verdade, porém, ainda que conseguisse subjugar o condicionamento que impede a minha oposição ao Império e matasse todos os homens neste campo, de pouco serviria, pois uma hoste ainda maior estaria a um passo de distância.

Lyam fez um aceno brusco com a cabeça. Devagar, virou-se para Arutha.

— Envie batedores às passagens Norte e Sul. Chame todos os Exércitos do Reino às fileiras. — Arutha girou e gritou ordens, e logo partiram cavaleiros a toda a velocidade em direção às duas passagens.

Lyam olhou para trás, onde estava Pug.

— Se pode ajudar, faça-o, mas somente quando abrirmos um caminho seguro. Você é o único mestre de suas artes neste mundo. — Indicando Laurie, Meecham e Kulgan, disse: — Mantenha-os também afastados da batalha, pois não fazem parte disto. Permaneça aqui e, se falharmos, recorra às suas artes para ir a Krondor. Carline e Anita deverão ser levadas para o Leste, para junto do tio-avô Caldric, uma vez que o Oeste irá certamente se tornar tsurani. — Desembainhou a espada e deu ordens para avançar.

Os mil cavaleiros avançaram em peso, uma parede de aço em movimento, ganhando ímpeto enquanto oficiais gritavam ordens, mantendo as colunas ordenadas. Nesse momento, Lyam fez sinal para que investissem e as fileiras se desarrumaram à medida que os cavaleiros avançavam pelo descampado em direção aos tsurani, que ouviram o estrondo da cavalaria. Muitos recuaram, afastando-se de elfos e anões de modo a formar uma barreira de escudos. Pug, Laurie, Meecham e Kulgan contemplaram os cavaleiros do Reino colidindo com os escudos. Cavalos e homens gritaram no momento em que as espadas compridas se dobravam e partiam. A barreira de escudos vacilou à medida que iam sucumbindo homens, mas outros saltavam para tomar o lugar daqueles que caíam, e a hoste do Reino foi repelida. Lyam voltou a formar as tropas e investiu novamente, desta vez conseguindo atravessar os escudos.

Pug viu o lado direito das forças tsurani tombar diante dos cavaleiros. Mas foi o próprio Imperador que restabeleceu o equilíbrio de seus soldados e o centro da posição se manteve. Mesmo àquela distância, Pug conseguia ver os nobres tsurani suplicando ao Imperador que fugisse.

O Imperador empunhava a espada e gritava ordens. Recusava-se a abandonar o campo. Estava dispondo seus homens em um círculo apertado para proteger a máquina, para que outros pudessem chegar àquele vale vindos de Kelewan. Viu que saíam soldados da fenda em grande número. Em breve, seriam suficientes para destruir a pequena força do Rei.

Sentiu que a terra estremecia ligeiramente debaixo de seus pés, até que viu um dos lordes tsurani apontar para além do Imperador. Ichindar viu centenas de cavaleiros surgirem das árvores ao norte. As unidades de cavalaria do norte tinham sido as primeiras a responder ao chamado de Lyam. O Imperador dirigiu soldados recém-chegados para as fileiras ao norte, de modo a enfrentarem a nova ameaça.

Um grito à esquerda fez com que se virasse. Um guerreiro alto, vestido de branco e dourado, dizimava os guardas tsurani, com o intuito de chegar à Luz do Céu. Todos os lordes tsurani correram para impedi-lo. Ali perto se encontrava um Líder de Forças Militares. Correu até o Imperador, gritando:

— Majestade, tem de partir. Não conseguimos aguentar muito mais. Se o perdermos, o Império perderá o coração e os deuses nos virarão seus rostos.

O Imperador tentou afastá-lo, ao mesmo tempo que o gigante dourado e branco ceifava a vida de outro lorde tsurani.

— Rogo a compreensão dos céus — disse o oficial, e bateu com o punho da espada na nuca de Ichindar. O Imperador caiu desmaiado e o Líder de Forças Militares gritou ordens a soldados para que o levassem pelo portal. — O Imperador foi dominado! Ponham-no em segurança! — Sem questionar, os soldados pegaram o soberano supremo e o transportaram até a máquina.

Um Líder de Ataques correu para o lado do Líder de Forças Militares, gritando:

— Senhor, todos os nossos lordes morreram! — O Líder de Forças Militares viu que o guerreiro alto estava sendo forçado a recuar simplesmente pelo grande número de soldados tsurani que tinham ido interceptá-lo, mas só depois de ele ter chacinado todos os veteranos Chefes de Guerra que tinham acompanhado o Imperador. Bastou uma olhada para que o Líder de Forças Militares percebesse que o Imperador estava quase a salvo, pois os guardas que o transportavam desapareceram de vista na extremidade mais distante do portal. Surgiam mais soldados na área mais próxima da fenda. Vendo que não havia mais tempo a perder, o Líder de Forças Militares disse:

— Assumirei o cargo de Comandante de Forças Militares! Você será o Subcomandante substituto. Envie mais soldados para o norte. — O homem partiu correndo para colocar mais homens ao longo da frente de combate ao mesmo tempo que a cavalaria da Passagem Norte se aproximava em um galope enfurecido.

Os novos atacantes atingiram a posição tsurani com um estrépito ensurdecedor. A barreira de escudos erguida às pressas vacilou, mas acabou aguentando. O Comandante de Forças Militares olhou em volta e rezou para que conseguissem aguentar até chegarem reforços em número suficiente.

Pug e os três companheiros viram as tropas do Reino vindas do norte investirem contra a barreira de escudos. Lanças se estilhaçaram e cavalos tombaram, enquanto homens aos gritos eram pisoteados. A barreira aguentou e as forças do Reino se retiraram para poderem voltar à formação e novamente investir. Os homens de Lyam estavam sendo repelidos, o que o levou a ordenar uma retirada, de modo a coordenar o ataque com a força do norte.

Os elfos e os anões sob o comando de Tomas se encontravam a oeste entre os tsurani e, embora estivessem lhes causando grandes dificuldades, também estavam sendo repelidos aos poucos.

Quando os cavaleiros recuaram, a atenção dos tsurani se voltou para os elfos e anões. Os que se encontravam atrás das posições na barreira de escudos ao norte e ao sul deixaram os seus postos para apoiarem os camaradas no flanco oeste.

Ao ver aquelas movimentações, Meecham observou:

— Se os elfos não baterem em retirada, os tsurani irão esmagá-los. — Como se o tivessem ouvido, os quatro observadores repararam em uma interrupção no confronto a oeste. Elfos e anões recuaram sob a cobertura de arqueiros elfos.

— Esta pausa irá reforçar os tsurani — disse Kulgan a Pug. Viam bem o grande fluxo de soldados que atravessava a fenda. — Se Lyam não alcançar a máquina depois da próxima investida, o inimigo irá se fortalecer e nós fraquejaremos.

— Podemos retê-los se ele conseguir colocar arqueiros na entrada do portal — disse Pug. — Uma sequência contínua de flechas deverá bastar para retardá-los pelo tempo que demorará para se erguer alguma barreira. Então talvez consigamos desativá-la.

— Será possível destruí-la? De outra forma, os riscos são enormes — perguntou Laurie.

Pug se manteve calado por alguns instantes.

— Não sei se tenho poderes para destruir a brecha. Contudo, acho que chegou o momento de tentar.

Quando ia esporear o cavalo, uma voz ressoou vinda de trás:

— Não!

Viraram-se todos ao mesmo tempo, deparando-se com uma figura vestida de marrom, de pé e de cajado na mão, onde antes não havia ninguém.

— Nem os seus poderes estão à altura de tal tarefa, Grande.

— Macros! — exclamou Kulgan.

Macros sorriu com amargura.

— Como previ, aqui estou quando a necessidade mais exige, no momento mais difícil.

— O que pode ser feito? — perguntou Pug.

— Eu fecharei a fenda, mas preciso de sua ajuda. — Virou-se para Kulgan. — Vejo que ainda tem o cajado que lhe ofereci. Ainda bem. Desmontem.

Pug e Kulgan desmontaram. Pug se esquecera de que o cajado que sempre acompanhava Kulgan fora oferecido por Macros.

Macros se aproximou, parando diante de Kulgan.

— Coloque a ponta do cajado com firmeza no chão. — Virou-se e entregou o cajado que trazia a Pug. — Este cajado faz par com aquele. Segure-o com força e não o largue nem por um segundo, se quiser sobreviver a esta tarefa. — Contemplou o conflito perto dali. — Está quase na hora, mas ainda falta algum tempo. Ouçam com atenção, pois o tempo urge. — Olhou para Pug e, em seguida, para Kulgan. — Quando tudo isto terminar, se o portal for destruído, regressem à minha ilha. Lá encontrarão explicações para tudo o que aconteceu, embora eu ache que não vão ficar plenamente satisfeitos. — O sorriso amargo voltou a surgir. — Kulgan, se tem esperança de voltar a ver seu antigo aprendiz, agarre esse cajado com toda a força que possui. Mantenha Pug em seus pensamentos e nunca deixe que o cajado perca contato com solo midkemiano. Entendeu?

— Mas e quanto a você? — perguntou Kulgan.

Macros respondeu em tom ríspido:

— A minha segurança só diz respeito a mim. Não se preocupem comigo. O meu papel em todo este drama foi tão predestinado quanto o seu. Agora, observem.

Voltaram a prestar atenção à batalha. As tropas do Reino vindas do norte investiram e Lyam e Tomas deram ordens para que suas unidades se juntassem no ataque. Os cavaleiros voltaram a se chocar nas barreiras de escudos e as fileiras tsurani cederam. Por um momento, a cavalaria do Reino dominou o campo e os tsurani caíram em direção ao interior. Em seguida, quando a vantagem da carga foi contra-atacada pelo agressivo enxame da infantaria que golpeava cavalos debaixo dos cavaleiros ou que se juntava para atirar os cavaleiros ao chão, o equilíbrio regressou. Via-se um mar de figuras que batalhavam ao redor da máquina do portal. A organização era inexistente e a disciplina escasseava. Os homens lutavam pela sobrevivência, e não para ganhar posições. O barulho do metal batendo em madeira e couro ressoava pelo vale. Por todo lado para onde se olhasse, jorrava sangue e o som da morte era terrível.

Macros olhou para Pug e disse:

— Chegou a hora. Caminhe comigo.

Pug seguiu o feiticeiro de manto marrom. Segurava o cajado de Macros com força, pois acreditava na advertência do feiticeiro de que era a sua única esperança de sobrevivência diante do que os aguardava. Avançaram pela batalha, como se algo os protegesse. Várias vezes, um soldado se virou para atacá-los, sendo logo interceptado por outro da facção contrária. Cavalos prestes a pisoteá-los eram desviados no último segundo. Era como se surgisse um caminho à frente deles, fechando-se depois que passavam.

Aproximaram-se do que restava da frente de combate tsurani. Um soldado que segurava um escudo sucumbiu à lança de um cavaleiro. Passaram por cima do corpo tombado e entraram no pequeno e relativamente calmo círculo ao redor da fenda. Continuavam a surgir soldados do portal e o círculo continuava a crescer. Macros e Pug subiram à plataforma no lado mais afastado da fenda, enquanto saíam soldados em disparada do lado mais próximo. Os soldados pareciam não perceber a presença dos dois magos.

Macros entrou no vazio da fenda. Pug o seguiu. Em vez do esperado aparecimento em Kelewan, ficaram suspensos em um lugar sem cor. Não havia grande noção de direção. O lugar não tinha luz, embora não fosse escuro, apresentando diversos tons de cinza. Pug viu que estava sozinho, somente na companhia das batidas de seu coração nos ouvidos, confirmando que continuava a existir.

— Macros? — chamou em voz baixa.

— Aqui, Pug — surgiu a voz de Macros.

— Não o vejo.

Ouviu-se uma risada.

— Não, pois não há luz. O que vê é uma ligeira ilusão concedida pelas minhas artes para que possa ter um ponto de referência aqui. Sem uma vasta preparação, nem seus famosos poderes lhe poderiam ser úteis para manter a sanidade, Pug. Terá de aceitar que a mente humana não tem condições para lidar com este lugar.

— Que lugar é este?

— Este é um lugar entre os dois mundos. Foi aqui que os deuses se enfrentaram durante as Guerras do Caos e será aqui que vamos realizar a nossa tarefa.

— Homens estão morrendo, Macros. Temos de nos apressar.

— Aqui o tempo não existe, Pug. Em relação aos que se encontram na batalha, estamos parados em um único instante. Poderíamos envelhecer e falecer e nem sequer um segundo teria passado no campo de batalha. Porém temos de nos apressar em nossa tarefa. Nem eu conseguiria fazer isso sem despender alguma energia para nos manter vivos, energia de que precisaremos para concluir o nosso assunto. Não demoraremos, mas tenho que lhe transmitir algumas coisas. Esperei muito tempo para que cumprisse a sua promessa. Não poderia fechar o portal sem a sua ajuda.

Pug falou, embora os seus sentidos se rebelassem diante da paisagem cinzenta por todos os lados e a voz incorpórea parecesse vir de um ponto perto dele.

— Foi você que afastou o portal quando o Forasteiro surgiu e o Inimigo tentou recuperar as nações de Tsuranuanni. Sem dúvida foi preciso um poder impressionante.

Ouviu o riso abafado do feiticeiro.

— Você se lembra desse detalhe? Bom, naquela época eu era jovem. — Como sabia que se tratava de uma resposta vaga, acrescentou: — Naquele tempo, a fenda era algo selvagem, criada pela vontade daqueles que se encontravam no alto das torres da Assembleia. Limitei-me a virá-la para outro lado, frustrando o desejo do Inimigo, e com isso corri riscos enormes. Agora esta fenda é controlada, firmemente ancorada em Kelewan, gerida por uma máquina, que a comanda. Há também muitos feitiços complexos mantendo-a em harmonia com Midkemia que não me permitem manipulá-la. Consigo apenas lhe dar um fim, mas para isso preciso de ajuda. Antes de concluirmos este drama em particular, lhe digo isto: compreenderá muitas coisas depois de chegar à minha ilha. Acima de tudo, porém, peço-lhe que tenha algo em mente ao ouvir a minha mensagem. Lembre-se que fiz tudo o que fiz por ser o meu destino. Peço que pense em mim com bondade.

Embora não conseguisse ver o feiticeiro, Pug sentia a sua presença por perto. Começou a falar, mas foi interrompido pela voz de Macros:

— Quando eu terminar, use a pouca energia que lhe restar para se transportar para junto de Kulgan. O cajado o ajudará, mas terá de aplicar todos os seus esforços nessa tarefa. Se falhar, você morrerá.

Era a segunda advertência de Macros, levando Pug a sentir pavor pela primeira vez em anos.

— O que acontecerá com você?

— Cuide de si mesmo, Pug. Eu tenho outras preocupações.

Surgiu uma sensação de mudança, como se o tecido do vazio ao redor deles estivesse sofrendo leves alterações.

— À minha ordem, liberte a fúria plena de seus poderes — disse Macros. — O que realizou nos Torneios Imperiais foi apenas um vestígio daquilo que agora terá de conseguir.

— Sabe o que aconteceu?

Ouviu outra risada.

— Eu estava presente, embora o meu lugar não fosse tão bom quanto o seu. Tenho de admitir que foi bastante impressionante. Até eu teria dificuldades em fornecer um espetáculo tão grandioso. Já não nos resta tempo. Espere pela minha ordem e então deixe o seu poder fluir até mim.

Pug não comentou. Sentia a presença do feiticeiro por perto, como se Macros estivesse se definindo propositalmente para ele. Voltou a sentir a sensação de mudança inesperada ao seu redor. De repente, surgiu uma luz ofuscante, seguida pela escuridão. Logo depois, tudo à volta de Pug explodiu em demonstrações enlouquecidas de energia, muito parecidas com as que assistira na fenda da Ponte Dourada. Por todos os lados explodiram cores ofuscantes, forças primitivas que não reconhecia.

— Agora, Pug! — Ouviu o grito de Macros.

Pug direcionou sua vontade à tarefa. Desceu até os recantos mais profundos de seu ser. De lá retirou tudo o que pôde do poder mágico que conquistara em ambos os mundos. Forças capazes de destruir montanhas, deslocar rios de seus cursos e arrasar cidades, todas estas Pug fez convergir. Depois, como se rejeitasse algo doloroso demais para ser mantido, dirigiu toda a energia em direção ao ponto onde pressentia que o feiticeiro estava. Houve uma explosão inimaginável e enlouquecida de todas essas forças e a matéria primitiva do tempo e do espaço gritou em protesto àquela presença. Pug conseguia senti-la se contorcendo à sua volta, como se o universo fundamental estivesse tentando expulsar os invasores. Subitamente, houve uma liberação e foram expulsos.

Pug se viu pairando na mais absoluta escuridão. Andou à deriva, entorpecido e sem conseguir pensar com coerência. A mente não conseguia aceitar o que sentira e estava prestes a perder os sentidos. Sentiu os dedos ficarem frouxos e o cajado começou a deslizar da mão. Agarrou-o convulsivamente, em um instinto cego. Foi então que sentiu um puxão fraco. A sua mente resistiu à escuridão fria que estava tentando dominá-lo, tentando lembrá-lo do que quer que fosse. Estava cada vez mais frio à sua volta e sentia os pulmões ardendo pela falta de ar. Esforçou-se mais uma vez para se lembrar de alguma coisa, mas não estava conseguindo. Voltou a sentir o puxão e pareceu ouvir ao longe uma voz conhecida.

— Kulgan? — disse debilmente, deixando que a escuridão o envolvesse.

O Comandante de Forças Militares tsurani estava vivo. Pensou naquele milagre ao ver todos os que jaziam mortos ao seu redor na frente da máquina do portal. Um minuto antes, a explosão matara centenas e, mais adiante, muitos outros estavam caídos e aturdidos.

Levantou-se, examinando o que estava acontecendo. A terrível destruição da fenda também não servira para ajudar as forças do Reino. Viam-se homens desesperados tentando controlar cavalos à beira da histeria, enquanto outras montarias fugiam como loucas, atirando os cavaleiros ao chão. A confusão imperava por todo lado. Contudo, os que se encontravam nas extremidades do conflito tinham ficado menos aturdidos, e a batalha estava sendo retomada.

Restava pouca esperança; estavam isolados de Kelewan, sem poder receber ajuda nem regressar em segurança. Ainda assim, quase igualavam as forças inimigas em número de homens, e restava uma chance de tomarem aquele campo. Lidariam mais tarde com a questão do portal.

De repente, os sons da batalha cessaram quando as forças do Reino bateram em retirada. O Comandante de Forças Militares olhou em volta e, não avistando oficiais de posto superior, começou a bradar ordens para que preparassem a barreira de escudos para outra investida.

As forças do Reino estavam se reagrupando aos poucos. Não atacaram, mas ocuparam posições do lado oposto aos tsurani. O Comandante de Forças Militares aguardou, enquanto os soldados organizavam as fileiras. De todos os lados cavaleiros do Reino eram vistos a postos e, ainda assim, não avançavam.

Lentamente, a tensão aumentou. O Comandante de Forças Militares deu ordens para que fosse erguida uma plataforma. Quatro tsurani agarraram um escudo, onde o Comandante subiu, e os homens o ergueram. Arregalou os olhos.

— Eles têm reforços.

Ao longe, viu se aproximarem colunas de forças do Reino da Passagem Sul. Como estavam mais afastadas do local das negociações, só agora chegavam ao campo de batalha.

Um grito da direção oposta fez com que olhasse para o norte: as fileiras de infantaria do Reino avançavam das árvores. Voltou a olhar para o sul e forçou os olhos. A distância, conseguiu discernir os sinais de uma grande força de infantaria que seguia atrás da cavalaria. O oficial pediu que baixassem o escudo e o Subcomandante perguntou:

— O que está havendo?

— Todo o exército do inimigo está reunido aqui. — Engoliu em seco, abandonando a habitual fleuma tsurani. — Mãe dos deuses! Devem ser uns trinta mil.

— Então, antes de morrermos, iremos lhes oferecer uma batalha digna de uma balada — afirmou o Subcomandante.

O Comandante de Forças Militares olhou ao redor. Por todo lado se viam soldados sangrando, feridos e aturdidos. Dos exércitos do Reino mobilizados contra eles, somente um terço combatera. Pelo menos vinte mil soldados descansados se aproximavam de quatro mil tsurani, metade dos quais incapacitados para lutar.

O Comandante de Forças Militares sacudiu a cabeça.

— Não haverá batalha. Estamos isolados de nossa terra, talvez para todo o sempre. Será em vão.

Passou pelo surpreso Subcomandante e atravessou a barreira de escudos. Erguendo as mãos acima da cabeça num pedido de negociação, dirigiu-se a Lyam devagar, temendo o momento em que se tornaria o primeiro oficial tsurani da história a se render. Demorou poucos minutos para chegar perto do Príncipe. Tirou o elmo e ajoelhou-se.

Levantou o olhar para o Príncipe do Reino, alto e de cabelo louro, dizendo:

— Lorde Lyam. Entrego os meus homens em suas mãos. Aceita a rendição?

Lyam assentiu.

— Sim, Kasumi. Aceito a rendição.

Escuridão. Depois, uma crescente tonalidade cinza. Pug se forçou a abrir as pálpebras pesadas. Por cima dele estava o rosto familiar de Kulgan.

O rosto de seu antigo professor se abriu em um grande sorriso.

— É bom ver que está outra vez entre nós. Não sabíamos se estava mesmo vivo. O seu corpo estava tão frio. Consegue se sentar?

Pug aceitou o braço oferecido e reparou que Meecham estava ajoelhado ao seu lado, ajudando-o. Conseguia sentir o frio deixando seus membros à medida que os raios de sol lhe aqueciam o corpo. Ficou parado por um instante, até que disse:

— Acho que irei sobreviver. — Ao dizer essas palavras, sentiu que recuperava as forças. Pouco tempo depois, sentiu-se capaz de se levantar e assim o fez.

Viu os exércitos do Reino reunidos à sua volta.

— O que aconteceu?

— O portal foi destruído e os tsurani que ficaram aqui acabaram se rendendo — disse Laurie. — A guerra terminou.

Pug estava debilitado demais para se emocionar. Olhou para os rostos daqueles que estavam ao seu redor e percebeu o profundo alívio em seus olhares. De repente, Kulgan envolveu-o em um abraço.

— Você arriscou a sua vida para pôr fim a toda esta loucura. A vitória lhe pertence, como a qualquer outro homem.

Pug não se mexeu, até que se afastou de seu antigo mestre.

— Foi Macros que pôs fim à guerra. Ele retornou?

— Não. Só você, e, logo que surgiu, os dois cajados desapareceram. Não há sinal dele.

Pug sacudiu a cabeça para desanuviá-la.

— E agora?

Meecham olhou por cima do ombro.

— Talvez fosse sensato você ir até Lyam. Parece haver alguma agitação.

Laurie e Kulgan ajudaram Pug, pois ele ainda estava enfraquecido devido à provação pela qual passara no interior do portal. Caminharam até onde Lyam, Arutha, Kasumi e os nobres do Reino reunidos aguardavam. Estavam vendo os elfos e os anões se aproximarem vindos do outro lado do campo, com as forças do Reino vindas do norte atrás deles.

Pug ficou admirado ao ver o primogênito dos Shinzawai presente, pois julgava que tinha regressado a Kelewan. Era o desânimo em pessoa, em pé, sem arma nem elmo, e, como estava de cabeça baixa, não viu Pug e os outros chegando.

Pug prestou atenção nos elfos e nos anões. Quatro figuras tomavam a dianteira. Reconheceu duas delas: Dolgan e Calin. Com eles vinha outro anão, que desconhecia. Quando os quatro chegaram perto do Príncipe, Pug percebeu que o guerreiro alto de branco e dourado era o seu amigo de infância. Ficou atônito, assombrado com a mudança de Tomas, já que seu velho amigo era agora uma figura imponente que se assemelhava tanto a um elfo quanto a um humano.

Lyam estava cansado demais para se indignar. Olhou para o Comandante Militar de Elvandar e disse calmamente:

— Que motivos teve para atacar, Tomas?

— Os tsurani estavam de armas em punho, Lyam — respondeu o Príncipe Consorte dos elfos. — Estavam prestes a atacar o pavilhão. Não viu?

Apesar da exaustão, a voz de Lyam subiu de tom:

— Vi somente suas hostes atacarem uma conferência de paz. Nada vi no lado dos tsurani que fosse agressivo.

Kasumi levantou a cabeça.

— Alteza, pela minha honra, desembainhamos armas no momento em que eles nos atacaram. — Apontou para as forças de Tomas.

Lyam voltou a se concentrar em Tomas.

— Não lhe enviei a carta de que haveria um período de trégua, ao qual se seguiria a paz?

— É verdade — respondeu Dolgan —, eu estava presente quando o feiticeiro transmitiu a mensagem.

— O feiticeiro? — perguntou Lyam. Virou-se e chamou: — Laurie! Preciso falar com você.

Laurie avançou.

— Alteza?

— Você transmitiu o meu recado à Rainha dos Elfos como o instruí?

— Pela minha honra. Dei o recado à Rainha em pessoa.

Tomas olhou Lyam nos olhos, a cabeça inclinada para trás e uma expressão de desafio no rosto.

— Eu juro que nunca vi esse homem até hoje. O recado que advertia para a traição que os tsurani planejavam nos foi dado por Macros.

Kulgan e Pug avançaram.

— Alteza — interveio Kulgan —, se esta situação tem a mão do feiticeiro, ao que parece, assim aconteceu em todo o resto, quer dizer que talvez seja melhor desvendar esse mistério com calma.

Lyam ainda estava irritado, mas Arutha disse:

— Deixe estar. Poderemos desvendar toda essa confusão no acampamento.

Lyam fez um aceno brusco com a cabeça.

— Regressemos ao acampamento. — O Herdeiro dirigiu-se a Brucal: — Forme uma escolta adequada aos prisioneiros e traga-os. — Depois, olhou para Tomas. — Também o quero na minha tenda quando regressarmos. Há muito a ser explicado. — Tomas concordou, embora não parecesse feliz com a perspectiva. Lyam bradou: — Regressamos de imediato ao acampamento. Deem o aviso.

Os oficiais do Reino correram para as suas companhias e a ordem foi dada. Tomas se virou e viu um desconhecido a seu lado. Olhou para o rosto sorridente, até que Dolgan disse:

— Está cego, rapaz? Não reconhece seu companheiro de infância?

Tomas olhou para Pug enquanto o mago exausto avançava um pouco mais.

— Pug? — disse em voz baixa. Estendeu os braços e abraçou o irmão de criação que perdera há muito tempo. — Pug!

Ficaram ali calados, no meio do clamor dos exércitos que partiam, com lágrimas escorrendo pelo rosto. Kulgan colocou as mãos nos ombros de ambos os homens.

— Venham, devemos regressar. Temos muito que falar e, graças aos deuses, agora não nos falta tempo para fazê-lo.

O acampamento estava em festa. Após mais de nove anos, os soldados do Reino sabiam que, no dia seguinte, não iriam correr o risco de morrer ou de serem feridos. À volta das fogueiras ouviam-se canções e por todo lado ressoavam gargalhadas. Para a maior parte deles, pouco importava que outros estivessem feridos nas tendas, sob os cuidados de sacerdotes, e que alguns não conseguissem sobreviver para ver o primeiro dia de paz ou saborear os frutos da vitória. Tudo o que interessava aos que celebravam era que se encontravam entre os sobreviventes e por isso se rejubilavam. Mais tarde, haveria tempo para chorar os companheiros mortos. Naquele momento, deleitavam-se com a vida.

Na tenda de Lyam, o ambiente era mais comedido. No caminho de volta, Kulgan meditara profundamente sobre os acontecimentos daquele dia. Quando chegaram à tenda, o mago de Crydee tinha construído uma imagem aproximada do que acontecera. Expusera a sua opinião aos que ali se encontravam reunidos, e concluía naquele momento.

— Ao que parece — disse Kulgan —, Macros pretendia que o portal fosse fechado. Tudo aponta para a terrível duplicidade que foi usada com esse propósito.

Lyam estava sentado, ladeado por Arutha e Tully.

— Continuo sem entender o que o terá dominado para adotar medidas tão graves. O conflito de hoje ceifou mais de duas mil vidas.

— Desconfio que iremos encontrar a resposta a essa e outras questões quando chegarmos à sua ilha — disse Pug. — Até lá, não acho que iremos sequer começar a entender.

Lyam suspirou, dirigindo-se a Tomas:

— Pelo menos fiquei convencido de que você agiu de boa-fé. Estou satisfeito por isso. Seria difícil imaginá-lo responsável pela carnificina de hoje.

Tomas ergueu o cálice de vinho, que tinha estado bebericando.

— Também me agrada não existirem motivos para desavenças. Contudo, sinto que fui usado em toda esta situação.

— Assim como todos nós — ecoaram Harthorn e Dolgan.

— É provável que todos tenhamos desempenhado alguma função em um esquema do Negro — disse Calin. — Talvez seja como Pug disse, e consigamos apurar a verdade na Ilha do Feiticeiro; porém me sinto ressentido com toda esta maldita situação.

Lyam olhou para onde Kasumi estava sentado rígido, olhando em frente, parecendo ignorar tudo o que estava sendo dito à sua volta.

— Kasumi — chamou Lyam —, o que farei com você e com seus homens?

Ao ouvir seu nome, os olhos de Kasumi pareceram ganhar vida.

— Alteza, conheço seus costumes, pois Laurie me ensinou bastante — disse ele. — Contudo, não deixei de ser tsurani. No nosso mundo, os oficiais seriam condenados à morte e os homens escravizados. Não me compete aconselhá-lo neste assunto. Não sei qual o método habitual de lidar com prisioneiros de guerra em seu mundo.

O seu tom era monocórdio, sem emoção. Lyam ia falar, mas se calou ao ver Pug lhe fazendo um sinal. O mago queria falar.

— Kasumi?

— Sim, Grande? — Tomas pareceu surpreso com a expressão honorífica, mas não se manifestou. Os dois amigos de infância não tinham conseguido trocar mais que algumas histórias apressadas enquanto regressavam ao acampamento.

— O que teria feito caso não tivesse se rendido ao Príncipe?

— Teríamos lutado até a morte, Grande.

Pug fez um aceno com a cabeça.

— Compreendo. Então é responsável por preservar as vidas de quase quatro mil dos seus homens, não é verdade? E outros milhares de soldados do Reino.

A expressão de Kasumi se atenuou, revelando a sua vergonha.

— Tenho vivido com o seu povo, Grande. Talvez tenha esquecido a minha educação tsurani. Desonrei a minha casa. Quando o Príncipe determinar o destino dos meus homens, pedirei permissão para tirar a minha própria vida, embora seja uma honra grande demais para que me conceda.

Brucal e os outros pareceram horrorizados ao ouvir aquelas palavras. Lyam não demonstrou qualquer emoção, dizendo simplesmente:

— Não há qualquer desonra. Morrendo, você não teria ajudado nenhuma causa. E não mais causa, agora que o portal foi destruído.

— Assim são os nossos costumes — disse Kasumi.

— Pois deixaram de ser — retorquiu Lyam. — Esta é agora sua terra, já que não têm outra. O que Kulgan e Pug nos disseram a respeito das fendas mostra que será pouco provável que um dia consigam regressar a Tsuranuanni. Vocês vão permanecer aqui e pretendo fazer com que essa perspectiva se torne vantajosa para todos nós.

Um brilho fraco de esperança atravessou os olhos de Kasumi. O Herdeiro se virou para Lorde Brucal e disse:

— Meu senhor, Duque de Yabon. Qual o seu parecer quanto aos soldados tsurani?

O velho Duque sorriu.

— Estão entre os melhores que já vi. — Diante da observação, Kasumi revelou um pouco de orgulho. — Assemelham-se à Irmandade das Trevas em ferocidade, embora tenham uma natureza mais nobre; são tão disciplinados quanto os infantes keshianos e possuem o vigor dos patrulheiros nataleses. No geral, não há dúvida de que são soldados excepcionais.

— Um exército como esse poderia fornecer segurança adicional às nossas agitadas fronteiras ao norte?

Brucal sorriu.

— A guarnição LaMutiana foi a que mais ataques sofreu durante a guerra. Seria uma aquisição valiosa ali.

O Conde de LaMut ecoou o comentário de seu Duque. Lyam virou-se para Kasumi.

— Manteria a ideia de tirar a própria vida se seus homens permanecessem livres e como soldados?

— Como isso é possível, Alteza? — perguntou o filho dos Shinzawai.

— Se você e os seus homens jurarem lealdade à coroa, irei colocá-los sob o comando do Conde de LaMut. Serão homens livres e cidadãos e lhes será dada a responsabilidade de defenderem a nossa fronteira ao norte contra os inimigos da espécie humana que habitam as Terras do Norte.

Kasumi ficou calado, sem saber o que responder. Laurie se aproximou dele, dizendo:

— Não há desonra alguma.

O rosto de Kasumi mostrou uma expressão de alívio evidente.

— Aceito e estou certo de que meus homens farão o mesmo. — Após uma pausa, acrescentou: — Chegamos como guarda de honra do Imperador. Pelo que ouvi aqui, fomos igualmente usados por esse feiticeiro. Não pretendo que se derrame mais sangue por causa de tudo isso. Agradeço, Alteza.

— Acho que um posto de Capitão Cavaleiro seria adequado a um líder de quase quatro mil homens — interveio Lorde Vandros. — Concorda, meu

Duque? — Brucal assentiu e Vandros prosseguiu: — Venha, Capitão, temos de falar com seu novo batalhão.

Kasumi levantou-se, fez uma mesura para Lyam e saiu com o Conde de LaMut. Arutha tocou o ombro do irmão. Lyam virou a cabeça e o Príncipe disse:

— Basta de assuntos de Estado. Está na hora de celebrarmos o fim da guerra.

Lyam sorriu.

— Tem razão. — Virou-se para Pug. — Mago, vá buscar a sua simpática esposa e o seu filho. Quero estar rodeado por coisas que lembrem o lar e a família.

Tomas fitou Pug.

— Esposa? Filho? Como assim?

Pug riu.

— Temos muito sobre o que falar. Podemos pôr a conversa em dia assim que eu trouxer a minha família.

Dirigiu-se à sua tenda, onde Katala contava uma história a William. Ambos se levantaram de um salto e correram para ele, pois ainda não o tinham visto desde o regresso das tropas. Ele enviara recado por um soldado, informando que estava bem, mas ocupado com assuntos do Príncipe.

— Katala, Lyam nos convida para jantar.

William puxou o manto do pai.

— Também quero ir, papai.

Pug pegou o filho no colo.

— O convite também é para você, William.

A celebração dentro da tenda não era tão barulhenta como a que ocorria lá fora. Ainda assim, os convidados tinham sido entretidos pelas baladas de Laurie e desfrutado do regozijo que a paz trazia. A comida era a mesma dos outros dias no acampamento, mas tinha um gosto melhor. Uma grande quantidade de vinho também contribuíra para o espírito festivo.

Lyam estava sentado com um cálice de vinho na mão. Espalhados pela tenda, os outros estavam entretidos em tranquilas conversas. O Herdeiro se encontrava ligeiramente embriagado, embora ninguém levasse isso a mal, pois passara por muitas provações no mês anterior. Kulgan, Tully e Arutha, que o conheciam como ninguém, sabiam que Lyam pensava no pai, que estaria ali sentado com eles, não fosse uma flecha tsurani. Diante da responsabilidade da guerra, seguida pela questão da sucessão, Lyam, ao contrário do irmão, não dispusera de tempo para vivenciar o luto. O sentimento de perda era avassalador naquele momento.

Tully levantou-se.

— Estou cansado, Alteza — disse em voz alta. — Peço licença para me retirar.

Lyam sorriu para seu velho professor.

— Claro. Boa noite, Tully.

Os outros presentes na tenda o seguiram depressa, despedindo-se do Herdeiro. Lá fora, os convidados do pavilhão desejaram boa noite uns aos outros. Laurie, Kulgan, Meecham e os anões também partiram, deixando Pug e a família com Calin e Tomas.

Os amigos de infância tinham passado a noite trocando histórias dos últimos nove anos. Ambos ficaram maravilhados com as histórias do amigo. Pug expressara interesse na magia do Senhor dos Dragões, assim como Kulgan. Os magos mostraram vontade de visitar um dia o Salão do Dragão. Dolgan se ofereceu para lhes indicar o caminho caso decidissem fazer essa viagem.

A amizade reanimada resplandecia nos dois jovens, embora compreendessem que não podia ser o que fora antigamente, pois ambos tinham passado por muitas e grandes mudanças. Além da armadura do dragão e do manto negro, aquela questão ganhava relevância na presença de William e Katala.

Katala tinha ficado fascinada com os elfos e anões. William ficara encantado com tudo, especialmente com os anões, e agora dormia nos braços da mãe. Quanto a Tomas, ela não sabia o que pensar. Assemelhava-se bastante a Calin, sem deixar de se parecer bastante com os outros homens do acampamento.

Tomas observou o garoto adormecido.

— Ele é a cara da mãe, mas levado o suficiente para me lembrar de outro garoto que conheci.

Pug sorriu ao ouvir aquelas palavras.

— Espero que a vida dele seja bem mais tranquila.

Arutha deixou a tenda do irmão, juntando-se a eles. Ficou ao lado dos dois meninos que o tinham acompanhado até as minas de Mac Mordain Cadal, tantos anos atrás.

— Talvez não devesse dizer, mas há muitos anos, quando visitou o meu pai pela primeira vez, Calin, dois garotos foram ouvidos conversando, sem perceberem, enquanto brincavam em uma carroça de feno.

Tomas e Pug olharam para o Príncipe sem entender.

— Não se lembram? — perguntou Arutha. — Um garoto louro e magricela estava conversando com um garoto mais baixo, dizendo que um dia iria se tornar um guerreiro famoso e que seria recebido calorosamente em Elvandar.

Pug e Tomas riram dessa lembrança.

— Eu me lembro — disse Pug.

— O outro prometeu se tornar o mago mais poderoso do Reino.

— Quem sabe William também venha a concretizar seus sonhos quando crescer — disse Katala.

Arutha sorriu com um brilho malicioso nos olhos.

— Então não o perca de vista. Antes de adormecer, tivemos uma demorada conversa e ele me disse que, quando crescer, quer ser um anão. — Todos riram, exceto Katala, que olhou para o filho com uma expressão preocupada antes de se juntar aos risos.

Arutha e Calin se despediram dos outros e Tomas disse:

— Também vou me recolher.

— Irá nos acompanhar a Rillanon? — perguntou Pug.

— Não, não posso. Tenho de ficar com a minha senhora. No entanto, quando a criança nascer, venham nos visitar, pois a celebração será grandiosa. — Prometeram que iriam. Tomas disse: — Vamos partir para casa pela manhã. Os anões regressarão às suas aldeias, pois há muito a fazer. Estão separados das famílias há muito tempo. Com o regresso do Martelo de Tholin, fala-se de uma assembleia para nomearem Dolgan Rei do Oeste. — Baixando a voz, acrescentou: — Se bem que seja mais provável que o meu velho amigo faça uso desse martelo no primeiro anão que fizer essa sugestão em sua presença. — Colocando a mão no ombro de Pug, disse: — É muito bom que ambos tenhamos sobrevivido a tudo isso; mesmo nas profundezas de minha estranha loucura, nunca me esqueci de você.

— Também nunca o esqueci, Tomas — disse Pug.

— Quando desvendar esse mistério na Ilha do Feiticeiro, espero que me avise.

Pug garantiu que assim faria. Abraçaram-se, despediram-se e Tomas partiu, parando mais à frente e olhando para trás, com um brilho de menino no olhar.

— Ainda assim, gostaria de estar presente quando reencontrar Carline com uma esposa e um filho a tiracolo.

Pug corou, pois antevia esse futuro encontro com sentimentos contraditórios. Acenou para Tomas até o amigo desaparecer de vista, reparando depois que Katala o olhava com uma expressão determinada. Em tom ponderado e sem variações, ela perguntou:

— Quem é Carline?

Lyam levantou o olhar quando Arutha entrou na tenda de comando.

— Achei que já tivesse se retirado — disse o irmão mais novo. — Está exausto.

— Precisava de tempo para pensar, Arutha. Não tenho tido muito tempo sozinho e queria ordenar as ideias. — A sua voz revelava cansaço e preocupação.

Arutha sentou-se ao lado do irmão.

— Que ideias?

— Esta guerra, nosso pai, você, eu... — pensou em Martin —, outras coisas... Arutha, não sei se poderei ser Rei.

Arutha ergueu ligeiramente as sobrancelhas.

— Não teve escolha, Lyam. Irá se tornar Rei, então tire o melhor proveito dessa situação.

— Posso recusar a coroa em favor de meu irmão — disse Lyam pausadamente —, assim como Erland renunciou em favor de Rodric.

— E que ótimo caldeirão de sopa isso virou. Se for uma guerra civil o que pretende, essa será uma boa forma de consegui-la. O Reino não pode se dar ao luxo de um debate no Congresso de Lordes. Ainda tem muitas feridas para serem curadas entre o Leste e o Oeste e Guy du Bas-Tyra ainda está à solta.

Lyam suspirou.

— Você seria um Rei muito melhor, Arutha.

Arutha riu.

— Eu? Não estou gostando nem da perspectiva de me tornar Príncipe de Krondor. Ouça-me, Lyam, quando éramos garotos, invejava o afeto que você conquistava tão depressa. As pessoas tinham sempre preferência por você. À medida que fui crescendo, compreendi que não era porque antipatizavam comigo; simplesmente havia algo em você que as fazia confiar em você e amá-lo. É uma boa qualidade para um Rei. Nunca invejei o fato de que iria suceder nosso pai como Duque, assim como agora não invejo a sua coroa. Já pensei antes que, depois da guerra, iria tirar algum tempo para viajar, mas agora não será possível fazê-lo, pois tenho de governar Krondor. Então não deseje o fardo adicional de todo o Reino em meus ombros. Eu não aceitaria.

— Ainda assim, seria um Rei muito melhor. — Os irmãos cruzaram olhares e não os desviaram.

Arutha fez uma pausa e franziu a testa, fitando o irmão com um olhar cético.

— Talvez fosse, mas é você que será coroado Rei e eu espero que assim permaneça por muito tempo. — Espreguiçou-se quando se levantou. — Vou me deitar. Foi um dia longo e cansativo. — Quase à saída da tenda, disse: — Acalme as suas dúvidas, Lyam. Será um bom soberano. Com Caldric o aconselhando, juntamente com os outros, Kulgan, Tully e Pug, será nosso guia nesta era de reconstrução.

— Arutha, antes de ir... — começou Lyam. Arutha aguardou, enquanto Lyam tomava uma decisão. — Gostaria que você acompanhasse Kulgan e Pug à Ilha do Feiticeiro. Já esteve lá e... gostaria de ouvir o seu parecer a respeito do que encontrarem. — Arutha ficou insatisfeito e começou a levantar objeções, mas foi interrompido por Lyam: — Bem sei que pretende ir a Krondor, mas não serão mais do que alguns dias. Depois que chegarmos a Rillanon, teremos doze dias até a coroação, tempo mais do que suficiente para que você se junte a nós.

Mais uma vez Arutha começou a manifestar discordância, mas acabou consentindo com um sorriso sarcástico.

— Confie em si mesmo, Lyam. Se eu não reclamar a coroa, terá de aceitá-la. — Ao sair da tenda, acrescentou com uma gargalhada: — Não há outro irmão para reclamá-la.

Lyam ficou sozinho, bebendo distraído o vinho. Dando outro longo suspiro, disse a si próprio:

— Há outro irmão, Arutha, e que os deuses me ajudem a tomar a decisão correta.

15

Legado

O navio soltou a âncora.

A tripulação prendeu as velas nos mastros enquanto o grupo que desceria fazia seus preparativos. Meecham acompanhava a preparação do escaler. Os magos estavam ansiosos para chegar ao castelo de Macros, pois tinham mais perguntas do que todos os outros. Arutha também estava curioso, depois de se conformar com a viagem. Percebeu que tinha pouca vontade de fazer parte do longo cortejo funerário que saíra de Ylith no dia em que zarparam. Enterrara o pesar pelo pai nas profundezas de seu ser; lidaria com isso no seu devido tempo. Laurie ficara com Kasumi para ajudar na integração dos soldados tsurani à guarnição LaMutiana, depois os encontraria em Rillanon.

Lyam e seus nobres tinham embarcado para Krondor, acompanhando os corpos de Borric e Rodric. Anita e Carline se juntariam a eles e todos acompanhariam os mortos em uma procissão de Estado até Rillanon, onde encontrariam o derradeiro descanso no túmulo de seus antepassados. Após o período tradicional de doze dias de luto, Lyam seria coroado Rei. A essa altura, já teriam chegado a Rillanon todos os que iriam assistir à coroação. A tarefa de Pug e Kulgan deveria estar concluída a tempo de chegarem à capital.

O escaler ficou pronto e Arutha, Pug e Kulgan se juntaram a Meecham. Depois de ser descido até a água, seis guardas pegaram os remos.

Os marinheiros tinham ficado bastante aliviados por não serem obrigados a acompanhar o grupo que ia desembarcar, pois, ainda que os magos os tranquilizassem, não tinham qualquer desejo de pisar na Ilha do Feiticeiro.

O escaler foi puxado para a praia e os passageiros desceram. Arutha olhou ao redor.

— Não parece ter havido qualquer mudança desde que estivemos aqui.

Kulgan se espreguiçou, pois as instalações a bordo eram exíguas e apreciava a sensação de terra firme sob os pés.

— Ficaria surpreso se houvesse alguma mudança. Aposto que Macros era daqueles que gostava de manter a casa em ordem.

— Vocês seis permanecerão aqui — disse Arutha ao se virar. — Se nos ouvirem chamar, venham depressa. — O Príncipe começou a seguir o caminho que subia a colina e os outros foram atrás sem comentários. Alcançaram o ponto onde o caminho apresentava uma bifurcação e Arutha disse: — Viemos como convidados. Achei que seria melhor não parecermos invasores.

Kulgan nada disse, uma vez que estava ocupado observando o castelo que se aproximava. A inusitada luz azul que viram nitidamente na última visita à ilha estava ausente da janela da torre mais alta. O castelo aparentava estar deserto, sem movimentos nem sons. A ponte levadiça estava abaixada e o portão de ferro erguido.

— Pelo menos, não teremos de invadir o castelo — comentou Meecham.

Ao chegarem à ponte levadiça, pararam. O castelo se erguia acima deles, com suas muralhas altas e torres altaneiras, ameaçador. Tinha sido construído com pedras escuras, que não reconheciam. Em volta do grande arco acima da ponte, estranhas criaturas alienígenas esculpidas os contemplavam com olhares fixos. Bestas aladas e com chifres estavam empoleiradas nas beiradas, aparentemente paralisadas, tão habilmente tinham sido talhadas.

Pisaram na ponte e atravessaram a ravina funda que separava o castelo do resto da ilha. Meecham olhou para baixo, vendo que as muralhas de rocha da abertura desciam até o nível do mar, onde as ondas batiam na passagem.

— É mais eficaz de que muitos fossos que já vi. Faz com que se pense duas vezes antes de atravessar enquanto alguém faz pontaria das muralhas.

Entraram no pátio e olharam ao redor, como se a qualquer momento esperassem que alguém surgisse em uma das muitas portas nas muralhas. Não havia sinal de criatura viva, mas os terrenos ao redor da fortaleza estavam cuidados e em ordem.

Como não surgiu ninguém, Pug disse:

— Creio que encontraremos o que procuramos dentro da torre. — Os outros avançaram com ele em direção à grande escadaria que levava às portas principais. Quando começaram a subir os degraus, as enormes portas foram se abrindo, até todos discernirem uma silhueta na escuridão mais à frente. Quando as portas terminaram o movimento com um estrondo nas paredes da torre, a silhueta avançou para a luz do dia.

Sem pensar, Meecham desembainhou a espada, pois a criatura diante deles parecia muito com um goblin. Após uma breve verificação, Meecham guardou a arma; a criatura não fizera qualquer gesto ameaçador, limitando-se a esperar pelo grupo no topo das escadas.

Era mais alta do que a maioria dos goblins, quase atingindo a estatura de Meecham. A testa era marcada por grossas saliências e o nariz volumoso constituía o centro do rosto, mas suas feições eram mais elegantes do que as de um goblin. Dois olhos escuros que piscavam observavam o grupo, que retomou a subida. Quando chegaram ao topo, a criatura mostrou os grandes dentes em um sorriso aberto. Tinha a cabeça coberta por um denso tapete de cabelos pretos e a pele revelava a tonalidade verde esmaecida da tribo dos goblins, embora não apresentasse a postura corcunda típica dessas criaturas, mantendo-se ereta como um homem. Vestia calça e túnica bem cortadas, ambas de cor verde-clara. Nos pés, calçava um par de botas pretas polidas, que quase chegavam aos seus joelhos.

— Bem-vindos, amos, bem-vindos — disse a criatura sorrindo. — Sou Gathis e tenho a honra de servir como seu anfitrião na ausência de meu amo. — A sua dicção revelava um ligeiro sibilo.

— O seu senhor é Macros, o Negro? — perguntou Kulgan.

— Claro. Desde sempre. Entrem, por favor.

Os quatro homens acompanharam Gathis até o grande vestíbulo, parando para olhar ao redor. Com exceção da ausência de pessoas e dos habituais estandartes com brasões, a entrada era muito semelhante à do castelo de Crydee.

— O meu amo deixou instruções precisas sobre a sua visita, tanto quanto foi possível prever, por isso preparei o castelo para a sua chegada. Querem algo? Tenho vinho e comida preparados.

Kulgan sacudiu a cabeça. Não sabia que criatura era aquela, mas não se sentia muito tranquilo com algo tão semelhante a um servo da Irmandade das Trevas.

— Macros disse que deixaria uma mensagem. Antes de tudo, gostaria de lê-la.

Gathis fez uma breve mesura.

— Como quiser. Acompanhem-me, por favor.

Conduziu-os por uma série de corredores e chegaram a uma escadaria que ascendia em caracol até a grande torre. Subiram os degraus até chegarem a uma porta trancada.

— O meu amo disse que seriam capazes de abrir esta porta. Se falharem, são impostores, e eu terei de ser severo.

Meecham agarrou o punho da espada ao ouvir aquelas palavras, mas Pug colocou a mão no braço do corpulento homem livre.

— Como o portal se fechou, metade de meu poder se perdeu, aquele que adquiri de Kelewan, mas não creio que isso seja um problema.

Pug se concentrou em abrir a porta. Em vez da habitual reação de abrir para trás, houve uma alteração na própria porta: a madeira pareceu se tornar fluida, ondulando à medida que a superfície ganhava nova forma. Não demorou muito para que vissem um rosto se formando na madeira. Parecia esculpido em baixo-relevo, lembrando Macros. Era bastante vívido nos detalhes e parecia adormecido. Em seguida, as pálpebras se abriram e todos perceberam que havia vida nos olhos, centros negros em um fundo branco. A boca se mexeu e dela saiu uma voz, produzindo um som grave e ressonante que falava tsurani com perfeição:

— Qual é o primeiro dever?

— Servir o Império — respondeu Pug sem pensar.

O rosto voltou a se dissipar na porta e, quando já não restava qualquer vestígio dele, a porta se abriu. Entraram no gabinete de Macros, o Negro, uma sala enorme que ocupava todo o piso superior da torre.

— Presumo que tenha a honra de receber os amos Kulgan, Pug e Meecham? — perguntou Gathis. Olhou atentamente para o quarto elemento do grupo. — Deve ser o Príncipe Arutha. — Quando eles confirmaram, a criatura prosseguiu: — O meu amo não tinha certeza se Sua Alteza viria, embora achasse provável. Tinha certeza que os outros três cavalheiros iriam estar aqui. — Com a mão, fez um movimento que abrangeu a sala. — Tudo o que estão vendo está ao seu dispor. Se me dão licença, regressarei com a mensagem e também com bebidas e comida.

Gathis saiu e os quatro observaram o que o gabinete continha. Fora uma parede vazia de onde parecia evidente que tinha sido tirada uma estante ou um armário recentemente, todo o aposento estava rodeado por prateleiras do chão ao teto, todas carregadas de livros e pergaminhos. Pug e Kulgan quase ficaram paralisados de indecisão quanto ao local onde poderiam começar a investigação.

Arutha resolveu o problema ao se aproximar de uma prateleira onde estava um grande pergaminho preso por uma fita vermelha. Tirou-o e o colocou na mesa redonda que se encontrava no centro da sala. Pela única e enorme janela do gabinete entrava um feixe de luz do sol que iluminava o pergaminho enquanto o desenrolava.

Kulgan se aproximou para ver o que o Príncipe encontrara.

— É um mapa de Midkemia!

Pug e Meecham ficaram atrás de Kulgan e Arutha.

— Mas que belo mapa! — exclamou o Príncipe Arutha. — Nunca vi nada parecido. — Com o dedo, indicou um ponto em uma grande massa terrestre no centro. — Vejam! Aqui é o Reino. — Em uma pequena parte do mapa estavam inscritas as palavras *Reino das Ilhas*. Abaixo, viam-se as amplas fronteiras do Império do Grande Kesh. Ao sul do Império, percebiam-se claramente os Estados da Confederação Keshiana.

— Pelo que sei — disse Kulgan —, poucos homens do Reino se aventuraram na Confederação. As únicas informações de que dispomos sobre seus membros nos chegam através do Império e de uns poucos capitães mais temerários que visitaram alguns de seus portos. Sabemos os nomes dessas nações, e nada mais.

— Em um instante, aprendemos muito sobre o nosso mundo — disse Pug. — Vejam como o Reino é só uma pequena parte deste continente. — Indicou a vasta extensão de terras ao norte do Reino e a massa terrestre de grande amplitude abaixo da Confederação. O continente inteiro estava marcado com a inscrição *Triagia*.

— Parece que há muito mais a respeito de nossa Midkemia do que sonhamos — disse Kulgan. Indicou outras massas de terra do outro lado do mar. Estavam assinaladas como *Wiñet* e *Novindus*. Em cada uma dessas regiões estavam traçados estados e cidades. Também eram visíveis dois grandes arquipélagos, cujas ilhas tinham muitas cidades assinaladas. Kulgan abanou a cabeça. — Tem havido rumores de mercadores de terras longínquas que se aventuram até os portos mercantis da Confederação Keshiana, ou que têm contatos com os piratas das Ilhas do Ocaso, mas não passam de rumores. Não fico admirado por nunca termos ouvido falar desses lugares. Só um capitão muito audaz levaria o seu navio rumo a um porto tão distante.

Foram despertados do estudo do mapa pelo som de Gathis retornando ao gabinete. Trazia uma bandeja com um jarro e quatro cálices de vinho.

— O meu amo me pediu que lhes comunicasse que poderiam desfrutar da hospitalidade deste lar pelo tempo que desejassem. — Colocou a bandeja na mesa e serviu o vinho nos cálices. Em seguida, tirou um pergaminho de baixo da túnica, entregando-o a Kulgan. — Pediu-me que lhes entregasse isso. Vou me retirar enquanto examinam a mensagem de meu amo. Caso precisem de mim, basta pronunciarem o meu nome e eu estarei aqui em um instante. — Fez uma ligeira mesura e saiu.

Kulgan contemplou o pergaminho. Estava selado com um lacre preto, no qual estava gravada a letra *M*. Quebrou o lacre e desenrolou o pergaminho. Começou a ler só com os olhos, para depois dizer:

— Vamos nos sentar.

Pug enrolou o grande mapa e o guardou, regressando depois à mesa onde os outros já estavam sentados. Puxou uma cadeira e aguardou com Meecham e Arutha, enquanto Kulgan lia, sacudindo a cabeça devagar.

— Ouçam — pediu, começando a ler em voz alta:

"Aos magos Kulgan e Pug, as minhas saudações. Previ algumas de suas perguntas e fiz o que pude para responder o melhor possível. Temo que muitas fiquem sem resposta, pois há coisas sobre a minha pessoa que terão de permanecer conhecidas somente por mim. Não sou o que os tsurani chamariam de Grande, embora tenha visitado aquele mundo diversas vezes, como é do conhecimento de Pug. A minha magia é única e desafia descrições em termos de Caminho Superior e Inferior. Basta dizer que sou um andarilho de vários caminhos. Vejo-me como servo dos deuses, embora possa ser a minha vaidade falando. Seja qual for a verdade, conheci muitas terras e trabalhei em muitas causas. Do início da minha vida, pouco direi. Não pertenço a este mundo, tendo nascido em uma terra distante, tanto no espaço quanto no tempo. Não é muito diferente deste mundo, mas são várias as razões que os levariam a considerá-lo estranho, tendo em conta os seus padrões. Tenho mais anos do que aqueles que gosto de lembrar, sendo considerado velho até pelas contas dos elfos. Por razões incompreensíveis, vivi longos anos, embora o meu povo seja tão mortal quanto o seu. Pode ser que, ao entrar nas artes mágicas, conferi a mim mesmo esta imortalidade, ainda que de modo inconsciente, ou pode ser o dom, ou a maldição, dos deuses. Desde que me tornei feiticeiro, conheço o meu futuro, assim como outros conhecem o seu passado. Nunca fugi daquilo que sabia que me esperava, embora tantas vezes desejasse fazê-lo. Servi grandes reis, bem como simples camponeses. Vivi nas maiores cidades e nas cabanas mais rudimentares. Foram muitas as vezes em que entendi o significado da minha participação, em outras isso não aconteceu, mas sempre segui o caminho que me foi predestinado."

Kulgan parou de ler.

— Isso explica como ele tinha tantos conhecimentos. — Retomou a leitura:

"De todas as minhas obras, a minha função na guerra do portal foi a mais penosa. Nunca antes senti tanta vontade de me afastar do caminho à minha frente. Nunca antes fui responsável pela perda de tantas vidas, e por elas choro mais do que possam imaginar. Contudo, ao considerarem a minha "traição", tenham em mente a minha situação. Não seria capaz de fechar a fenda sem a ajuda de Pug. Estava destinado que a guerra teria de continuar enquanto ele aprendia o seu ofício em Kelewan. Pelo terrível preço pago, considerem os ganhos. Em Midkemia, reside agora alguém que pratica a Arte Superior, que se perdeu com a chegada do homem durante as Guerras do Caos. Os benefícios, só a história poderá dizer, mas creio que serão valiosos. No que diz respeito ao momento em que fechei o portal, quando a paz estava a um passo, posso apenas dizer que era fundamental. Os Grandes tsurani tinham esquecido que os portais podem ser detectados pelo Inimigo."

Kulgan levantou os olhos, surpreso.

— Inimigo? Pug, preciso que me explique essa referência.

Pug explicou resumidamente o que sabia do lendário Inimigo.

— Será possível que exista um ser assim tão terrível? — perguntou Arutha. A sua expressão revelava incredulidade.

— Que existiu outrora, não restam dúvidas, e que ainda exista um ser com tais poderes, não é difícil de imaginar — disse Pug. — Contudo, de todas as razões plausíveis para as ações de Macros, essa é a última que eu julgaria possível. Ninguém na Assembleia pensou nisso. É incrível.

Kulgan retomou a leitura:

"Para ele, é como um farol, atraindo aquela entidade terrível através do espaço e do tempo. Podiam se passar anos antes que aparecesse, mas, quando chegasse aqui, todos os poderes de seu mundo teriam dificuldades, talvez até fossem insuficientes, para expulsá-lo de Midkemia. A fenda tinha de ser fechada. As razões pelas quais optei para me certificar de seu fechamento à custa de tantas vidas devem ser evidentes para vocês."

— O que ele quer dizer com "devem ser evidentes"? — interrompeu Pug.

— Ao que parece, Macros estudara a natureza humana — disse Kulgan. — Poderia ter conseguido convencer o Rei e o Imperador a fechar o portal, havendo tanto a ganhar ao mantê-lo aberto? Talvez sim ou talvez não, mas, seja como for, haveria sempre aquela tentação tão humana de mantê-lo aberto "só mais um pouco". Acho que ele sabia disso e certificou-se de que essa escolha não fosse possível. — Kulgan voltou à leitura do pergaminho:

"Quanto ao que irá acontecer agora, não sei dizer. A minha visão do futuro termina com a explosão do portal. Se é a minha hora ou simplesmente o início de uma nova era de minha existência, não sei dizer. Caso tenham assistido ao meu falecimento, decidi seguir o seguinte rumo: toda a minha pesquisa, com algumas exceções, está contida nesta sala. Deverá ser usada para aprofundar as Artes Superior e Inferior. Expresso o meu desejo de que se apossem dos livros, pergaminhos e tomos aqui contidos e que os utilizem tendo em vista essa finalidade. Está se iniciando uma nova época de magia no Reino e é meu desejo que outros se beneficiem dos trabalhos que desenvolvi. Em suas mãos deixo esta nova época."

— Está assinado: "Macros".

Kulgan colocou o pergaminho na mesa.

— Entre as últimas palavras que me dirigiu disse que desejava ser recordado com bondade — disse Pug.

Ficaram calados por algum tempo, até que Kulgan chamou:

— Gathis!

Em poucos segundos, a criatura surgiu à porta.

— Sim, amo Kulgan?

— Sabe o que este pergaminho contém?

— Sim, amo Kulgan. O meu amo foi bastante explícito em suas instruções. Certificou-se de que teríamos conhecimento de suas exigências.

— Teríamos? — perguntou Arutha.

Gathis mostrou o seu sorriso de dentes grandes.

— Sou apenas um dos serviçais de meu amo. Os outros têm instruções para se manterem afastados de sua vista, pois ele temia que a presença deles causasse desconforto. O meu amo não tinha muitos dos preconceitos humanos e se satisfazia em julgar cada criatura que encontrava com base em seus méritos.

— O que você é exatamente? — perguntou Pug.

— Pertenço a uma raça aparentada aos goblins, tal como os elfos em relação à Irmandade das Trevas. Éramos uma raça muito antiga e poucos de nós sobrevivemos, muito antes de os humanos chegarem ao Mar Amargo. Os que restaram, Macros trouxe para cá, e eu sou o último.

Kulgan observou a criatura com atenção. Apesar do aspecto, havia algo nela que inspirava simpatia.

— E agora, que fará?

— Aguardarei o regresso do meu amo, mantendo a casa em ordem.

— Espera que ele regresse? — perguntou Pug.

— É provável. Daqui a um dia, ou daqui a um ano, ou daqui a um século. Não importa. Quando ele regressar, estará tudo em ordem.

— E se ele tiver falecido? — perguntou Arutha.

— Nesse caso, envelhecerei e morrerei esperando, mas não acho que isso tenha acontecido. Há muito tempo que sirvo o Negro. Entre nós há um... entendimento. Se tivesse morrido, eu saberia. Está simplesmente... ausente. Mesmo que tenha morrido, poderá regressar. O tempo não tem, para o meu amo, o mesmo significado que tem para os outros homens. Fico feliz em esperar.

Pug ponderou aquelas palavras.

— Ele realmente deve ter sido o mestre de toda a magia.

O sorriso de Gathis aumentou.

— Ele teria rido ao ouvir isso, amo. Estava sempre se queixando de que ainda havia tanto para aprender e tão pouco tempo para fazer. Isso vindo de um homem que já vivera anos incontáveis.

— Temos de buscar homens para carregar tudo isso para o navio — disse Kulgan ao se levantar da cadeira.

— Não se preocupe, amo — disse Gathis. — Voltem ao seu navio quando estiverem preparados. Deixem dois escaleres na praia da enseada. Ao primeiro raio de sol do dia seguinte, encontrarão tudo a bordo, preparado para o embarque.

Kulgan balançou a cabeça em sinal de concordância.

— Muito bem; então devemos começar a catalogar todas estas obras antes de as tirarmos daqui.

Gathis foi até uma prateleira, regressando com um pergaminho enrolado.

— Antecipando suas necessidades, amo, preparei uma lista com todas as obras que aqui se encontram.

Kulgan desenrolou o pergaminho e começou a ler o inventário das obras. Arregalou os olhos.

— Ouçam — exclamou, excitado —, há aqui uma cópia das *Expectativas de Transformação de Matéria*, de Vitalus. — Os olhos se arregalaram ainda mais. — E a *Pesquisa Temporal*, de Spandric. Esta obra era tida como perdida há séculos! — Olhou para os outros, que evidenciavam espanto. — Além de centenas de volumes com o nome de Macros. Trata-se de um tesouro de valor incalculável.

— Fico satisfeito com essa avaliação, amo — disse Gathis.

Kulgan começou a pedir que lhe trouxessem aqueles volumes, mas Arutha disse:

— Espere, Kulgan. Assim que começar, teremos de amarrá-lo para tirá-lo daqui. Regressemos ao navio e aguardemos que tudo isso seja levado para lá. Temos de zarpar em breve.

Kulgan lembrava uma criança de quem roubaram o doce. Arutha, Pug e Meecham riram com a visão do corpulento mago.

— Não há motivos de força maior para que fiquemos — disse Pug. — Teremos anos para estudar tudo isto após a coroação. Olhe ao redor, Kulgan. Pretende inalar tudo isto de um só fôlego?

Uma expressão resignada atravessou o rosto de Kulgan.

— Muito bem.

Pug passou o gabinete em revista.

— Pense bem. Uma academia para o estudo da magia, com a biblioteca de Macros no centro de tudo.

Os olhos de Kulgan se iluminaram.

— Tinha quase me esquecido do legado do Duque. Um lugar de conhecimento. O aprendiz deixará de aprender só com o seu mestre, uma vez que terá vários. Com este legado e seus ensinamentos, Pug, começamos maravilhosamente.

— É melhor partirmos, se é que queremos começar alguma coisa — avisou Arutha. — Há um novo Rei para ser coroado e quanto mais nos demorarmos, mais provável será que você se perca aqui dentro.

Kulgan assumiu um ar ofendido.

— Bem, levarei algumas coisinhas para estudar enquanto estiver embarcado, caso não tenha objeções.

Arutha ergueu uma mão conciliatória.

— Como quiser — disse, com um sorriso pesaroso. — Mas, por favor, não mais do que seja possível carregar até o escaler.

Kulgan sorriu, mostrando um estado de espírito mais alegre.

— Combinado. — Virou-se para Gathis. — Poderia me trazer aqueles dois volumes que mencionei?

Gathis apresentou os dois volumes, velhos e bastante usados. Kulgan pareceu surpreso, enquanto Gathis explicava:

— Achei que chegariam a esse acordo, por isso os tirei das prateleiras enquanto discutiam o assunto.

Kulgan caminhou para a porta, sacudindo a cabeça devagar enquanto contemplava os dois livros que levava. Os outros o seguiram e Gathis fechou a porta quando saíram. A criatura semelhante a um goblin os conduziu até o pátio, desejando-lhes boa viagem à porta da torre.

Quando as grandes portas se fecharam atrás deles, Meecham disse:

— Esse tal de Macros parece ter levantado cinco perguntas para cada uma a que respondeu.

— Tem razão, velho amigo — disse Kulgan. — Talvez consigamos entender muito mais pelas suas notas e outras obras. Talvez não, e talvez seja melhor assim.

16

Renascimento

Rillanon estava em festa.

Por todo lado se viam estandartes esvoaçando ao vento e grinaldas de flores da estação no lugar dos panos pretos que tinham assinalado o período de luto pelo falecido Rei e por seu primo Lorde Borric. Chegara a hora de coroar um novo Rei e o povo estava alegre. O povo de Rillanon pouco sabia sobre Lyam, mas ele era bonito e generoso em distribuir sorrisos ao público. Para o povo, era como se o sol tivesse saído de trás das nuvens carregadas que tinha sido o reinado de Rodric.

Entre o povo, poucos eram os que percebiam os muitos membros da guarda real que circulavam pela cidade, sempre alertas a sinais de agentes e possíveis assassinos de Guy du Bas-Tyra. Eram ainda menos os que se davam conta dos homens de vestes simples que estavam sempre por perto quando algum grupo discutia sobre o novo Rei, ouvindo o que era dito.

Arutha avançou a galope, sem pressa, em direção ao palácio, deixando Pug, Meecham e Kulgan atrás. Amaldiçoou o destino que os tinha atrasado quase uma semana, privando o navio de ventos a menos de três dias de Krondor, seguindo-se a demorada viagem até Salador. A manhã já estava na metade e os Sacerdotes de Ishap já exibiam a nova coroa do Rei pelas ruas. Em menos de três horas apareceriam diante do trono para que Lyam aceitasse a coroa.

Arutha chegou ao palácio e logo ecoaram gritos dos guardas por todo o amplo pátio:

— O Príncipe Arutha está chegando!

O Príncipe passou o cavalo a um pajem e subiu correndo a escadaria até o palácio. Ao chegar à entrada, Anita surgiu correndo até ele, com um sorriso radiante no rosto.

— Oh — exclamou —, é tão bom voltar a vê-lo!

— Também é bom vê-la — disse ele, sorrindo também. — Tenho de me preparar para a cerimônia. Onde está Lyam?

— Escondeu-se no Sepulcro Real. Deixou recado para que você fosse imediatamente ao seu encontro. — A voz demonstrou inquietação. — Há algo estranho aqui, mas ninguém parece saber o quê. Somente Martin do Arco esteve com Lyam desde o jantar de ontem à noite, e, quando eu vi Martin pela última vez, ele estava com uma expressão estranhíssima.

Arutha riu.

— Martin anda sempre com ares estranhos. Venha, vamos ver Lyam.

Ela se recusou a deixá-lo ignorar a advertência.

— Não, vá sozinho; foi o que Lyam ordenou. Além disso, tenho de me preparar para a cerimônia. Mas, Arutha, há algo muito suspeito no ar.

Arutha pareceu ficar mais pensativo. Anita costumava perceber aquelas situações.

— Muito bem. De qualquer forma, tenho de esperar que tragam os meus pertences do navio. Irei me encontrar com Lyam e, quando todo esse mistério for desvendado, irei me juntar a você na cerimônia.

— Faz bem.

— Onde está Carline?

— Correndo para resolver isso e aquilo. Eu a aviso de sua chegada.

Beijou-o no rosto e foi embora a passo rápido. Arutha não visitava o jazigo de seus antepassados desde que era criança, na época em que fora a Rillanon para a coroação de Rodric. Pediu a um pajem que o levasse até lá e o rapaz o conduziu através de um labirinto de corredores.

Ao longo dos tempos, o palácio sofrera diversas transformações: novas alas foram acrescentadas, novas construções em cima das que tinham sido destruídas pelo fogo, por terremotos ou pela guerra; no entanto, no centro do enorme edifício ainda havia a antiga torre. A única indicação de que estavam entrando nos salões antigos foi o surgimento repentino de paredes de pedra escura, alisadas pela ação do tempo. Dois guardas vigiavam a porta, por cima da qual estava esculpido um brasão em baixo-relevo dos reis conDoin: um leão com coroa que segurava uma espada nas garras.

— Príncipe Arutha — disse o pajem, e os guardas abriram a porta. Arutha entrou na pequena antecâmara, onde se via uma escadaria que descia.

Desceu os degraus passando por filas de tochas que ardiam intensamente, manchando as pedras das paredes de fuligem negra. Os degraus terminaram e Arutha se viu diante de uma grande entrada em arco. De ambos os lados erguiam-se as estátuas heroicas de antigos reis conDoin. À direita, de feições atenuadas pelo tempo, estava a estátua de Dannis, primeiro Rei conDoin de Rillanon, que reinara cerca de setecentos e cinquenta anos atrás. À esquerda, erguia-se a estátua de Delong, o único Rei chamado de "o Grande", pois fora o que primeiro levara o estandarte de Rillanon até o continente com a conquista de Bas-Tyra, duzentos e cinquenta anos após Dannis.

Arutha passou entre as efígies de seus antepassados e entrou na cripta. Avançou entre seus ancestrais, sepultados nas paredes e em grandes catacumbas. Reis e rainhas, príncipes e princesas, ladrões e tratantes, santos e eruditos ladeavam o caminho. Na extremidade mais distante da enorme câmara, encontrou Lyam sentado junto ao catafalco que sustentava o caixão de pedra do pai. Uma imagem de Borric havia sido esculpida na superfície do caixão, dando a ideia de que o falecido Duque de Crydee estava adormecido.

Arutha se aproximou devagar, pois Lyam parecia absorto em pensamentos, mas este levantou a cabeça e disse:

— Temia que não chegasse a tempo.

— Eu também. Apanhamos um tempo infeliz que não nos permitiu avançar rápido, mas estamos todos aqui. Agora, o que se passa? Anita me disse que você passou a noite toda aqui e falou da existência de um mistério. O que é?

— Pensei muito no assunto, Arutha. Todo o Reino saberá daqui a poucas horas, mas queria que soubesse o que fiz e ouvisse o que tenho a dizer antes dos outros.

— Anita disse que Martin esteve aqui com você, hoje de manhã. O que está acontecendo, Lyam?

O Herdeiro se afastou do túmulo do pai, apontando. Inscritas nas pedras, podiam se ler as palavras:

Aqui jaz Borric, Terceiro Duque de Crydee,
Marido de Catherine,
Pai de
Martin,
Lyam,
Arutha
e Carline.

Os lábios de Arutha se moveram, mas não se ouviu qualquer palavra. Sacudiu a cabeça e perguntou:

— Que loucura é esta?

Lyam se colocou entre Arutha e a imagem do pai.

— Não é loucura, Arutha. Nosso pai reconheceu Martin no leito de morte. Ele é nosso irmão. É o filho mais velho.

O rosto de Arutha contorceu-se de raiva.

— Por que não me contou? — Sua voz revelava angústia. — Com que direito ocultou isso de mim?

Lyam subiu o tom de voz:

— Todos os que sabiam juraram guardar segredo. Não podiam arriscar que soubessem antes que a paz fosse assinada. Havia muito a perder.

Arutha empurrou o irmão para o lado, olhando incrédulo para a inscrição.

— Agora faz todo o sentido, de uma forma perversa. A exclusão de Martin da Escolha. O fato de nosso pai querer sempre saber do paradeiro dele. A liberdade de viajar como quisesse. — O ressentimento ressoou nas palavras de Arutha. — Mas por que agora? Por que nosso pai reconheceria Martin após tantos anos de negação?

Lyam tentou consolar Arutha:

— Reuni os elementos que consegui com Kulgan e Tully. Além dos dois, mais ninguém sabia, nem Fannon. Nosso pai ficou hospedado na casa de Brucal durante o primeiro ano em que exerceu o cargo, depois do falecimento de nosso avô. Envolveu-se com uma criada bonita que gerou Martin. Passaram-se cinco anos até nosso pai saber de sua existência. Ele viera para a corte, conhecera nossa mãe e os dois se casaram. Quando teve conhecimento de Martin, ele já tinha sido abandonado pela mãe, que o deixara com os monges da Abadia de Silban. Nosso pai optou por deixá-lo aos cuidados deles. Quando eu nasci, nosso pai começou a sentir remorsos por ter um filho que não conhecia e, quando completei seis anos, Martin estava pronto para a Escolha. Nosso pai tratou de trazê-lo para Crydee. Contudo, não o reconheceu por medo de humilhar nossa mãe.

— Mas por que agora?

Lyam olhou para a imagem do pai.

— Quem sabe o que passa pela cabeça de um homem nos momentos que antecedem a morte? Talvez culpa, ou certo sentido de honra. Seja qual for o motivo, reconheceu Martin e Brucal foi sua testemunha.

A raiva ainda estava presente na voz de Arutha:

— Agora, temos de lidar com toda esta loucura, independentemente das razões que levaram nosso pai a criá-la. — Fitou Lyam com um olhar severo. — O que ele disse quando o trouxe aqui?

Lyam desviou o olhar, como se sofresse com o que estava relatando.

— Ficou em silêncio, até que o vi chorar. Por fim, disse: "Fico feliz por ele ter lhe contado." Arutha, ele sabia. — Lyam agarrou o irmão pelo braço. — Todos esses anos, nosso pai julgava que Martin ignorava seu direito de nascença, mas ele sabia. Nem uma única vez tentou usar esse conhecimento em seu proveito.

A raiva de Arutha serenou.

— Disse mais alguma coisa?

— Somente "Obrigado, Lyam" e saiu.

Arutha começou a andar de um lado para outro, até que se voltou para Lyam.

— Martin é um bom homem, dos melhores que já conheci. Serei o primeiro a admiti-lo. Mas esse reconhecimento! Meus deuses, você sabe o que provocou?

— Tenho plena consciência de meus atos.

— Colocou na balança tudo o que conseguimos conquistar ao longo dos últimos nove anos. Iremos agora enfrentar ambiciosos senhores orientais caso decidam se reunir em apoio a Martin? Acabamos uma guerra para começarmos outra ainda mais implacável?

— Não haverá contestação.

Arutha parou de andar. Apertou os olhos.

— Como assim? Martin prometeu não reivindicar o seu direito?

— Não. Decidi não me opor a Martin, caso ele queira a coroa.

Arutha ficou atônito por um momento, em choque enquanto fitava Lyam. Pela primeira vez, compreendia as terríveis dúvidas que o irmão expressara sobre se tornar Rei.

— Você não quer ser Rei — disse, em tom acusador.

Lyam riu amargamente.

— Ninguém em seu perfeito juízo desejaria. Foi você que disse, irmão. Não sei se eu estaria à altura dos fardos da realeza. Contudo, agora não depende de mim. Se Martin reclamar a coroa, reconhecerei seu direito.

— Seu direito! O sinete real passou para a sua mão, diante da maioria dos Lordes do Reino. Você não é um Erland doente se submetendo diante do filho do irmão em razão da saúde debilitada e de não existir uma sucessão evidente. Você foi nomeado Herdeiro!

Lyam abaixou a cabeça.

— A proclamação da sucessão não tem validade, Arutha. Rodric me nomeou Herdeiro por ser o "primogênito conDoin", algo que não sou. Martin é.

Arutha confrontou o irmão:

— Um belo aspecto legal, Lyam, que poderá significar a destruição deste Reino! Se Martin expressar sua pretensão perante o congresso reunido, os Sacerdotes de Ishap irão partir a coroa e o assunto passará para o Congresso dos Lordes, para aí encontrarem uma solução. Mesmo com Guy na clandestinidade, existem dezenas de Duques, vintenas de Condes e uma hoste de Barões que de bom grado cortariam a garganta dos vizinhos para convocar um congresso desses. As negociações desse gênero acabarão com metade dos Estados do Reino mudando de mãos em troca de votos. Seria um autêntico circo! Se você aceitar a coroa, Bas-Tyra não poderá agir. Porém, se apoiar Martin, serão muitos os que se recusarão a segui-lo. Um impasse no congresso é exatamente o que Guy deseja. Aposto tudo o que tenho em como ele se encontra em algum lugar na cidade neste exato momento, maquinando para que ocorra essa reunião. Se os lordes orientais se recusarem a aceitar a decisão, Guy surgirá e serão muitos os que se reunirão sob o seu estandarte.

Lyam parecia desolado com as palavras do irmão.

— Não sei dizer o que ocorrerá, Arutha. O que sei é que não podia ter agido de outra forma.

Arutha parecia prestes a bater em Lyam.

— Você pode ter herdado o fardo do sentido de honra familiar de nosso pai, mas caberá a todos nós enfrentar o massacre! Pelo amor dos céus, Lyam, o que acha que irá acontecer se um caçador até agora sem nome se sentar no trono conDoin simplesmente porque o nosso pai andou metido com uma criada bonitinha há quase quarenta anos? Irá estourar uma guerra civil!

Lyam mostrou-se inflexível:

— Se trocássemos de posição, você teria negado a Martin o seu direito à progenitura?

A raiva de Arutha se dissipou. Olhou para o irmão com evidente assombro.

— Deuses! Você se sente culpado pelo fato de nosso pai ter renegado Martin a vida toda, não é verdade? — Afastou-se de Lyam, como se quisesse vê-lo em perspectiva. — Se trocássemos de posição, sem dúvida eu negaria a Martin seu direito de progenitura. Após trinta e sete anos, que diferença poderão fazer mais uns dias? Depois de me tornar Rei e de estar firme em meu trono, então o nomearia Duque, iria lhe dar um exército para comandar, faria dele Conselheiro Principal, o que quer que fosse preciso para aliviar a minha consciência, mas somente após ter o Reino seguro. Não desejaria que Martin passasse por Borric, o Primeiro, e Guy fosse Jon, o Pretendente, e faria o possível para que isso não acontecesse.

Lyam suspirou, desapontado.

— Então você e eu somos dois tipos de homem muito diferentes, Arutha. Disse-lhe no acampamento que daria um rei muito melhor do que eu. Talvez tenha razão, mas o que está feito está feito.

— Brucal sabe disso?

— Só nós três. — Olhou diretamente para Arutha. — Só os filhos de nosso pai.

Arutha enrubesceu, irritado com a observação.

— Não me entenda mal, Lyam. Tenho grande afeto por Martin, mas estamos tratando de questões muito além da consideração pessoal. — Ficou pensando por um instante. — Quer dizer que está tudo nas mãos de Martin. Ainda bem que você não tornou o assunto público. O choque será grande caso Martin avance na coroação. Pelo menos poderemos nos preparar com antecedência.

Arutha avançou para as escadas, parou e se virou para o irmão.

— O que disse serve para os dois lados, Lyam. Talvez o fato de não conseguir negar Martin faça de você um Rei melhor do que eu seria; porém, por mais que o ame, não permitirei que o Reino seja destruído por causa da sucessão.

Lyam parecia incapaz de continuar a discutir com o irmão. A fadiga, uma resignação penosa perante o que o destino reservava, transpareceu em suas palavras:

— O que vai fazer?

— O que tem de ser feito. Vou me certificar de que aqueles que nos são leais sejam avisados. Caso seja necessário combater, pelo menos teremos a vantagem da surpresa. — Fez uma pausa. — O meu afeto por Martin é grande, Lyam, precisa saber disso. Quando era pequeno, eu o acompanhei várias vezes em caçadas e ele se revelou crucial quando tivemos de levar Anita em segurança para longe dos cães de guarda de Guy, uma dívida que jamais conseguirei saldar. Em outro tempo e lugar, eu o aceitaria como meu irmão de braços abertos. Contudo, caso haja derramamento de sangue, Lyam, de bom grado o matarei.

Arutha saiu da cripta de seus antepassados. Lyam ficou sozinho, sentindo a frieza de séculos penetrar em sua pele.

Pug olhou pela janela, entregue a reminiscências. Katala chegou ao seu lado e ele despertou dos devaneios.

— Você está linda — disse Pug. Ela usava um vestido comprido de tecido vermelho-escuro brilhante, enfeitado com dourado no corpete e nas mangas. — A mais elegante Duquesa da corte não estará à altura de sua beleza.

Katala sorriu ao ouvir o elogio.

— Obrigada, marido. — Rodopiou, exibindo o vestido. — Acho que seu Duque Caldric é um verdadeiro mago. Como o pessoal dele conseguiu encontrar todas estas coisas e aprontá-las em apenas duas horas é verdadeira magia. — Deu palmadinhas na saia comprida. — É preciso prática para andar com esses vestidos compridos e pesados. Acho que prefiro as túnicas curtas de meu mundo. — Afagou o tecido. — Ainda assim, é um tecido maravilhoso. Neste seu mundo frio, vejo a necessidade. — O tempo esfriara, agora que o verão estava acabando. Dentro de menos de dois meses, a neve começaria a cair.

— Se acha que agora está frio, espere até chegar o inverno, Katala.

William entrou correndo, vindo do quarto adjacente.

— Mamãe, papai — gritou com uma exuberância infantil. Trajava uma túnica e calças dignas de um pequeno nobre, de tecido e confecção excepcionais. Saltou para os braços estendidos do pai. — Aonde vão? — perguntou, de olhos arregalados.

— Vamos ver Lyam ser coroado Rei, William — respondeu Pug. — Na nossa ausência, preste atenção ao que a ama diz e não aborreça o Fantus.

O menino balançou a cabeça, mas o sorrisinho endiabrado deixou dúvidas quanto à sua credibilidade. A criada que vinha tomar conta de William entrou e lhe deu a mão, levando-o de volta ao quarto.

Pug e Katala saíram dos aposentos que Caldric lhes atribuíra e se dirigiram à sala do trono. Quando viraram em um corredor, viram Laurie saindo de seu quarto, com um nervoso Kasumi ao seu lado.

Ao vê-los, Laurie se animou, dizendo:

— Ah! Aí estão. Esperava vê-los antes do início das cerimônias.

Kasumi fez uma mesura a Pug, embora o mago estivesse vestido com uma elegante túnica e calças marrom-avermelhadas em vez do manto negro.

— Grande — cumprimentou.

— Aqui, isso faz parte do passado, Kasumi. Por favor, me chame de Pug.

— Vocês dois estão muito bem de roupa e uniforme novos — disse Katala.

Laurie usava roupas coloridas de acordo com a moda mais recente, uma túnica amarela com um colete verde por cima e calças justas e pretas, enfiadas em botas altas. Kasumi estava vestido com o uniforme de Capitão Cavaleiro da guarnição LaMutiana, túnica e calças verde-escuras e o tabardo com a cabeça de lobo pardo de LaMut. O menestrel sorriu.

— Com toda a excitação dos últimos meses, até me esqueci de que tinha comigo uma pequena fortuna em pedras preciosas. Como não posso devolvê-las ao Lorde Shinzawai e o filho se recusa a recebê-las, parece que tenho direito a elas. Já não terei de me preocupar em encontrar uma viúva que tenha uma estalagem.

— Kasumi, como vão as coisas com seus homens? — perguntou Pug.

— Nada mal, embora ainda exista algum desconforto entre eles e os soldados LaMutianos. Passará, com o tempo. Encontramos a Irmandade uma semana depois de partirmos. São bons combatentes, mas os derrotamos. Na guarnição, todos os homens celebraram, tsurani e LaMutianos. Foi um bom começo.

A batalha fora mais do que Kasumi contara. A notícia chegara a Rillanon. Os Irmãos das Trevas e seus aliados goblins tinham atacado Yabon, invadindo uma das guarnições fronteiriças, enfraquecida durante a guerra. Os tsurani tinham feito um desvio da marcha para Zūn, então se precipitaram para o norte e libertaram a guarnição. Lutaram como loucos para livrar os antigos inimigos da hoste mais numerosa de goblins e conseguiram rechaçá-los para as montanhas ao norte de Yabon.

Laurie piscou o olho para Pug.

— Uma vez que se tornaram heróis, nossos amigos tsurani foram recebidos calorosamente quando chegaram aqui em Rillanon. — Como estavam afastados do centro da guerra, os habitantes da cidade não sentiam muito medo nem ódio pelos antigos inimigos, recebendo-os de forma que seria impensável nas Cidades Livres, em Yabon ou ao longo da Costa Extrema. — Creio que os homens de Kasumi ficaram um pouco atordoados com tudo.

— É claro que ficaram — concordou Kasumi. — Uma recepção como a que tivemos teria sido impossível em nosso mundo, mas aqui...

— Ainda assim — prosseguiu Laurie —, parecem estar se habituando depressa. Os homens desenvolveram um rápido apreço pelos vinhos e cervejas do Reino e parece que até conseguiram superar a aversão por mulheres altas.

Kasumi desviou o olhar com um sorriso constrangido.

— O nosso arrojado Capitão Cavaleiro foi recebido há uma semana por uma das nossas famílias de mercadores mais abastadas, que procura desenvolver mais negócios com o Oeste — disse Laurie. — Desde então é visto regularmente na companhia da filha de certo mercador.

Katala riu e Pug sorriu com o embaraço de Kasumi.

— Ele sempre foi um aluno que aprende depressa — disse Pug.

Kasumi abaixou a cabeça, as bochechas vermelhas, mas revelando um grande sorriso.

— Ainda assim, é difícil conceber a enorme liberdade de que dispõem as suas compatriotas. Agora percebo por que os dois eram tão obstinados. Devem ter aprendido com as suas mães.

A atenção de Laurie foi desviada por alguém que se aproximava. Pug reparou na expressão de evidente admiração no rosto do trovador. O mago se virou, sendo agraciado pela visão de uma bela mulher que se aproximava com uma escolta de guardas. Arregalou os olhos ao reconhecer Carline. Era uma mulher encantadora, como a adolescência prometera. Ela se aproximou deles e, com um aceno, dispensou a guarda. Tinha um ar majestoso no elegante vestido verde, com uma tiara cravejada de pérolas sobre o cabelo preto.

— Mestre mago — disse ela —, não cumprimenta uma velha amiga?

Pug fez uma mesura diante da Princesa, sendo imitado por Kasumi e Laurie. Katala fez uma ligeira mesura, tal como uma das criadas lhe ensinara.

— Princesa, me lisonjeia ao se lembrar de um simples garoto da torre — disse Pug.

Carline sorriu, com um brilho nos olhos azuis.

— Oh, Pug... você nunca foi nada simples. — Olhou para além dele, vendo Katala. — É sua esposa? — Quando Pug confirmou e as apresentou, a Princesa deu um beijo no rosto de Katala, dizendo:

— Minha querida, ouvi dizer que era bonita, mas as descrições de meu irmão não lhe fizeram justiça.

— Vossa Alteza é muito amável — respondeu Katala.

Kasumi retomou o comportamento nervoso, mas Laurie não tirava os olhos da jovem mulher de verde. Katala teve de puxá-lo com força pelo braço para recuperar a atenção do menestrel.

— Laurie, pode mostrar um pouco do palácio para mim e para Kasumi, antes do início da cerimônia?

Laurie mostrou um sorriso de orelha a orelha, fez uma mesura e acompanhou Kasumi e Katala pelo corredor. Pug e a Princesa ficaram vendo-os desaparecer.

— A sua mulher é muito perspicaz — disse Carline.

Pug sorriu.

— Não há dúvida de que é excepcional.

Carline parecia realmente feliz por vê-lo.

— Pelo que sei, também tem um filho.

— William. É endiabrado, mas é meu tesouro.

Na expressão de Carline surgiu um vestígio de inveja.

— Gostaria de conhecê-lo. — Fez uma pausa, acrescentando em seguida: — Você tem muita sorte.

— Muita sorte, Alteza.

Ela lhe deu o braço e começaram a andar sem pressa.

— Tão formal, Pug? Ou devo chamá-lo de Milamber, como ouvi dizer que era conhecido?

Pug viu que ela sorria e sorriu também.

— Às vezes, não sei, embora aqui Pug pareça mais adequado. — Fez uma careta. — Parece que ouviu muito a meu respeito.

Ela simulou um beicinho.

— Você sempre foi meu mago preferido.

Gargalharam juntos. Depois, baixando a voz, Pug disse:

— Lamento muito a morte de seu pai, Carline.

Ela ficou um pouco triste.

— Lyam me contou que você estava presente no último momento. Fico feliz por ele ter visto, antes de morrer, que regressou são e salvo. Sabia que ele o tinha em grande estima?

Pug sentiu-se enrubescer de emoção.

— Deu-me um nome de família; não deve haver melhor forma de demonstrá-lo. Você sabia disso?

Carline animou-se.

— Sabia, Lyam também me contou. Agora somos praticamente primos — observou, rindo. Caminhando, ela falou em voz baixa: — Você foi o meu primeiro amor, Pug, mas, acima de tudo, foi sempre meu amigo. Estou muito feliz por ver que meu amigo voltou para casa.

Ele parou, dando-lhe um beijo delicado no rosto.

— E seu amigo está muito feliz por estar em casa.

Enrubescendo um pouco, ela o levou até um pequeno jardim em um terraço. Avançaram para o sol resplandecente e sentaram-se em um banco de pedra. Carline suspirou demoradamente.

— Quem me dera que meu pai e Roland pudessem estar presentes.

— Também fiquei arrasado ao saber da morte de Roland — afirmou Pug.

Ela sacudiu a cabeça.

— Aquele brincalhão viveu mais em seus poucos anos do que grande parte dos homens em toda uma vida. Escondia-se muito atrás daqueles modos libertinos, mas, sabe, acho que deve ter sido um dos homens mais sensatos que conheci até hoje. Agarrava cada minuto e espremia dele toda a vida que conseguia. — Pug a olhou e viu que tinha os olhos brilhando com as recordações. — Se ainda estivesse vivo, eu teria me casado com ele. Desconfio que discutiríamos todos os dias, Pug; oh, como ele conseguia me irritar. Mas também me fazia rir. Ensinou-me tanto sobre a vida. Guardarei para sempre a sua memória com o maior carinho.

— Fico feliz por ver que aceitou suas perdas, Carline. Tantos anos como escravo e depois como mago em outro mundo me mudaram bastante. Ao que parece, você também mudou bastante.

Ela inclinou a cabeça para contemplá-lo.

— Não creio que você tenha mudado tanto assim, Pug. Aí dentro, ainda existe uma parte daquele garoto, daquele que ficava sempre tão perturbado com a atenção que eu lhe dava.

Pug riu.

— Acho que tem razão. De certa forma, você também não mudou muito, pelo menos parece que ainda mantém o jeito para perturbar os homens, se é que posso deduzir isso pela reação do meu amigo Laurie.

Ela sorriu, mostrando um rosto radiante, e Pug sentiu um aperto leve, um eco daquilo que sentira quando era criança. Contudo, agora não sentia mais desconforto, pois sabia que amaria Carline para sempre, embora não da forma que imaginara na adolescência. Mais do que uma paixão tumultuosa ou do que a ligação profunda que tinha com Katala, sabia que seus sentimentos eram de afeto e amizade.

Carline retomou o último comentário de Pug:

— Aquele belo louro que estava com você ainda há pouco, quem era?

Pug sorriu com ar cúmplice.

— Seu súdito mais leal, ao que parece. É Laurie, um trovador de Tyr-Sog e um malandro de perspicácia e charme ilimitados. Possui bom coração e espírito corajoso, e é um verdadeiro amigo. Um dia, irei lhe contar como salvou a minha vida, arriscando a sua.

Carline voltou a inclinar a cabeça.

— Parece-me um indivíduo intrigante. — Pug percebeu que, embora mais velha e mais contida, pois conhecera a tristeza, em grande parte ela não tinha mudado.

— Certa vez, brincando, prometi que a apresentaria a ele. Agora, estou certo de que ele ficaria encantado em conhecê-la, Alteza.

— Então temos de providenciar isso. — Levantou-se. — Tenho de ir me preparar para a coroação. Logo os sinos tocarão e os sacerdotes irão chegar. Voltaremos a conversar outra hora, Pug.

Ele também se levantou.

— Será um prazer, Carline.

Ofereceu-lhe o braço. Uma voz vinda de trás disse:

— Escudeiro Pug, posso falar com você?

Viraram-se e viram Martin do Arco afastado, no fundo do jardim. Fez uma mesura à Princesa.

— Mestre Martin do Arco! — exclamou Carline. — Aí está você. Desde ontem que não o via.

Martin esboçou um sorriso.

— Precisei ficar sozinho. Em Crydee, quando sinto essa necessidade, volto à floresta. Aqui — indicou o grande jardim no terraço —, foi o melhor que consegui arranjar.

Carline o olhou perplexa, mas não deu maior importância ao comentário.

— Bem, espero que consiga assistir à coroação. Agora, se me dão licença, tenho de ir. — Recebeu as despedidas corteses de ambos e foi embora.

— Fico feliz por voltar a vê-lo, Pug — disse Martin, olhando para o mago.

— E eu a você, Martin. De todos os meus antigos amigos aqui presentes, é o último que reencontro. Tirando os que ainda estão em Crydee, você completou o meu regresso. — Pug percebeu que Martin estava preocupado. — Há algum problema?

Martin olhou para além do jardim, para a cidade e o mar distante.

— Lyam me contou, Pug. Disse-me que você também sabe.

Pug entendeu de imediato.

— Eu estava presente quando seu pai morreu, Martin — disse em voz calma.

Em silêncio, Martin começou a caminhar e, ao chegar ao muro baixo de pedra que rodeava o jardim, agarrou-o com força.

— O meu pai — disse, com amargura. — Quantos anos esperei para ouvi-lo dizer: "Martin, sou seu pai." — Engoliu em seco. — Nunca quis saber de herança e coisas assim. Contentava-me em ser o Mestre de Caça de Crydee. Se ao menos ele mesmo me tivesse dito isso.

Pug refletiu antes de falar.

— Martin, muitos homens se arrependem dos atos que cometeram. São poucos os que têm oportunidade de reparar o mal feito. Se uma flecha tsurani o tivesse levado em um segundo ou se tivessem ocorrido centenas de outras situações, talvez não houvesse tido a oportunidade de fazer o pouco que conseguiu.

— Eu sei, mas ainda é um consolo muito pequeno.

— Lyam lhe contou suas últimas palavras? Ele disse: "Martin é seu irmão. Tratei-o injustamente, Lyam. É bom homem e o amo muito."

Os nós dos dedos de Martin ficaram brancos enquanto apertava o muro de pedra.

— Não, não amava — respondeu serenamente.

— Lorde Borric não era um homem simples, Martin, e eu não passava de um garoto quando o conheci, mas, o que quer que se diga sobre ele, não se pode dizer que era mal-intencionado. Não pretendo entender por que agiu como agiu, mas não há dúvida de que o amava.

— Foi tudo uma grande tolice. Eu sabia que ele era meu pai e ele nunca soube que minha mãe tinha me contado. Quão diferentes teriam sido nossas vidas se eu tivesse falado?

— Só os deuses sabem. — Estendeu a mão e tocou no braço de Martin. — O que interessa agora é o que fará. O fato de Lyam ter lhe contado significa que irá tornar público seu direito de progenitura. Se já tiver contado a outros, a corte deve estar em rebuliço. É o primogênito, e tem direito a reclamar a coroa. Já sabe o que irá fazer?

Olhando Pug com atenção, Martin disse:

— Fala de tudo isso com muita tranquilidade. A minha pretensão ao trono não o incomoda nada?

Pug sacudiu a cabeça.

— Você não tem como saber, mas eu fui considerado um dos homens mais poderosos de Tsuranuanni. Em determinadas circunstâncias, a minha palavra importava mais do que a ordem de qualquer rei. Acho que sei aonde o poder pode levar e que tipo de homens o procura. Duvido que você tenha uma ambição pessoal tão desmedida, a menos que tenha mudado muito desde quando eu vivia em Crydee. Se aceitar a coroa, será pelo que acredita serem bons motivos. Poderá ser simplesmente para impedir uma guerra civil, pois, se escolher o manto de Rei, Lyam será o primeiro a lhe jurar fidelidade. Seja qual for a razão, agirá com sensatez. Caso opte por aceitar a cor roxa, certamente dará o melhor de si para ser um bom soberano.

Martin pareceu impressionado.

— Você mudou muito, Escudeiro Pug, mais do que eu esperava. Agradeço o parecer amável com relação à minha pessoa, mas acho que deve ser o único homem no Reino a acreditar nisso.

— Seja qual for a verdade, é filho de seu pai e jamais traria desonra a esta casa.

De novo as palavras de Martin transpareceram certa amargura:

— Haverá aqueles que acharão que meu nascimento já foi uma grande desonra. — Olhou para a cidade abaixo, virando-se depois para fitar Pug. — Quem dera a escolha fosse fácil, mas Lyam se encarregou de complicá-la. Se eu aceitar a coroa, serão muitos os que mostrarão relutância. Se renunciar a favor de Lyam, há quem possa me usar como desculpa, recusando jurar fidelidade a Lyam. Oh, deuses! Se a questão fosse entre mim e Arutha, Pug, não hesitaria um só segundo em lhe dar o lugar. Mas Lyam? Há sete anos que não o vejo e esses anos o mudaram. Parece um homem assaltado por dúvidas. É óbvio que é um comandante de campo muito competente, mas Rei? Enfrento a perspectiva temível de que eu poderia ser um rei mais capaz.

— Como eu disse antes, caso reclame a coroa, você fará pelas razões que considerar corretas, razões relacionadas com o dever — disse Pug com serenidade.

A mão direita de Martin se fechou em punho, que ergueu diante do rosto.

— Onde termina o dever e começa a ambição pessoal? Onde termina a justiça e começa a vingança? Há uma parte de mim, uma parte revoltada, que diz: "Tire todo o proveito deste momento, Martin." Por que não Rei Martin? Depois, outra parte de mim pergunta se meu pai colocou este fardo em meus ombros sabendo que um dia eu viria a ser Rei. Oh, Pug, qual é o meu dever?

— Isso é algo que cada um de nós tem de decidir sozinho. Não posso aconselhá-lo sobre isso.

Martin inclinou-se no parapeito, com as mãos cobrindo o rosto.

— Talvez seja melhor eu ficar sozinho, se não se importa.

Pug foi embora, ciente de que um homem inquieto ponderava sobre seu destino. E o destino do Reino.

Pug encontrou Katala com Laurie e William, conversando com o Duque Brucal e o Conde Vandros. Ao se aproximar, ouviu o Duque dizer:

— Pois parece que, por fim, vamos ter um casamento, agora que este desajeitado — indicou Vandros — pediu a mão de minha filha. Talvez eu venha a ter netos antes de morrer, afinal. Veja o que acontece quando esperamos muito para casar. Os nossos filhos ainda não se casaram e já somos velhos. — Inclinou a cabeça quando viu Pug. — Ah, mago, aí está você.

Katala sorriu quando viu o marido.

— Teve um reencontro agradável com a Princesa?

— Muito agradável.

Batendo com o indicador no peito dele, Katala disse:

— Quando estivermos sozinhos, vai repetir todas as palavras.

Os outros riram com o embaraço de Pug, embora ele entendesse que ela estava apenas brincando.

— Ah, mago, sua esposa é tão encantadora que me faz desejar ter outra vez sessenta anos — disse Brucal. Piscou o olho para Pug. — Então eu a roubaria de você e ao diabo com o escândalo. — Pegou o braço do mago e dirigiu-se a Katala: — Com sua licença, senhora, mas em vez disso tenho de roubar um minuto do tempo de seu marido.

Afastou um surpreso Pug do grupo e, quando já não podiam ser ouvidos, disse:

— Tenho notícias de grande gravidade.

— Eu sei.

— Lyam é um tolo, um tolo nobre. — Desviou o olhar por um instante, ficando com um olhar ausente ao se lembrar. — No entanto, é filho de seu pai e também neto de seu avô, e, tal como esses dois que o antecederam, possui um sentido muito profundo de honra. — Os olhos idosos voltaram a se focar. — Porém quem me dera que seu sentido de dever fosse igual. — Baixando ainda mais a voz, disse: — Mantenha a sua esposa perto de você. Os guardas no salão vestem o roxo e morrerão para defender o Rei, seja ele quem for. Porém a situação pode se complicar. Muitos dos homens do Leste são de natureza impulsiva, habituados demais a que sejam logo satisfeitas suas mais insignificantes exigências. Pode acontecer de alguns deles abrirem as bocas e terem de mastigar aço. Meus homens e os de Vandros estão espalhados por todo o palácio, enquanto os tsurani de Kasumi ficaram lá fora, a pedido de Lyam. Os Lordes do Leste não gostaram, mas Lyam é o Herdeiro e eles não podem recusar. Juntamente com os que ficarão de nosso lado, podemos tomar o palácio e mantê-lo. Com Guy du Bas-Tyra escondido e Richard de Salador morto, os Lordes orientais perderam a liderança. No entanto, restam muitos deles na ilha, com muitas "guardas de honra" na cidade e ao redor, e poderiam tornar esta cidade um campo de batalha se fugissem do palácio antes de ser nomeado um Rei. Não, não sairemos daqui. Nenhum oriental traidor poderá sair daqui para conspirar com Guy, o Negro. Irão todos se ajoelhar diante do irmão que receber a coroa.

Pug se admirou ao ouvir Brucal.

— Quer dizer que apoiará Martin?

A voz do velho Brucal tornou-se severa, embora a mantivesse baixa:

— Ninguém irá mergulhar o meu Reino em uma guerra civil, mago. Pelo menos enquanto eu respirar. Conversei com Arutha. Nenhum de nós aprecia as opções, mas sabemos que ações tomar. Se Martin for coroado Rei, todos terão de se ajoelhar diante dele. Se for Lyam o Rei, Martin terá de jurar fidelidade ou não sairá vivo daqui. Se partirem a coroa, tomaremos este palácio e nenhum Lorde sairá daqui até que o Congresso nomeie um dos irmãos como Rei, nem que fiquemos um ano trancados naquele maldito salão. Já apanhamos vários agentes de Guy na cidade. Ele está aqui, em Rillanon, não tenho dúvida. Se uma meia dúzia de nobres conseguir escapar do palácio antes que o Congresso se reúna, estourará a guerra civil. — Bateu com o punho na mão aberta. — Malditas tradições. Enquanto conversamos, os sacerdotes avançam para o palácio, e a cada passo estão mais próximos do momento da escolha. Se Lyam tivesse agido antes, teria nos dado mais tempo, ou podia não ter sequer agido. Ou se tivéssemos conseguido prender Guy. Se conseguíssemos falar com Martin, mas ele desapareceu...

— Eu falei com Martin.

Brucal apertou os olhos.

— Qual é seu estado de espírito? Que planos tem?

— É um homem perturbado, como pode imaginar. Ver-se com esse fardo nos ombros e com tão pouco tempo para se habituar à ideia. Sempre soube quem era seu pai e estava conformado em levar esse segredo para o túmulo, aposto, mas se viu agora atirado de súbito no centro da questão. Não sei o que ele irá fazer. Nem ele saberá, até o momento em que os sacerdotes puserem a coroa diante dele.

Brucal afagou o queixo.

— O fato de saber e não ter usado esse conhecimento em seu proveito atesta seu caráter. No entanto, o tempo continua a ser pouco. — Indicou o grupo junto à porta principal que dava para o salão. — É melhor regressar para junto de sua esposa. Fique atento, mago, pois poderemos precisar de suas artes antes de este dia chegar ao fim.

Regressaram para junto dos outros e Brucal levou Vandros e Kasumi para dentro, conversando com eles em voz baixa. Antes que Katala pudesse falar, Laurie disse:

— O que se passa? Quando levei Katala e Kasumi a uma varanda que dá para o pátio, vi homens de Kasumi por todo lado. Por um segundo, achei que o Império vencera a guerra. Não consegui que me contasse nada.

— Brucal sabe que seguirão as ordens de Kasumi sem objeções — disse Pug.

— Do que se trata, marido? Complicações? — perguntou Katala.

— Não tenho muito tempo para explicar. Poderá haver mais do que um pretendente ao trono. Não saia de perto de Kasumi, Laurie, e mantenha a espada pronta. Se surgirem problemas, siga as ordens de Arutha.

Laurie assentiu, o rosto marcado por uma expressão sinistra de compreensão. Entrou no salão e Katala disse:

— E William?

— Está a salvo. O que quer que aconteça, será aqui no salão principal, e não nos aposentos dos hóspedes. A verdadeira aflição terá início a seguir. — A expressão dela demonstrou que não entendia bem, mas aceitou o que o marido disse. — Venha. Temos de ocupar nossos lugares lá dentro.

Entraram no salão e se dirigiram a um lugar de honra perto da frente. Quando passavam pela multidão reunida para ver o Rei ser coroado, ouviram o falatório à medida que os rumores iam se espalhando. Chegaram perto de Kulgan e o corpulento mago acenou a cabeça em cumprimento. Meecham aguardava poucos passos atrás, encostado em uma parede. Perscrutava a sala, assinalando as posições de todos os que se encontravam à distância de uma espada de Kulgan. Pug reparou que a faca de caça comprida e gasta não estava completamente fechada na bainha. Podia não saber qual era o problema, mas em um segundo estaria preparado para defender seu velho companheiro.

— O que está havendo? — sibilou Kulgan. — Estava tudo calmo até há poucos minutos; agora, a sala está em rebuliço.

Pug se aproximou de Kulgan e disse:

— Martin poderá se apresentar perante a coroa.

O velho mago arregalou os olhos.

— Deuses e peixes! Isso é bem capaz de deixar a corte de ouvidos atentos. — Olhou ao redor e viu que grande parte dos nobres do Reino já ocupara seus lugares no salão.

— Agora é tarde demais para se fazer algo além de esperar — disse, com um suspiro de pesar.

Amos entrou de rompante no jardim, praguejando furiosamente.

— Mas por que diabos alguém há de querer estes ramalhetes por todo lado?

Martin ergueu os olhos e quase não conseguia apanhar o copo de cristal que Amos Trask lhe atirou.

— Mas que... — exclamou, enquanto Amos o enchia de vinho de um jarro de cristal que trazia na mão.

— Achei que talvez estivesse precisando de um trago, bem como de um camarada de bordo com quem desabafar.

Martin apertou os olhos.

— Como assim?

Amos encheu seu copo e bebeu um demorado trago.

— Já se espalhou pelo palácio, meu rapaz. Lyam é boa pessoa, mas tem pedras no lastro se acha que pode levar um grupo de cinzeladores à cripta de seu pai para gravarem lá seu nome e depois lhes exigir silêncio com algo tão trivial quanto uma ordem real. Todos os serviçais deste palácio já sabiam que você era o novo primogênito menos de uma hora depois de aqueles rapazes terem acabado o trabalho. A notícia já se espalhou, acredite em mim.

Martin bebeu o vinho, agradecendo em seguida:

— Obrigado, Amos. — Observou o vinho tinto no copo. — Você acha que devo ser Rei?

Amos riu, produzindo um som agradável e caloroso.

— Quanto a isso, tenho duas opiniões, Martin. Em primeiro lugar, é sempre melhor ser capitão do que grumete e é por isso que sou capitão e não sou grumete. Em segundo lugar, há diferenças entre um navio e um reino.

Martin riu.

— Pirata, isso é uma bela ajuda.

Amos ficou com um ar ofendido.

— Maldito seja, consegui fazê-lo rir, não consegui? — Inclinou-se, descansando um cotovelo no muro do jardim enquanto se servia de mais vinho. — Veja só, no porto real há um lindo navio de três mastros. Não tenho tido muito tempo, mas, com o indulto do Rei, haverá muitos rapazes acabados de sair do brigue que não hesitariam em zarpar com o Capitão Trenchard. E se soltássemos amarras sem destino?

Martin sacudiu a cabeça.

— Parece bom. Em toda a minha vida, foram três as vezes que entrei em um navio e com você quase morri em todas as três.

Amos pareceu ofendido novamente:

— As primeiras duas vezes foram culpa de Arutha e na terceira a culpa não foi minha. Não mandei aqueles piratas ceresianos nos seguirem de Salador a Rillanon. Além disso, se embarcar comigo, seremos nós a fazer as perseguições. O Mar do Reino é um mar completamente novo para Trenchard navegar. Que me diz?

A voz de Martin ganhou um tom melancólico:

— Não, Amos, embora tivesse quase tanta vontade de zarpar com você quanto de regressar à floresta. Mas não posso fugir à decisão que tenho de tomar. Para o bem ou para o mal, sou o primogênito, e cabe a mim a pretensão ao trono. — Martin olhou Amos atentamente. — Acha que Lyam conseguirá ser Rei?

Amos sacudiu a cabeça.

— É claro, mas não é essa a questão, é? O que quer saber é se Lyam será um bom Rei. Não sei, Martin. Mas lhe digo isto: já vi muitos marinheiros empalidecerem de medo em uma batalha, apesar de lutarem sem hesitação. Às vezes, não é possível saber do que um homem é capaz até chegar o momento de agir. — Amos parou um momento, ponderando as palavras. — Lyam é um sujeito bom o bastante, como já disse. Morre de medo de se tornar Rei e não posso culpá-lo. Mas quando estiver no trono... acho que poderá ser um bom Rei.

— Quem me dera saber se tem razão.

Ouviu-se um gongo e logo os sinos começaram a tocar.

— Bom — disse Amos —, já não lhe resta muito tempo para decidir. Os Sacerdotes de Ishap se encontram nos portões exteriores e, quando chegarem à sala do trono, não haverá como cortar as amarras e zarpar. O seu rumo estará traçado.

Martin se afastou do muro.

— Obrigado pela companhia, Amos, e pelo vinho. Vamos mudar o destino do Reino?

Amos bebeu o que restava do vinho do jarro de cristal. Atirou-o para o lado e, acima do barulho do vidro quebrando, disse:

— Vá lá decidir o destino do Reino, Martin. Eu aparecerei mais tarde, quem sabe, se não conseguir aquele naviozinho de que falei. Talvez voltemos a navegar juntos. Se mudar de ideia quanto a ser Rei ou se decidir que precisa de transporte veloz para sair de Rillanon, vá até as docas antes do pôr do sol. Estarei por lá e você será sempre bem-vindo à minha tripulação.

Martin apertou a mão dele com força.

— Até a próxima, como sempre, pirata.

Amos foi embora e Martin ficou sozinho, organizando as ideias da melhor forma possível, até que, tendo tomado uma decisão, deu início ao percurso até a sala do trono.

Esticando o pescoço, Pug conseguia ver quem entrava no salão. O Duque Caldric acompanhava a viúva de Erland, a Princesa Alicia, pelo longo corredor até o trono. Anita e Carline os seguiam. De Kulgan, ouviu a observação:

— Pelas expressões sombrias e palidez, aposto que Arutha já lhes disse o que pode acontecer.

Pug reparou como Anita agarrava a mão de Carline com força quando chegaram aos lugares que lhes foram reservados.

— Que situação, descobrir que se tem um irmão mais velho nestas circunstâncias.

— Todos parecem estar lidando bem com a situação — sussurrou Kulgan.

Os gongos anunciaram que os sacerdotes ishapianos tinham entrado na antecâmara, e viram Arutha e Lyam entrar. Ambos traziam os mantos vermelhos dos Príncipes do Reino e avançaram a passo rápido até a frente do salão. Os olhos de Arutha percorreram o lugar, como se estivesse tentando avaliar o estado de espírito das pessoas em todos os lados. Lyam aparentava estar calmo, como se estivesse resignado a aceitar o que quer que o destino lhe reservasse.

Pug viu Arutha sussurrar uma breve palavra ao ouvido de Fannon que o velho Mestre de Armas, por sua vez, sussurrou ao Sargento Gardan. Ambos olharam ao redor de modo tenso, com as mãos junto aos punhos das espadas, atentos a todos que ali se encontravam.

Ele não via sinal de Martin.

— Talvez Martin tenha decidido se esquivar do assunto — sussurrou a Kulgan.

O velho mago olhou em volta.

— Não, ali está ele.

Pug olhou para onde Kulgan indicara com um aceno de cabeça. Na parede mais distante, junto a um canto, erguia-se uma coluna gigante. Em sua sombra, se encontrava Martin. Não era possível ver as suas feições, mas a postura era inconfundível.

Os sinos começaram a badalar e Pug olhou para ver o primeiro dos sacerdotes ishapianos entrar no salão. Atrás dele, outros se seguiram, caminhando coordenados em um passo cadenciado. Das portas laterais, ouviram-se os ferrolhos serem corridos, pois era tradição fechar o salão desde o início até o final da cerimônia.

Depois de entrarem os dezesseis sacerdotes, fecharam as grandes portas. O último sacerdote fez uma pausa em frente às portas, com um pesado cajado de madeira em uma mão e um grande lacre na outra. Com movimentos ágeis, colocou o lacre nas portas. Pug reparou que o lacre continha a insígnia heptagonal de Ishap, sentindo a magia interior. Sabia que as portas só poderiam ser abertas por quem ali tinha colocado o lacre ou por alguém de artes superiores e, nesse caso, correndo grandes riscos.

Após selar as portas, o sacerdote com o cajado avançou entre a fila de seus irmãos sacerdotes que aguardavam, entoando rezas em voz baixa. Um deles segurava a nova coroa que fora criada por eles e repousava em uma almofada de veludo roxo. A coroa de Rodric fora destruída pelo golpe que lhe ceifara a vida, mas, caso tivesse ficado inteira, teria sido enterrada com ele, de acordo com a tradição. Caso não fosse coroado nenhum Rei naquele dia, a coroa seria estilhaçada nas pedras do chão e só seria fabricada uma nova coroa quando o Congresso de Lordes informasse aos sacerdotes que tinham elegido um novo rei. Pug se admirava com a importância dada a um simples aro de ouro.

Os sacerdotes avançaram, parando diante do trono, onde aguardavam outros sacerdotes de ordens inferiores. Como era costume, tinham perguntado a Lyam se pretendia que o sacerdote da família celebrasse a investidura e Lyam assim desejara. O Padre Tully se encontrava à frente da delegação do Templo de Astalon. Pug sabia que o idoso sacerdote assumiria depressa o rumo da cerimônia, fosse qual fosse o filho de Borric a receber a coroa, considerando que tinha sido uma escolha sensata.

O principal sacerdote ishapiano bateu com o cajado no chão, dezesseis pancadas regulares e compassadas. O som ecoou pelo salão e, quando terminou, a sala do trono ficou em silêncio absoluto.

— Viemos coroar o Rei! — exclamou o Sumo Sacerdote.

— Que Ishap abençoe o Rei! — retorquiram os outros sacerdotes.

— Em nome de Ishap, o único deus acima de todos, e em nome dos quatro deuses superiores e dos doze deuses inferiores, que se apresentem todos aqueles que têm pretensão ao trono.

Pug percebeu que estava prendendo a respiração quando viu Lyam e Arutha se colocarem diante dos sacerdotes. Pouco depois, Martin saiu das sombras e avançou.

Quando Martin surgiu, ouviu-se um silvo coletivo de respiração suspensa, pois eram muitos os que se encontravam no salão que não tinham ouvido o rumor ou que não tinham acreditado no que ouviram.

Quando os três se apresentaram à frente, o sacerdote bateu com o pesado cajado no chão.

— Agora chegou a hora e aqui é o lugar. — Em seguida, tocou com o cajado no ombro de Martin, mantendo-o ali enquanto perguntava: — Que direito alega para se apresentar diante de nós?

Martin se pronunciou com uma voz nítida e potente:

— Alego o direito de nascimento. — Pug sentia a presença da magia. Os sacerdotes não deixavam as pretensões ao trono somente sujeitas à honra e à tradição. Com o toque do cajado, ninguém podia apresentar falso testemunho.

Repetiu-se o procedimento e a mesma resposta foi dada por Lyam e Arutha.

O cajado voltou a pousar no ombro de Martin e o sacerdote perguntou:

— Declare seu nome e pretensão.

— Sou Martin, primogênito de Borric, filho mais velho de sangue real — ressoou a voz de Martin.

Ouviu-se um zumbido pelo salão, silenciado quando o cajado do sacerdote bateu no chão. O cajado foi colocado no ombro de Lyam, que respondeu:

— Sou Lyam, filho de Borric, de sangue real.

Ouviram-se algumas vozes que diziam:

— O Herdeiro!

O sacerdote hesitou, repetindo em seguida a pergunta a Arutha, que respondeu:

— Sou Arutha, filho de Borric, de sangue real.

O sacerdote contemplou os três jovens homens e se dirigiu a Lyam:

— É você o Herdeiro reconhecido?

Lyam respondeu com o cajado pousado no ombro:

— O direito de sucessão me foi outorgado face ao desconhecimento da existência de Martin. É um legado falso, pois Rodric julgava que eu era o filho mais velho dos conDoin.

O sacerdote retirou o cajado e consultou os outros sacerdotes. O salão permaneceu em silêncio enquanto os sacerdotes se reuniam para discutir a reviravolta inesperada. O tempo foi passando angustiantemente, até que, por fim, o Sumo Sacerdote se voltou novamente para os três. Entregou o cajado e lhe foi dado o círculo dourado que era a coroa do Reino. Proferiu uma curta oração:

— Ishap, conceda a todos os que perante nós se encontram orientação e sensatez em todo este assunto. Que o eleito aja com probidade. — Em voz firme disse: — É óbvio que a sucessão não é perfeita. — Colocou a coroa em frente a Martin. — Martin, como primogênito de sangue real, tem o direito de reclamar a coroa em primeiro lugar. Martin, aceita este fardo e, assim sendo, aceita ser nosso Rei?

Martin olhou para a coroa. O silêncio era pesado na sala enquanto todos os olhos estavam postos no homem alto vestido de verde. Prendendo a respiração, a multidão no salão aguardou a resposta.

Foi então que Martin estendeu as mãos lentamente, tirando a coroa da almofada na qual repousava. Ergueu-a e todos os olhares na sala a seguiram, refletindo um raio de luz que entrava através de uma janela no alto e espalhando uma glória resplandecente por todo o local.

Segurando-a acima da cabeça, declarou:

— Eu, Martin, abdico de minha pretensão à coroa do Reino das Ilhas, agora e para sempre, em meu nome e em nome de toda a minha descendência desde o presente até a última geração. — Com um movimento repentino, colocou a coroa na cabeça de Lyam. A voz de Martin voltou a ressoar, deixando perceber em suas palavras um desafio provocador: — Salve Lyam! Rei legítimo e incontestável!

Houve um momento de silêncio enquanto todos os que se encontravam no salão absorviam o que tinham acabado de ver. Foi então que Arutha encarou a multidão atônita e silenciosa e sua voz invadiu o ar:

— Salve Lyam! Rei legítimo e incontestável!

Lyam estava ladeado pelos irmãos e o salão explodiu com gritos e vivas.

— Salve Lyam! Salve o Rei!

O Sumo Sacerdote deixou que a celebração prosseguisse por algum tempo, até que pegou o cajado e bateu no chão, exigindo silêncio. Olhou para Lyam e disse:

— Lyam, aceita este fardo e, assim sendo, aceita ser nosso Rei?

De olhos postos no sacerdote, Lyam respondeu:

— Serei o seu Rei.

Novamente a sala foi invadida por vivas e o Sumo Sacerdote deixou que o ruído prosseguisse. Pug reparou no alívio visível em muitos rostos: Brucal, Caldric, Fannon, Vandros e Gardan, que tinham estado a postos caso surgissem complicações.

Uma vez mais, o Sumo Sacerdote silenciou o salão batendo com o cajado no chão.

— Tully da Ordem de Astalon — chamou, e o velho sacerdote da família avançou.

Outros sacerdotes retiraram o manto vermelho de Lyam, substituindo-o pelo manto roxo da realeza. Os sacerdotes se afastaram e Tully colocou-se na frente de Lyam.

— Todos os súditos do Reino agradecem sua paciência e sabedoria — disse a Martin e a Arutha. Os irmãos deixaram Lyam e se colocaram junto de Anita e Carline.

Carline sorriu calorosamente para Martin, pegou a mão dele e sussurrou:

— Obrigada, Martin.

Tully virou-se para a multidão, entoando:

— Este é o momento e este é o lugar. Estamos aqui presentes para testemunhar a coroação de Sua Majestade, Lyam, primeiro de seu nome, como nosso legítimo Rei. Há alguém presente que pretenda contestar esse direito?

Eram vários os Lordes orientais com ar infeliz, mas não foi levantada qualquer objeção. Tully voltou para a frente de Lyam, que se ajoelhou diante do sacerdote. Tully colocou a mão na cabeça de Lyam.

— Este é o momento e este é o lugar. Sobre você recaiu este fardo, Lyam, primeiro de seu nome, filho de Borric, da linhagem de reis conDoin. Aceita este destino e será nosso Rei?

— Serei o seu Rei — respondeu Lyam.

Tully tirou a mão da cabeça de Lyam e se abaixou para pegar a mão que tinha o sinete real.

— Este é o momento e este é o lugar. Lyam conDoin, filho de Borric, da linhagem de reis, jura defender e proteger o Reino das Ilhas, servindo fielmente ao seu povo, provendo o seu bem-estar, felicidade e prosperidade?

— Eu, Lyam, juro solenemente.

Tully deu início a uma longa liturgia e, no final das orações, o Rei se levantou. O velho padre retirou a sua mitra ritual, entregando-a ao Sumo Sacerdote de Ishap, que a entregou a outro dos membros da ordem de Tully, que, por sua vez, ajoelhou-se diante de Lyam, beijando-lhe o sinete. Levantou-se e acompanhou-o ao trono, enquanto o sacerdote ishapiano entoava:

— Ishap abençoe o Rei!

Lyam sentou-se. Foi trazida uma espada antiga, outrora empunhada por Dannis, o primeiro rei conDoin, que colocaram nos joelhos do Rei, em sinal de que defenderia o Reino com a própria vida.

Tully virou-se e fez um aceno com a cabeça ao Sumo Sacerdote de Ishap, que bateu no chão com o cajado.

— O momento da escolha já faz parte do passado. Proclamo Lyam I o nosso Rei justo, legítimo e incontestado.

A multidão respondeu ruidosamente:

— Salve Lyam! Vida longa ao Rei!

Os Sacerdotes de Ishap entoavam cânticos em voz baixa e o Sumo Sacerdote os conduziu à porta. Bateu com o cajado no lacre, quebrando-o com um estalo. Bateu outras três vezes na porta e os guardas que se encontravam do outro lado as abriram. Antes de sair, entoou a última frase do ritual de coroação. Para quem estava fora do salão e não tinha tido o privilégio de assistir à cerimônia, anunciou:

— Espalhem a notícia. Lyam é nosso Rei!

Mais depressa do que o voo de um pássaro, a notícia se espalhou pelo palácio, pela cidade. Nas ruas, brindou-se ao novo monarca e nem uma pessoa em mil sabia quão perto o Reino estivera de assistir a uma calamidade naquele dia.

Os sacerdotes ishapianos saíram do salão e todos os olhares se voltaram para o novo soberano do Reino.

Tully fez sinal aos membros da família real e Arutha, Martin e Carline se colocaram diante do irmão. Lyam estendeu a mão e Martin se ajoelhou, beijando o sinete do irmão. Seguiu-se Arutha e, por fim, Carline.

Alicia conduziu Anita ao trono, a primeira da longa descendência de nobres que se seguiram, dando início à demorada obrigação de aceitar a lealdade dos pares do reino. Lorde Caldric dobrou um joelho trêmulo diante de seu Rei e, quando se ergueu, viram-se lágrimas de alívio em seu rosto. Quando Brucal jurou lealdade, disse algumas palavras ao Rei, e Lyam assentiu.

Seguiram-se todos os outros nobres do Reino até que, horas depois, o último dos Barões fronteiriços, guardiões das Fronteiras Militares Setentrionais, que não se subordinavam a nenhum Lorde e só ao Rei, levantou-se e foi se juntar aos outros no salão.

Entregando a espada de Dannis a um pajem, Lyam levantou-se e disse:

— É nosso desejo que se iniciem as celebrações. Porém há assuntos de Estado que carecem de atenção imediata. Grande parte são assuntos agradáveis, mas há um assunto desagradável que tem de ser resolvido. Hoje houve uma ausência, de alguém que procurou obter o trono que temos o privilégio de ocupar. Não se pode negar que Guy du Bas-Tyra planejou uma traição. É inquestionável que cometeu um assassinato obsceno. Contudo, o falecido Rei mostrou desejo de que fosse usada compaixão neste assunto. Como se trata do último pedido de Rodric, concederei essa misericórdia, embora fosse de nosso agrado fazer Guy du Bas-Tyra pagar por todos os seus atos. Que seja dada notícia, a partir de hoje, de que Guy du Bas-Tyra é considerado criminoso e está banido de nosso Reino, sendo seus títulos e propriedades confiscados pela coroa. Que seu nome e brasão sejam riscados da lista de Lordes do Reino. Que nenhum homem lhe ofereça abrigo, fogueira, comida ou água. — E para os Lordes reunidos acrescentou: — Alguns dos presentes foram aliados do antigo Duque, por isso não temos dúvida de que a nossa sentença lhe chegará aos ouvidos. Digam-lhe que fuja, que vá para Kesh, Queg ou Roldem. Digam-lhe que se esconda nas Terras do Norte se mais ninguém o receber, mas, se for encontrado dentro de nossas fronteiras após esta semana, perderá o direito à vida.

Ninguém no salão se manifestou e Lyam prosseguiu:

— Os nossos reinos têm passado tempos de grande tristeza e sofrimento; embarquemos agora em uma nova era, uma era de paz e prosperidade. — Fez sinal para que os irmãos regressassem para junto dele e, ao se dirigirem ao trono, Arutha olhou para Martin. De repente, mostrou um grande sorriso e, em uma inesperada demonstração de emoção, abraçou Martin e Lyam. Por um breve instante, todos os presentes no salão fizeram silêncio enquanto os três irmãos se abraçavam com força, até voltarem a irromper vivas por todo o lugar.

Enquanto o ruído prosseguia, Lyam falou aos irmãos. A princípio, Martin apresentava um sorriso de orelha a orelha, mas logo mudou de expressão. Tanto Arutha quanto Lyam balançavam as cabeças vigorosamente, enquanto Martin ficava com o rosto pálido. Começou a protestar com veemência, sendo interrompido por Lyam, que levantou a mão pedindo silêncio.

— O nosso Reino passa por uma reorganização. Faço saber que, doravante, o nosso adorado irmão Arutha é Príncipe de Krondor e, até que chegue um filho à nossa casa, Herdeiro do trono. — Diante do último comunicado, Arutha não pareceu nada satisfeito. Lyam prosseguiu: — Também é nosso desejo que o Ducado de Crydee, a terra de nosso pai, permaneça na nossa família pelo tempo que a sua descendência perdurar.

Tendo em vista esse propósito, nomeio Martin, o nosso adorado irmão, Duque de Crydee, com todas as propriedades, títulos e direitos que lhe correspondem.

Novamente, a multidão deu vivas. Martin e Arutha se afastaram de Lyam e o novo Rei disse:

— Aproximem-se do trono o Conde de LaMut e o Capitão Cavaleiro Kasumi de LaMut.

Kasumi e Vandros avançaram. Kasumi estivera todo o dia nervoso, pois Vandros depositara nele grande confiança. A impassibilidade tsurani se impôs e ele se colocou ao lado de Vandros quando chegou ao trono.

Ajoelharam-se diante de Lyam, que lhes disse:

— O meu Lorde Brucal me pediu que fizesse esta feliz proclamação. O seu vassalo, Conde Vandros, irá desposar a sua filha, a Senhora Felinah.

Da multidão, ouviu-se nitidamente a voz de Brucal:

— Já não era sem tempo. — Vários nobres mais idosos da corte de Rodric ficaram lívidos, mas Lyam juntou-se à risada geral.

— O Duque também solicitou permissão para se retirar para as suas propriedades, onde poderá encontrar as recompensas de um longo e útil serviço prestado ao Reino. Demos o nosso consentimento. Como não tem filhos, deseja que seu título seja transmitido para alguém capaz de continuar ao serviço do Reino, alguém que tenha demonstrado uma capacidade excepcional no comando da guarnição LaMutiana dos Exércitos do Oeste durante o conflito recente. Por suas corajosas façanhas e serviço fiel, aprovamos o casamento e é com grande satisfação que nomeamos Vandros Duque de Yabon, com todas as propriedades, títulos e direitos que lhe correspondem. Levante-se, Lorde Vandros.

Vandros se ergueu, um pouco abalado, regressando depois para o lado de seu futuro sogro. Brucal lhe deu uma palmada amigável nas costas e apertou-lhe a mão. Lyam voltou a atenção para Kasumi e sorriu.

— Apresenta-se perante nós alguém que, até pouco tempo, considerávamos inimigo. Hoje, nós o consideramos como nosso súdito leal. Kasumi dos Shinzawai, pelos seus esforços para trazer a paz aos nossos dois mundos em conflito, e pela sua sabedoria e coragem na defesa das nossas terras contra a Irmandade da Senda das Trevas, lhe concedemos o comando da guarnição de LaMut e o nomeamos Conde de LaMut, com todas as propriedades, títulos e direitos que lhe correspondem. Levante-se, Conde Kasumi.

Kasumi estava abismado. Devagar, estendeu a mão e pegou a mão do Rei, a exemplo dos outros nobres, e beijou o sinete.

— Senhor, meu Rei, a minha vida e a minha honra são suas — disse ao Rei.

— Lorde Vandros, aceita o Conde Kasumi como seu vassalo? — perguntou Lyam.

Vandros sorriu.

— Com todo o gosto, Majestade.

Kasumi voltou para junto de Vandros, os olhos brilhando de orgulho. Brucal aplicou-lhe outra palmada cordial nas costas.

Foram atribuídos mais cargos, pois eram muitas as vagas devido às intrigas da corte de Rodric e às mortes durante a guerra. Quando parecia que estava tudo terminado, Lyam disse:

— Que o Escudeiro Pug de Crydee se aproxime do trono.

Pug olhou para Katala e Kulgan, surpreso por ouvir seu nome.

— O que...?

Kulgan deu-lhe um empurrão.

— Vá lá saber.

Pug se aproximou de Lyam e fez uma mesura.

— O que ocorreu foi um assunto particular entre o meu pai e este homem — disse o Rei. — Agora, é nosso desejo que todos no nosso reino saibam que este homem, outrora chamado Pug, órfão de Crydee, tem agora o seu nome inscrito nos registros de nossa família. — Estendeu a mão e Pug ajoelhou-se à sua frente. Lyam apresentou o sinete e colocou as mãos nos ombros de Pug, pedindo-lhe que se levantasse. — Tal como foi desejo de nosso pai, assim é nosso desejo. A partir deste dia, que todos em nosso Reino saibam que este homem é Pug conDoin, membro da família real.

Muitos dos presentes no salão ficaram admirados com a adoção e a elevação à nobreza de Pug, mas aqueles que conheciam as suas aventuras aplaudiram vigorosamente quando Lyam declarou:

— Contemplem nosso primo Pug, Príncipe do Reino.

Katala ignorou todas as formalidades e correu para abraçar o marido. Foram vários os Lordes orientais que franziram a testa, mas Lyam riu, beijando-a no rosto.

— Venham! — bradou Lyam. — Chegou a hora de celebrarmos. Que venham os bailarinos, músicos e malabaristas. Tragam mesas de comida e vinho. Que reine a diversão!

As festividades prosseguiram. As celebrações tinham ocorrido a tarde toda sem parar. Um arauto ao lado da mesa do Rei lia missivas enviadas a ele por aqueles impossibilitados de assistir à coroação: muitos nobres e o Rei de Queg, assim como monarcas de pequenos reinos das costas orientais. Mercadores importantes e Mestres das Guildas das Cidades Livres também enviaram felicitações. Também foram recebidas missivas de Aglaranna e Tomas, bem como dos anões do oeste, da Montanha de Pedra e das Torres Cinzentas. O idoso Rei Halfdan, soberano dos anões do leste em Dorgin, enviou os melhores votos e até o Grande Kesh enviou saudações, juntamente com um pedido para que pudessem se reunir com maior frequência de modo a resolver pacificamente a questão do Vale dos Sonhos. A mensagem vinha assinada pela própria Imperatriz.

Ao ouvir a última mensagem, Lyam disse a Arutha:

— Para Kesh ter enviado uma mensagem pessoal em tão pouco tempo, significa que a Imperatriz pode se gabar dos espiões mais eficazes de Midkemia. Você precisa ser perspicaz em Krondor.

Arutha suspirou, pois não lhe agradava muito a perspectiva. Pug, Laurie, Meecham, Gardan, Kulgan, Fannon e Kasumi estavam todos sentados à mesa do Rei. Lyam insistira para que se juntassem à família real. O novo Conde de LaMut ainda parecia estar em estado de choque com o novo posto, embora sua felicidade fosse evidente e, mesmo naquele salão ruidoso, chegava a eles o som fraco dos guerreiros lá fora, entoando cânticos tsurani de celebração. Pug pensou no incômodo que estariam causando aos porteiros e pajens reais.

Katala se juntou ao marido, informando que o filho estava cochilando, assim como Fantus, exausto de tanto brincar.

— Espero que seu bichinho de estimação não se aborreça por estar sendo constantemente importunado — disse Katala a Kulgan.

O mago riu.

— Fantus adora a atenção.

— Com tantas recompensas distribuídas, Kulgan, me surpreende não ter ouvido o seu nome — disse Pug. — Serve fielmente a família do Rei há mais tempo do que qualquer outro, salvo Tully e Fannon.

Kulgan resfolegou.

— Eu, Tully e Fannon nos encontramos com Lyam ontem, antes de sabermos que ele iria reconhecer Martin e lançar a confusão na corte. Ele começou a balbuciar algumas palavras acerca de cargos e recompensas e sei lá o que mais, mas todos pedimos que nos dispensasse. Quando começou a protestar, disse-lhe que não me importava o que quisesse conceder a Tully e Fannon, mas, se tentasse me fazer avançar à frente desta gente toda, não hesitaria em transformá-lo em um sapo.

Anita, ouvindo a conversa sem querer, riu.

— Então é verdade!

Pug, relembrando a conversa que tivera com Anita em Krondor tantos anos antes, juntou-se ao riso. Recordou tudo o que ocorrera nos anos desde que visitara a cabana de Kulgan na floresta e refletiu por um momento. Após muitos perigos e conflitos, estava de volta, ileso, junto da família e dos amigos, e com um empreendimento ousado, a construção da academia, ainda por realizar. Desejou que outros, Hochopepa, Shimone, Kamatsu, Hokanu, assim como Almorella e Netoha, pudessem partilhar com ele aquela felicidade. Também desejou que Ichindar e os Lordes do Conselho Supremo pudessem conhecer a verdadeira razão da traição naquele dia de paz. Acima de tudo, desejava que Tomas pudesse estar com eles.

— Tão pensativo, marido?

Pug reagiu, saindo daquele estado de espírito, e sorriu.

— Minha amada, estava pensando que sou um homem abençoado em todos os aspectos.

A esposa colocou a mão na dele, devolvendo o sorriso. Tully se inclinou sobre a mesa e fez sinal com a cabeça para a outra ponta, onde Laurie estava arrebatado por Carline, que ria de alguma graça que ele dissera. Era óbvio que ela o achava tão charmoso quanto Pug garantira; na verdade, parecia estar fascinada.

— Acho que reconheço aquela expressão no rosto de Carline — disse Pug. — Parece que Laurie está metido em encrenca.

— Conhecendo o meu amigo Laurie, é uma encrenca que ele receberá de bom grado — disse Kasumi.

Tully tinha um ar pensativo.

— Há um ducado em Bas-Tyra que agora precisa de um Duque e ele parece ser um jovem capaz... Hmmm...

— Basta! — ladrou Kulgan. — Não chega de pompa para você? Já precisa casar o pobre do rapaz com a irmã do Rei para poder voltar a celebrar outra cerimônia no palácio? Deuses! Acabaram de se conhecer!

Tully e Kulgan pareciam prestes a embarcar em outra de suas famosas discussões quando Martin os interrompeu:

— Vamos mudar de assunto. Minha cabeça está girando e não preciso dos dois batendo boca.

Tully e Kulgan trocaram olhares surpresos, para depois sorrirem. Em uníssono, disseram:

— Sim, meu senhor.

Martin se lamentou, enquanto os que estavam ao redor acabaram por se juntar às gargalhadas. Sacudiu a cabeça.

— Parece tudo tão estranho, depois de tantos temores e preocupações tão recentes. Ora, quase optei por seguir com Amos... — Levantou o olhar. — Onde está Amos?

Ao ouvir o nome do marujo, Arutha também levantou a cabeça da conversa que estava tendo com Anita.

— Onde anda esse pirata?

— Ele me disse qualquer coisa sobre encontrar um navio. Achei que estava tentando me animar, mas não o vejo desde a coroação — respondeu Martin.

— Encontrar um navio! — exclamou Arutha. — Os deuses choram! — Levantou-se, dizendo: — Com permissão de Vossa Majestade.

— Vá e traga-o de volta — disse Lyam. — Por tudo o que me contou, ele merece uma recompensa.

— Eu vou com você — disse Martin, levantando-se.

— Com prazer — respondeu Arutha.

Os dois irmãos saíram correndo do salão, chegando ao pátio em um instante. Porteiros e pajens seguravam cavalos para os convidados que partiam mais cedo. Arutha e Martin agarraram bruscamente os dois primeiros da fila, deixando dois nobres inferiores sem montaria. Os dois nobres ficaram boquiabertos, em uma mistura de raiva e espanto.

— Mil perdões, meus senhores — gritou Arutha enquanto avançava a galope para os portões.

Quando passaram os portões do palácio, cruzando pela ponte em arco que atravessava o rio Rillanon, Martin informou:

— Ele disse que iria zarpar ao pôr do sol!

— Não temos muito tempo! — gritou Arutha, e, por ruas sinuosas, voaram até o porto.

A cidade estava lotada de gente celebrando, o que fez com que tivessem de diminuir o ritmo de modo a evitar machucar as pessoas que enchiam as ruas. Chegaram ao porto e puxaram as rédeas dos cavalos.

Um único guarda estava sentado como se estivesse dormindo antes da entrada para as docas reais. Arutha desceu do cavalo e sacudiu o homem. O elmo do guarda caiu da cabeça dele quando tombou para a frente, escorregando até o chão. Arutha verificou e afirmou:

— Está vivo, mas amanhã vai ter uma bela dor de cabeça.

Arutha voltou a montar e apressaram-se ao longo da comprida doca de

Rillanon até o último cais. Foram recebidos pelos gritos dos homens no cordame de um navio quando viraram os cavalos para a extremidade de um comprido cais de embarque.

Uma bela embarcação se afastava lentamente do cais e, quando pararam, Martin e Arutha viram Amos Trask no tombadilho. Ele acenou acima da cabeça, ainda a uma distância que permitia ver o seu rosto sorridente.

— Ah! Parece que tudo acabou bem!

Arutha e Martin desmontaram enquanto a distância entre o navio e o cais ia aumentando lentamente.

— Amos! — gritou Arutha.

O Capitão apontou para um edifício distante.

— Os rapazes que estavam de sentinela aqui estão todos naquele armazém. Estão um pouco machucados, mas vivos!

— Amos! Esse é o navio do Rei! — gritou Arutha, acenando para que o navio regressasse.

Amos Trask riu.

— *Andorinha Real* me pareceu um nome imponente. Bem, digam ao seu irmão que um dia o devolvo.

Martin começou a rir, sendo seguido por Arutha.

— Grande pilantra! — bradou o irmão mais novo. — Vou convencê-lo a lhe oferecer o navio.

Com um profundo grito de desespero, Amos se lamentou:

— Ah, Arutha, assim você tira toda a graça da vida!

FIM DO LIVRO II

LEIA NAS PÁGINAS SEGUINTES UM TRECHO DE

MAGO – ESPINHO DE PRATA

LIVRO TRÊS DE *A SAGA DO MAGO*

Raymond E. Feist

UM ÉPICO DE INTRIGA E AÇÃO.
ALGUNS DOS PERSONAGENS MAIS RICOS DE TODA A FANTASIA.

Durante quase um ano, a paz reinou nas terras encantadas de Midkemia. Porém, novos desafios aguardam Arutha, o Príncipe de Krondor, quando Jimmy Mãozinhas – o mais jovem larápio do Grêmio de Mofadores – surpreende um sinistro Noitibó prestes a assassiná-lo.

Que poder maléfico fez com que os mortos se levantassem para combater em nome do Grêmio da Morte? E que magia poderosa poderá derrotá-los?

Mas primeiro o Príncipe Arutha, na companhia de um mercenário, um bardo e um jovem ladrão, terá que fazer a viagem mais perigosa de sua vida, em busca de um antídoto para o veneno que está prestes a matar a bela Princesa no dia do seu próprio casamento.

"Um dos 100 melhores livros de todos os tempos."
– BBC

Prólogo

Crepúsculo

O sol se punha atrás dos cumes.

Os últimos raios de calor tocavam a terra e somente o brilho rosado do dia permanecia. Do leste, uma escuridão índigo se aproximava rapidamente. O vento cortava as colinas como uma lâmina de gume afiado, como se a primavera não passasse de um sonho vago. O gelo de inverno ainda se agarrava a bolsas protegidas pela sombra e estalava ruidosamente sob os saltos das pesadas botas. Na escuridão do entardecer, surgiram três silhuetas à luz da fogueira.

A bruxa velha ergueu o olhar e seus olhos se arregalaram ligeiramente ao ver os três. Reconheceu a silhueta à esquerda, o grande e mudo guerreiro de cabeça raspada e com uma única mecha comprida no couro cabeludo. Ele já a procurara anteriormente, em busca de símbolos mágicos para estranhos rituais. Embora se tratasse de um poderoso chefe militar de clã, ela o mandara embora, pois sua natureza era pérfida e, ainda que raras vezes desse importância às questões do bem e do mal, até a bruxa tinha os seus limites. Além disso, pouco apreço tinha pelos moredhel, especialmente por aquele que cortara a própria língua em sinal de devoção a poderes obscuros.

O guerreiro mudo a observava com olhos azuis, incomuns para um ser de sua raça. Tinha ombros mais largos do que a maioria, mesmo para um dos membros do clã das montanhas, que costumavam possuir braços e ombros mais fortes do que seus primos que habitavam as florestas. O mudo usava argolas de ouro nas grandes orelhas que formavam uma curva ascendente, dolorosas de furar, pois os moredhel não possuíam lóbulos. Apresentava três cicatrizes em cada lado do rosto, símbolos místicos cujo significado não se perdera para a bruxa.

O mudo fez sinal aos companheiros e o que estava mais à direita pareceu fazer um aceno com a cabeça. Era difícil perceber, pois trajava um manto comprido com um grande capuz que escondia suas feições. Ambas as mãos estavam escondidas em mangas volumosas que eram mantidas juntas. Como se falasse de longe, a silhueta de manto disse:

— Nós procuramos alguém que saiba ler símbolos. — Sua voz era sibilante, quase um silvo, e percebia-se nela algo sobrenatural. Uma mão surgiu e a bruxa recuou, pois era disforme e coberta de escamas, como se o ser possuísse garras cobertas de pele de cobra. Percebeu então o que era a criatura: um sacerdote do povo serpente pantathiano. Em comparação com o povo serpente, a bruxa tinha os moredhel em alta conta.

Ela desviou a atenção das figuras que estavam dos lados e concentrou-se na que estava no centro. Era um palmo mais alto do que o mudo, com uma constituição ainda mais impressionante. Devagar, ele despiu um manto de pele de urso, sendo que o crânio do urso servia de capacete, e atirou-o para o lado. A velha bruxa arquejou, pois era o moredhel mais impressionante que já vira em sua longa vida. Vestia as calças pesadas, o colete justo e as botas até o joelho dos clãs dos montes e exibia o peito nu. À luz do fogo, seu corpo musculoso reluzia, inclinando-se para a frente de modo a examinar a bruxa. Quase amedrontava, aquele rosto que beirava a perfeição. Porém o que a fez arquejar, para além da impressionante aparência, fora o sinal no peito.

— Você me conhece? — ele perguntou à bruxa, que assentiu.

— Sei quem você parece ser.

Ele inclinou-se ainda mais, até ficar com o rosto iluminado de baixo para cima pelo fogo, revelando algo em sua natureza.

— Sou quem pareço ser — sussurrou, sorrindo. Ela teve medo, já que, por trás das belas feições, por trás do sorriso amável, viu o rosto da maldade, uma maldade tão pura que era quase insuportável. — Procuramos quem nos interprete símbolos — repetiu, com uma voz cujo som transparecia loucura límpida como gelo.

Ela soltou um riso abafado.

— Quer dizer que há limites até para alguém com tamanhos poderes?

O sorriso do belo moredhel desapareceu lentamente.

— Não conseguimos prever nosso próprio futuro.

— Eu preciso de prata — disse, conformada com sua provável sorte.

O moredhel fez um aceno com a cabeça. O mudo tirou uma moeda da bolsa presa ao cinto, atirando-a para o chão em frente da bruxa. Sem tocá-la, ela preparou alguns ingredientes numa taça de pedra. Quando terminou a mistura, despejou-a por cima da prata. Ouviu-se um silvo, produzido pela moeda e pelo homem serpente. Uma garra de escamas verdes começou a fazer sinais e a bruxa advertiu:

— Não quero essas bobagens, cobra. Sua magia da terra quente só irá dificultar a minha leitura.

O homem serpente foi refreado por um toque delicado e um sorriso da figura ao centro, que acenou com a cabeça para a bruxa.

Numa voz áspera, com a garganta seca de medo, a bruxa disse:

— Diga então: o que quer saber? — Examinou a moeda de prata que sibilava, coberta por um muco verde e borbulhante.

— Chegou o momento? Deverei agir agora, como me foi ordenado?

Uma labareda verde e luminosa saltou da moeda e dançou. A bruxa seguiu seu movimento atentamente e o que seus olhos viam na labareda mais ninguém conseguia divisar.

— As Pedras de Sangue formam a Cruz de Fogo — disse pouco depois. — Aquilo que você é, você é. Aquilo que tem de fazer desde que nasceu... faça! — A última palavra foi proferida com alguma dificuldade.

Algo inesperado surgiu no semblante da bruxa, pois o moredhel perguntou:

— Que mais, bruxa velha?

— Ao contrário do que você julga, há quem possa se opor a você. Alguém será a causa de sua ruína. Você não está sozinho, pois atrás de você... Não entendo. — A sua voz era débil, parecia cansada.

— O quê? — Desta vez, o moredhel não sorriu.

— Algo... algo imenso, algo distante, algo pérfido.

O moredhel ficou pensativo; virando-se para o homem serpente, falou em voz baixa embora num tom autoritário:

— Vá, Cathos. Empregue as suas habilidades secretas e descubra onde reside esse ponto fraco. Dê um nome ao nosso inimigo. Encontre-o.

O homem serpente fez uma reverência desajeitada e saiu da caverna arrastando os pés. O moredhel virou-se para o companheiro mudo e disse:

— Erga os estandartes, meu general, e reuna os clãs leais nas planícies de Isbandia, sob as torres de Sar-Sargoth. Acima de todos, erga o estandarte que escolhi como meu e deixe que todos saibam que começamos agora o que nos foi ordenado. Você será o meu comandante, Murad, e todos saberão que será o mais importante dentre aqueles que me servem. Aguardam-nos glória e grandeza. Quando a cobra louca identificar nossa vítima, avance ao comando dos Assassinos Negros. Deixe que aqueles cujas almas me pertencem nos sirvam em busca do nosso inimigo. Encontre-o! Destrua-o! Vá!

O mudo assentiu e saiu. O moredhel com o sinal no peito virou-se para a bruxa.

— Diga-me, escória humana, você sabe que poderes obscuros se movem?

— Sim, mensageiro da destruição, sei. Pela Senhora Negra, eu sei.

O moredhel riu, produzindo um som gélido e desprovido de humor.

— Eu ostento o símbolo — disse, apontando para a marca de nascença de cor púrpura, que parecia resplandecer furiosamente à luz do fogo. Era óbvio que não se tratava de uma simples desfiguração e sim de uma espécie de talismã mágico, pois formava a silhueta perfeita de um dragão em pleno voo. Ergueu um dedo, apontando para cima. — Possuo o poder. — Fez um movimento circular com o dedo levantado. — Sou o predestinado. Sou o destino.

A bruxa acenou a cabeça em concordância, sabendo que a morte se precipitava para abraçá-la. De repente, começou a mover os lábios proferindo um feitiço complexo, agitando desenfreadamente as mãos no ar. Um poder crescente manifestou-se na caverna e ouviu-se um estranho ruído lúgubre tomar conta da noite. O guerreiro à sua frente se limitou a balançar a cabeça. Ela lançou um feitiço contra ele que deveria tê-lo fulminado de imediato, mas ele ali permaneceu, sorrindo maldosamente.

— Está tentando me testar com suas insignificantes artes, vidente?

Percebendo que não havia funcionado, fechou os olhos aos poucos e endireitou-se, aguardando sua sorte. O moredhel apontou o dedo e dele saiu um raio prateado de luz que atingiu a bruxa. Ela gritou, assolada por dores atrozes, e explodiu num fogo branco e quente. Por um instante, sua forma escura contorceu-se naquele inferno até que as labaredas se extinguiram.

O moredhel olhou de relance para as cinzas que jaziam no chão, formando o contorno de um corpo. Dando uma gargalhada ruidosa, pegou o manto e saiu da caverna.

Lá fora, os companheiros o aguardavam, segurando seu cavalo. Ao longe, conseguia ver o acampamento de seu bando, ainda pequeno, mas destinado a crescer. Montou e ordenou:

— Para Sar-Sargoth!

Dando um puxão nas rédeas, fez o cavalo virar, conduzindo o mudo e o sacerdote serpente pela encosta.

1

Reencontro

O navio avançava de volta para casa.

O vento mudou de direção e ouviu-se a voz do capitão; nos mastros, a tripulação correu para responder às exigências de uma brisa fresca e de um capitão ansioso por chegar a um porto seguro. Era um navegador experiente, pois estivera a serviço da marinha do Rei durante quase trinta anos e comandara sua própria embarcação durante dezessete. Embora o *Águia Real* fosse o melhor navio da frota do Rei, o capitão desejou que o vento soprasse um pouco mais forte, que avançasse um pouco mais depressa, pois não descansaria até desembarcar os passageiros em segurança.

Na coberta da proa encontravam-se as razões para a preocupação do capitão: três homens altos. Dois deles, um louro e outro moreno, estavam junto à amurada, rindo de uma piada que compartilhavam. Ambos tinham poucos centímetros abaixo dos dois metros de altura e mostravam a atitude segura de um guerreiro ou de um caçador. Lyam, Rei do Reino das Ilhas, e Martin, seu irmão mais velho e Duque de Crydee, falavam de vários assuntos, de caçadas e banquetes, de viagens e política, de guerra e discórdias e, de vez em quando, falavam do pai, o Duque Borric.

O terceiro homem, não tão alto e com ombros não tão largos quanto os outros dois, estava apoiado à amurada a curta distância, perdido em seus pensamentos. Arutha, Príncipe de Krondor e o mais novo dos três irmãos, ponderava igualmente sobre o passado, embora sua visão não fosse a do pai morto durante a guerra com os tsurani, naquela que passara a ser conhecida como a Batalha do Portal. Em vez disso, atentava para o rastro deixado pela proa ao cortar as águas verde-esmeralda e, naquele verde, via dois olhos verdes e reluzentes.

O capitão olhou para cima e deu ordens para que as velas fossem manejadas. Voltou a reparar nos três homens na proa e dirigiu, uma vez mais, uma prece silenciosa a Kilian, Deusa dos Marinheiros, ansiando avistar as altas espirais de Rillanon. Pois aqueles eram os três homens mais poderosos e importantes do Reino e o capitão recusava-se a pensar no caos que assolaria o Reino caso a má sorte visitasse aquele navio.

Arutha ouvia vagamente os gritos do capitão e as respostas dos imediatos e da tripulação. Estava exausto devido aos acontecimentos do ano anterior, por isso, pouca atenção dava ao que se passava ao seu redor. Conseguia apenas pensar em uma coisa: estava voltando para Rillanon e para Anita.

Arutha sorriu. Sua vida parecera banal nos primeiros dezoito anos, até que acontecera a invasão dos tsurani e o mundo mudara para sempre. Fora considerado um dos melhores comandantes do Reino, descobrira que, sem ninguém suspeitar, Martin era seu irmão mais velho e testemunhara milhares de horrores e milagres. Contudo, Anita fora o que de mais milagroso sucedera a Arutha.

Tinham-se separado após a coroação de Lyam. Durante quase um ano, Lyam apresentara o estandarte real aos senhores do Oriente e a reis vizinhos, e estavam agora voltando para casa.

A voz de Lyam interrompeu os devaneios de Arutha:

— O que você está vendo no brilho das ondas, irmãozinho?

Martin sorriu quando Arutha levantou os olhos do mar e o antigo Mestre de Caça de Crydee, outrora chamado Martin do Arco, inclinou a cabeça para o irmão mais novo.

— Aposto um ano de impostos em como ele está vendo nas ondas um par de olhos verdes e um sorriso atrevido.

— Não é preciso apostar, Martin — disse Lyam. — Desde que partimos de Rillanon, recebi três mensagens de Anita sobre este ou aquele assunto de Estado. Tudo conspira para mantê-la em Rillanon, embora a mãe dela tenha regressado às propriedades que lhes pertencem um mês após a minha coroação. Já Arutha, fazendo uma estimativa por alto, recebeu neste período uma média de mais de duas mensagens por semana. Daí podemos tirar uma ou duas conclusões.

— Eu também estaria mais do que ansioso por voltar se tivesse alguém como ela à minha espera — concordou Martin.

Arutha era uma pessoa reservada e ficava de mau humor quando tinha de revelar sentimentos íntimos, e essa sensibilidade aumentava quando a questão envolvia Anita. Encontrava-se irremediavelmente apaixonado pela jovem e esbelta mulher, inebriado pela forma como ela se deslocava, pelos sons que produzia, pelo modo como o olhava. Ainda que aqueles fossem, muito provavelmente, os dois únicos homens em Midkemia de quem se sentia próximo a ponto de partilhar seus sentimentos, nunca achara graça, nem sequer quando era mais novo, quando era alvo de piada.

Vendo a expressão de Arutha ficar carregada, Lyam acrescentou:

— Afaste esses olhares sombrios, Nuvenzinha Tempestuosa. Além de ser seu Rei, também sou seu irmão mais velho e, se for preciso, posso dar um puxão de orelha em você.

Ao ouvir o nome carinhoso pelo qual a mãe o tratava e imaginando a cena improvável do Rei puxando as orelhas do Príncipe de Krondor, Arutha esboçou um sorriso. Ficou calado por um instante, até que disse:

— Estou apreensivo, pois posso tê-la interpretado mal nesse assunto. Suas cartas, ainda que afetuosas, são formais e, por vezes, distantes. Além do mais, existem muitos jovens na corte de seu palácio.

— Desde o dia em que fugimos de Krondor — disse Martin —, seu destino ficou selado, Arutha. Ela o manteve sob a mira de seu arco desde sempre, como um caçador perseguindo um veado. Mesmo antes de chegarmos a Crydee, quando estávamos escondidos, ela, de certo modo, já olhava para você. Não, ela está à sua espera, não tenha dúvida.

— Além disso — acrescentou Lyam —, você confessou a ela o que sente.

— Bom, não o fiz com todas as palavras. Porém declarei-lhe minha mais profunda afeição.

Lyam e Martin entreolharam-se.

— Arutha — disse Lyam —, você escreve com a paixão de um escriba que faz o registro dos impostos no final do ano.

Os três riram. Os meses de viagem tinham permitido uma redefinição da relação entre os irmãos. Martin fora mentor e amigo dos outros dois quando eram jovens, ensinando-os a caçar e a sobreviver na floresta. Contudo, também fora plebeu, embora ocupasse, como Mestre de Caça, uma posição elevada na hierarquia da corte do Duque Borric. Diante da revelação de que era filho bastardo do pai deles, um meio-irmão mais velho, todos tinham vivido um período de adaptação. Desde então, tinham passado pela camaradagem falsa daqueles que procuravam cair em suas boas graças, as promessas vãs de amizade e lealdade por parte daqueles que procuravam lucrar e, durante esse período, tinham descoberto algo mais. Nos outros, cada um deles encontrara dois homens de confiança, com quem podiam partilhar confidências, que compreendiam o que significava aquela súbita ascensão à notabilidade e que partilhavam as pressões de responsabilidades recentemente impostas. Nos outros dois, cada um deles encontrou dois amigos.

Arutha balançou a cabeça, rindo de si mesmo.

— Creio que eu também soube desde sempre, embora tivesse dúvidas. Ela é tão jovem.

— Ela tem quase a mesma idade que nossa mãe tinha quando se casou com nosso pai, não é verdade? — disse Lyam.

Arutha encarou Lyam com um olhar cético.

— Você tem resposta para tudo?

Martin deu um tapinha nas costas de Lyam.

— Claro que tem — disse e, em voz baixa, acrescentou: — Por isso ele é o Rei.

Enquanto Lyam se virava, fingindo um ar carrancudo para Martin, o irmão mais velho continuou:

— Assim sendo, quando regressarmos, peça-a em casamento, querido irmão. Depois, podemos acordar o velho Padre Tully, que deve estar dormindo em frente à lareira, e prosseguimos todos até Krondor para assistirmos a um belo casamento. E eu posso dar por terminadas todas essas malditas viagens e regressar a Crydee.

Ouviu-se uma voz do alto gritando:

— Terra à vista!

— Onde?

— Avante.

Olhando ao longe e devido à vista experiente de caçador, Martin foi o primeiro a distinguir a costa distante. Colocou calmamente as mãos nos ombros dos irmãos. Pouco depois, todos conseguiam distinguir o contorno longínquo de torres altas perfiladas no céu azul.

Em voz baixa, Arutha disse:

— Rillanon.

Outros títulos da coleção Bang!

A CORTE DO AR

Stephen Hunt

Quando a órfã Molly Templar testemunha um assassinato brutal no bordel onde foi colocada como aprendiz, seu primeiro instinto é correr de volta para o orfanato em que cresceu. Ao chegar lá e encontrar todos os seus amigos mortos, percebe que ela era o verdadeiro alvo, pois seu sangue contém um segredo muito cobiçado pelos inimigos do Estado.

Enquanto isso, Oliver Brooks é acusado pela morte do tio, seu único familiar, e forçado a fugir na companhia de um misterioso agente da Corte do Ar. Perseguido pelo país, Oliver se vê cercado de ladrões, foras da lei e espiões, e pouco a pouco desvenda o segredo que destruiu sua vida.

Molly e Oliver serão confrontados por um poder antigo que se julgava destruído há milênios e que agora ameaça a própria civilização.

Seus inimigos são implacáveis e numerosos, mas os dois órfãos terão a ajuda de um formidável grupo de amigos nesta aventura cheia de ação, drama e intriga.

"O autor que revolucionou o steampunk."
– The Times

TIGANA

Guy Gavriel Kay

Tigana é uma encantadora obra de mito e magia que vai marcar os leitores para sempre. É a história de uma nação oprimida que luta para se libertar depois de cair nas mãos de conquistadores implacáveis. O povo foi tão amaldiçoado pela feitiçaria do Rei Brandin que o próprio nome da sua bela terra não pode ser lembrado ou pronunciado.

Mas, anos após a devastação de sua capital, um pequeno grupo de sobreviventes, liderado pelo Príncipe Alessan, inicia uma cruzada perigosa para destronar os reis despóticos que governam a Península da Palma, numa tentativa de recuperar o nome banido: Tigana.

Num mundo ricamente detalhado, onde impera a violência das paixões, um povo determinado luta para alcançar seus sonhos. *Tigana* é um épico sublime que mudou para sempre as fronteiras da fantasia.

"Guy Gavriel Kay mostra nesta obra por que é considerado o verdadeiro herdeiro da tradição de Tolkien."

– Booklist

COLEÇÃO
BANG!
A MELHOR FANTASIA, FICÇÃO CIENTÍFICA E HORROR

1. Mago Aprendiz
   Raymond E. Feist
2. A Corte do Ar
   Stephen Hunt
3. Tigana – A Lâmina na Alma
   Guy Gavriel Kay
4. Mago Mestre
   Raymond E. Feist

Próximo título

A Espada de Shannara – Livro um

Terry Brooks

COLEÇÃO BANG!

Tomas avançou até o primeiro prisioneiro tsurani. O soldado amarrado olhou para cima com uma mistura de medo e desafio. De repente, a espada dourada se ergueu no alto e desceu, decepando a cabeça do homem. O tabardo branco ficou salpicado de sangue, que escorreu, deixando-o imaculado. Dos escravos amontoados, ouviu-se um gemido baixo de medo, e os olhos dos outros soldados se arregalaram de pavor. Em um movimento lento, Tomas se virou para o próximo soldado...

manifesto da coleção bang!

Este é o nosso compromisso com você:
Queremos ser a melhor coleção de literatura fantástica do Brasil.
Vamos publicar apenas os grandes livros dos grandes autores.
Todas as obras são válidas, desde que ignorem as limitações do realismo.
Queremos mexer com a sua cabeça.
Mas um click não basta.
É preciso um Bang!